DU MÊME AUTEUR

PRATIQUE DU THÉÂTRE

Collection dirigée par André Veinstein

Les Registres de Jacques Copeau

publiés sous la direction de

MARIE-HÉLÈNE DASTÉ

avec la collaboration de

SUZANNE MAISTRE SAINT-DENIS
CLAUDE SICARD
ANDRÉ CABANIS
NORMAN PAUL

et, pour le volume 4, avec l'aide de :

PASCAL COPEAU, YVES FLORENNE, MARTHE HERLIN BESSON,
MARIE-FRANÇOISE CHRISTOUT, ANNE-MARIE PONNELLE,
OLGA RUEFF

et le soutien de

Échanges et Bibliothèques

et de

L'Association des Amis de Jacques Copeau

JACQUES COPEAU

REGISTRES IV

Les Registres
du Vieux Colombier

DEUXIÈME PARTIE

AMERICA

TEXTES RECUEILLIS ET ÉTABLIS PAR
MARIE-HÉLÈNE DASTÉ
ET SUZANNE MAISTRE SAINT-DENIS

DOCUMENTATION, NOTES ET INDEX
DE NORMAN PAUL

PRÉFACE ET NOTICES
DE PASCAL COPEAU

DESSINS ET PLANS DE LOUIS JOUVET,
LUCIEN AGUETTAND ET CAMILLE DEMANGEAT

*Ouvrage publié avec le concours
du Centre National des Lettres*

GALLIMARD

Il a été tiré de cette édition cent cinquante exemplaires hors commerce réservés aux amis de Jacques Copeau, numérotés de 1 à 150.

Pour nous avoir accordé l'autorisation de publier des extraits de correspondances et textes des auteurs dont ils sont les héritiers ou les mandataires, nous remercions :

Mme Suzanne Bloch
M. François Chapon, conservateur en chef de la bibliothèque J. Doucet
M. Daniel de Coppet, copyright pour Roger Martin du Gard
M. et Mme François Corre
M. Édouard Desportes de Linières, Président-fondateur des Amis de Charles Dullin
M. Claude Gallimard
Mme Catherine Gide, copyright pour André Gide, Maria et Élisabeth van Rysselberghe
Mme Monique Hoffet-Schlumberger
Mme Jessmin Howarth
MM. Jean-Paul et Pierre Jouvet. Il est précisé qu'aucune publication, même partielle, des documents consultés ne pourra être faite sans une autorisation distincte de publier et que celle-ci ne sera éventuellement accordée que sur une demande précisant exactement les textes concernés
Mrs. Margaret Ryan Kahn
M. le Maire de Vichy et l'Association des Amis de Valery Larbaud
Sœur Mary-Mark
M. Alain Rivière et l'Association des Amis Jacques Rivière et Alain-Fournier
Christine Saint-Denis-de-la-Potterie
W. E. D. Stokes Jr.

Mme Valentine Tessier
Mme Marguerite Valmont-Sarment

Pour leur accueil et leur précieuse collaboration, nous remercions aussi les Conservateurs des Archives et Bibliothèques qui nous ont permis de consulter leurs collections :

Pour la France :

Mlle Giteau, Mlle M.-F. Christout, Mme Marthe Herlin-Besson, au Fonds Copeau et au Fonds Louis Jouvet – Département Arts du Spectacle de la Bibliothèque Nationale
Fonds Roger Martin du Gard, à la Bibliothèque Nationale
Bibliothèque Jacques Doucet, M. François Chapon : Correspondance André Gide, Jean Schlumberger, André Suarès
Bibliothèque Municipale de Vichy : Correspondance Valery Larbaud
Archives Léon Chancerel à la Société d'Histoire du Théâtre
Rose-Marie Moudouès : lettres de Pauline Teillon

Pour les U.S.A. :

Collection Otto Khan : Wm. Seymour Theatre Library of Princeton University : Correspondances Otto Kahn, Rita Lydig, J.-L. Janvier, Lucien Bonheur, Lee Shubert et Robert Goelet
Humanist Research Center de l'Université de Texas, à Austin : correspondance Eleonora Duse
Theatre Collection de Harvard University : correspondance et textes de George Pierce Baker

Dessins de Louis Jouvet reproduits au trait par Camille Demangeat.
Département des Arts du Spectacle, Bibliothèque Nationale.

PRÉFACE

Point n'est besoin d'espérer pour entre-
prendre, ni de réussir pour persévérer.

Devise de Guillaume le Taciturne.

Je me dis que je suis peut-être fou.

Lettre de Jacques Copeau
à sa femme (11 janvier 1917).

Ceci n'est pas une histoire morte. C'est le chemin retracé d'une
passion vivante. Ce récit rapporte un moment unique de vie : l'aven-
ture d'un groupe, d'une compagnie, entraînés par un homme doué
de vision.

C'est ainsi que nous présentions le début de cette « histoire », la
première partie des Registres du Vieux Colombier.

Pour tenter une explication, il faut admettre ici et ne jamais
oublier, que nous accostons le domaine du génie, de l'épopée, de
l'héroïsme. Il faut oser se hisser à ce niveau qui n'est pas le nôtre,
et non pas l'abaisser à nous par imprudente présomption. Cela
demande de l'effort et de l'humilité. Par génie nous n'entendons pas
nécessairement accomplissement. Nous sentons que ces cimes sont
proches des abîmes de la vanité, de l'imperfection et du doute.
L'humus, où s'enracinent la culture et les civilisations, est nourri
aussi du sang des génies inachevés et comme inassouvis.

C'est au travers de ce terrain que nous sommes atteints aujour-
d'hui et concernés, parce que la rencontre avec la ferveur, l'intré-

pidité, l'implacable exigence envers soi-même nous secoue comme un exemple. Chacun, non seulement par la connaissance des créations offertes au public mais par les tentatives, les pressentiments, les rêves qui les entourent, reconnaîtra toutes les interrogations du théâtre d'aujourd'hui. Car c'est bien de l'enfantement de ce théâtre qu'il s'agit.

Le quatrième volume des **Registres de Jacques Copeau** présente la suite du livre précédent : **Première partie des Registres du Vieux Colombier**; c'est la continuation d'un récit interrompu au moment où s'ouvre la perspective nouvelle de l'Amérique.

L'assemblage des textes est fait selon une discipline restée identique, sans commentaire ni jugement ni exégèse. Il s'agit de l'organisation libre de textes le plus souvent inédits ou retrouvés et réimprimés pour la première fois (correspondances, articles, conférences, témoignages et analyses de contemporains, revue de la presse critique et extraits de journaux intimes, la référence des textes partiellement utilisés étant toujours donnée en notes). Pour la période considérée qui n'est guère que de 568 jours, une source privilégiée a été les notes prises sur trois petits carnets intitulés America I, II et III. Notes parfois hâtives que Copeau destinait à un développement ultérieur et qui eussent été utilisées pour la rédaction par lui-même de ses **Registres**. Ce projet n'était pas celui d'un assemblage de documents mais de la réécriture à l'aide de ceux-ci d'une vie et d'une œuvre sous forme de roman autobiographique et même de roman tout court. Ainsi Jacques Copeau eût enfin répondu à sa vocation de romancier dont Roger Martin du Gard disait qu'elle avait été noyée par le démon du théâtre. C'est cela qu'il faut avoir présent à l'esprit, pour comprendre l'élan qui a déterminé Marie-Hélène Dasté et Suzanne Maistre, non pas à se substituer à l'auteur défaillant, mais à avoir recours à l'assemblage pour que malgré tout la volonté du patron soit faite dans une certaine mesure, fût-ce sous la forme d'un pis-aller.

Il n'y a pas lieu de dissimuler que l'incroyable richesse de la matière assemblée ne rend pas la lecture facile. C'est que, comme dans la vie, le récit offre plusieurs histoires irrémédiablement entrelacées mais qu'on pourrait souhaiter dissociées. Certains attendent peut-être un traité de la théorie théâtrale de Jacques Copeau, une somme pour l'observation de laquelle les deux saisons à New York offrent en effet une occasion exceptionnelle. La compression extrême de la création rétrécit le champ du microscope : en gros 44 pièces, soit environ 180 actes, près de 300 représentations, 75 décors, une *première tous les lundis, c'est cela, ce monstrueux comprimé. Tirer de là une doctrine, un traité de l'art théâtral, cela n'est pas possible parce que la question se pose si la création n'a pas souffert de cet effort surhumain. En outre Copeau lui-même ne se voulait pas théoricien. « Je ne suis pas un intellectuel », est-ce une boutade? Sans doute, mais il est bien aussi un manuel. C'est sa belle main qui esquisse un accessoire, qui drape un costume, qui d'un doigt impérieux règle un éclairage, mais qui aussi use d'un droit régulier à pétrir et à modeler les hommes et les âmes. Le lecteur n'échappera pas à cette poigne car il doit être saisi pour pouvoir entreprendre la gigantesque partie – révérence gardée – de saute-mouton à laquelle il est convié.*

Pour faciliter cette pérégrination, le récit a été découpé en deux parties comportant six chapitres, le fil conducteur chronologique ne suffisant pas à la compréhension. Mais nous savons bien que ce découpage n'est aussi qu'un pis-aller. L'événement en effet qui est rapporté dans un chapitre n'est pas fortuit, la cause se trouve en incubation dans un chapitre précédent et même dans les volumes précédents de la collection. Chaque chapitre est précédé d'un court sommaire qui tente de fixer quelques points de repère.

La lecture s'ouvre par le départ de Copeau seul pour New York chargé d'une tournée de propagande aux États-Unis et au Canada. C'est la rencontre avec Otto Kahn. Le mécène francophile est conquis au galop. Entre en scène Rita Lydig, l'équivoque princesse, la locomotive de la « high society », l'aventurière aux dangereux parfums. Elle va « manager » Copeau et lui ouvrir aussi son lit. Cette circonstance est l'occasion de noter chez le héros comme un talon d'Achille dans une faculté – que l'on peut juger scandaleuse ou même monstrueuse – à pratiquer les sincérités successives, contradictoires et cependant simultanées. Cette pratique peut se concevoir intellectuellement : il est plus difficile de comprendre en profondeur que la frénésie « presque sacrilège » qui l'habite de « s'approcher de son prochain », est bien chez Copeau, sinon de même nature du moins de même essence, qu'elle le pousse à des exploits sexuels en somme assez peu originaux, ou à l'attachement indéfectible à sa famille et à ses enfants, ou à l'union du maître au disciple, Suzanne Bing qui lui donne un fils, ou à d'autres liaisons féminines de plus ou moins longue durée, ou à l'exigence fondamentale de l'amitié et à la faculté dynamique de séduire et d'agrandir le cercle de ces amitiés jusqu'à aujourd'hui à titre posthume, ou encore à l'exercice du commandement et au goût du pouvoir dans sa conception nourrie d'amour du compagnonnage théâtral, ou enfin à la curiosité insatiable pour l'homme ordinaire, pour la vie de tous les jours.

C'est sans doute cette dernière qualité qui est celle d'une merveilleuse faculté d'adaptation qui permet à Copeau de surmonter très vite les préjugés dont il est arrivé à New York bien chargé et abondamment ravitaillé par les appréhensions de ses amis et les exhortations de ses comédiens. Les États-Unis, qui se préparent à déclarer la guerre à l'Allemagne, l'accueillent dans un délire de francophilie sans doute assez superficiel. Mais Copeau balaye les avertissements. L'écrivain Waldo Franck lui dédicace son œuvre Our America : *« Pour Jacques Copeau, mon ami venu de France, dont la présence en Amérique m'a aidé à voir ce qui est beau en Amérique. » « L'Amérique, ajoute Scherwood Anderson dans la dédicace de l'une de ses œuvres, dont vous vous êtes fait une image de l'âme romantique et des aspirations passionnées qui est d'une vérité poignante. »*

« Une poignante vérité », c'est le salut final de l'Amérique et c'est aussi une définition de l'histoire du Vieux Colombier depuis les origines de la vocation théâtrale de Jacques Copeau et singulièrement de cette histoire du passage en Amérique de 1917 à 1919, dont on a pu se demander si ce n'est pas une déviation. Mais la vérité n'est pas unique, il y a plusieurs directions car Jacques Copeau ne s'est jamais résigné à limiter le champ de ses possibilités.

On découvre ainsi à la fois une contradiction et une continuité.

La contradiction d'abord. Le but du Vieux Colombier est de créer le théâtre de notre temps. Pour cela, Jacques Copeau fait appel au poète. À l'auteur il offre deux instruments : le comédien et la scène. Faut-il placer le comédien d'abord? On ne sait. Mais il est bien considéré comme un instrument qui doit être forgé, comme une sorte de dalaï-lama désigné dès l'enfance. C'est l'idée de l'école qui ne désarme pas à travers les péripéties américaines et qui fait éclater toutes les contradictions entre l'éducation et l'exploitation. Or, la scène est bien le lieu de l'éducation, de sorte qu'on ne sait pas si la scène imposée comme une forme au comédien, mais aussi à l'auteur, n'est pas l'instrument privilégié de l'enfantement du théâtre d'aujourd'hui.

Arrivé là, le but poursuivi apparaît comme mythique. Il n'y a pas crise de mysticisme, explicable par la vulnérabilité de l'homme, mais fixation d'un objectif mythique idéal, hors de portée, qui s'éloigne parce que le comédien et le poète tardent trop à répondre à l'impatience de l'inventeur.

L'absence de réponse, c'est le signal de la souffrance. Et cette souffrance, curieusement, on peut la comprendre comme le climat nécessaire de la continuité, qui est le deuxième point. Cette continuité, toujours proclamée comme credo inaltérable, se hérisse d'obstacles. Le lecteur en connaîtra le surgissement et il pourra avoir l'impression que ces obstacles naissent et renaissent de la nature même d'une quête mythique. Il lira que Jacques Copeau connaît le supplice suprême du créateur : « Parce que j'ai douté d'eux, j'ai douté de moi-même », répéta-t-il. Mais aussi qu'il ne s'arrêtera pas. À Jouvet il écrit que ce qui seul compte, c'est de retrouver un point de départ.

Jacques Copeau n'a pas le temps de contourner, d'expliquer, de négocier, ni même d'essayer de convaincre. Il impose. Il se donne en exemple et offre sa chair : il fonce sur l'obstacle la poitrine nue, se déchire et passe entraînant derrière lui la continuité, persévérant en même temps dans la contradiction et se disant parfois qu'il est peut-être fou.

En me confiant la tâche de rédiger cette préface, il m'a été recommandé de bien me plier à la discipline qui avait été celle suivie pour la rédaction du livre : l'objectivité. Cette notion est ambiguë et sujette à discussion toujours renaissante. Faire comprendre et non pas juger : voilà certes une noble ambition. Mais comme l'objectivité, le commandement de l'Écriture « nolite judicare » postule une certaine neutralité et les faits ne sont pas neutres. La vie et l'œuvre de Jacques Copeau ne peuvent être présentées comme un alignement d'objets désincarnés de sorte que l'intention de laisser le lecteur (ou le spectateur) juge n'est jamais entièrement suivie d'effet. Il y a nécessairement pression sur ce jugement et le créateur, s'il n'est pas confirmé dans sa volonté propre, ne pourra que conclure que c'est le lecteur (ou le spectateur) qui est dans l'erreur.

De plus, dans le cas particulier il s'ajoute une dimension émotionnelle qu'il m'a été impossible de contourner. Mon père qui haïssait la neutralité et la tiédeur, qui condamnait les faux-fuyants et les demi-fidélités, qui était impérieusement subjectif, mon père qui n'était pas vertueux, ne pratiquait pas la tolérance. Je ne vois pas comment je pouvais la pratiquer à sa place. Quand je pense à Jacques Copeau qui contenait la graine dont je suis issu, des notions contradictoires surgissent. J'y retrouve, si je puis me permettre, ce rapprochement, une parfaite analogie avec la matière tressée du tissu contradictoire de la vie et de l'œuvre de mon père. Je l'aime mais je ne puis me défaire d'une sensation de brouillard qui oblitère cet amour. Je l'admire mais j'éprouve violemment une déception, un regret qui sont comme un reproche. Je lui voue une profonde reconnaissance mais qui est doublée d'une rancune poignante, rancune envers lui qui n'a jamais eu le temps ni le courage de me donner ce que j'attendais, de me dire ce qu'il fallait me dire, de ne pas me cacher ce qu'il ne fallait pas me cacher; rancune envers moi-même qui n'ai jamais trouvé le temps ni le courage de répondre à ses interrogations muettes, d'entendre ses appels désespérés, de lui demander pardon et de lui accorder mon pardon. Aussi bien aujourd'hui je n'ai jamais (ou rarement) le temps ni le courage d'aller au cimetière de Pernand où reposent les restes de ce grand homme.

Il faut maintenant conclure. À cet instant, suivant en cela l'exemple donné, il se présente la nécessité de remettre en cause tout ce qui vient d'être dit. C'est une gymnastique de l'esprit qui peut être féconde mais aussi paralysante. Inévitablement la vie de Jacques Copeau, sa carrière, son parcours, s'ordonnent en forme de drame, de passion, de chemin de croix. Mais alors est effacé ce qui est vrai aussi : la joie de vivre, la folie d'aimer, la fureur de créer : la jeunesse.

Les mots du vocabulaire poétique baudelairien surgissent. Il est le héros, ce trois mâts « cherchant son Icarie ». Il est un cri d'une « voix ardente et folle », cette voix d'or jamais lasse d'appeler. Il est le ludion qui plonge « au fond du gouffre » et reparaît toujours à la surface le sourire plus enjôleur que jamais, éclatant d'un rire énorme et offrant un cœur avide d'aimer et d'être aimé. Il est ce « vrai voyageur » qui « dit toujours : allons! » Non pas tellement pour contempler de nouveaux horizons que par hâte d'oublier la dernière déception et besoin de gravir, d'un jarret de vingt ans, le raidillon qui mène à la prochaine expérience.

« Faut-il mettre aux fers ce matelot ivre inventeur d'Amériques? »

Il faut bien simplement aimer et, laissant les subtilités dialectiques, répondre par l'amour à un appel qui n'a pas fini de résonner.

PASCAL COPEAU
Pernand-Vergelesses
Septembre 1982

Un mois plus tard, Pascal Copeau trouvait la mort sur l'autoroute. Il repose maintenant dans ce cimetière qu'il n'avait pas le courage de visiter...

À la mémoire de Pascal et d'Edi
Pour Catherine

Je suis venu ici pour dire la vérité. Non pour parler de résultats, de doctrines,... mais de rêves, de faits, d'expériences, de toutes choses vivantes où coulent le sang chaud et les larmes : la Vie.

La vie pour un idéal – les rêves, le travail, l'épuisement et l'espoir, les chagrins et les joies.

Je vous dirai ce que je sais.

Jacques Copeau
au Cleveland Playhouse,
12 février 1918.

... Car ceci est un
Souvenir, un avis,
une exhortation ...
testament de M. François

pourrait servi d'eau.
que aux Registres.

AMERICA I

Après une première saison de huit mois, en 1913-1914, la Compagnie du Vieux Colombier a été dispersée par la guerre.

Jacques Copeau lui-même, atteint d'une infection pulmonaire, a été réformé le 22 avril 1915.

Regagnant alors sa maison du Limon, il compte s'y enfermer pour travailler, éclairer et approfondir par la lecture et l'étude les expériences faites sur le vif pendant la première saison.

Mais en juillet 1916, le destin intervient : Le ministère des Beaux-Arts demande à Copeau d'organiser avec sa troupe une tournée de propagande aux États-Unis pour contrecarrer l'influence allemande. Copeau hésite, mais accepte (*Registres* III). « Vous savez que dès que quelque chose bouge à l'horizon, je ne peux m'empêcher de monter à cheval », explique-t-il à André Suarès.

Comme on l'a vu (*Registres* III) les sursis indispensables pour reconstituer la Compagnie du Vieux Colombier, sont refusés.

Copeau, toujours en selle, bâtit alors un prodigieux projet de tournée de conférences et de lectures aux États-Unis, au Japon, en Russie et même en Chine. Ce projet ayant également échoué, on a vu que, pressé par le ministère des Beaux-Arts, par ses amis, et même par ses comédiens mobilisés, et pourtant déçus, Copeau doit se résoudre à partir *seul*, et pour New York seulement.

À regret, il s'embarque donc *seul* à Bordeaux le 21 janvier 1917.

Ce premier séjour durera quatre mois, vécus au grand galop, la monture un peu folle entraînée par la fureur d'aimer et le besoin frénétique de créer.

Premier voyage de Jacques Copeau
aux États-Unis

L'arrivée. Conquête du grand mécène. Le « rebelle » de la scène française et la « princesse ». Une vie au galop. La tournée de conférences et de lectures. Directeur du Théâtre français de New York. L'invention de ce théâtre : Tout sera refait. Projet d'un dispositif scénique fixe. Une Maison du Vieux Colombier pour la compagnie et pour le public. Pleins pouvoirs à une secrétaire générale, miss Andrews. Retour en France.

Le 30 janvier 1917, par un temps splendide, le Rochambeau accoste dans le port de New York. Les passerelles sont jetées. Jacques Copeau débarque : « Voici donc terminé mon grand voyage. » « M'y voici ! »

Journal de Copeau [1] *:*

Sous le hangar de la douane je croise un monsieur bien mis qui m'interpelle : « Monsieur Copeau ? » – « C'est moi. » – « Je suis le secrétaire de Monsieur de Polignac [2]. » Quelqu'un m'attendait donc ! [...] Il me remet une lettre du Marquis et m'aide à dédouaner mes bagages qui sont chargés sur l'omnibus de l'Hôtel Brevoort, où j'arrive vers deux heures, un peu ivre de fatigue, d'émotion, de tabac (je fume depuis quatre heures du matin) et de faim [...] le mouvement du bateau dans les jambes et dans les reins. On me remet une lettre de Gide...

C'était à Gide que Copeau écrivait une de ses dernières lettres avant de quitter la France.

Le 18 janvier [3] :

Au moment de partir je me souviens que vous signiez votre dernière lettre « your growing old ». Alors je m'inquiète de vous, cher vieux, au moins que je n'aie pas à m'inquiéter de vous! Savez-vous avec quelle angoisse je quitte tout ce que je quitte? Et je me demande ce que je retrouverai au retour. Au moins qu'il me soit permis de penser que vous tenez ferme et savez supporter tout ce qu'il y a à supporter présentement. Ou alors dois-je penser que j'ai tort de partir?

Je ferai là-bas tout ce que je pourrai, vous le savez. Je pars plein de courage, mais de tristesse. Jamais il ne m'a été plus dur de partir. Jamais l'amour ne m'a tenu la laisse plus courte. Pourtant, je pars.

Au revoir, mon bien cher André. Ne me laissez pas sans nouvelles là-bas. Et si vous venez à Paris, veillez un peu sur la Revue. [...]

La lettre de Gide qu'on lui remet maintenant, destinée à être reçue avant le départ, a dû être envoyée à New York et arriver aussi par le Rochambeau :

Cuverville :

Je pense à vous d'autant plus constamment que je ne sais plus trop quel jour vous devez vous embarquer, et que je me dis : « C'est peut-être aujourd'hui. » Chaque jour... Mais non, pas encore, n'est-ce pas?

Savez-vous de combien de vœux mon cœur se gonfle? Déconfit, vous seriez encore mon ami. Mais j'ai du mal à croire que ne fasse pas partie de vous le triomphe. C'est pourquoi je crois aussi qu'il ne vous changera pas. Revenez de là-bas, couvert d'or et de palmes, mais revenez le même, n'est-ce pas, et tâchez de ne préférer à nous rien de là-bas! Non, ne laissez là-bas ni trop de cœur, ni trop d'illusions, ni trop de forces.

Je ne puis regretter de ne partir pas avec vous; l'Amérique décidément me fait peur; elle m'avalerait comme un œuf [4]... Mais si, vous, vous me regrettez, que ce ne soit pas tant aux instants de joie, qu'à ceux où... Mais puissiez-vous n'en pas connaître!

Au revoir. Je vous embrasse bien fort.

André Gide.

Journal de Copeau :

Et quelques instants après, une lettre de Suzanne [5], que j'accueille avec une joie qui me fait mal. Il faudrait pleurer. Je me brutalise. Ah! jamais je n'ai aimé si cruellement ce que j'aime.

Ce même jour, de l'autre côté de l'océan, à Saint-Clair [6], Agnès Copeau écrit à son mari :

J'ai le calme et profond espoir que tu es arrivé aujourd'hui à New York. Peut-être mets-tu le pied sur la terre inconnue en cette minute même? Puisse-t-elle t'être bonne, hospitalière, amicale... Ce lien mystérieux qui jadis nous unissait si étroitement pendant les longues séparations et nous émerveillait, n'est pas brisé [7]. Je sais que tu vis, que tu penses à moi comme tu sais que je vis et que je pense à toi [...]

Oui, chaque jour pendant les dix jours qu'a duré la traversée, Copeau ajoutait un paragraphe à la longue lettre pour Agnès qui, après un câblogramme aussitôt envoyé, partira de New York :

21 janvier, en mer :

Peut-être n'ai-je jamais été aussi fort que maintenant. Ma chérie, en pensant à toi, la reconnaissance emplit mes yeux de larmes. Il me semble que toi seule au monde pouvais me permettre de me réaliser. Ne crains pas pour moi. Il y aura des jours durs c'est sûr. Mais je me défendrai.

Même jour, 2 h 50 :

... L'heure change tous les jours, et même deux fois par jour. Elle retarde. Je rajeunis donc! J'atteindrai ma 38e année quelques heures plus tard. [...] C'est si magnifique! Je vois tout devant moi. Je pense aux enfants, à ce que pourra faire chacun d'eux. Maintenant je vois mieux ce que je vais faire aux États-Unis, ce que je devrai dire et comment je devrai procéder.

[...] Et mon amour pour toi, pour les enfants, je le sens distinctement et puissamment comme la ferme assise sur laquelle tout le reste est bâti...

À bord du Rochambeau, il avait encore écrit à André Gide :

28 janvier, en mer, vers Terre-Neuve :
Huitième jour de mer. Excessivement d'aplomb, mon bien cher vieux. [...] Je suis seul dans ma cabine et bien souvent je regarde la couchette vide en face de la mienne, en vous y cherchant, mon vieil inséparable.

Ne me laissez pas sans nouvelles. Je n'aime pas beaucoup que vous pensiez trop longtemps loin de moi. Écrivez-moi : Hôtel Brevoort, 5th Avenue, 8th Street, New York City. U.S.

Ah! voici le soleil sur la mer. Je vais sur le pont. Au revoir. Le Rochambeau, quand je l'aurai quitté, vous portera cette lettre. Dites-vous que je vais *très bien.* Mais ne vous dites jamais que je ne pense pas à vous, et à tout ce que j'aime, à tout ce qui ne cesse jamais une minute de me déchirer le cœur.

30 janvier, suite du Journal :
Malgré la fatigue, monté à pied Fifth Avenue jusqu'au Vanderbilt. Il fait beau et chaud. Si j'ai une surprise c'est d'être si peu surpris par New York [8]. Mais je n'en puis parler, si près de mes impressions. Au reste je ne pourrai jamais rien décrire. Et dans ces premiers jours, les faits seuls comptent. Je ne suis pas ici en voyageur.

Mercredi 31, New York :
Les sirènes du port m'éveillent. Ce son pur de sirène, unique à l'aube, comme une note d'orgue, autour duquel s'organisent peu à peu les autres bruits qui s'éveillent. Ces bruits du port, si proches, soutiennent mon illusion d'être encore en mer. Levé 7 heures. Mis tout en ordre. Déballé mes brochures [9] *. Bain. Vu Pierre de Lanux [10], qui m'apporte un article de Roché [11] sur moi, toute une page du dernier *Sunday Times.*

28 janvier, The New York Times :
Arch. Rebel of French Theatre coming here.
Jacques Copeau, fameux par son mépris pour les traditions, va expliquer sa doctrine dramatique aux Américains.

Cet article présente au public américain le programme de lectures et de conférences et les « principes » de Copeau. Il le décrit ainsi :

---

* Appendice A, p. 491.

[...] Lorsque je regarde le visage de Copeau, le front haut, le regard perçant, gai et énergique, le dessin expressif de la bouche, il me semble qu'il ne peut exister de visage plus français que le sien, et je me prends à songer au sourire de Molière.

Maître dans sa maison, il est doué d'une autorité naturelle et il a le don de percer immédiatement à jour tout interlocuteur. Son autorité vient de ce que, dans son théâtre, tout le monde l'aime. Il est entouré de dévotion. [...]

31 janvier, suite du Journal :
Déjeuné 1 heure Hôtel Vanderbilt avec Polignac. Jeune, allant, très simple et très direct. Il me plaît. Et tout de suite nous nous accrochons. Je lui dis : « J'ai le sentiment de la difficulté de votre tâche et de la multiplicité de vos occupations. Je viens ici avec un plan mûri, des projets de longue main. Je ne suis pas pressé. Je me tirerai d'affaires tout seul, si vous voulez m'aider d'une manière positive chaque fois que je vous le demanderai. » Nous causons librement. Il me semble que je lui plais comme il me plaît. [...] Je lui expose mon plan nettement et lui remets ma brochure. Il m'a dit : « Ce qu'il faudrait pour vous c'est Otto Kahn [12]. S'il veut s'occuper de vous, partie gagnée. Mais le voudra-t-il? Il est si occupé! » Coup de téléphone à Otto Kahn : « Copeau est là. Nous venons d'avoir ensemble une conversation très intéressante. Voulez-vous le voir? » Réponse : « Je suis ravi qu'il soit là. On m'a beaucoup parlé de lui. C'est l'homme qu'il nous faut. Demandez-lui s'il veut dîner avec moi ce soir? » Polignac m'explique : « le théâtre français de New York est en pleine crise. On veut débarquer Bonheur [13]. Il y a une candidature Durec [14]. » Je réponds : « C'est très bien. » — « Oui, mais votre présence va peut-être tout changer... Mettez-vous en habit ce soir. »
Je redescends Fifth Avenue, with a *feeling* of triumph.
À 7 h 20 je sonne à la porte d'Otto Kahn, 8 East, 68th Street. Dîné tête à tête avec lui et sa femme. Très embarrassé par les accessoires de table, et pour surveiller en même temps mon langage et ma tenue. Mais ça va tout de même. On parle du Théâtre-Français et de Bonheur que Mme Kahn traite [...], avec indignation : « Voilà ce qu'ils ont fait, ceux de Paris. Ne le leur avais-je pas dit? Ils n'ont aucune idée de ce qui se passe ici. Kahn s'accuse d'avoir défendu Bonheur. Il a voulu lui

donner une dernière chance de faire ses preuves, sous réserve de le balancer en cas d'échec. L'échec a eu lieu. Bonheur est virtuellement exécuté. « Je vous parlerai de tout cela », me dit Otto Kahn. Il m'emmène au Booth Theatre, voir une pièce de Shaw : *Getting Married* [15]. Nous traversons Broadway, en automobile, au milieu d'un incendie d'affiches lumineuses et mouvantes du haut en bas des buildings. Mon excitation est extrême et stimulée par les discours de Kahn sur les *possibilités* du pays, sur le rôle de la personnalité, de l'audace, de l'imagination dans l'entreprise, et de la fidélité à soi-même qu'il faut pour imposer ses conceptions. Ah! je n'ai pas à côté de moi, sur ces coussins, un homme fatigué, un homme du Vieux-Monde. Il dit : « *Here in America, one must be a pioneer in a way. And now we are wanting pioneers not for business but for culture* *. » Et il ajoute : « *On brûle ici.* »

Quitté Kahn à minuit et pris rendez-vous pour le lendemain soir au Metropolitan.

Tu vois que ça n'a pas traîné, *écrit-il le même soir à Agnès*. Je me sens *porté*. ... J'ai bon espoir. Je ne serais pas surpris qu'on m'offrît un de ces jours la direction du Théâtre Français de New York. Mais je ne crois pas que j'accepterais.

... Je te fais grâce des descriptions de New York. Je ne m'y sens pas dépaysé et je trouve ça assez beau. Tout est si vivant ici! [...] Quand j'aurai reçu une lettre de toi, j'irai tout à fait bien.

P.-S. – Rencontre d'une dame inconnue, dans l'avenue, qui a vu dix fois *Les Frères Karamazov* à Paris : Mrs. Eldridge. Elle m'a invité à dîner. J'entends d'ici les sirènes du port. Elles m'éveillent le matin. C'est beau.

À *cette lettre, Agnès ne répondra que le 6 mars :*
Ta lettre est si pleine de vie... je croyais te voir, t'entendre comme lorsque après une courte absence à Paris tu rentrais au Limon, plein de choses vues et entendues... de projets... d'entreprises. Comme toujours je me sens gagnée à l'avance par toi et tout ce que tu désires faire et je ne vois pas la

---

* Ici en Amérique, il nous faut des pionniers, en quelque sorte. Et maintenant il nous faut des pionniers non pour les affaires mais pour la culture.

difficulté mais le but à atteindre. Les amis se réjouissent avec moi... tu serais touché si tu voyais avec quel intérêt vif et affectueux ils écoutent la lecture de tes lettres. Mais comme c'est bien toi cette phrase : « Je te fais grâce des descriptions de New York ! » Bien entendu, j'ai lu : je *me* fais grâce etc... Autrefois tu aurais dit : je te raconterai plus tard l'arrivée à New York... et je savais à quoi m'en tenir.

1er février, Journal :

Écrit des lettres, pour le bateau de samedi [16], s'il part, car aujourd'hui le port de New York est fermé devant la menace allemande d'une guerre sous-marine sans merci. Tous les journaux en sont pleins. La façade du *Herald* est tapissée d'affiches : War?

> – Prussia Declares Unrestricted U-Boat War,
>   Permits America Only One Vessel A Week
>   And Dictates Areas of Peril and Safety.
> – Official Text of German Note
>   Warning Americans That The
>   Sea Is No Longer Free To Them.
> – Port of New York Ordered Sealed *.

Reçu de Nice un petit panier de fleurs que m'envoie Suzanne pour mon anniversaire, le 4. Pauvres fleurs qui ont traversé l'Atlantique, complètement desséchées. Elles ne portent que mieux leur message.

Il écrit à Suzanne Bing [17] :

Je suis encore invité ce soir par Otto Kahn. Il paraît que cela promet de grandes choses, car Otto Kahn est généralement difficile à aborder. Je crois que d'ici à deux jours tout le plan de mon action sera arrêté. Ça va vite ici quand ça colle. Et ça semble coller avec Otto Kahn. [...] Ne t'attends

---

* « La Prusse déclare guerre sous-marine illimitée,
   Permet à l'Amérique un seul bateau par semaine,
   Définit zones de péril et de sécurité.

Texte officiel de la note allemande
Prévient les Américains que la mer
n'est plus libre pour eux.

Ordre est donné de fermer le port de New York. »

pas à des descriptions de New York. C'est renversant, tout simplement. Hier soir dans Broadway je me croyais au feu d'artifice. Et cela ne m'est pas du tout *hostile*. Bien au contraire.

Soirée du 1er février, suite du Journal :
    Carmen au Metropolitan Opéra, dans la loge de la direction, avec Otto Kahn. Quelle musique! elle me soulève et m'agite d'une espèce de jubilation. Caruso est grotesque, Farrar insuffisante, la mise en scène « très soignée », à faire vomir. Casadesus [18] me prévient que Kahn me demandera de prendre la direction du Théâtre Français.
    Kahn m'engage à voir Winthrop Ames [19] et à m'entendre avec lui pour faire mes conférences au Little Theatre. Il me dit : « Je vous laisse une dizaine de jours, le temps de vous retourner, de regarder autour de vous. Et puis je vous parlerai. » Puis il se met à me parler de sa femme, dont le jugement, en fait d'hommes, est toujours juste, pénétrant, profond : Tout ce préambule pour en arriver à ceci : que « Mme Kahn s'est véritablement éprise de vous et souhaite vous voir le plus souvent possible. Elle vous écrira. »
    Rentré à pied.

    C'est ce jour-là qu'arrive à Saint-Clair le télégramme, tant espéré annonçant l'arrivée de Copeau à New York. Agnès écrit aussitôt :
    Profonde joie, ta dépêche vient d'arriver! quel soulagement, subitement le monde me paraît si beau! [...] C'est ce matin que la dépêche est arrivée. Suzanne * a crié de loin dans le jardin : Agnès! et j'ai répondu : la dépêche! À l'allégresse qui a subitement empli mon cœur j'ai compris combien secrètement j'avais été angoissée. Les enfants ont poussé un cri de joie et tous les amis ont partagé notre joie.

Vendredi 2 février, Journal :
    Réveillé à 9 heures par un coup de téléphone de Polignac. Il me dit : « Qu'avez-vous fait à Otto Kahn? Il est absolument emballé sur vous et m'a parlé de vous hier soir en des termes du plus bel augure. Venez me voir à 5 heures. »
    À 5 heures chez Polignac : « Savez-vous ce que m'a dit Kahn hier soir? : C'est l'homme qu'il nous faut pour remettre debout

* Suzanne Schlumberger.

le Théâtre Français. Je serais tout prêt à faire pour lui un gros effort. Croyez-vous qu'il accepte? Si j'en étais sûr, je l'engagerais immédiatement. »

La tension est au plus vif entre les États-Unis et l'Allemagne. À Washington on croit à la guerre si les Allemands exécutent leurs menaces.

Samedi 3 février :

Vu Roché. Il me dit : « Il faut avoir Kahn. » Je lui réponds : « Je l'ai. » Et il rit, disant : « C'est bien vous. »

C'est le quatrième jour que je suis ici. Il me semble que j'ai fait pas mal de choses. Mais ne point s'emballer, les déboires viendront.

Cruelle obsession des souvenirs. 20° au-dessous et vent terrible.

Éditions spéciales. Grands titres dans les journaux :

– U.S. Ship Sunk By U-Boat as America Breaks
  And Begins War Preparations
– Overt act by Germany means war, Says Wilson
– Break with Germany!
  Gerard called home!
  Bernstorff told to go *!

Dimanche 4 février, Journal :

Trente-huit ans aujourd'hui.

Flags in the streets.

Déjeuné chez Robertson Trowbridge [20]. Visite avec lui à la vieille Mrs. Bliss qui tremble des nouvelles de la guerre, et croit que « those terrible germans will be here in a moment ** ». Elle a déjà demandé des caisses pour emballer ses précieuses affaires. Mais les plus résolument pacifistes d'entre eux déclarent que le Président a bien agi, qu'il ne pouvait agir autrement. Un sentiment d'honneur national les

---

* – Vaisseau américain coulé par sous-marins.
  – L'Amérique rompt et commence préparatifs de guerre.
  – Cette provocation de l'Allemagne appelle la guerre, dit Wilson.
  – Rupture avec l'Allemagne ; Gérard rappelé ; Bernstorff renvoyé chez lui.
** Ces terribles Allemands seront ici en moins de deux.

tient. Ce qu'ils redoutent le plus c'est la présence des Allemands parmi eux [21].

Le rythme de la vie mondaine à New York reste pourtant le même : « The Arch Rebel of the french theatre » *s'y laisse entraîner.*

Suite du Journal :
Je fais ici, à bride abattue, ce que je ne me suis jamais permis de faire en France, des visites, des sourires, des compliments, en frac tous les soirs ! [...]
Déjeuners, dîners, soirées musicales où « on massacre avec les meilleures intentions du monde d'Indy, Duparc et Debussy ».
Réceptions où Copeau découvre la High Society, le Tout-New York.
On ne parle naturellement que de la guerre. Ils sont un peu comiques, soit dans leur effroi, soit dans leur stoïcisme. Leur ignorance des choses d'Europe est frappante. C'est le « monde » dans ce qu'il a de plus factice. Ils sont toujours « deeply interested », et n'écoutent même pas ce qu'on leur dit, car il faut appartenir à tous en même temps.
« Trop d'invitations ! » *s'écrie Copeau à chaque page de son Journal. Cependant, il va faire d'intéressantes rencontres, prendre des contacts qui lui permettront d'organiser conférences et lectures. Il va voir des expositions, entendre des concerts et explorer des théâtres.*
Gabrielle Dorziat [22] *l'emmène, avec ses amis, au Morosco Theatre voir* Canary Cottage [23], *farce musicale.* Excellent *dit Copeau dans son Journal.* Beaucoup à dire là-dessus. *Un journaliste, venu interroger le* « distinguished french producer » *sur ses impressions du théâtre américain, se montre choqué de sa réaction. Mais Copeau insiste : il aime cette comédie musicale* parce qu'elle est une joie non seulement pour les spectateurs mais pour les acteurs — et qu'il n'y a pas d'art sans joie.

7 février :
Toute la journée les extras *ont annoncé des navires coulés :*

— Grand paquebot new-yorkais coulé : 55 morts, 200 rescapés.
— Le Sénat approuve la rupture avec l'Allemagne par 78 voix contre 5.
— Paquebot coulé sans avertissement :
Sous-marins coulent encore 10 vaisseaux.

Journal :

À la sortie du théâtre, on apprend que le *California* a été coulé au large de l'Irlande et que cinquante vies américaines sont perdues.

Au bar du Brevoort, retrouvé Pierre de Lanux avec des amis, parmi lesquels une jeune femme brune, les cheveux courts, le menton accentué, des bras minces. Elle rappelle un peu Suzanne. Je ne peux plus détacher d'elle mes yeux. Je voudrais lui parler. Je ne lui dis que quelques mots gauchement. Et quand elle part, je voudrais la suivre.

Quelqu'un s'approche de nous, à une heure du matin, disant *We are at war.*

De Saint-Clair, Agnès suit les événements :

6 février :

La nouvelle de la rupture diplomatique entre les États-Unis et l'Allemagne m'a plongée dans un état de consternation parfaite. Je ne sais si je dois me réjouir ou pas... Quoi qu'il en soit, New York en ce moment-ci doit être un spectacle passionnant, et toi un spectateur passionné.

Et à Saint-Cyr, Louis Jouvet écrit à son « petit Patron [24] ». Il travaille. Il prépare le retour, la réouverture du Vieux Colombier, l'avenir...

[...] Voilà que vous arrivez là-bas avec tout un mouvement francophile qui va vous chatouiller le cœur. Mais est-ce que vous serez inquiété par la nouvelle loi sur les exemptés et réformés ? Naturellement non pour l'instant – puisque d'office – implicitement vous êtes en sursis d'appel – ou de mobilisation, de par votre mission.

Je ne vous demande pas de m'écrire – vous devez avoir tellement à faire – mais si Suzanne a un coin de vos lettres à m'envoyer, ça me suffira.

J'ai dans la tête de faire faire la maquette de la scène [25] – je ne sais si ce sera facile, mais je ferai tout ce que je pourrai pour y arriver. Je suis de plus en plus persuadé que mon idée du *plancher à caissons mobiles* a du bon. – Si on peut l'essayer un peu sur la maquette, vous pourrez voir – je vous répète, je ferai tout ce que je pourrai pour y arriver.

N'oubliez pas de me collectionner des catalogues et des journaux et des brochures sur le théâtre, pas?

Tout ce qui est plus ou moins métier de théâtre – menuiserie, serrurerie, électricité, tissage, teintures. Il doit y avoir là-bas une foule d'innovations et de procédés dits « américains » qui doivent être très excitants à connaître. Il y a des choses amusantes ici – en particulier les *cordages* et fabriques de cordes.

Et puis je lis aussi un peu d'architecture – et un peu de saint Augustin – mais il y a des clairons qui sonnent toute la journée sous mes fenêtres...

[...] Je suis très pauvre depuis que vous n'êtes plus là. Je ne vous dis pas non plus tout le plaisir, toute la joie que je garde des heures passées avec vous, avant votre départ.

Il me semble que je serais si heureux de revoir Suze puisqu'il ne faut pas compter sur vous avant... longtemps – avant quand?

Au revoir, petit patron, soignez-vous bien – ne vous fatiguez pas, pensez à nous – donnez-nous quelques coupures de journaux et croyez bien que pas une journée ne se passe sans que en bien des façons et en bien des heures je ne pense à vous.

Au revoir, je vous embrasse bien affectueusement, – au milieu du tas de gens qui vous aiment – et dont je ne suis pas le plus petit. [...]

Les bateaux qui apportent les lettres de France sont de plus en plus rares. Ils sont avidement attendus.

8 février, Journal :

L'Espagne apporte trois lettres, d'Agnès, des enfants et de Suzanne. J'ai cru que je ne pourrais pas les lire, tant l'émotion m'étouffait. Amour presque insoutenable.

Puis une journée de rendez-vous qui se termine par une visite à Gustave Lanson [26], *Riverside Drive.* Plaisir de me trouver parmi de vrais Français. Lanson est mesuré, fin et triste. Dans le salon où il me reçoit on voit le portrait de son jeune garçon, qui lui ressemble, tombé à la guerre. [...] Il apprécie mes projets et augure bien de leur succès. Je reste là plus d'une heure et l'entretien se fait de plus en plus chaleureux.

Lanson m'engage beaucoup à accepter la direction du Théâtre Français de New York qui pourrait, dit-il, exercer ici une grande influence.

Devant moi, quelque chose à faire, et la chose pour quoi je suis fait. Séparé de tout, je vois mieux toute chose. J'aime mieux, je souffre mieux.

Suzanne. Je ne l'aime pas mieux, ni plus ni autrement. Mais je sens plus fort, plus profondément mon amour et me laisse posséder par lui.

Redescendu allégrement Fifth Avenue à minuit.

Demain j'aurai une journée tranquille. Je pourrai travailler.

Mais le lendemain, 9 février, Journal :

Déjeuné avec Mrs. Owen Davis et son mari. Ils m'emmènent par le subway à Brooklyn, dans un petit théâtre de Vaudeville (*B. F. Keith's Orpheum Theatre*) pour y voir Charles Sale, un numéro très américain. Ce Charles surnommé Chic est tout simplement admirable. Son « new offering » est actuellement « The rural sunday school Benefit ». C'est d'abord le speech du pasteur devant un étroit pupitre. Puis la présentation de tous les personnages de l'École du Dimanche, depuis la petite fille qui récite un compliment jusqu'au vieux paysan qui joue un air de saxophone. Chic se transforme sur scène, à peine dissimulé derrière un piano que sa tête dépasse. Il chausse sa perruque aux yeux des spectateurs et descend en scène. Chacune de ses incarnations est admirablement et rigoureusement composée. L'excès dans la caricature repose sur l'observation la plus fine et la plus juste. Une grande sobriété. Il tire grand parti de ses mains qu'il a énormes, et de ses pieds. Sa mimique est sobre et puissante. Il tient le public.

William Rock et Frances White. Lui en vieux beau (complet vert, pantalon collant jusqu'aux bottes cendre, cravate rouge sang, chapeau mou gris, lunettes, un excellent costume pour la Comédie Improvisée). Elle, en girl extravagante, belle de formes, longue, dansant à merveille, et nasillant des petits vers. Ils improvisent. Il y a là-dedans un style.

Le soir, Comedy-Theatre : the Washington Square Players [27]. Jeune troupe, du mouvement des petits théâtres. Ils en sont à leur troisième saison. Ayant débuté à Washington Square, les voici déjà appelés vers le centre. Ils réussissent et sont pris en considération. Mme Mason me dit leur avoir beaucoup parlé du Vieux Colombier. Le programme est uniquement composé de pièces en un acte. Trois sur quatre sont vulgaires ou sans intérêt. Seule, *Bushido*, pièce japonaise, montée avec un soin extrême sur les avis d'un authentique Japonais, se présente comme une curiosité. Mais point de véritable intérêt dramatique. Cela ne prouve rien. Beaucoup de soin, de propreté, beaucoup d'*intentions*. Point de vie, ni d'esprit.

Vraiment trop de choses à faire, trop de gens à voir. Je n'y suffis pas.

Pourtant, Copeau se plaît à New York. Il écrit à Agnès : Le climat froid et sec me convient à merveille et l'atmosphère de jeunesse, d'entreprise, de liberté.

Suite du Journal :

Déjeuner au Saint-Regis avec Polignac, Casadesus, Bonnet, le pianiste polonais Hoffmann, deux jeunes filles de la société et Mrs. Eustis qui me paraît être au mieux avec Polignac [28]. Très gai.

Filé le premier dans l'auto de Mrs. Carrington [29] qui m'envoie chercher. Accueil le plus chaleureux, le plus sympathique que j'aie reçu jusqu'ici. Mrs. Carrington, Canadienne anglaise de Toronto, ancienne chanteuse. Cordiale, ouverte, bon enfant.

Malheureusement elle est sur le point de partir dans ses propriétés de Californie, à Santa-Barbara. Mais avant de partir elle m'aura « donné à ses amis ». Déjà je suis invité par Mrs. Philip Lydig [30]. Mrs. Carrington espère me voir, au printemps, organiser des fêtes dans ses jardins.

Dîner chez Otto Kahn. Assisté au « Little Theatre » à la première de *Morris Dance*, une pièce nouvelle de Granville Barker [31].

Après le spectacle marché dans la rue avec Kahn et Roché. Kahn excessivement cordial. Mais il ne me dit encore rien de positif. Il veut d'abord que je sois en état de répondre.

Dimanche 11 février :

Déjeuner chez Mrs. Gray Griswold. Au moins vingt-cinq personnes qui défilent, puis s'alignent devant les assiettes. Je suis perdu parmi cette forêt de chapeaux à plumes et ces ruisseaux de perles et diamants. Je tâche d'admirer le moins maladroitement possible un chien chinois que Mrs. Griswold porte sous son bras. Mais la timidité, ou plutôt l'ennui glace mes facultés d'observation. Il ne faut pas me demander de plaire dans un monde gouverné par la seule convention, par la seule vanité. À ma droite, la vieille Mrs. Goelet, à ma gauche Miss de Wolfe (Morgan, de Wolfe, Marbury and C°). Le décor : un somptueux Louis XIV, boiseries intactes achetées à Versailles, et des plus pures, avec les peintures originales.

On se lève. On descend au fumoir. Le cigare éteint, chaque homme vient reprendre sa femme, et on s'en va. Intérêt nul.

Mrs. Lydig que je devais voir aujourd'hui me fait dire qu'elle est empêchée et me recevra demain pour dîner.

Lundi 12 février :
Déjeuner Brevoort avec Gilles.

À 5 heures chez Mrs. Herzog, origine germanique, juive. Introduit par Arnold Bennett [32]. La bonne m'introduit dans un petit salon qui est plongé dans une parfaite obscurité. L'électricité brille, et je vois se lever d'un divan une grande dame blonde, parée, qui s'étire. Je ne sais pas jusqu'à quel point cette mise en scène était préparée. Mais dans tout notre entretien, rendu assez incommode par la surdité de la dame, je ne trouve qu'affectation et une espèce de langueur bien pénible. Évidemment cette pauvre femme s'ennuie et voudrait parler de son âme. Elle me reconduit en auto au Brevoort.

J'ai juste le temps de m'habiller pour être à 8 heures chez Mrs. Lydig. Heureusement c'est en face, de l'autre côté de la rue, la maison rouge qui fait le coin de la Cinquième Avenue et de Washington Square, au n° 14. Et je n'ai qu'un smoking à passer. On m'a prévenu que je serai seul. J'hésite au perron. Un vieux policeman qui m'observe me renseigne. Pourquoi ce vieux policeman, comme en faction ?

(De cette visite-là je me rappelle tout.) Je ne sais rien de Mrs. Lydig, sinon ce que m'en a dit un soir Pierre de Lanux qui l'avait vue par hasard et trouvée « très intéressante ».

Trois domestiques dans le vestibule. Je retrouve ici le personnage énigmatique du butler que j'ai connu à Londres. Le butler me précède dans un premier salon ou chambre de musique. (Ah! jeunes gens de vingt ans comme je comprends que vous ayez tout perdu, tête et cœur, à votre première démarche « dans le grand monde ». Mais ma tête et mon cœur à moi sont solides, trop solides.) Un rideau est soulevé. Je vois des lumières discrètes, un grand feu de bois et, debout au milieu du salon, est-ce une femme, quelque danseuse japonaise ou hindoue avec cette taille et ce col pleins de défi, ou quelque figurine modelée dans l'ivoire et précieusement enrichie? Un long cou, la tête toute petite, fine, avec de forts maxillaires, d'une pâleur extrême, mate, accrue par la poudre. Tous les traits, hautains et mobiles, orientés vers la hauteur, le front extrêmement haut et bombé, les cheveux noirs comme le jais, plantés haut, tirés en arrière et lisses. Elle porte une veste de velours amarante ancien, bordée de fourrure, très ouverte sur la poitrine, et des « pantalons » de satin serrés à la cheville. Ses bras demi-nus ondulent autour de sa taille comme de petits reptiles. Elle pivote sur ses hauts talons, danse, tend vers moi sa main droite en rejetant le buste en arrière et en parlant très vite, d'une manière saccadée et assez artificielle : « Comme je suis heureuse de vous voir! Quand Mrs. Carrington m'a téléphoné la première fois j'avais mal entendu votre nom. J'étais souffrante, je ne voulais plus voir personne. Elle a insisté. Alors j'ai compris votre nom et j'ai voulu vous voir tout de suite. Je vous connais depuis longtemps. Six fois j'ai vu *Les Karamazov.* J'étais constamment au Vieux Colombier. Comment n'êtes-vous pas venu me voir de vous-même. Vous étiez là, en face, et je ne le savais pas!»

Nous dînons tête à tête. Elle ne mange rien. Elle a été très malade. Sa pâleur est effrayante. Et parfois aussi l'expression de son visage, fixe. Son front trop proéminent. Ses yeux noirs trop brillants, gais et tristes, avec leurs grands blancs, qui s'en vont loin, vers la hauteur. Elle me parle de son grand ami Zuloaga [33] qui lui a écrit à mon sujet et dont elle vient d'organiser une grande exposition. Des anecdotes sur Boldini, qui a fait aussi son portrait. Elle sort d'une fièvre cérébrale. Elle a été opérée plusieurs fois, à la suite d'un accident, dit-elle : un poney qu'elle conduisait s'est emballé, elle a été renversée et piétinée par les sabots du cheval. Son activité est fantastique, bien qu'elle ne puisse manger ni dormir. Elle sort peu dans le monde qu'elle déteste et qui la subit. Mais elle reçoit beaucoup, s'occupe des artistes et des pauvres, visite les malades et les prisonniers, entretient des relations avec les agitateurs politiques, écrit dans les journaux et parle dans les meetings. Tout un plan dans sa tête est déjà fait pour moi.

Je la quitte vers une heure du matin, un peu étourdi. Quelque chose a tourné. La vie a changé. Je ne suis plus seul.

Mardi 13 février, Journal :

À 9 heures vu Ames au Little Theatre. Premier résultat de l'intervention de la Princesse [34].

J'aurai le Little Theatre pour six conférences en mars.

Il écrit à Agnès :

[...] suis admirablement reçu partout et extrêmement occupé. Je dîne, déjeune et prends le thé chaque jour chez différentes personnes. Je reçois dix lettres par jour et vingt messages téléphoniques. Ma surprise est grande de trouver mon nom et celui du Vieux Colombier déjà très connus ici. Le mois prochain je ferai mes six conférences au Little Theatre sous le patronage de Winthrop Ames. Polignac veut faire de moi le centre de la propagande artistique française. Otto Kahn va sûrement m'offrir la direction du Théâtre Français pour la saison 1917-1918. Je retournerais en France le plus tôt possible pour tout préparer et nous reviendrions *tous ensemble* en Amérique pour le mois de septembre. Qu'est-ce que tu dis de ça? C'est d'une grosse importance pour l'influence française ici et pour l'avenir du Vieux Colombier en France. Informe Jean Schlumberger et Gide des projets de direction du Théâtre Français. Je voudrais avoir leur avis le plus tôt possible.

Dès que cette lettre lui parvient, Agnès répond :

[...] D'avance j'accepte tes décisions. Tout mon vieux sang vagabond ne fait qu'un tour, tu penses bien, à l'idée de ce « recommencement » à l'autre bout du monde.

Et les enfants partagent l'enthousiasme d'Agnès :

Cher papa, enfin! Hier deux lettres de toi. C'était long. [...]

Quel bonheur si on va tous en Amérique au mois de septembre, tu ne peux pas t'imaginer comme ça m'est égal d'être torpillé pourvu qu'on soit tout rond [35]. Voilà (dessin) – on nage, on nage, mais bientôt on est épuisé et on descend... mais tout rond on descend et quelque temps après on a vu cinq petites flammes qui montent, tout rond, dans le ciel, c'est nos âmes (dessin).

Agnès a informé Schlumberger qui écrit à Copeau le 7 mars [36] :

Inutile, bon vieux, de te dire qu'on est bien joyeux de te savoir échappé à la torpille et de penser que tu travailles à décider l'Amérique. Suzanne m'écrit : « On propose à Copeau la direction du Théâtre Français de New York. Il serait pressé d'avoir votre avis à Gide et à toi. » Comme c'est commode! Je suis persuadé qu'il faudra encore l'hiver prochain pour achever la bête, et que par conséquent on ne travaillera pas utilement avant Pâques 1918. [...] Tu penses avec quelle émotion on attend ici les événements. Pendant les mois qui vont venir, les Allemands dépasseront sans doute tout ce dont on les croit capables en fait d'horreur. Ils sont capables de tous les sévices contre nos prisonniers et nos envahis. Mais il *faut* qu'ils aillent jusqu'au bout pour qu'ils soient à jamais un objet d'horreur. – De même qu'il *faut* que les États-Unis marchent pour qu'ils n'aient plus un ami décent dans le monde.

Mais pour l'heure, quelque chose a en effet changé dans la vie de Copeau et la « Princesse » va prendre en main toutes choses le concernant.

Journal :
Elle arrange tout. Je n'ai plus à m'occuper de rien. En plus des conférences, j'aurai cinq lectures dans les principaux salons de la ville. Je lui écris pour la remercier, avec une véritable émotion.

L'agenda de Copeau se couvre de rendez-vous : déjeuners, dîners, interviews, visites.

17 février :
[...] chez gros industriels pour quoi faire, dieux bons? Une brave femme, assez vulgaire. Elle m'entraîne à un bal de bienfaisance où je vois danser tout le commerce étranger de New York. Cela me rappelle mon enfance, le bal de Turgot, ou celui de l'Hôtel de Ville.
Revenu à pied 5th Avenue. Rencontré une vieille qui rôde et furtivement découvre aux passants une petite boîte qui contient de menus vêtements de laine tricotés pour un nouveau-né.

Samedi 17 février :
[...] Été jusqu'à la porte de Mrs. Torpadie, mais pas le courage de monter.

5 heures. Visite Mrs. Hare. Assommant!

Dîner Herzog. Rencontré l'auteur de la *Yellow Jacket* [37]. Un bon poivrot qui parle de la France en pleurant. Mrs. Hare boit dans mon verre et me parle avec langueur.

Je m'échappe vers 10 h 30 pour courir au bal des Delano où sera la princesse. C'est dans l'atelier de Delano [38] qui est architecte. Un parfait inconfort y règne. J'entre. Je suis saisi par un frénétique « Paillasse » à perruque rouge, au masque peint, aux lèvres dessinées. J'ai bien reconnu la princesse à son premier mouvement. Elle était souffrante et ne voulait pas venir. Je lui ai dit que j'y serais. Elle est venue, ayant emprunté le costume de Caruso. Une grande tristesse m'envahit. Je regarde le merveilleux petit Paillasse. Chacun de ses gestes, quand elle agite la tête, les bras ou les jambes, est merveilleusement neuf et unique. Elle est seule et unique dans cette foule. C'est comme une question sans réponse. Son élan s'allume et retombe. Elle vient s'asseoir auprès de moi, repart, revient : « Si seulement c'était une orgie ! » dit-elle. Puis, vers minuit 30 : « On s'en va ? » Je la suis. Nous reconduisons en voiture sa jeune sœur, près du parc. Nous redescendons seuls et parlons peu. Elle arrache ses gants blancs et les lance par la portière. Ses mains sont brûlantes. Elle respire mal. Elle me fait un peu peur. Je touche du doigt la peinture de son visage. « Jamais plus, dit-elle, je ne vous ferai faire de pareilles sottises qui vous fatiguent et vous font perdre votre temps. Nous travaillerons. Vous m'instruirez, voulez-vous ? Ma vie est tellement vide ! Je n'ai rien. » Elle me laisse à ma porte en disant : « Je vais dormir comme je suis. Je suis tellement fatiguée ! »

À Saint-Clair, Agnès écrit à son mari :

Comme je m'imagine mal ta nouvelle existence... je te connais si peu en tes relations avec le monde extérieur... je n'arrive pas à te voir au bal, par exemple, ou devant une de ces tables surchargées d'accessoires dont tu parles d'une manière plaisante... Ce qui m'effraie c'est la pensée de l'inconnu de tout ce qui a pu arriver, qui est arrivé depuis [...]

Dimanche 18 février, Journal :

À midi, la Princesse me prend dans sa voiture. Pendant une heure nous tournons dans le parc. Il fait beau. Nous sommes contents d'être ensemble. Je lui dis, au retour : « Est-ce que vous me permettez?... – Oui, si c'est vrai », répond-elle. Elle dit ça, vite, au milieu d'une autre phrase, et parle d'autre chose, si bien que sa réponse m'attriste au lieu de me réjouir.

L'auto me dépose à la porte de Mrs. Jones [39] chez qui je déjeune. Il y a le président de Columbia, Butler et sa femme, le beau-frère de Brander Matthews et le fils de William James.

Dimanche 18 février, à Agnès :

[...] La situation ici est bonne. Le sentiment proallié et anti-allemand n'a jamais été plus violent... Il faut les entendre parler de la France et faire des efforts pour nous aider à répandre notre culture. [...] Ah puissions-nous dans l'avenir nous montrer dignes du respect que l'Amérique a de nous.

Malheureusement pas le temps de noter tout ce que je vois et entends.

[...] Jusqu'à présent il m'a fallu répondre à toutes les invitations, mais dans quelque temps j'espère avoir un appartement et rester chez moi.

[...] Je vais être invité dans les Universités, Clubs, Alliance Française – en avril je voyagerai dans les autres villes. Vendredi : Columbia. Je parlerai ici dans un jeune théâtre : The Washington Square Players... dans le même esprit que le Vieux Colombier. Une jeune compagnie vient de débuter à Rochester [40] se réclamant publiquement de mes idées « The famous Frenchman, Jacques Copeau ». Mais tu me connais, tout cela ne me tourne pas la tête. Au contraire, je trouve que j'ai beaucoup à apprendre ici.

[...] Je n'arrive même pas à tenir bien mon journal... mais cela ne durera pas. Je reprendrai bientôt mon équilibre. Horriblement fatigué. Couché de bonne heure.

Lundi 19 février, Journal :

À 1 heure déjeuné dans le bas de la ville, au 40ᵉ étage du Banker's Club, qui est une ruche. Otto Kahn, Robert Goelet, Polignac, Casadesus, Bonnet et moi.

On parle de l'avenir des artistes présents, en Amérique. La question du Théâtre Français a été réservée pour la fin.

Kahn, officiellement, me propose la direction pour la saison 1917-1918. Mes conditions sont avant tout que je ne m'engage pas pour plus d'une année, et que je serai seul maître dans la place. On me fait crédit complet. Je demande à réfléchir et à recueillir préalablement tous les renseignements dont j'ai besoin. C'est entendu.

Dîner chez la princesse. C'est l'anniversaire de notre première rencontre, il y a huit jours. Elle s'en étonne dans mes bras.

Jeudi 20 février. Il écrit à Suzanne Bing :

Je rentre d'un dîner. Je suis tout le temps dehors. Quelle vie! [...] On n'imagine pas le nombre de gens que j'ai vus depuis que je suis ici! Je connais à New York quatre fois plus de monde qu'à Paris. [...]

Je me rends compte de la liberté d'esprit, de contention d'esprit qu'il faudrait pour embrasser tout ce qu'il y a à voir et à comprendre ici. C'est formidable. J'ai traversé aujourd'hui le pont de Brooklyn en automobile. Le soleil trouait par endroits cette immense brume sur laquelle flottent les fumées innombrables des steamers.

Mais maintenant ce sont les interviewers qui commencent. Ils se mettent à téléphoner. J'en ai un pour demain matin, un autre pour dimanche. Il y a beaucoup de « jeunes théâtres » en Amérique, mais sans direction. Le vieux Belasco [41], qui est le roi de la scène américaine, leur fait la guerre. Je m'attends à ce qu'il me prenne à partie à mon tour.

Cette parenté des idées de Jacques Copeau avec le mouvement des petits théâtres américains n'échappe pas à certains critiques.

21 février, The Outlook *:*

Jacques Copeau est en Amérique. Cette nouvelle sera la bienvenue auprès des « leaders » du « Repertory Theatre Movement » qui s'est révélé dans tout le pays au cours des deux ou trois dernières années, par la création de quantité de petits théâtres de répertoire.

Ayant énuméré les caractéristiques des idées de M. Copeau, le journaliste du The Outlook *conclut :* L'Amérique peut apprendre beaucoup de Jacques Copeau.

Journal :

Dîner chez la princesse. Elle apparaît en grand décolleté. Je l'avais priée de m'accompagner à une représentation de marionnettes. Mais nous décidons de ne pas y aller. Et nous faisons une longue course en automobile tout au long de Riverside dans la nuit. Elle me ramène. Pas dormi.

Je commence ces longues insomnies comme à Florence. Ici ce ne sont pas les bruits sonores de l'Arno qui accompagnent mes pensées déchaînées, mais sans interruption, un ronflement de machine et la voix soutenue des sirènes.

Jeudi 22 février :

Déjeuner avec Ernest Bloch [42] et le jeune Waldo Frank, l'un des directeurs des *Seven Arts*. Juif. Remarquablement intelligent et intéressant. Rayonnement sur ce jeune homme de la *Nouvelle Revue Française* [...]

Quelques jours après cette rencontre, le 26 février, Jacques Copeau écrira à André Gide une lettre qui arrivera presque illisible avec mention de la poste : Accident en mer.

Cher bon vieux, oui, votre lettre était là pour m'accueillir, comme un présage de bonne chance. Ah! depuis un mois que de choses. [...]

Et Copeau les conte telles qu'elles se sont passées :

Vous imagineriez difficilement quel est ici le prestige français, et plus difficilement encore le rayonnement sur la jeunesse pensante de ces deux choses françaises : la *Nouvelle Revue Française* et le Vieux Colombier. Il faut que la *Nouvelle Revue Française* vive. Je vous expliquerai tout cela quand je serai de retour en Europe, en juin je pense, pour réembarquer avec famille et troupe. Trouvez-vous que j'ai bien travaillé, ou que j'ai travaillé trop vite, inconsidérément? Mon projet a toujours été d'une tournée en Amérique avant la réouverture à Paris. C'est donc mon plan qui se réalise, mais en grand et avec des sûretés. Otto Kahn m'a dit : Je ne savais pas que vous existiez, mais il y a longtemps que je vous attendais...

Ne me croyez pas grisé, cher vieux : je suis excessivement calme, excessivement le même. Les grandes pages des journaux ne me font pas tourner la boule. Je ne dévie point. Et si vous saviez combien je pense à vous. Dès les premiers jours j'ai témoigné ma reconnaissance à ma bienfaitrice en lui lisant votre *Enfant prodigue* [43] : en retour elle m'a conté une histoire prodigieuse et que je vous redirai.

Écrivez-moi. Depuis plus de quinze jours je suis sans nouvelles de France. C'est dur.

Je n'ai presque rien vu, mais j'ai traversé en auto le pont de Brooklyn. Et dès qu'on remonte l'Hudson on trouve des paysages de silex roux qui font penser aux Peaux-Rouges de Mayne-Reid [44].

22 février, suite du Journal :

Souper au « *Coco nut* » [45], le lieu de plaisir nocturne le plus à la mode. Des tables en fer à cheval, un rideau violet au fond. Il s'écarte et les girls viennent chanter et danser au milieu des soupeurs. Dans les entractes les spectateurs, gentlemen et ladies, se lèvent et dansent à leur tour. C'est lugubre. Rentré à 3 heures.

Vendredi 23 février :

Première lecture à la Maison Française. *Le Repas du lion* de Fr. de Curel [46]. Lanson m'introduit. Peu d'auditeurs mais attentifs. La princesse est venue si loin. Mes yeux se reposent sur son visage constamment tendu. C'est tout nouveau. Nous ne sommes plus chez elle. Elle est venue là pour moi, rompant d'autres engagements. Nous rentrons ensemble. L'auto s'arrête une première fois devant un drugstore pour un soda délicieux; une seconde fois au Delmonico où nous prenons, dans la grande salle presque déserte, une capiteuse orangeade. Je la quitte joyeux. Mais le sommeil est parti !

Le lendemain, Gustave Lanson écrit :

Je veux d'abord vous remercier encore. Vous avez été au-delà de tout ce que j'attendais. Vous avez « réalisé » tous les personnages de la pièce, dans leurs caractères et selon leur état, avec une vie, une énergie, une finesse incomparables. En fermant les yeux, votre voix faisait sentir la présence de cette demi-douzaine d'individus si divers. Et ce qui m'a fait le plus de plaisir, c'est la délicatesse et la mesure avec lesquelles vous avez maintenu l'expression de ces différences dans les limites de l'art, en évitant l'imitation réaliste, le trompe-l'œil. [...] Votre auditoire a été profondément remué et puissamment saisi. L'ébranlement que vous avez donné à leur esprit se prolongera. [...]

Vous avez maintenant à Columbia un petit noyau d'admirateurs et de dévots qui travailleront pour votre cause.

Nous avons songé, ma femme et moi, avec souci, à l'énorme fatigue d'une telle séance. Ne peut-on l'alléger ? Ne peut-on au milieu couper par un repos d'un quart d'heure ? Un salon à l'étage au-dessous vous offrirait un asile où j'aurais soin qu'on vous laissât tranquille. Et, à la fin, ne pourrait-on vous faire prendre un consommé ou du chocolat avec quelques sandwiches ? [...]

Samedi 24 février, Journal :

Un article de Moderwell [47] paraît ce soir dans *The Boston Evening Transcript.*

Ce long article donne une biographie de Jacques Copeau et raconte l'histoire de la fondation et de la première saison du Vieux Colombier à Paris.

S'il vous est demandé ce qui rend Jacques Copeau remarquable cela oblige à une longue explication. Mais l'histoire est intéressante. C'est une de ces histoires faites d'enthousiasme juvénile, d'expériences audacieuses, de brillants succès qui animent la vie artistique de Paris.

On dit de Copeau qu'il est le plus grand lecteur de son temps. Il est facile d'imaginer que, comme acteur, cet homme doive dégager, sur scène, une puissance magnétique. Et qu'il soit capable, à lui seul, d'entreprendre une œuvre jetée en défi à Paris, aux hommes et au diable. Il n'est pas aventuré de prédire que Copeau laissera une profonde empreinte...

Journal (suite) :

Dîner chez la princesse. Nous lisons. Pas beaucoup. Elle a tout préparé pour les conférences. Mais l'appartement reste introuvable.

Dimanche 25 février :

Interview Steell pour le *Théâtre Journal* [48].

Déjeuner chez la princesse avec du beau monde. [...]

Au moment où je la quittais appel du téléphone : « Ça doit être l'appartement », dit-elle. Elle revient : « Oui, c'est l'appartement. Non meublé. Mais je ferai cela pour vous. Allez vite voir s'il vous plaît. » J'y cours. Je crois qu'il me plaît.

De bonne heure la princesse téléphone : « Avez-vous vu

l'appartement ? – Oui il est bien mais il faut s'engager jusqu'au mois de novembre. – Pas du tout ! des blagues. Ne vous occupez pas de cela. Le voulez-vous ? Oui. Alors ne vous occupez pas de cela et jurez-moi de ne pas y retourner avant que je ne vous le permette. » J'ai juré.

Mercredi 28 février :
Il y a trente jours que je suis ici. Que de choses se sont passées. J'y suis installé, au complet, ayant refait un entourage.

Bien que n'ayant pas encore officiellement accepté la direction du Théâtre Français, Copeau se prépare à l'assumer. En l'absence d'Otto Kahn qui est allé prendre quelques semaines de repos dans sa villa de Palm Beach, Mme Otto Kahn ne le quitte pas.

Suite du Journal :
Ce matin, avec Mme Otto Kahn, visité le nouveau théâtre construit par Lee Shubert [49] pour Bonheur et sa Compagnie et qui devait devenir le nouveau théâtre français [50]. Il ne peut me convenir. Visité le Garrick [51], dont je tirerai parti, pourvu qu'on y fasse les aménagements que je demande. Mme Kahn me dit : « Demandez ce que vous voudrez. Vous demanderiez la lune, ils ne vous laisseraient pas partir. »

Afin que ces aménagements soient entrepris dans les plus brefs délais, une active correspondance s'engage entre Lee Shubert et Otto Kahn, par télégrammes dont le moindre s'étale sur trois pages. Les transformations du Garrick demandées par Copeau y sont exposées en long et en large, le prix du loyer y est envisagé ainsi que les délais de construction : It is utmost importance we know your decision immediately Kindly wire. Lee Shubert *.
Copeau ne se dissimule pas que l'obstacle le plus redoutable à ses projets sera la mise en sursis de ses comédiens. C'est faute de l'avoir obtenue qu'il avait dû renoncer à son premier projet d'une tournée du Vieux Colombier aux États-Unis et qu'il avait dû se résoudre à partir seul pour cette mission où il se trouve actuellement engagé.
Le 28 février, le Touraine *apporte des lettres de France.*

* Extrême importance connaître votre décision immédiatement. Prière télégraphier.

Copeau à Agnès :

Enfin, enfin! aujourd'hui je reçois ta lettre du 6 février...
lettres et dessins des enfants... Je ne te donne pas mes « impressions » sur l'Amérique et les Américains. Je ne me les formule
pas à moi-même. Je suis trop dans l'action. Et tout va si vite
ici. La moindre graine germe instantanément. [...] J'apprends
tant de choses chaque jour, ma chérie. Je me forme, je mûris.
Je sens ma force. Et comment ne serais-je pas fier, n'est-ce
pas (en restant modeste) de l'autorité dont le nom de mon
petit théâtre a joui ici d'emblée. [...]

Embrasse fort mes trois petits adorés. Je pense à vous comme
un insensé. Je vous appelle à haute voix.

[...] Polignac retourne en Europe le 10 [52]. Je lui confie, pour
le gouvernement français, une requête concernant la mise en
sursis de mes hommes.

Écrivant plus tard à Gaston Gallimard, il ajoutera [53] :

[...] Si cette demande n'a pas encore abouti quand je rentrerai en France, j'y arriverai avec des arguments violents et
notamment une pétition signée de grands noms américains
pour que toutes facilités me soient données de réaliser mon
œuvre à New York.

28 février, suite du Journal :

Pas vu la princesse de la journée. Elle téléphone ce soir.
Inquiète de n'avoir rien reçu de moi tout ce jour. Souffrante
encore. « J'ai travaillé pour vous », dit-elle.

Le même jour, de Saint-Cyr Jouvet écrit :

Mon Patron – mon petit Patron – mon grand Patron –
mon vrai Patron. Je viens de recevoir votre lettre [54] – voilà
un grand mois qui s'est passé et je ne vous ai pas écrit une
seule fois. Non, ce n'est pas vrai – je vous ai écrit vingt fois
ou trente fois et j'ai chaque fois déchiré ma lettre – mais j'ai
reçu votre mot!! alors ça va – ça rend – parce que ça n'allait
pas, ça n'allait plus. Mais je suis allé hier en permission et j'ai
eu la joie de trouver une petite Niousk [55] de plus en plus
florissante et parlante et pétulante et exigeante et capricante,
et une autre petite Else, débordante de santé, éclatant tous
ses corsages et toutes ses jupes – la mine fraîche comme le

jour où je la retrouvai chez vous au Limon, lors de la première visite que je vous fis – (tout ça, là, dans le fond de l'esprit et du cœur – immémorial – inoubliable – présent – définitif). Et puis j'ai reçu votre lettre – et puis j'ai vu apparaître Charles [56] – qui a dîné avec nous avec la Caryatis [...] Bien, le Charles – bien, parce qu'il commence, je crois, à se ressaisir devant la danseuse. Laquelle nous a invités à venir déjeuner chez elle le lendemain dimanche – nous y sommes allés avec Else et Niousk, mais le Charles n'était pas chez lui, ça se sent de plus en plus, et il avait comme un peu d'envie dans les yeux à me voir les bras de Niousk autour du cou – et il m'a dit en sortant : Ah! oui, pour quoi, pour quoi je me bats, moi?

Le drôle c'est qu'il a encore trouvé le moyen pour faire figure, d'acheter une paire de bottines trop justes – et qu'il souffrait le martyre – obligé de se déchausser aussitôt qu'il ne marchait plus! À la fin nous avons dû aller au théâtre et je lui ai échangé ses bottines contre les brodequins de Karl dans les *Louverné* [57]. Il exultait de joie, il sanglotait et ricanait de plaisir, avec des petits hurlements plaintifs, entrecoupés de rires comme vous savez. Cette paire de bottines portée vingt-quatre heures lui avait mis les pieds dans un état!... Et il me disait un peu lamentable – vous savez comme! – « Tu vois bien – je ne saurai jamais me conduire dans la vie, mon pauvre vieux, je ne sais même pas m'acheter une paire de bottines. » – Et moi je lui donnai des bourrades – et des tapes et il finit par rire et nous allâmes boire un coup [...] L'idée de vivre, de *manger* collectivement, au théâtre, après la guerre, l'excite, l'enthousiasme complètement – nous en avons parlé un peu à sa dernière permission, mais cette fois, c'est lui qui en a parlé et longuement et au fond c'est vrai – il est fait pour une sorte de vie publique, de vie en commun.

Et il m'a dit que c'était les femmes qui généralement faisaient tort à ces sortes de communautés – et il m'a dit ensuite, la gueule un peu de travers – que « la première qui fait une histoire, même la mienne, hein! – eh bien, on la balance – allez! à la gare! ».

Mais ce que j'ai oublié de vous dire, c'est quand nous avons ouvert les placards dans le couloir des loges avec Charles et que nous avons touché à tout ça de nouveau – depuis les bottes de *La Femme tuée* – jusqu'au costume orange du pauvre Sganarelle [58]! et que j'ai revu mon plateau – avec son grand rideau vert – et que j'ai pensé à vous en même temps – d'une façon juxtaposée dans la pensée!! – Vous comprenez?

Tout est bien en ordre, mais il y a par endroits un peu de moiteur et comme de moisi. Il est temps, il est grand temps d'ouvrir – et d'aérer l'art dramatique contemporain.

[...] En attendant je travaillote, je fais de la perspective et de la géométrie – de la vraie géométrie – mais je n'ai pas l'intention, rassurez-vous, de dessiner des décors en perspective ou de vous en proposer. Depuis que j'ai appris quelque chose là-dedans, et que je commence à comprendre les lois de cet « art » et les clefs de ce casse-tête, je me rends bien compte de la sottise grotesque que l'on a faite quand on a voulu faire des décors en trompe l'œil. Il n'y a rien de plus ridicule que la perspective – surtout la perspective de théâtre. *D'abord, où règne la perspective, il ne peut être question de mesures, or, la décoration n'est que mesure, géométrie* (il y a deux plans, trois au maximum) – et il est ridicule de vouloir introduire là des truquages de lignes et de volumes qui ne peuvent être pris au sérieux par personne, qui n'ont aucun intérêt théâtral, et qui déplacent l'illusion, la vraie. Enfin, cela c'est du laïus.

Bonsoir mon patron. [...] Soignez-vous bien, ne vous fatiguez pas, et tâchez de séduire beaucoup d'Américaines et d'Américains – et de les conquérir à notre théâtre. – (Pour les Américaines, qu'elles soient laides, vieilles et très riches.)

Je vous embrasse de tout, de tout mon cœur, bien affectueusement, comme je vous aime.

Jeudi 1er mars, Journal :
10 h 30. Visite Swinburne Hale. Des yeux magnifiques. La figure la plus ouverte, la plus intelligente, la plus énergique. Et une grâce animale dans toute son allure. On sent tout de suite le grand travailleur, et un homme dont le cœur est en paix. Il est entouré, sur le bureau de son office, de portraits de sa femme (nièce de Forbes Robertson) et de son enfant.

Longuement causé du projet des Amitiés françaises [59]. Hale me dit : « C'est le but et la joie de ma vie : tâcher de multiplier ici les débouchés français. » Il est fier de son pays et des grandes activités américaines. Il dit : « Nous avons de la force et de la crudité, de la jeunesse, toutes les qualités et tous les défauts de la jeunesse. La vie américaine est fatigante. Nous avons souvent besoin de retourner en Europe, en France, pour reprendre contact. »

Il approuve le projet du Théâtre Français et se met à ma disposition pour tout appui à me prêter.

Le 1ᵉʳ mars, arrive une lettre de Moscou. Stanislavski écrit à Copeau [60] :

[...] Je voudrais bien vous voir et m'entretenir avec vous; je voudrais aussi, s'il est possible, travailler avec vous à notre art. Je pense toujours à la fondation d'un Studio international qui réunirait les travailleurs les plus intéressants dans la sphère du théâtre. [...]

C'est le même jour que Rita Lydig a convié les membres les plus importants de la presse à un déjeuner dans le salon ivoire de sa maison 14 Washington Square.

1ᵉʳ mars, suite du Journal :

Déjeuné chez la princesse avec les critiques de tous les grands journaux. Conversation gaie, animée. Rita se surpasse. Elle rayonne. Elle se sent victorieuse. Ortiz [61] fait un speech qui gagne l'approbation. Nouveau projet : la série de mes conférences terminée, Rita louera un théâtre pour que j'y fasse en anglais, devant un public invité et plus étendu une conférence sur mon projet du Vieux Colombier à New York.

Promenade avec Rita en auto. Courses d'abord dans les cloaques du dégel. Elle saute de voiture pour grimper à l'appartement en m'interdisant de la suivre. Puis, le tour du Parc. Elle dit que tous ceux qui l'ont aimée ont connu le malheur. Elle dit que L. [62] revient et qu'elle va partir. Puis elle dit qu'elle ne partira pas. Elle parle cruellement, et tendrement. Elle a gardé près d'elle les lettres des enfants. Elle a des pensées sanglantes, et des mouvements si naïfs qu'on la croirait jeune fille. « Ah la vie! dit-elle, ne me parlez pas de la vie. Il y a quelque chose à chaque instant! »

Contre elle, là, dans cette voiture, je n'ai jamais connu de minutes plus déchirantes.

5 heures, chez Polignac. Il me met en garde contre Rita. Je réplique prudemment. [...]

Rentré à l'hôtel à 8 heures et dîné seul.

Horriblement surmené, les nerfs. Peur de l'insomnie.

Nuit de jeudi :

Couché tôt. Réveillé à 11 heures par Rita au téléphone. Plus dormi jusqu'à 2 heures. À 4 heures on frappe à ma porte. Un télégramme de Jacob Hians : « Bernard, Suzanne parfait état comptez amitié. » Ainsi... ainsi... il est au monde. Cette chose a eu lieu. C'est un fils.

Lorsque quinze jours plus tard Jouvet aura appris cette nouvelle, il écrira :

[...] Mon petit patron, quand je pense à Bernard, je me sens un peu vieux pour vous! – et cependant il ne vous aime pas encore comme moi – et il faudra du temps pour qu'il en vienne où j'en suis! et encore il n'est pas sûr de me retrouver – paisiblement assis en l'attendant – au degré où je suis aujourd'hui. Va falloir se garer des jeunes! Ah! malheur!

Je vous embrasse de toute ma jeunesse et de toute mon affection – bien, bien tendrement.

Roger Martin du Gard écrira aussi [63] *:*

J'étais en pleine zone maudite quand j'ai reçu la nouvelle. Avec quelle émotion! Mon vieux, je te serre la main, bien fort. On se comprend. C'est grave, c'est toute une affaire. Mais il faut se réjouir, et avoir confiance. Cette jeunesse-là fera ce que nous n'aurons peut-être pas pu faire, à cause de la guerre. Nous l'orienterons bien, en tout cas. Elle m'a écrit deux lettres, simples et charmantes, pleines de jeunesse et de bonheur. Elle a eu l'idée de me recopier quelques fragments de tes lettres, et je me suis senti tout à coup rapproché de toi, plus que jamais.

2 mars, Journal :

Dîner Lanson. Lecture du *Menteur* à la Maison Française.

Le lendemain, Copeau reçoit une lettre de Lanson :

[...] Vous avez bien dépassé la simple lecture. Avec une mesure qui est un prodige, vous avez su mettre tout le jeu qu'il était possible d'introduire sans gesticulations. Votre physionomie seule jouait la pièce, avec votre voix.

J'ai pris, pour ma part, un plaisir particulier à remarquer l'originalité de votre interprétation. Vous vous êtes en divers endroits écarté de la « tradition »; et partout, il m'a semblé que vous retranchiez les gros effets au profit d'une vérité plus fine et plus légère.

Quel maître vous devez être pour votre troupe et pour les jeunes apprentis comédiens.

C'est aujourd'hui le secret de Polichinelle que vous dirigerez l'an prochain le Théâtre Français. Tout le monde nous en parle, et s'en réjouit.

Dès lors, la presse se met en mouvement et lance une véritable campagne pour la nomination de Copeau à la direction du Théâtre Français.

2 *mars,* The New York Evening Telegram :

L'homme qui, comme critique dramatique, dénonça la médiocrité de la production théâtrale à Paris et qui ensuite fonda un nouveau théâtre ayant comme idéal la simplicité et la sincérité, fait une tournée de trois mois parmi nous. Il est tout à fait français. Son œil perçant voit tout. Il exprime, avec autant de facilité en anglais qu'en français, les pensées bouillonnantes qui débordent de son cerveau. On comprend aisément que cette personnalité si pleine de vitalité ait révolutionné la scène française d'aujourd'hui.

4 *mars,* The New York Herald :

M. Otto Kahn et ses associés du Comité de direction du Théâtre Français des États-Unis, viennent d'inviter Jacques Copeau à donner un nouveau départ au Théâtre Français de New York. Ils le considèrent comme le directeur français le plus efficace pour réaliser les tendances du nouveau mouvement artistique en Amérique.

L'auteur de l'article rappelle la première saison du Vieux Colombier et ajoute :

[...] En mai 1914, ce théâtre était connu de tous les amateurs de théâtre éclairés à travers l'Europe, et beaucoup d'Américains aussi l'avaient *découvert* à cause de la qualité de son répertoire, de l'originalité de sa mise en scène et du jeu de ses acteurs.

4 *mars, 105 East 17th Street, Journal :*

Je quitte le Brevoort et m'installe ici. Enfin chez moi. C'est délicieux. Tout a été prévu. La princesse a tout préparé, jusqu'à la provision de sucre, de thé et de savon, jusqu'à l'esprit des deux créoles, le portier et sa femme, qui me font un accueil presque affectueux.

Il écrit aussitôt à Agnès :
Paradis à côté de l'hôtel... une vraie grande table... deux bibliothèques... grand fauteuil profond pour faire mon « nap [64] ».
Arrivée du *Touraine* avec monceau de lettres... avec la tienne et celle de Maiène : il faut que je te l'avoue... j'ai éclaté en sanglots.
Grand silence. Pluie au-dehors.

4 mars, The New York Herald *:*
Le Président prête serment pour un deuxième mandat.
Les suffragettes pataugent dans la pluie; le Président ne leur accorde aucune attention.
La procession crottée et grelottante fait quatre fois le tour de la Maison-Blanche, fanfare en tête jouant des airs égyptiens, et portant des bannières : « Monsieur le Président, qu'allez-vous faire pour le vote des femmes? »

Dans The New York Times *du même jour, Alexander Woolcott déclare que si le Vieux Colombier* The artistic wonder of the French Stage *venait à New York... alors nous aurions à New York un théâtre français digne de représenter la France en Amérique.*

Suite de la lettre à Agnès :
Donne nouvelles aux amis, pas le temps... angoisse de penser que ceux que j'aime puissent croire que je les oublie. Le ministre des Affaires étrangères [65] a télégraphié au consulat de me faire rester ici aussi longtemps que je voudrais... les journaux annoncent déjà : *Copeau may head French Theatre in New York.* Je reste libre d'accepter ou refuser... tant besoin d'un mot de toi à ce sujet.
[...] Et toi connais-tu bien cet amour infini dont mon cœur est déchiré? Ah ma chérie si je n'ai pas su te donner le bonheur pardonne-moi!

Le 3 avril, Agnès répondra :
Deux lettres reçues... comme le soleil.
105 East 17th Street : cette adresse qui a quelque chose de

si lointain et de maritime, semble être une latitude. [...] Tes lettres me laissent un peu hors d'haleine. [...] Je suis prête à t'accompagner au bout du monde, tu le sais bien... Je n'ai pas du tout peur de cette vie inconnue qui m'attend.

Je regarde la carte des États-Unis avec émotion... Vraiment, mes yeux verront ce fleuve d'Hudson et quelques-unes de ces grandes villes? Mais la pensée que je ne verrai pas le retour victorieux de nos soldats a serré mon cœur. [...]

Suite du Journal :

Je vais travailler. Je travaille déjà et déjeune de thé et de gâteaux secs en attendant la princesse qui va venir me prendre tout à l'heure pour aller chez Mrs. Butler.

Elle est venue. Elle a tout regardé. Nous sommes partis ensemble chez Mrs. Butler.

Sous les auspices de cette grande et vivante université de Columbia, lecture précédée d'une allocution devant un public nombreux et enthousiaste.

Notes de J. Copeau pour cette allocution [66] *:*

Je crois que toute technique, en art, dégénère aussitôt qu'elle cesse d'être invisible...

Essayer d'égaler l'interprétation dramatique, en force, en discrétion, en pureté, aux chefs-d'œuvre des poètes, sans en jamais trahir le style.

Éduquer, réformer, inspirer les hommes et les femmes du théâtre, dans l'intention de faire d'eux des artistes comparables en dignité aux écrivains, peintres, sculpteurs ou musiciens qui soutiennent la tradition et alimentent la vie de notre art. [...]

Je ne savais si j'en aurais le talent. J'étais sûr, du moins, de ma volonté et de la violence d'une conviction inattaquable. Je ne sais pas si je vaincrai. Mais je sais que rien ne pourra me faire plier.

À Agnès :

Lu fragments de *Chanson de Roland* [67], de Jean de Bueil, de Michelet, Hugo, Péguy, Ghéon et Claudel. J'aurais voulu que tu entendisses les applaudissements et acclamations. Toutes les femmes pleuraient. Je pleurais un peu aussi... Nouvelles demandes de conférences et lectures... Je crois que le succès ira grandissant. [...] Bonne avance pour conférences qui commencent le 12 au Little Theatre. Déjà de la location. Mrs. Lydig s'y prend très bien. Elle est un véritable « manager ». [...] Beaucoup de travail, je refuse les invitations. [...] On me demande dans plusieurs villes... mais d'abord bien établir les choses à New York.

Mercredi 7 mars, Journal :
Parti 8 heures pour Washington par la Baltimore-Ohio. Sensation du grand voyage. C'est *la prairie.* Je n'avais pas encore compris à quel point ce pays est primitif. Je pense à André Gide qui l'aimerait.

Temps radieux.

Conversation avec l'ambassadeur Jusserand [68]. Je lui expose les grandes lignes de mon projet pour le Théâtre Français. Il me dit : je vous soutiendrai à fond.

Repris le train à 5 heures. Il y a un jeune ivrogne plein de grâce qui batifole dans le compartiment. Il se met à causer avec un gentleman en famille, qui l'accueille, lui sourit. Je n'entends pas ce qu'ils se disent. Mais je vois l'ivrogne se calmer, s'attendrir, la conversation devenir de plus en plus intime, à l'oreille, et finalement l'ivrogne sortir de sa poche une fiole de rhum et la tendre au gentleman qui la précipite par la portière. Et de même un paquet de cigarettes. (Mais je ne suis pas sûr qu'il n'y ait pas eu un marchandage d'argent.)

Débarqué à New York ferry-boat à onze heures dans le bas de la ville et perdu au milieu des blocs dont je n'avais encore si bien mesuré la hauteur et la majesté.

Dimanche 11 mars :
Lectures Ronsard, La Fontaine et Verlaine chez Mrs. August Belmont. Au parc avec Rita qui parle de son enfance. Un peu démoniaque aujourd'hui.

Trois articles importants annoncent la nomination probable de Copeau au Théâtre Français de New York.
The Sun, *Sunday march 11 :*

Copeau may stay.
Radical French Producer asked to transplant his unique
theatre.

The New York Tribune *titre :* France's loss is America's
gain. *Et Alexander Woollcott publie le 11 mars un article sur trois
colonnes dans* The New York Times *introduisant Copeau et son
œuvre auprès de ses lecteurs.*

[...] Il semble maintenant certain, bien qu'aucune annonce
n'ait encore été faite à ce sujet, qu'on ait demandé à Copeau
de diriger une saison française à New York l'hiver prochain.
[...] Il sera accueilli à la mesure du besoin pathétique qu'on
a de lui ici. Pendant quatre saisons, notre Théâtre Français
fut une affaire assez piteuse, dirigée sans goût, sans élan artistique et sans le minimum des connaissances nécessaires à la
conduite d'un théâtre. [...]
Quel bond prodigieux ce serait de passer d'une telle indigence à un théâtre dirigé par celui qu'on a appelé l'Antoine
d'aujourd'hui, et dont la seule saison du théâtre du Vieux
Colombier a électrisé Paris et attiré à lui des pèlerins de toute
l'Europe. Il va nous être donné de voir tout ce qui est nouveau,
vivant et de fraîche inspiration dans le théâtre français.

Lundi 12 mars, Journal :
Première conférence au Little Theatre : L'art dramatique
et l'industrie théâtrale *. Toute la salle est louée.
J'éprouve cette agitation de pudeur et d'hostilité que me
donne le public, plus fortement que jamais.

*Ce public aujourd'hui comprend essentiellement les principaux
critiques dramatiques de New York, le comité de patronage réuni
par Mrs. Lydig au grand complet, ainsi que tous ses amis, membres
de la société new-yorkaise, ayant, sur sa demande, souscrit à la série
des six conférences prévues au Little Theatre (au prix de 15 dollars [69]).*

Mercredi 14, Journal :
Vapeur américain Algonquin torpillé sans avertissement.
Les Allemands commencent leur retraite. On attend aujour-
d'hui la chute de Bapaume.

* Appendice B, p. 499.

À midi, dans Fifth Avenue, défilé de troupes montées. Le public fait la haie, les fenêtres s'ouvrent. On agite des mouchoirs et de petits drapeaux. Quelques applaudissements.

Les soldats sourient et saluent. Tout cela calme, sérieux, ému, beaucoup plus impressionnant qu'une manifestation tumultueuse.

Jeudi 15 mars :

Deuxième conférence au Little Theatre [70] : Le théâtre du Vieux Colombier : *La fondation du théâtre – les amitiés qui la soutiennent. Copeau présente au public ses collaborateurs : Dullin, Jouvet, Suzanne Bing et les autres. Leur fait comprendre ce qui les unit :* Ceux qui en sont en seront toujours.

Je m'aperçois, *dit-il en terminant,* que j'ai parlé fort peu d'art, de méthode et de principes esthétiques. Mais de petits faits d'expérience, d'une œuvre en plein travail. Je voulais d'abord mettre la chose toute vivante sous vos yeux. Vous savez maintenant ce que c'est que le Vieux Colombier : une chose humaine et palpitante d'espoir.

15 mars, Copeau à Agnès :

Que je suis seul! que les lettres tardent à venir! Je n'ai pas encore eu une lettre de toi répondant à ma première lettre du Rochambeau et il y a presque deux mois que je suis ici [71].

Aujourd'hui ma seconde conférence au Little Theatre : l'Histoire du Vieux Colombier. Audience nombreuse et attentive. J'ai parlé avec amour, avec émotion.

Suite du Journal :

Comment tout cet amour que j'exprime toucherait-il des cœurs étrangers?

16 mars, les journaux :

– Grande révolution russe. Le tsar Nicolas abdique.

17 mars :

– Liberté pour tous les Russes.
– La fin de la dynastie des Romanoff. Le peuple vote pour une république.
– La Douma abolira toutes les restrictions sociales, ecclésiastiques et nationales.

– Une Assemblée constituante sera basée sur le suffrage universel.

À Agnès, suite :
Que de choses, que de choses! Ma petite Agnès! L'âme humaine n'y suffit pas. La révolution russe, l'abdication du tsar, la république proclamée!... Nous vivons dans un temps inouï. Et comme il est borné le petit coin de notre activité. [...] Les journaux ici publient tous des dépêches qui représentent les événements russes comme devant avoir une répercussion formidable – et favorable à notre cause sur la guerre. Je suis un peu hors de moi!

De là-bas, sur le front, Dullin écrit à son cher grand patron [72] :
J'ai reçu ta lettre après des mois d'attente. Je t'avoue que les résultats déjà obtenus dépassent mes prévisions. Je savais que tu trouverais là-bas ou plutôt que tu créerais beaucoup d'enthousiasmes, mais je ne comptais pas sur une réussite matérielle aussi prompte.
Oh! oui nous pourrions faire de belles, de grandes choses. Vous les ferez, salauds, *sans moi*... et je n'ai pas une seconde l'idée d'amertume, je trouve ça naturel, maintenant... Je le souhaite... je le désire... mais vois-tu je ne puis te donner de détails dans cette lettre si je veux qu'elle arrive, mais je ne crois pas *maintenant* que je puisse en sortir... Je ne puis te donner le plaisir de te causer de mes improvisations. Tout ça, c'est loin, c'est passé... Galvani est disparu. Bonnat a mal tourné. Levinson fait partie du dernier groupe à pied [73]. Moi je suis resté avec les chevaux, dans un gentil pays qui sent l'Île de France à plein nez... Oh! vois-tu je ne me plains pas... J'accepte tout avec résignation... Je me tourne souvent du côté de la Russie... Nous qui l'aimions tant... Qu'aurait dit Ivan à Smerdiakow, devant ça [74]?... [...] Tout ça m'arrive en bouffées de souvenirs comme lorsque je galope dans la forêt le matin les senteurs de muguet sous la rosée... [...] Ah! mon pauvre vieux, parfois je *crève* sous le poids de ces années d'esclavage... Tu comprends ça, hein? Tu devines tout ce que j'ai pu encaisser? Moi qui n'ai jamais subi aucun esclavage! qui ai vécu libre (à part les questions de femmes bien entendu)! Je n'étais pas plus fait pour ça que pour jouer *Le Cid* ou *Hernani* ou *Tire au flanc*... et tu peux croire que malgré ce

manque de moyens... je tiens encore ma place et que je me défends! oui... je les connais tes *buts de guerre* nous les connaissons, délicieux bourreurs de crânes! nous les partageons même, sans quoi beaucoup de nous ne seraient plus là... mort pour mort, on préférerait suivre ses véritables inclinations! mais il faut que l'Allemagne soit vaincue nous le savons, *il le faut*... Seulement qu'on nous en donne à nous, *peuple*, à nous deuxième zone, les moyens et qu'on nous fasse grâce de la pommade et surtout que M. Serge Basset ne parle pas de nous, ni M. Barrès, ni cet inconnu qui contait l'autre jour que nous étions contents de faire la guerre, que le moral était superbe, etc. [75]. Non mon vieux, on s'emmerde... mais on aura le courage et l'énergie de s'emmerder encore, voilà tout.

Je n'ai pas de nouvelles de Jouvey depuis quelque temps déjà; je vais lui écrire... Pas de nouvelles non plus de Bouquet... Pourvu qu'il n'y reste pas... Il faut t'attendre à refaire la troupe... tu les dresseras... tu leur diras : Surtout si le rideau ne marche pas ne hurlez pas comme Dullin... *Je serai sous la terre et fantôme sans os, par les ombres myrtheux...* [76].

Ça ne fait rien, mon vieux, c'est un détail, crois-moi... le Vieux Colombier est parti, nous avons donné *l'élan*, à toi de le guider et de reformer l'équipage, voilà tout.

Maintenant je ne souhaite plus que ton prompt et heureux retour. Je voudrais bien te voir... Ne fais pas la blague de te faire torpiller... Ah! nom de Dieu, camarade!! tout ce que tu voudras... Reviens avec une ceinture de sauvetage, tout nu!! mais reviens!!

Adieu, cher vieux, je t'embrasse du fond du cœur,

Charles.

Copeau à Agnès :

Je suis dans ma petite chambre à travailler mais je me crois rue du Dragon [77], et j'entends les bruits du boulevard Saint-Germain.

[...] Ma vraie joie, vois-tu, c'est les dessins de Maïène et d'Édi qui ornent mes murs. Je les regarde tout le temps. Je ne m'en lasse pas. Ils me ravissent. C'est vraiment beau. Rien n'est inépuisable comme la *fraîcheur* [...]

Ce soir la nouvelle de la prise de Bapaume et d'une importante avance française.

Bonne nuit, ma petite Agnès, mon cœur bat fort, mais je le contiens.

Le 18 mars, invité par Mrs. Robert Bacon, Copeau ira chez elle lire des poèmes de Verhaeren. Par quelques mots prononcés avant cette lecture, il tient à faire revivre dans ses traits essentiels l'âme enthousiaste et simple, l'homme charmant et bon que fut Verhaeren.

Émile Verhaeren, intimement lié au groupe d'amis de la Nouvelle Revue Française, *fut aussi l'ami et un fidèle spectateur du Vieux Colombier* *.

18 mars, P.-S. à la lettre à Agnès :
Grand succès tantôt chez Mrs. Bacon pour ma conférence et lecture Verhaeren. J'étais tellement ému moi-même que j'ai fait pleurer tout le monde. La vieille Mrs. Jones m'a dit : « Je ne sais pas si vous vous rendez compte du succès que vous avez ici. Vous ne pourrez pas partir. » Mrs. Roosevelt, qui est une petite vieille remuante et extrêmement sympathique m'a invité à aller la voir. La vieille Mrs. Vanderbilt que je n'avais pas encore vue, m'invite aussi et voudrait avoir à son tour une lecture. Mrs. Lydig m'a dit qu'elle avait commencé secrètement sa campagne pour avoir des souscripteurs américains pour le Vieux Colombier et que Clarence Mackay serait l'un d'eux. Tu vois, chérie, que tout marche bien.

Et en sortant à pied de chez Mrs. Bacon j'achète un des extras que criaient les gamins. J'y trouve la nouvelle de Péronne, Noyon et Roye repris et la retraite allemande qui continue. On annonce d'autre part des bateaux américains coulés par les U-boats. *Is it war ?* Les manifestations continuent ici. Roosevelt s'agite [78]. Il y a des affiches dans les rues : « Men Wanted », ou : « Why not inquire about U.S. Army ** ? » Des sergents recruteurs se baladent devant les écriteaux. [...]

Les nouvelles arrivent de France :
— Roye et Lassigny repris par nos troupes.
— Bapaume et treize villages occupés par les Anglais.
— La retraite allemande.

* Voir Appendice C, p. 505.
** On demande des hommes. Pourquoi ne pas se renseigner sur l'armée américaine ?

— Victoire franco-anglaise.

Les Français occupent Noyon, Nesles, Carlepont, Morsain, Nouvion-Vingré et Crouy; les Anglais, Péronne, Chaulnes et soixante nouveaux villages.

Lundi soir 19 mars, suite de la lettre à Agnès :

Les nouvelles sont de plus en plus affolantes. Plus de cent villages repris, près de deux départements reconquis! Ah ma petite Agnès!... Il est affreux que nous ne soyons pas ensemble! Est-ce que les enfants comprennent bien? Je lis dans les journaux que la cavalerie donne. Je ne puis m'empêcher de craindre pour Dullin, de penser à tous ceux qui vont tomber encore. Qu'est-ce qui me restera après la guerre? Est-ce qu'il faudra tout recommencer? Depuis deux ans l'idée du Vieux Colombier a fait son chemin par le monde, mais va-t-elle laisser en route tous ceux qui lui ont permis de naître et de se développer?

Aujourd'hui, troisième conférence, sur l'École *. Encore plus de monde que précédemment. Mrs. Lydig prétend n'en avoir jamais tant vu à une conférence. Elle va encore donner un déjeuner pour moi au début d'avril... Aujourd'hui reçu un mot de M. Rockefeller (!!) m'invitant à l'Opéra. Je te dis cela pour que tu t'amuses de tous ces noms : Vanderbilt, Roosevelt, Rockefeller; etc. Voilà avec qui je vis.

Dans ma conférence aujourd'hui j'ai parlé des jeux des enfants. C'était si doux de les imaginer dans le jardin, au Limon. J'étais illuminé. Toujours pas de lettres.

Quand Agnès recevra cette lettre, elle y répondra, le 16 avril :

Reçu hier lettre du 15 mars – lue, relue, lue aux amis et enfants... les yeux brillaient et quelques-uns d'un éclat, un peu humide... Heureux de la renommée du petit Vieux Colombier, soulevés à l'espoir d'un grand avenir. Approbation des amis. Cela nous amuse tous de voir ces noms presque légendaires, Vanderbilt, Rockefeller prendre un aspect familier... Je ris à la pensée que la petite Agnès Thomsen de Copenhague, après avoir vécu dans l'intimité d'un Gide, d'un Verhaeren, sera reçue avec amitié dans des milieux milliardaires de New York! C'est charmant parce que tout vient à

---

* Voir Appendice D, p. 507.

nous si naturellement, si dignement, non comme une récompense, mais comme le fruit vient sur l'arbre. Oui, c'est ton travail infatigable et intègre qui porte son fruit [...]

21 mars, Copeau à Agnès :
Je ne sais pas si je vais accepter cette direction du Théâtre Français. Je me demande si je fais bien. J'ai une telle soif de la France et du travail, là-bas, auprès de vous que j'aime.

Je voudrais être partout où le monde se transforme, souffre et combat. Comme je me sens petit, mesquin, au milieu de tout cela. Que dis-je : au milieu? Loin de tout cela!

Ici, le pays est à la veille de la guerre. On attend d'une minute à l'autre la déclaration de Wilson. Le drapeau américain flotte à presque toutes les fenêtres.

[...] Je connais quelques Russes ici. Le joyeux enthousiasme de leurs pures figures est bien émouvant. L'un d'eux, le fils de Gorki[79], qui s'est battu dans la Légion et a eu le bras emporté, quand il a vu dans le journal l'annonce de la révolution russe, a fait le signe de la croix.

Mardi 20, Journal :
Été voir les lumières de Broadway avec la princesse. Elle est un peu fantastique ce soir. N'est-ce pas ainsi chaque fois qu'elle paraît en public? Splendide dans sa robe de satin noir très décolletée, avec un simple collier de perles et deux roses rouges. Elle parle de ceux qui sont « fous d'elle ». Elle dit « j'ai tant joué ». Et aussi « est-ce que je suis une femme de la rue, moi? Pourquoi est-ce que tous ces hommes sont après moi? Si je vous disais tout ce qui m'arrive chaque jour, vous n'auriez plus confiance en moi. »

Elle s'arrête un instant chez moi.

22 mars :
Quatrième conférence au Little Theatre : *Les auteurs dramatiques nouveaux*[80].

Vendredi 23, Journal :
Malade d'émotion l'*Espagne* est arrivé. À la fois, tout un paquet de lettres, deux d'Agnès et des enfants, une de Cicette Jacob Hians racontant la naissance du petit, et, totalement inespérée, dans celle de Cicette, une au crayon de Suz,

commencée le lendemain de la naissance, et joyeuse, joyeuse, tout son amour [...].

Conférence Columbia *La mise en scène de Molière.* Beaucoup de monde. Bien [81].

Cette conférence, présentée par Gustave Lanson est prononcée devant trois cents membres de l'Institut des Arts et Sciences de Columbia University. Dans la salle, on a remarqué plusieurs représentants de la culture française à New York et les éminents critiques dramatiques, le professeur Brander Matthews et John Corbin.

Dimanche 25 mars, Journal :
Lu *Britannicus* chez Mrs. Lydig. J'étais souffrant. L'assistance était trop près de moi. J'ai *très mal* lu.

Promenade en auto. J'ai compris aujourd'hui que la princesse est très malade. Elle sait que ses jours sont comptés, deux ans peut-être. « Mais je ne veux pas mourir de cette chose ignoble, dit-elle, et quand ça reviendra, j'ai mon petit chose prêt. » Elle fait le geste d'approcher de sa tempe un pistolet... « Mais ayons une bonne soirée aujourd'hui. »

Elle est gaie, ce soir, et me lit, admirablement, Swinburne et Browning, en anglais.

Elle me dit aussi que je changerai; et qu'elle en a déjà le deuil.

Lundi 26 mars :
Ce matin à 8 heures moins le quart exactement c'est la princesse qui m'éveille au téléphone, parce que j'ai à travailler.

Cinquième conférence : Le renouvellement de l'art scénique *.
Bien. *Jeudi 29 mars. Copeau répond aux lettres arrivées avec l'Espagne le 23.*

À Agnès :
Reçu lettres des 2 et 6 mars...

Quand je reçois une lettre de toi, quand je lis, je suis obligé de m'arrêter de temps en temps parce que ma gorge se serre et que je ne vois plus clair. C'est si beau ce que tu me dis d'Elizabeth. Il y a au rez-de-chaussée de la maison que j'habite

* Voir Appendice E, p. 514.

une boutique d'estampes et dans la vitrine un portrait de Rupert Brooke que je vois tous les jours en passant. Je pense chaque fois à notre chère petite amie [82]. Tu sais, ma chérie, ce qu'il y a d'amour dans mon cœur pour tout l'amour du monde. Et nos enfants... Ah! je ne peux pas te dire quelle est ma nostalgie d'eux. J'en parle à tous ceux que je crois capables de me comprendre. Dans ma conférence d'hier au Cosmopolitan Club à propos des *Enfants dans le théâtre* [83] *, j'ai lu un passage de la lettre de Maïène : comment on s'est déguisé en brigands... Ces lettres des enfants me bouleversent.

[...] Je ne vois *rien* de New York. Je suis comme un tâcheron, comme un employé. Je travaille et ne sors que pour me rendre à quelque « appointment » par le subway, le bus ou en taxi [...]

Ma prochaine lettre te dira probablement ce qui est décidé pour le Théâtre Français. Il est très probable que la chose se fera. Prépare-toi donc en conséquence. Nous nous embarquerons fin septembre je pense. Ah, chère mienne, que je voudrais être assis dans notre jardin auprès de toi. Tu le sais bien que je reviendrai auprès de toi, le même, celui que tu aimes et que tu es seule à connaître. Je ne peux pas changer. Le jour où nous nous sommes rencontrés, il y a plus de vingt ans, tu as donné une fois pour toutes, à ma vie, sa base fixe, sa forme, son inspiration.

Ah, puissé-je, ma petite Agnès, réaliser ce que je sens en moi! Ne suis-je pas trop vieux? N'ai-je pas commencé trop tard? Réaliserai-je jamais complètement? Ma tâche est trop multiple, trop compliquée, sans doute trop lourde pour un seul homme.

La rumeur de la nomination de Copeau comme directeur du Théâtre Français avait atteint Agnès à Saint-Clair.
Le 27 mars, elle écrit :

Reçois à l'instant lettre de Maria Van Rysselberghe : « Hier, étant à Saint-Cloud, j'ai appris par Marthe Verhaeren, qui le tenait de Berthelot, que Jacques était nommé directeur d'un Théâtre Français à New York. » Alors ça y est? C'est donc vrai qu'un chapitre de notre vie se passera en Amérique, mon Jacques?... Quant à moi... « ma valise est toujours prête ».

---

* Voir Appendice E, p. 514.

Madeleine Gide me dit dans sa dernière lettre : « Surtout ne me parlez pas de ces affreux projets de circulation générale à travers les océans. » Mais nos bons, hardis voyageurs d'enfants jubilent. Hâte de savoir tout, si tout est *vraiment* bien pour le mieux pour toi et pour le Vieux Colombier. [...]

Vite, vite, vite une lettre, des lettres. Il n'est pas possible que ces lettres n'arrivent pas! Et me parleras-tu bientôt de ton retour? Je me sens très jeune. Tendrement, tendrement à toi.

Jeudi 29, Journal :

Sixième et dernière conférence au Little Theatre * : Le problème du théâtre moderne.

Je crois que j'ai dit là des choses capitales, mais qui passent un peu par-dessus la tête des gens. Je n'ai pas mal parlé.

Promenade en auto, Riverside. Rita est « fantastique », hostile à moi un peu, quoi qu'elle dise. Je le sens. Et je suis très maître de moi. Ce qui l'irrite. Parlé du fils. Je ne trouve que ce mot « pauvre enfant ». « Ah! quelle année, dit-elle. Et encore : il faut que je sois née quelque jour où tombait une étoile. Et alors, vous savez, le malheur vous suit toute la vie. »

Je regarde son visage de profil, cet effrayant visage, *sa petite figure* dont l'enfant dit qu'il l'aura toute sa vie devant les yeux. Je sens que je pourrais la haïr. – « Alors, dit-elle, si je ne peux pas regarder un homme sans qu'il me suive. » – Mais vous ne faites pas que le regarder. Vous vous jetez vers lui. Vous êtes perfide.

Figure fatale!

Vendredi 30 mars :

Tantôt bonne lecture du *Médecin malgré lui* au Hunter College. Jamais je ne m'étais senti si à l'aise, si épanoui dans ce texte. D'une table et d'une chaise sortait toute la mise en scène, de mon corps toute l'action. Failli effondrer la chaise en rebondissant dessus. Et violemment endolori mon tibia au pied de la table.

J'aurais pu marcher toute la nuit dans les rues, tant je me sentais allègre.

---

* Voir Appendice F, p. 519.

Copeau n'a pas encore donné à Kahn sa réponse définitive concernant la direction du Théâtre Français, mais le 4 avril, il écrira à Gaston Gallimard [84] :

[...] Après deux mois de réflexion et d'expérience américaine, je suis sur le point de dire oui.

[...] La lettre que je vous écris aujourd'hui est pour vous mettre au courant de la situation et vous exposer mes motifs. Vous voudrez bien, après l'avoir lue, la faire reproduire à deux ou trois exemplaires, afin de la montrer à ceux de nos amis dont vous jugez qu'ils doivent connaître mon projet, notamment Jean Schlumberger, André Gide et Roger Martin du Gard.

[...] Je ne saurais vous dire combien je suis convaincu, mon cher Gaston, de la possibilité de faire ici de très grandes choses.

[...] Jamais les temps n'ont été plus favorables pour l'organisation en Amérique d'une grande entreprise d'influence française. Un peu de tous côtés depuis la guerre et surtout depuis ces derniers mois des entreprises françaises [...] tendent à se former, mais je crois que le Théâtre Français peut être la principale d'entre elles et constituer *pour la première fois en Amérique* un centre d'influence absolument unique. Comme point de départ j'ai derrière moi toutes les personnes de la société que plus ou moins je connais personnellement, avec le capital de 100 000 dollars que Kahn prétend réunir, et avec sans aucun doute une énorme liste d'abonnements pour commencer. Les universités, collèges, etc., dans toutes les villes, peuvent fournir soit un contingent de public appréciable, soit des débouchés nombreux pour des tournées. Notre répertoire classique et la façon dont nous présentons Molière sont appelés à rencontrer ici le plus vif succès. [...] Enfin, je crois bien qu'il ne faut pas hésiter. [...] Si je réussis, je suis convaincu que l'aide financière pourra s'étendre à la gestion du Vieux Colombier à Paris. [...]

J'ai trouvé ici une femme [85] qui a autrefois travaillé avec ce pauvre d'Humières à Paris, et qui paraît être tout à fait ce qu'il faut pour me seconder ici. Elle me l'a offert avec beaucoup d'entrain et si elle est agréée par le Comité, je vais la prendre. Je travaillerai avec elle ici pendant un ou deux mois, et quand je partirai vers la fin de mai, je la laisserai derrière moi avec un programme complet de travail à accomplir sur place en mon absence. [...] De mon côté pendant les mois de juin, juillet et août, je réunirai ma troupe, et grâce à un budget spécial qui je l'espère me sera fourni ici, je la ferai travailler pendant trois mois sur le répertoire de ma saison. [...]

Je repartirai à New York avec la troupe, de façon à y arriver au début d'octobre et j'ouvrirai le théâtre vers la mi-novembre. À ce moment-là toute la presse et toute la société nous soutiendront. Vous ne pouvez imaginer ce qu'est ici l'enthousiasme pour la France et pour les choses Françaises. [...]

Je n'ai pas besoin de vous dire, mon cher Gaston, que je ne fais aucun projet sans vous. [...] Pour moi je souhaiterais vivement, à tous les points de vue, que vous puissiez m'accompagner, mais pour cela il faut absolument que quelqu'un vous supplée à Paris pendant votre absence, quelqu'un de sérieux, de sûr et d'actif [86] qu'il ne faudrait pas hésiter à payer convenablement si cela est nécessaire, car le profit de votre voyage en Amérique vous dédommagera au-delà de votre attente. Je ne crois pas que vous puissiez vous représenter du fond de la rue Madame ce qu'une activité saine et raisonnée peut obtenir ici de résultats. Je ne parle pas seulement de théâtre; je parle de la *Revue* et des éditions. Dans la jeune élite intellectuelle, la *Nouvelle Revue Française* jouit ici d'un crédit sans égal, et vous auriez été ému de voir certains jeunes gens qui publient eux-mêmes des périodiques fort respectables me demander si notre tirage dépassait 100 000 [87]. Or, nous ne sommes absolument pas représentés ici commercialement. On ne trouve pas un seul de nos livres et *nous devons* sans tarder, non après la guerre mais dès maintenant, prendre la place qui nous revient. [...]

La création du Théâtre Français donnera une base de premier ordre à tous nos efforts. J'ai l'intention, si cela est pratiquement faisable, d'installer pour commencer les éditions de la *Nouvelle Revue Française* dans le foyer du Théâtre Français. Outre nos éditions, nous devrions constituer dans un petit magasin une sorte de bibliothèque de tous les auteurs français classiques et surtout modernes, qui doivent former la lecture ordinaire d'une personne cultivée dans la société américaine. Si nous prenons l'habitude de diriger ces gens qui ne demandent qu'à être dirigés, c'est-à-dire par exemple de leur envoyer tous les mois une petite liste des dernières productions de France, en insistant sur telle ou telle, nous sommes sûrs d'étendre ici rapidement notre influence et celle de nos auteurs. La *Revue* peut avoir un grand avenir en Amérique. [...]

En ce qui concerne la librairie, j'ai aussi un projet : constituer à New York dans le magasin dont je viens de vous parler une collection de petits volumes à 50 ou 60 cents, et même peut-être à un dollar, de toutes les pièces jouées au théâtre, aussi bien anciennes que modernes [88]. L'important est que le public soit sûr de toujours trouver, soit d'avance, soit le soir même de la représentation, dans les locaux du théâtre le texte de la pièce qu'on joue. Vous pourriez faire une très jolie petite collection qui aurait du succès, et qui même, étant donné le coût de la fabrication actuelle, pourrait se vendre dans de bonnes conditions.

Quand vous recevrez cette lettre, mon cher Gaston, le sort en sera jeté, et j'aurai accepté. [...] Je vous demande de travailler dès maintenant en vue des projets que je viens de vous exposer. [...] Il faudrait chercher à faire occuper le Vieux Colombier pendant la saison 1917-1918, à condition que ce soit par une entreprise de bon aloi [...] J'avais pensé à la possibilité d'une saison demi-littéraire, demi-musicale, avec conférences, etc. qui peut-être pourrait être menée par d'autres que nous. Pour la musique Jane Bathori [89] serait peut-être disposée à faire quelque chose. Je vais lui écrire à ce sujet. [...] Nous aurons un assez grand nombre de costumes à fabriquer. Il faudrait donc que Berthe * et Hélène ** soient d'attaque et prêtes à travailler soit à Paris, soit à la campagne, si elles le préfèrent, à partir de juin jusqu'à septembre. [...] Je vous enverrai prochainement 100 dollars, produit d'une de mes conférences. Vous saurez que cette somme doit être attribuée à la Caisse de secours du Vieux Colombier, et destinée particulièrement à aider Mme Jouvey, qui doit être, je le crains, dans une situation difficile. Vous seriez gentil de la voir à ce sujet. [...]

Pourquoi ne m'écrivez-vous pas ? Vous ne pouvez pas savoir ce que c'est qu'une lettre qui vous arrive quand on est si loin

---

* Berthe Lemarié.
** Hélène Martin du Gard.

et absolument seul. [...] Je pense à vous tous les jours, et je voudrais tant vous avoir auprès de moi.

Le détour par l'Amérique pour revenir rue du Vieux Colombier ne sera pas un détour. [...]

J'espère bien que quand je descendrai de mon taxi rue Madame, je trouverai de la besogne faite dans le sens de nos projets. Ne vous laissez pas influencer par la grimace que vont peut-être faire certains de nos amis. Ils sont un peu pot-au-feu, nos amis. Gide vous dira peut-être que je suis complètement américanisé, et que c'est bien là ce qu'il craignait. Roger fera toutes sortes de considérations, dira notamment que je ne sais jamais me refuser à une possibilité nouvelle qui s'ouvre, que l'Amérique est la mort de mon art, etc., etc. Tout cela n'est pas vrai, et je puis vous affirmer que vous me retrouverez exactement tel que vous m'avez quitté, mais peut-être avec un peu plus d'expérience encore, plus de résolution et plus d'ambition, non pas pour moi-même, mais pour ce que nous faisons. Voyez-vous, mon cher Gaston, quand j'aurai en main la troupe que je veux avoir, avec une organisation convenable et ce qu'il faut d'argent, – sans plus – je pourrai après la guerre parcourir le monde en long et en large avec mes comédiens, et je suis certain que nous serons partout admirablement reçus.

[...] Je voudrais tant que cette longue lettre vous donne un coup de fouet et vous mette le goût de la vie dans la bouche. Embrassez pour moi tous ceux que j'aime et dites-leur que je vais revenir bientôt. [...]

Vendredi 27 avril, lorsque Gallimard recevra cette lettre, il y répondra :
Je pensais que votre retour était trop prochain pour vous envoyer une longue lettre en réponse à la vôtre et comme tous je ne songeais qu'à vous attendre. Mais je ne veux pas manquer, puisque je le puis, de vous dire que je suis entièrement avec vous, tout à fait, sans réserve et avec enthousiasme. Comme vous je ne pense pas que ce soit un détour et j'estime que vous ne pouviez faire mieux. Je n'imaginais pas je l'avoue que vous réussiriez de façon si concrète. Je me suis déjà occupé des questions que vous me signalez. [...]

J'ai vu Bathori qui justement avait elle-même des projets. [...] Le Vieux Colombier lui conviendra fort bien pour des concerts et aussi des représentations, telles que celles d'opéras anciens de Purcell, que vous ignorez sans doute mais dont je connais de fort belles mélodies. C'est un musicien anglais, peut-être le seul; l'audition et peut-être la représentation de fragments importants de Chabrier qui est vraiment presque un inconnu. Vous vous rappelez que je vous avais parlé d'une matinée Chabrier. Mais le point noir, c'est le charbon!

Hélène et Berthe se mettent aux costumes. Je vais étudier avec Jouvey le Tréteau. Peut-être pourra-t-on le faire à mon atelier.

J'ai envoyé votre lettre aux amis.

Copeau est impatient de connaître leur réaction et surtout, peut-être, celle de Gide.

Il lui écrit le 27 avril :
Cher bon vieux, pourquoi ne m'écrivez-vous pas?

Gide envoie vite un câblogramme.

4 mai, Copeau à Gide :
Cher vieux, reçu votre câblogramme « approbation enthousiaste » qui m'a soulevé. Votre voix tout à coup me parlait. Je vous écris trois lignes pour vous dire que je vais bien, que tout va excessivement bien, et que je reviens fin du mois. On va revoir l'océan et, peut-être, pendant ces douze jours de traversée écrire un drame. J'ai à la fois le cœur pris d'angoisse et soulevé d'une allégresse violente. Comment allez-vous, mon indispensable cher vieux? Donnez ma plus tendre pensée à votre femme. Je brûle de vous revoir. Je pense que je rejoindrai Agnès et les enfants au Limon qui est le coin de terre après lequel je me languis le plus.

Take care of yourself, old chap. Je vous embrasse fort.

30 avril, Gide à Copeau :
J'ai fait poster hier un câblogramme à votre adresse, afin que, malgré mon silence, vous ne doutiez pas de ma pleine adhésion. Je n'obtiens pas de moi de vous écrire, encore que ma pensée aille auprès de vous bien souvent; c'est que tout ce que je peux avoir à vous dire me paraît bien insipide et flasque auprès de ce que vous vivez là-bas; c'est aussi que...

non... toutes les autres raisons que je me donne ne supportent pas l'examen. Mais quand je vous aurai dit que mon cœur bat aux moindres nouvelles qui me reviennent de vos succès et de surtout vos projets, quand j'aurai dit que mon courage à moi épouse de loin votre température, et que j'attends de vous de savoir ce que je vaux – il me semble que j'ai tout dit.

Ce matin Gallimard me communique la longue lettre de vous qu'il a fait dactylographier (4 avril). J'étais à peu près au courant de tout ceci ; mais le détail est savoureux ; si j'étais que de vous je me lancerais à cœur perdu dans cette affaire – convaincu que je suis que le « cœur perdu » se retrouve au centuple, selon la promesse de l'Évangile. Mon seul regret, intense, est de ne pas être l'auteur de toutes les pièces que vous jouerez !

En attendant de pondre quelque *Barberine*, je traduis *Antoine et Cléopâtre* [90] ; ce qui me passionne. Vous me l'aviez bien dit : les autres traductions sont piteuses ; sans chaleur, sans nerf, sans vertu. Je suis très fat au sujet de mon travail et prétends qu'il vous satisfasse. Mais je vais bien vous offusquer en vous révélant que cette traduction m'est demandée par Ida Rubinstein qui prétend la monter dès après la guerre – c'est-à-dire : très prochainement, prétend-elle. Amusé, peut-être un peu trop, par le surprenant de l'aventure, j'ai accepté avec ravissement, et peut-être étourderie.

À mon dernier passage à Paris la *Nouvelle Revue Française* m'a semblé dans un tel marasme que j'en ai vite détourné les yeux. Les dernières nouvelles semblent un peu plus vivantes ; Gallimard aurait fini par décrocher un imprimeur. – Il me tarde de reparler avec vous de la *Nouvelle Revue Française* – et avec Jean, que j'ai manqué à sa dernière permission. Il y a encore tout à dire – et je peux tout dire avec vous.

Un mot me fâche...rait, dans votre lettre, si je ne le prenais pour une plaisanterie. « Gide va trouver que je suis complètement américanisé. » Eh! cher ami, puissiez-vous l'être. Nous ne nous en tirerons dans notre sacré charmant malheureux pays que si nous acquérons, imposons, instituons les qualités-vertus qui nous manquent ; faute de quoi nous roulons dans la déconfiture. Vous savez bien que je ne suis ni un splee-nétique, ni un amateur. Je n'apporterai mon esprit critique qu'en appendice à votre initiative, et certes non pour affaiblir celle-ci.

Tâchez donc de savoir là-bas ce qu'on pense de Edgar Lee Masters [91], l'auteur de *Spoon River Anthology* que m'a fait lire Mme Wharton, et qui ne me paraît pas sans mérite. Il y a, il doit y avoir une littérature américaine – et de jeunes auteurs qui ne soient pas des engoncés.

Au revoir, vieux roc. Votre très fidèle,

André Gide.

P.-S. – La guerre ne se terminera que par une socialisation générale de toute l'Europe. « Ce n'est pas le meilleur moyen ; c'est le seul » comme dit l'autre.

Lorsque à son tour Roger Martin du Gard aura pu prendre connaissance de la lettre circulaire adressée par Copeau à Gaston Gallimard, il écrira à Copeau, le 9 mai [92] :

J'ai entre les mains ta lettre à Gallimard, du 4 avril. La lettre de l'Oncle d'Amérique, dont nous allons tous hériter un peu... Ton voyage a réussi au-delà de toutes espérances ? Je te crois ; jamais je n'ai senti si ferme ma confiance, si complète, mon adhésion aux entreprises que tu juges favorables. Tu devines bien que tant de projets nouveaux et inattendus n'ont pas pénétré dans ma cervelle sans y soulever quelque rumeur, sans y dresser quelques objections. Mais elles ne pèsent *rien* devant la belle venue de ton élan, la netteté de ton regard, tourné vers l'avenir, et que ces succès d'outre-mer ne détournent pas un instant du *but*. Et je les ai chassées comme des ombres ! Ta lettre me laisse une impression de force, irrésistible, et confirme ce que je sais de ton activité. J'aperçois tant d'atouts dans ton jeu d'Amérique, la partie me semble si belle, que je m'en voudrais d'ergoter sur des détails. « Prends l'éloquence, et tords-lui le cou ! » Ces risques-là sont les conditions mêmes du succès. Et je te comprends si bien, j'acquiesce si formellement, que mon seul regret est d'être attaché au rivage.

Mais tout le monde ne partage pas l'enthousiasme des amis car il se trouve à New York d'autres candidats à la direction du Théâtre Français.

2 avril, Copeau à Agnès :

[...] Il y a eu des intrigues déchaînées contre moi, menées par Janvier [93], qui voudrait avoir le Théâtre Français, et qui a assiégé Otto Kahn. Celui-ci a dit : « C'est Copeau qui aura le Théâtre Français. Je ne veux que lui. » Et remarque que je n'ai pas fait un pas, ni demandé quoi que ce soit. Je n'ai pas vu Kahn depuis un mois. J'étais même surtout porté à considérer les difficultés et désavantages de l'entreprise.

Mme Lydig a parlé à Kahn, qui lui a dit : « Je comprends tout cela fort bien. Copeau n'a qu'à demander, il aura tout ce qu'il voudra et sera l'unique maître. Et s'il n'accepte pas, eh bien, il n'y aura pas de Théâtre Français. »

Il reste à voir les termes du traité, mais certainement je serai appelé à accepter. [...]

Aujourd'hui, réunion du Congrès... on croit généralement que la guerre sera déclarée. Je voudrais rentrer en France avant la fin de mai. Je voudrais vous retrouver au Limon, venant au-devant de moi dans le jardin.

Les journaux :

> Whole Country Behind the President;
> State of War To Be Declared *.

– Le président Wilson s'est adressé au Congrès réuni en session extraordinaire pour déclarer que « la neutralité n'est plus possible ni désirable ». Il a lancé un appel pour « une guerre sans haine », pour que la démocratie s'installe sur le monde dans la sécurité.

Cette semaine est la semaine sainte.

1er avril, Journal de Copeau :

Déjeuner à la *New Republic* [94]. Milieu très sympathique, qui semble extrêmement pur, et uni.

Visite à Mrs. Vanderbilt, qui me parle avec émotion de la France, et m'encourage beaucoup pour le Théâtre Français.

« Je crois bien que l'état de guerre existant, dit-elle, s'il n'y a qu'un seul théâtre qui marche à New York, ce sera le Théâtre Français. »

---

* Le pays entier derrière le Président;
   État de guerre sur le point d'être déclaré.

5 avril :
À un déjeuner, ce matin, Copeau retrouve la jeune Mme Pierre avec qui il avait fait le voyage sur le Rochambeau en janvier.

Elle a eu une façon charmante de me dire : « Quel bonheur que le succès ne vous ait pas changé. J'avais si peur ! »

Dîner avec Otto Kahn. Il fait allusion à la campagne Janvier, déclare qu'elle ne l'a point impressionné, s'enquiert néanmoins avec habileté de mon dessein d'exclure ou non le répertoire moderne. Je lui indique à mon tour mes intentions, mes conditions. Il se déclare d'accord sur tous les points, et prêt à me donner « le pouvoir autocratique », trop heureux « que le théâtre soit le seul lieu du monde où se réfugie l'autocratie ».

Je donne ma parole. Le sort en est donc jeté.

Soirée à la première représentation des *Negro Players*, au Garden Theatre. Présentés par Mrs. Hapgood, sous la direction de Robert Edmond Jones. Ils donnent trois pièces de Ridgely Torrence [95]. La première est charmante et bien jouée par Alexander Roger et Opal Cooper qui a une jolie figure naïve éclairée par son sourire blanc, et une très belle voix. Il a dit la première phrase de la pièce avec un accent de grande poésie. [...]

Dans les entractes, les nègres de l'orchestre chantent. C'est très beau.

Vendredi 6 :
Déjeuné et passé une partie de l'après-midi avec Waldo Frank, le jeune directeur de *Seven Arts*. Il est intelligent, passionné d'idées. La tendance du groupe est fort intéressante, qui rejette tout *esthétisme*, toute imitation, et cherche à saisir et à exprimer quelque chose de l'insaisissable âme américaine.

Frank est nourri de culture française et son amour pour la France est sans bornes. Il dit qu'il ne comprend pas ce que signifierait pour lui de se battre pour les États-Unis et qu'il préférerait se battre pour la France. « L'amour de la France, voilà, dit-il, une raison intelligible de faire la guerre. Ici nous ne défendons aucun idéal, mais notre commerce avec l'Angleterre. Nous n'allons pas librement au combat [96]. »

[...] Aujourd'hui la guerre est déclarée entre les États-Unis et l'Allemagne.

Les journaux :
6 avril. Vendredi Saint :
Wilson a signé la déclaration de guerre, non avec joie mais avec une grande tristesse.

The New York Herald :
La guerre! Votée par les représentants. Majorité écrasante après toute une nuit de débats.

Vendredi Saint 6 avril, ce même jour, à Saint-Cyr, Jouvet écrit :
Mon patron j'ai reçu enfin votre lettre du 25 février. Elle m'est arrivée toute descellée, fripée, lamentable, sans timbre – rafistolée par des papiers de la poste – l'écriture toute lavée, et portant en suscription : «accident en mer». Je l'ai reçue avec une grande émotion. J'en ai envoyé copie aussitôt à Suze – de peur qu'elle n'ait rien eu elle – avec l'enveloppe tragique!
J'avais déjà vent de tout cela les 500 000 francs – et tout.
C'est à n'y pas croire – Seulement, *impossible de revenir.* Il ne faut pas revenir, c'est inutile – pourquoi faire revenir, c'est vous exposer inutilement. Moi, je ne tiens plus depuis cette lettre – mon cœur bat comme un moulin à vent.
Quelle histoire! Dire que vous les avez eus comme ça, tout droit, d'un coup. What a man! Mon patron, c'est extraordinaire – Si ça pouvait se faire! et que l'on sauve Tobie – et Charles, et Bourrin, de là. Je ne leur en dirai rien naturellement – sauf à Charles! n'est-ce pas? – Je vais lui dire tout doucement.
Je leur ai écrit déjà les premiers succès. Suze m'a naturellement envoyé des coupures – des extraits – alors je leur ai écrit à tous – à Charles, à Tobie, à Bourrin, à Weber – à Albane [97]. J'ai copié je ne sais plus combien de fois – que vous aviez été arrêté dans la rue par une dame qui vous avait salué en français et qui était une habituée du Vieux Colombier. Je leur ai écrit et copié jusqu'à le savoir par cœur que «vous connaissiez déjà quatre fois plus de monde à New York qu'à Paris – que ce qui était surprenant c'est la réputation déjà assez étendue que nous avions ici avant que je n'y vienne», etc. etc. – Bref, j'ai passé deux jours à leur écrire tout ça à tous.

Mon vieux patron, mon bon patron – vous croyez vraiment que cette fois serait la bonne. [...]

– Évidemment, les nouveau-nés [98] sont un gros point dans notre République Colombienne – mais on fera comme vous voudrez et comme vous jugerez. En tout cas, on n'est pas obligés de les tuer, voyons!

Ça a été bien dur à lire, votre lettre – elle est toute bleuie par l'encre – les lignes écrites sont comme évaporées. Je l'ai bien toute comprise – il n'y a que la première phrase de ce vieux Kahn Otto que je n'ai pas pu lire « Vous êtes le *ty...!* » (le tyran?) – le mot est illisible? Mais j'ai bien compris ce qui suit magnifiquement : « Tout ce qui vous gênera sera supprimé! » Ah! je le retiens, Otto!

Acceptez, mon petit patron, acceptez et tirez-nous de là – et faites-nous vivre un peu.

Je lis de l'anglais – je vais me mettre à travailler ça – c'est entendu. J'ai confiance – j'attendrai patiemment.

D'abord, je travaille en ce moment! ça ne va pas mal du tout.

Mon bon vieux patron – si vous saviez comme je pense à vous à tout moment – tout le long du jour et le soir dans ma prière – vous ne pouvez pas vous sentir seul là-bas – c'est pas possible. [...] Je vous vois d'ici le soir plisser la figure et vous la déplisser en passant la main! avec la pipe entre les doigts et le rire prêt au coin de la bouche.

Mon vieux patron, on va se retrouver. Et on va faire du théâtre avec les Américains – Quoi c'est-y qu'on va leur jouer? [...] – Ah! quand c'est qu'on les verra les machinistes américains – ils doivent tous être articulés! et à ressort – ça doit être épatant.

Mon vieux et cher patron c'est pas une lettre, ni même une lettre de vendredi saint – mais ce serait tellement bon! et que je vous le dise tout bas – de s'en aller – que ce soit fini.

Voilà Pâques – tout ressuscite – c'est une éternelle résurrection – les premiers beaux jours viennent seulement d'apparaître.

Quelle histoire. Il n'arrive que des histoires comme ça avec vous. [...] Je voudrais déjà pouvoir travailler en vue de cette fameuse saison.

Au revoir, mon patron – je vous embrasse bien affectueusement, bien tendrement, de tout mon cœur.

Sur papier à en-tête avec l'emblème des colombes, Copeau répondra à Jouvet :

First Season in America

1917-1918

Théâtre du Vieux Colombier

Directeur général : Jacques Copeau

21 rue du Vieux-Colombier	65 West Thirty-fifth Street
Paris	New York
Administrateur :	Secrétaire générale :
Gaston Gallimard	Miss Andrews

Offices : 1328 Broadway, New York

Téléphone Greeley 2897

Friday May 4th 1917

Dearest old chap, qu'est-ce que tu dis de ça? Elles t'en bouchent un coin les colombes américaines? tu ne savais pas qu'il y eût une nouvelle couvée!... Je t'en conterai bien d'autres quand je te tiendrai là, devant moi, par tes deux grandes épaules. Tes deux lettres des 16 mars et du 6 avril m'ont ravi l'âme. Je n'y réponds pas, naturellement. Je n'ai pas le temps. Trop pressé par la vie... Tu sais, tout le monde te connaît ici, tant j'ai parlé de toi. Mrs. Lydig me dit de temps en temps : Comment va Jouvey? Et le père O.K. tu verras ça, ah! ah! ah! Écoute, vieux régisseur, en deux mots : j'ai tout ce que j'ai demandé, j'ai tout obtenu, gagné sur toute la ligne. Nous sommes bons. Et j'ajoute – tout bas, à ton oreille – je crois que Miss Andrews est enfin! la secrétaire sur laquelle dans un temps donné je pourrai me décharger de toute la besogne administrative. Elle est gaie, rapide et énorme... intelligente, un peu trop bavarde, mais travailleuse comme un cheval et je crois très dévouée. Voilà. All right... En ce moment je prépare une brochure de publicité pour notre ouverture ici [99]. On en enverra 50 000. Je vais former des comités dans toutes les villes des États-Unis pour préparer nos tournées futures. Tu parles d'une organisation, mon petit père. Ils me trouvent un peu là les Américains, tu sais. But the great thing is that I am soon to sail back! Je compte tomber dans vos bras au début de juin.

Voici ce que tu as à faire d'ici là :

1) Prévenir tous les membres de la troupe.

2) T'occuper toi-même, via Casadesus-Cortot de ton sursis.

3) Faire mettre en ordre et nettoyer le théâtre en entier de manière à ce qu'on puisse y entrer et y travailler à partir du 1er juillet.

4) Méditer la construction d'un tréteau et d'un plafond démontable pour l'équipe des pendrillons.

5) *Apprendre l'anglais* et t'exercer à le parler. C'est indispensable. Il faut que tu puisses t'expliquer toi-même. D'ailleurs quand je serai de retour je ne te parlerai plus qu'anglais.

J'ai l'intention de t'envoyer ici avant moi, fin août je pense, afin que tu aies un mois pour installer la scène avant l'arrivée de la troupe.

La phrase de Otto Kahn que tu n'as pu lire sur ma lettre détrempée, c'était : « Vous êtes *le tzar*. »

J'ai de belles nouvelles de Suze. Elle a été admirable et adorable. Elle m'a écrit des lettres qui me font mourir d'émotion. Oui, elle est heureuse. Tout ce que tu me dis d'elle, de vos correspondances, de votre amitié m'emplit le cœur.

J'espère que tu continues ton petit « journal », tes souvenirs sur le Vieux Colombier. Suze devrait en faire autant. Et que ce soit aussi personnel que possible [100].

Suit un *aperçu* du programme.

Ce qu'il faudrait c'est une belle *pantomime*. Si tu as un sujet, si Suzanne a un sujet, le concours est ouvert. Une belle pantomime serait ici le triomphe. Mais pas d'Orient. Une pantomime française. Moi, j'ai une idée. Il faut savoir si la tienne ou celle de Suze sera meilleure.

J'ai écrit à Grant [101] qu'il continue son travail sur les paravents de la *Nuit des rois*. J'espère qu'il a gardé nos indications. Les as-tu en double? Si oui, envoie-les-lui : ᶜ/₀ *Clive Bell, Gordon Square, London.*

Au revoir, mon grand. *Travaille bien.* Sois patient et calme. Embrasse pour moi Else et la Nioutchka. J'espère que toutes deux fleurissent.

Je t'écris en grande hâte. Fais tout ce que tu peux pour bien préparer la reprise de notre travail. Ce sera beau. Il faut le vouloir de toutes nos forces. Tant de choses à faire!

Je t'embrasse comme je t'aime. À bientôt.

Vendredi saint 6 avril, suite du Journal :

Dîner au Brevoort avec toute la bande de musiciens français et quelques musiciens italiens. Sauf Monteux et sa femme ils sont terriblement débraillés. [...]

Esquivé à 10 heures pour faire visite à R. qui est souffrante. Je lui trouve une mine effrayante, et une froideur presque hostile, alors que j'aurais tant besoin de sa gentillesse. Pour la seconde fois, je perds contenance avec elle. Mes nerfs sont trop ébranlés. Je pleure comme un imbécile en pensant à la rive d'Europe.

Rejoint la bande de Brevoort à 11 h 30. Ils sont tous plus ou moins pris de vin. Les liqueurs et le champagne continuent de circuler. [...]

Couché 3 h 30.

Samedi 7 :

Visite chez moi de Miss Sergeant qui va faire un article sur le Vieux Colombier dans *The New Republic* [102].

Visite de Rita à 5 heures. Nerveuse mais gaie, tendre. Et besoin d'un peu d'amusement. Ah!...

Rejoint la bande chez le flûtiste Barrère. Toujours le même énervement vague. Odieux.

Dimanche 8, Pâques :

Ce matin plus calme, plus maître de moi. Longuement regardé, au mur de ma chambre, les dessins des enfants. Ils sont merveilleux. Je les comprends bien.

Roger Martin du Gard, ce même jour de Pâques, écrit à Copeau [103] :

[...] Tu penses à nous, j'en suis sûr, malgré cette plongée dans un monde nouveau qui doit te faire perdre un peu le souffle, tout de même! Et nous, nous avons les yeux sur toi. Nous parlons de toi, entre nous, dans nos lettres. Les lettres d'Hélène m'apportent constamment des nouvelles de toi. Le projet de passer l'hiver prochain à New York est bouleversant. Je l'accepte, avec un peu de tristesse personnelle, mais un grand fond de confiance, de calme. S'il le faut, résignons-nous. Que sera l'hiver à Paris? La paix nous surprendra-t-elle plus tôt que nous ne croyons, et cet hiver sera-t-il un hiver de reprise? Ou bien le vivrons-nous encore dans l'anxiété de l'attente? Dans les deux cas tu nous manqueras. Mais peut-être est-ce mieux ainsi; peut-être la réouverture aura-t-elle une signification plus large et plus sereine si elle tarde un peu, si elle laisse au tumulte le temps de s'apaiser totalement. [...] Oui, c'est peut-être mieux ainsi.

Depuis ton départ, la révolution russe, l'alliance américaine! Un courant d'air enivrant passe à travers l'Europe, la balaye. Ça soulève tout un monde de pensées, d'aspirations anciennes rajeunies tout à coup. [...] Je n'accepte pas tout ce qui se dit en ce moment. Jamais je n'ai été moins *religieux;* et les plus nobles causes revêtent aujourd'hui des formes cultuelles, s'expriment en phraséologie mystique. On dit le Droit, la Justice, la Dignité humaine, la Civilisation, comme d'autres disaient le Sacré-Cœur, l'Immaculée Conception...

La répugnance invincible que j'éprouve maintenant pour toute majuscule, pour tous ces écrans brillants et opaques (sans lesquels on pourrait trouver et faire jaillir aux yeux de tous des pensées si simples, si claires, si humaines), me permet de mesurer le changement qui s'est fait en moi depuis trois ans. [...]

Sois seulement assuré que notre pensée te suit, et qu'il n'y a pas de véritables silences entre nos cœurs et le tien. Et quel réconfort, que cette saine et vigoureuse amitié!

Je t'embrasse, vieux frère, très affectueusement.

Copeau recevra cette lettre le 8 mai et y répondra aussitôt [104] :

Ta lettre du 8 avril me cause une joie infinie. Je te sais solide, vieux frère, et ton approbation me remplit de joie. Que j'ai vu de choses. Que j'ai fait de choses. Mais point perdu le souffle, non! Impossible à raconter... Ce sera pour le revoir. Je crois que tout est pour le mieux. [...]

Il raconte encore ses projets, ses espoirs.

Si je pense à vous, mon vieux? Oh! un peu! Peux-tu te faire une idée de ce qu'a été ma vie ici : les réceptions, les conférences, les pourparlers, la lecture des journaux chaque jour, les interviews, les décisions à prendre, et les jours de courrier, le paquet de lettres d'Europe dont chacune contenait de quoi tuer un homme d'émotion. [...] Et puis, une nuit, le télégramme : un garçon. Et alors l'attente, chaque semaine, du câblogramme apportant les nouvelles : un peu de fièvre – Ça va mieux, etc. Et puis, et puis sa première lettre, au crayon, toute tremblée. Et les autres lettres en même temps. Mon vieux, je te remercie d'avoir été si amical. Elle était bien joyeuse quand elle m'a écrit qu'elle avait reçu une lettre de toi. Oui, elle est merveilleuse de courage, de jeunesse, de bonheur. Et je l'aime de toutes mes forces. [...] Et en même temps des lettres de mes enfants, pleines d'illustrations merveilleuses et d'histoires qui me font rire aux éclats tout seul, dans ma petite chambre [...] Vous me trouverez peut-être un peu vieilli à mon retour. Parfois je mets les deux mains sur mon cœur pour l'empêcher de battre si fort. Je mourrai tout d'un coup, tu verras. Mais vienne la mort, si j'ai fait mon œuvre, notre œuvre... Au milieu de tout cela des imaginations fusent, des sujets de drames, et de romans. Et la connaissance d'êtres nouveaux, d'êtres extraordinaires, vient s'ajouter à tant d'expériences saignantes. Nous aurons encore de quoi nous promener, le soir, vieux frère, en causant.

Dimanche de Pâques, suite du Journal :

À 3 h 30, rendez-vous au Biltmore avec Bergson [105]. Nous causons cordialement pendant trois quarts d'heure. Bergson est un peu vague. Il regarde devant lui dans le vide. Il ne sait pas tout à fait ce qu'est le Vieux Colombier. Mais il en a une intuition. Et il fait confiance à ma personne. À mesure que je lui parle il s'anime, réalise mieux mon projet de théâtre français, approuve toutes mes intentions et me promet son appui. « Si vous réalisez cela, me dit-il, vous aurez fait beaucoup pour la France. »

Kahn et Rita approuvent le choix que j'ai fait de Miss Andrews. Elle est engagée comme secrétaire générale au Théâtre Français.

9 avril, à Agnès :

Revu Kahn – complètement d'accord sur tous les points. J'ai sa confiance entière.

Maintenant je consacre mon temps à écrire des articles dans les principales revues [106], et à organiser le Théâtre Français pour l'an prochain.

Ne pourrai rentrer que début juin... C'est au Limon que j'aimerais le mieux vous retrouver.

... J'aurai à faire travailler la troupe pendant deux ou trois mois. Paraît difficile d'installer toute la troupe au Limon.

Je suis bien dans mon petit appartement, et tranquille. Les

amis d'ici sont gentils pour moi et me soignent. Ils ont des attentions charmantes, m'envoient des fleurs, des fruits, de la bière. Je ne manque jamais de rien. Il n'y a que mes chaussettes qui sont un peu percées! Ah, puissions-nous sortir de la gêne!

Je pense rentrer en France avec un peu d'argent. Je serai payé par le Théâtre Français à partir de juin. Nous serons donc tirés de souci et j'espère, pour toujours.

[...] La pensée de vous revoir me brise. Que sera-ce quand je vous tiendrai dans mes bras?

10 avril, minuit :
Je pars demain matin pour Boston. On met cinq heures. Le voyage va me reposer. Pullman car. Je parlerai devant les étudiants. [...] À mon retour, je ne m'occuperai que du théâtre... Invité à Pittsburgh au Congrès national de la Drama League et différents lieux : j'ai refusé.

Aujourd'hui, entrevue avec l'architecte du théâtre [107]. Miss Andrews : très bien. Je crois que j'ai lieu d'être content, ma chérie. Je suis même un peu stupéfait quand je regarde en arrière et considère tout le travail qui a été fait en si peu de temps. J'espère que mes amis seront satisfaits de moi. Et toi, es-tu contente de ton vieil ami? [...]

Quelles nouvelles grandioses : l'avance des Anglais, 9 000 prisonniers [108]. Est-ce vraiment le commencement?

Je crois que mon cœur craquera avant la fin... Ce soir ton visage était si présent devant mes yeux que je n'ai pu résister au besoin de t'écrire ces quelques mots...

Mercredi 11 avril, Journal :
Départ pour Boston 10 heures. Horriblement fatigué. Arrivé à 3 heures. Descendu au Harvard Club. Je m'y repose en attendant le professeur Baker [109] qui vient m'y prendre à 6 h 30. Nous dînons ensemble et nous rendons à l'Université. Massachusetts building. En face du 47 Workshop, une salle assez grande, entièrement vitrée me paraît-il, si bien qu'on a le sentiment d'être dehors, environné des bruits et des mouvements et des déflagrations électriques des tramways qui passent.

Baker me présente. Il appelle le Vieux Colombier « *a theatre of joy* ».

Copeau commence sa conférence par une introduction de circonstance, citant Péguy : « ce peuple français qui est plein de jeunesse et de grâce ». *Puis il dit :* Je viens vous parler de mon métier que j'aime.

Après la conférence, Copeau note dans son Journal :
J'ai un peu de peine à m'y mettre. Mais l'auditoire fait son métier d'auditoire : il écoute, et je m'échauffe. Bon public, assez nombreux. Quelques figures ferventes.
« Je viendrai à Boston l'année prochaine, *dit-il pour finir :* Il faut m'aider. »
Rentré seul au Club. Et rudement grande envie de circuler dans les rues de ce Boston.

17 avril, Jacques Copeau à Agnès :
[...] Le moment de la délivrance approche... celui du retour. Et les nouvelles de France sont glorieuses. [...] enfin tout ici va le mieux du monde : entrevue avec Otto Kahn aujourd'hui. Lui ai remis mes conditions [110]. Il a lu attentivement mon papier. Puis il l'a mis dans sa poche en disant : « All right! Je n'ai aucune objection à faire. Je ferai approuver par mon comité, dresser un contrat en bonne forme et nous signerons. » Je considère la chose comme faite. Qu'est-ce que tu dis de ça?
J'ai vu ce soir Mrs. Lydig pour la mettre au courant de mon entrevue avec Otto Kahn. Elle a souri et elle m'a dit : « Est-ce que vous êtes content? Vous me direz s'il y a encore quelque chose que je puisse faire pour vous. »
Dès que mon contrat sera signé, Kahn invitera au Century Theatre les gens de la société et les principaux journaux pour que j'annonce moi-même la chose officiellement. Puis tout un mois de travail avec Miss Andrews afin de tout préparer avant de rentrer début juin.
Kahn accepte également de m'avancer $ 14 000 (70 000 francs) pour faire vivre la troupe pendant les quatre mois de préparation en France et pour fabriquer les costumes.
Voilà les nouvelles, ma chérie, il me semble que je n'ai pas trop mal travaillé! Je n'y ai pas grand mérite, car Otto Kahn, basant tout sur la confiance s'est montré tout à fait grand seigneur.

J'avais besoin de te dire tout ça tout de suite. Maintenant je vais travailler. Je fais une conférence vendredi (en anglais) [111].

16 avril, de Saint-Cyr Jouvet écrit :
[...] Mon patron, Suzanne m'écrit souvent, et chaque fois qu'elle reçoit de vos nouvelles, elle me copie quelques passages dont je nourris ma pensée, et je nage de joie. Je vis de toutes ces nouvelles − nous en vivons tous.

Je ne vais pas trop mal avec mon pauvre vieux cœur malade − je passe dans quinze jours une nouvelle visite qui me déclarera à nouveau inapte pour quelque temps, vraisemblablement − car avec ce que j'ai il est probable que je n'y retournerai jamais et que je n'ai plus qu'à vivre pour le Vieux Colombier. Il s'agit encore d'être démobilisé.

I am still again, learning, and reading english − with great pleasure and in quite easy and fluently manner.

I am reading « Misunderstood » by Florence Montgomery [112] [...] it is so ful of tenderness and sensitiveness − that I am weeping in a quite ridiculous mode.

But I shall very soon be able − to order − to all the american machinists − stage carpenters and scene shifters! You can rely upon me *.

Mon patron, il faut aussi que je vous raconte une chose qui vous fera plaisir, malgré tout son ridicule. À la *Nouvelle Revue*, l'autre jour pendant que j'y étais − on a frappé à la porte et je suis allé ouvrir. Une dame que j'ai reconnue tout de suite pour la Reine de *Ruy Blas* à l'accent suave de sa voix − m'a demandé si vous étiez là. (Vous avez reconnu cette pauvre et bonne Mme Lara.) Je lui ai dit : « Mais, Madame, tout le monde sait que le patron est en Amérique. » Elle a dit : « Oui − mais est-ce qu'il est rentré ? » J'ai dit : « Oh ! non, Madame − il n'est pas près d'avoir fini là-bas du train dont ça va. »

Et puis à la fin je l'ai mise entre les bras de Gaston Gallimard. Elle y est restée un quart d'heure. Et Gaston est revenu

---

* J'apprends toujours et je lis de l'anglais − avec grand plaisir, avec facilité et assez couramment. Je lis *Misunderstood* de Florence Montgomery qui est plein de tendresse et de sensibilité... et qui me fait pleurer de façon tout à fait ridicule. Mais bientôt je serai capable de donner des ordres à tous les machinistes, les menuisiers et tout le personnel de scène, vous pouvez vous fier à moi.

everlasting navré, nous dire que : « Mme Lara venait de la part de M. Fabre vous demander officieusement de venir *tout de suite* le voir – au sujet *de la direction de la scène du Théâtre Français* ».

Qu'est-ce que vous dites, patron ? Hein ? Et Mme Lara frappait du pied ridiculement en criant de sa voix émolliente : « Il faut rajeunir cette maison ! »

Moi, j'ai fait l'idiot et nous avons bien ri, mais au fond nous étions – enfin, moi, j'étais tout de même flatté. Hein, are you not ? Tout de même, mon patron, croyez-vous que vous les avez ! que vous les avez jusqu'à l'os – jusqu'à la moelle ?

Ça ne vous fait pas un peu de chatouille au creux de l'estomac ? Je n'ai cependant pas peur de ces gens-là pour votre affection – je suis tranquille – je ne crains pas, nous ne craignons pas cette concurrence. [...]

Mon petit patron, j'espère que vous allez bien et que vous vous ménagez tout de même – quand j'ai lu toute la liste complète des conférences que vous avez faites au mois de mars ! – j'en ai été pris de vertige !

Est-ce que Mme Lydig est toujours gentille avec vous ? Est-ce qu'elle est jeune, cette dame ? et jolie ? Non – un peu laide – et de la bouteille ?

Mais, mon patron, – vous parlez de revenir ici – pour quoi faire ? C'est vous exposer inutilement. Comme dit Suzanne : « Tout le monde ensemble avec vous, ça va bien – mais pas vous tout seul. » Hein ?

Est-ce que vraiment vous espérez nous « avoir » – dans combien de temps ?

Je suis tout fatigué de mes journées en ce moment, c'est un perpétuel défilé de nudités toute la journée, avec mensurations de toutes sortes, pesées, palpations, examens, auscultations, interrogations. Ce serait presque inintéressant sans cette idée de plus en plus nette qui se dégage de ces choses – que le corps vraiment n'est qu'un pis-aller. [...]

14 avril, Gaston Gallimard à Jacques Copeau :

[...] Je ne me reproche pas trop de ne vous avoir pas écrit car je sais que vous vivez dans une espèce de tourbillon. [...] De mon côté, je suis pris comme je ne l'ai jamais été. D'abord il y a eu le Congrès du Livre : j'ai tenu à assister à toutes ses séances. Comme je vous envie d'être dans un pays neuf, au milieu d'hommes qui doivent avoir de l'initiative. Moi, j'ai vu de quelle inertie nous sommes entourés. Il suffit de crier Vive la France et À bas l'Allemagne pour avoir raison. [...] J'ai achevé l'impression des *Noces* de Wyspianski que je vous enverrai dans deux jours, – également l'impression du poème de Valéry [113]. Enfin je viens de régler d'importants arrangements pour l'exportation de nos livres en Amérique du Sud, à propos de la présence de Claudel au Brésil [114].

[...] Je suis depuis hier très remué par ce que j'ai appris de vous – et tout entier à vos projets. Comme je regrette de n'être pas parti avec vous!

Hier j'ai vu Jouvey qui m'a lu quelques pages d'une de vos lettres adressées à Suzanne : ainsi j'ai appris que la subvention annuelle de 50 000 francs que nous désirions est à peu près assurée – également que vous alliez diriger là-bas le Théâtre Français. Gide est arrivé qui nous a confirmé cette dernière nouvelle [...] et que c'était chose faite : cinq mois par an et 80 000 francs. Est-ce vrai?

Gallimard raconte à son tour l'épisode Lara-Comédie-Française et conclut :

Refusez vite.

Vous me manquez, Jacques; je n'ai vraiment aucune jalousie. Cependant je serais très déçu si vous vous attachiez jamais à quelqu'un d'autre qui deviendrait pour vous un collaborateur plus proche que moi. Ne me jugez jamais d'après la faiblesse horrible que cette guerre me donne par moments. J'ai, je vous l'assure, un grand entrain au travail, dès que je sais l'avenir plus assuré. Je me sens de moins en moins de besoins personnels. Je suis donc de plus en plus libre pour vous suivre. Je ne vous dis pas cela pour me faire valoir mais pour vous convaincre que vous ne connaissez pas encore les limites de mon dévouement à notre, à nos entreprises.

Claude [115] grandit et prononce souvent votre nom. [...] Aimez-moi bien. Gardez-moi ma part. Je vous embrasse de tout cœur – et encore une fois je regrette bien de n'être pas auprès de vous.

Agnès tient les amis au courant. Jean Schlumberger, en permission à Saint-Clair, écrit :

18 avril :

Quelle bonne lecture, cher vieux, Agnès vient de me faire. Je savais que ça marchait bien, mais tes lettres sont encore plus pleines de bonnes nouvelles que je n'osais l'espérer. [...] Maintenant, les dernières hésitations que je pouvais conserver s'en vont. Il me semble que ce point de contact entre la France et l'Amérique ne prendra toute son importance que si tu restes là-bas assez de temps pour jeter quelques racines. [...] Rendre tant de services sans sortir de sa ligne, c'est avoir trouvé un sacré filon.

[...] Je m'aperçois, mon vieux, combien j'aime ce métier. La guerre m'a coupé tout appétit de lecture ; le seul aspect d'une revue me donne la nausée. Mais dès qu'il s'agit de théâtre... Hier soir j'ai lu à haute voix le commencement d'*Hamlet* : je ne m'en suis plus décroché de toute la nuit. Ce qu'on va turbiner – après qu'on aura convenablement dévasté en Allemagne. Mais pas avant !

En attendant, c'est en ces jours d'avril que commence l'offensive de Nivelle sur le Chemin des Dames, qui se soldera par un sanglant échec et qui sera cause au mois de mai de nombreuses mutineries dans l'armée.

19 avril :

À New York c'est le *Wake Up America Day* organisé par Miss Elsa Mexwell : 30 000 personnes défilent dans la Cinquième Avenue. Une centaine d'organisations dont la National American Woman Suffrage Association avec cinq cents femmes et les Campfire Girls Association portant des « banners » :
– Don't Wait to Be Drafted
– Will you Enlist?
– We Are Wilson Women *

Un jeune sous-lieutenant de l'armée française, Jean Giraudoux, envoyé à Harvard avec un groupe d'officiers chargé de l'entraînement des recrues américaines, se trouve dans la foule de 5th Avenue. Il écrira plus tard ses souvenirs [116].

Copeau racontera aussi cette « parade » à Agnès :

* N'attendez pas d'être mobilisé. Voulez-vous vous engager ? Nous sommes les Femmes Wilson.

21 avril :

[...] Avant-hier c'était la grande parade. Le « *Wake Up America* ». Jusqu'à la nuit ont défilé dans les rues les soldats, les sociétés, tous les jeunes gens des universités, tous les enfants des écoles, les femmes de la société, etc. Mrs. Lydig portait un des étendards. Il y avait d'immenses « flags » portés à plat par trente ou quarante jeunes gens, tête nue. Et depuis ce temps-là, ça continue. Partout des drapeaux, et partout les trois couleurs françaises à côté du drapeau américain. Des cocardes, des décorations, des affiches, des manifestes, des autos pavoisées, des orateurs en plein air, l'appel de Wilson au peuple vendu avec son portrait. [...] *Wake Up America! Civilization calls every man, woman and child.* Ils s'organisent pour exploiter la terre, intensivement, font venir de la main-d'œuvre chinoise et dans les squares publics cultivent des potagers pour montrer à chacun la manière de s'y prendre. Les *High-school girls* y travaillent sous le titre de « farmerettes ». Il paraît qu'on travaille fiévreusement à Washington où Wilson a obtenu une unanimité complète. Jusqu'à présent il n'y a eu comme attentat qu'une usine blown up. Et au milieu de tout cela, le nom de la France est le grand cri de ralliement. Les nouvelles glorieuses arrivent. On se prépare à recevoir grandiosement Viviani accompagné de Joffre et Balfour [117]. Ce matin les journaux parlent de sérieuses révoltes en Allemagne et en Autriche. Il y a deux jours un marchand de journaux dans la Quatrième Avenue criait tout haut : *It looks as if it were the end of Germany.* Au Metropolitan Opera l'autre soir, quand on a appris les nouvelles des victoires françaises, le Directeur, qui est italien [118], l'a fait annoncer sur la scène et on a chanté *La Marseillaise.* Tous les abonnés allemands ont quitté la salle. Plusieurs chanteurs allemands ont eu des crises de nerfs. Je n'en finirais pas de te raconter mille détails qui font délirer le cœur. Chaque matin quand je lis les journaux, dans la rue, en courant à mes rendez-vous, ma gorge se serre et mes yeux se brouillent. [...] Je serai, sans doute, plus tard, en France, de la part de mes ennemis, de mes jaloux, l'objet de beaucoup d'attaques, surtout après les succès que j'ai rencontrés ici, de l'extension que je vais pouvoir donner à nos entreprises. Mais il importe peu, du moment où, *toi* tu connais mon cœur et si mes amis ne me méconnaissent pas.

[...] Ah! je rêve d'une journée calme auprès de toi, dans notre jardin.

[...] Mon désir est toujours d'être en France dans la première quinzaine de juin. Mais que de choses à faire d'ici là. Régler les transformations du théâtre, mettre en train la publicité, les abonnements, etc. [...]

Hier j'ai fait une conférence *en anglais* qui a très bien marché. Je n'ai plus qu'une conférence à Yale, le 27 [119], et ce sera fini. Ouf!

Ce matin j'ai eu, pour la première fois, quelques heures de *loisir*. J'ai été me promener dans les quartiers populaires – dans une avenue où il y a surtout des Italiens et des Juifs. Il faisait très beau. Les rues étaient pleines de petits enfants. C'est extraordinaire... Mais, vois-tu, ma grande angoisse, c'est de ne plus jamais jusqu'à ma mort trouver *le loisir*. Loisir de voir le monde, et de créer. Pourtant je sens en moi la faculté de créer. Pourrais-je jamais plus écrire au milieu de tant d'activités diverses? Je voudrais au moins écrire trois ou quatre drames, et un livre : ce que je sais du monde et des hommes.

Il fait beau, chaud, c'est le printemps. Ce matin, j'ai aussi couru dans Broadway avec Andrews pour acheter des meubles pour notre office. Je me suis acheté un manteau (le mien tombait en loques) et deux chapeaux! J'ai eu une nouvelle entrevue avec Kahn qui avait réuni son comité avant-hier. Nous nous sommes mis définitivement d'accord sur tous les points. C'est magnifique, n'est-ce pas?

[...] Je vais tâcher de t'envoyer une collection des principaux articles qui ont paru. Il vient d'en paraître un magnifique dans le *New Republic*. Quand tu les auras lus envoie-les à Jouvey à Paris. J'ai reçu une lettre de lui aujourd'hui. Il ne sait plus où il en est!

Moi non plus je ne sais pas très bien où j'en suis. Tous ces événements personnels, cet amour déchirant pour vous tous, le travail quotidien ici, et tout ce qui se passe dans le monde!

Au revoir, ma petite Agnès chérie. Attends-moi. Quand j'aurai décidé la date de mon retour je te télégraphierai. Ce sera une date approximative car les bateaux ont souvent du retard. Je te dirai « départ décidé, n'écrirai plus ».

21 avril, The New Republic. A new French Theatre :

Cet article de trois pages du New Republic *écrit d'après une interview à l'issue de la série de conférences de Copeau au Little Theatre, salue en lui* « un ambassadeur qui, dès son premier contact avec un public américain progressiste » a su ranimer le feu qui couvait de nos espoirs et de nos idéaux. Copeau appréhende son art avec gravité et passion. Il est un homme de théâtre comme il en fut jadis : à la fois poète, critique, acteur, manager, père de sa compagnie. Il projette un tel courant d'énergie magnétique que son influence ne peut être qu'adorée ou entièrement rejetée.

L'auteur de l'article félicite le gouvernement français d'avoir envoyé pour cette mission un réformateur moderne et radical de la rive gauche plutôt que quelque manager des étincelants boulevards. Car nous sommes mûrs pour une conversion.

Annonçant ensuite la nomination de Jacques Copeau comme directeur du Théâtre Français de New York, l'article se termine par un avertissement :

Malheureusement pour son art, il fera son entrée à New York par la porte du public mondain, puisque c'est le seul, à part le public français relativement restreint et le public intellectuel ayant vécu à Paris, également restreint, à avoir une connaissance suffisante de la langue française.

Ici le problème de Copeau sera donc le contraire de ce qu'il fut à Paris : il doit conquérir le public « créateur », l'élite, l'obliger à venir l'entendre, qu'il comprenne ou non — et jusqu'à ce qu'il comprenne. Car le public mondain est capricieux, et quoique cultivé, peu susceptible de savoir, et se souciant peu de savoir, si le metteur en scène a passé une nuit blanche pour obtenir la perfection.

Ce sont nos jeunes poètes, nos écrivains, nos peintres et nos auteurs dramatiques qui, rentrant chez eux le cœur revigoré, pour veiller à leur tour, prouveront s'il valait la peine ou non pour le Vieux Colombier de traverser l'océan.

1ᵉʳ mai, The New York Times :

« La France requiert nos forces militaires maintenant pour soutenir les alliés et ébranler les lignes allemandes. Ses envoyés nous exhortent à l'action. Viviani rend visite à Wilson. Pétain est un grand commandant en chef.

1er mai 1917, Journal de Gide :

Écrit hier à Copeau; aujourd'hui à Conrad [120]. L'air tiédit et le ciel est splendide. Comme je me sentirais jeune encore, si je ne savais pas que j'aurai bientôt cinquante ans! Mais l'angoisse des événements nous tient à la gorge; je m'interdis d'en parler, mais je ne puis penser à rien d'autre.

Sur le front, en France, ce sont les derniers jours de l'offensive de Nivelle sur le Chemin des Dames.

3 mai, Journal de Gide :

Tout le rayonnement de l'azur ne désassombrit pas ces journées. La déconvenue de la dernière offensive, en vain dissimulée par la presse, pèse d'un poids affreux sur le pays...

À New York, ces nouvelles sont également dissimulées par la presse et ne sont connues de personne.

4 mai, Copeau à Agnès :

[...] Il n'y a qu'un point noir. Les demandes pressantes d'hommes et de subsides faites ici par les missions assombrissent l'opinion. La question du jour et fort angoissante, c'est la guerre sous-marine. Ici on travaille fort et tu sais que la conscription générale est déclarée. Tout cela est passionnant à suivre. Nous attendons Joffre et Viviani dans quelques jours. [...]

Le 1er mai, la nomination de Jacques Copeau comme directeur du nouveau Théâtre Français a été officiellement annoncée par le Board of Directors [121]?

Les principaux critiques des journaux new-yorkais saluent celui que l'un d'eux désignera comme « The New Moses of the French Stage [122] ».

Dans son article sur Jacques Copeau, du numéro de mai du Theatre Arts Magazine, Sheldon Cheney écrit :

[...] Le Théâtre Français de New York a été jusqu'ici le reflet du pire théâtre parisien, sophistiqué, clinquant, artificiel. Lors d'une visite à ce théâtre l'an dernier, on a pu constater un retour décourageant aux modèles du XIXᵉ siècle, avec un jeu, grossièrement artificiel, et des décors tellement médiocres que même un manager américain de second ordre hésiterait à les utiliser, ce qui est, Dieu le sait, tomber bien bas.

Le changement dans le Théâtre Français de New York est survenu aussi soudainement qu'une révolution russe. Le comité de Direction a choisi comme directeur le seul homme qui fût qualifié pour reconstruire un nouveau théâtre sain sur les ruines de l'ancien : Jacques Copeau, fondateur et directeur du théâtre d'avant-garde en France comme l'étaient Max Reinhart en Allemagne et Granville Barker en Angleterre. Quoique moins célèbre, il est plus réfléchi, plus absolu, plus disposé à construire lentement et à consolider progressivement son expérience. Jacques Copeau appartient plutôt à la petite phalange d'artistes penseurs qui ont été les explorateurs et les calmes pionniers du mouvement progressiste. Il se situe avec Gordon Craig, Adolphe Appia et Constantin Stanislavski dans le nouveau mouvement, comme un travailleur studieux et comme un chef de file inspirant.

[...] Donc, si Jacques Copeau, dans sa nouvelle situation, réalise tous nos espoirs, nous assisterons à ce phénomène : un Théâtre Français devenant le premier véritable théâtre d'art à New York. Ce n'est qu'une preuve de plus que le grand art est international et universel, qu'il est plus grand et plus juste que le patriotisme, le commerce, et ces autres choses pour lesquelles des millions d'hommes perdent la tête et s'entretuent. [...]

Nous avons toujours été chagrinés par la supériorité du théâtre allemand et par la parodie corrompue de l'art dramatique français offerte au public new-yorkais. Peut-être, avec l'arrivée de Jacques Copeau, l'Amérique arrivera-t-elle à apprécier pour la première fois le véritable pouvoir créateur du théâtre français.

6 mai, Dans The Sun, *Laurence Reamer se montre plus circonspect :*

Il semble que M. Copeau se soit fait une sorte de réputation avec son théâtre du Petit Colombier à Paris et que l'on ait loué surtout ses représentations de Molière et de Shakespeare. [...] Toutefois, M. Copeau est tout à fait moderne... S'il réussit à intéresser les Américains aux pièces de Donnay, d'Hervieu et de Lavedan, on lui en saura gré. Quant à Molière, M. Copeau pourra, en ce domaine, faire ce qu'il voudra sans crainte d'offenser les conceptions américaines sur la manière de l'interpréter.

Enfin, Reamer souligne qu'un théâtre de langue française doit s'attendre à n'attirer qu'un public qui sera inévitablement d'un caractère mondain et limité.

4 mai :

Copeau fait un nouveau récit des événements passés et de ses projets d'avenir à l'adresse de Roger Martin du Gard [123] *et il ajoute :*

[...] Je n'ai pas besoin de te dire, mon vieux, combien je voudrais pouvoir penser qu'il y eût une possibilité quelconque de t'emmener avec moi, malgré ton ignorance absurde de l'anglais, aucune présence ne pourrait être plus réconfortante et plus adjuvante que la tienne. Je te vois si bien remplissant les fonctions de régisseur, acteur, peintre en décors, conférencier, etc., etc., etc., et trouvant encore le moyen de venir me passer une serviette dans le dos les soirs où j'aurais crié trop fort. Si la guerre n'est point terminée, comme il faut hélas le craindre, aurais-tu une objection à ce que je demande ta mise en sursis pour collaborer à l'œuvre que nous entreprenons ici? Naturellement je ne veux rien faire contre ta volonté, mais tu comprendras facilement combien ton aide me sera précieuse. Médite ça, mon vieux, ne m'écris pas, je ne recevrais plus ta lettre. [...] Je te supplie surtout de ne pas te faire de l'Amérique une idée abominable. Je suis convaincu au contraire qu'un séjour prolongé ici t'intéresserait énormément.

20 mai, Journal de Roger Martin du Gard :

Très remué par une lettre de Copeau qui me demande d'aller avec lui en Amérique l'an prochain, et m'offre de porter mon nom sur la liste de ceux dont il va demander le sursis.

C'est l'évasion! Combien tentante. Vertigineuse! Je me sens arrêté, dès le premier examen, par :

1) Danger de la traversée pour Hélène et Christiane.

2) Gêne que j'éprouve à décider et à exécuter cette évasion. À ne pas rester au poste qui m'a été désigné depuis la mobilisation. (Sans aucun mouvement de patriotisme.) Je n'envi-

sage pas ça comme une *désertion*, et ce point de vue me touche peu. Mais c'est intervenir dans ma destinée militaire; c'est ne pas finir la guerre à la place où j'ai été mis par les circonstances. Je ne suis pas sûr de ne pas le regretter.

3) Difficultés pécuniaires d'un semblable voyage. Et difficultés de famille.

Dès maintenant, une voix intérieure proclame que je refuserai.

Copeau répondant à la lettre de Roger Martin du Gard du 8 avril, reçue le 8 mai, revient à la charge :

[...] Tu m'as fait du bien en m'écrivant. Je te remercie. Je compte sur toi. Je t'ai dit que je voudrais t'avoir ici, car ça sera dur. Les Américains t'amuseraient, t'intéresseraient. Ils ont du sang neuf. Je te raconterai, je te raconterai. Au revoir. Il est minuit. Je me couche. Il faut que je sois debout de bonne heure demain matin. J'ai cinq personnes déjà qui travaillent dans mes bureaux. Ça barde... Veux-tu embrasser pour moi ta femme et ta fille, quand tu les verras? Ah! le jour où je pourrai vous serrer dans mes bras, tous! S'il y a un avenir, cher vieux, il est à nous. Nous venons de faire un pas de géant.

Otto Kahn avait proposé la direction du Théâtre Français à Jacques Copeau le 19 février, 15 jours après leur première entrevue. Copeau n'avait donné son accord définitif que le 5 avril. Pourtant, dès le 10 mars, il avait prié le marquis de Polignac, qui se rendait à Paris, d'obtenir les sursis des comédiens encore aux tranchées.

Le 4 avril, dans sa longue lettre circulaire pour tous les amis, adressée à Gaston Gallimard, il avait chargé celui-ci de commencer démarches et préparatifs à Paris.

À New York, les architectes étudient les plans de transformation du Garrick. Jouvet est toujours à Saint-Cyr. Henri Casadesus, de passage à Paris, lui remet les plans du Garrick — il se penche dessus, et il se ronge.

Le 4 mai, il écrit :

Mon patron, vous recevrez ce mot par les soins de Monsieur de Polignac.

C'est à la hâte que je vous écris ce mot, car je veux attirer votre attention sur un point capital au point de vue machinerie, c'est la *question du plancher*. S'il a une pente – si légère soit-elle – il faut mettre dans les aménagements importants à faire, la réfection du plancher. *Il le faut absolument horizontal*, pour l'emploi du moindre paravent ainsi que pour d'autres nécessités encore.

C'est tout ce que je demande et c'est la plus grosse difficulté dont je m'effraye. [...]

Il me semble que vous allez revenir tout à l'heure et que ce mot n'est pas bien nécessaire, et cependant je voudrais vous écrire une grande lettre...

Nous sommes un peu excités, mais d'une bonne excitation point folle – pour moi, j'attends.

J'espère que vous vous embarquerez dans de bonnes conditions et que nous saurons votre embarquement et votre débarquement – *par dépêche*.

Le 6 mai, Joffre est à Washington.

7 mai, Copeau à Agnès :
[...] Dîner Joffre, Viviani, auquel j'assisterai. Tout New York se pavoise. Ça va être prodigieux. Ah! ma chérie, l'idée de vous revoir, de revoir ma maison, mon jardin, mes champs, tout cela me bouleverse au-delà de ce que je puis dire. Les millionnaires ne m'ont pas changé. Ce qui m'arrive il me semble que cela arrive à un autre. Quand nous nous retrouverons il me semblera que tout le reste est un rêve.

La mission militaire française qui accompagne Joffre et Viviani est arrivée à Hampton Roads, Virginie, depuis le 24 avril. Elle se rend à Washington sur le yacht présidentiel en compagnie de Jusserand et du jeune sous-secrétaire de la Marine, Franklin D. Roosevelt. Tout au long d'un itinéraire de quinze jours, jusqu'à Chicago et Ottawa, Joffre est acclamé. Le 9 mai, à 15 heures, la mission atteint New York : un million de spectateurs se pressent sur les trottoirs, aux fenêtres et sur les toits pour apercevoir le cortège qui se fraye un lent passage entre les buildings pavoisés aux couleurs françaises et américaines sous un déluge de petits papiers.

En immenses caractères, les journaux titrent :
– Accueil titanesque pour Joffre : Des millions acclament la mission française.

— Les délégués de guerre français sont les hôtes de la ville.
Ils voient dans l'accueil chaleureux de New York un nouvel
espoir pour une victoire glorieuse.
— Joffre dévoile la statue de Lafayette.
— Toute la ville s'unit pour manifestations en l'honneur de
Joffre et de Viviani. Un don de 86 000 dollars pour les
œuvres du maréchal.

*Ce don de $ 86 000 fut recueilli grâce à une soirée de gala au
Metropolitan Opera qui eut lieu ce soir-là et où les quarante-sept
loges du célèbre Diamond horse shoe furent enlevées au prix de mille
dollars chacune.*
Copeau se souviendra plus tard de cette soirée [124].

En 1917, j'ai assisté à la visite du maréchal Joffre et de
Viviani. J'ai pris part au gala donné pour le maréchal au
Metropolitan Opera, gala auquel prenait part un pianiste dont
les grandes destinées politiques n'étaient pas encore prévues,
Paderewski, président actuel de la République polonaise.
Paderewski était en train de jouer un morceau de piano.
Lorsque Joffre entra dans la salle, tout le public d'un seul
geste tourna le dos à la scène pour faire face à la loge du
Maréchal et l'inviter à parler. Joffre, comme on sait, ne parle
pas l'anglais, mais avec une émotion qui n'était pas feinte il
lui suffit de dire : « Mesdames, Messieurs, je ne suis pas ora-
teur. Je vous demande simplement de crier avec moi : " Vive
la France! " » Et toute la salle transportée et hurlante l'acclama
en agitant de petits drapeaux.

*Mais à Paris, depuis la sanglante offensive de Nivelle et son échec
sur le Chemin des Dames, au mois d'avril, on commence à savoir
que la démoralisation gagne l'armée. Elle est ressentie dans les
lettres des combattants.*

Le 8 juin, Charles Dullin écrira à Agnès Copeau :
Merci pour le tabac et les bonnes nouvelles. J'ai hâte voyez-
vous que Jacques rentre. Je compte aller en permission dans
une quinzaine de jours. J'espère qu'il sera de retour. Je tiens
à me conserver jusqu'à la réussite de cette affaire. Ce serait
si beau! mais je vis en ce moment dans une anxiété continuelle
depuis certains événements d'ordre intérieur que je ne puis

vous dire et qui me font plus peur que le grand ténor Hindenburg et son orchestre. Je vois avec angoisse mon pays plus dangereusement menacé au-dedans qu'à l'extérieur. Il nous faudrait du calme, de la confiance et ce ne sont pas les affolés de l'intérieur qui nous en donneront beaucoup et hélas! nous n'en trouverons pas ici non plus. Embrassez bien les petits pour moi. Merci encore.

Des rumeurs de mutinerie commencent à circuler. Des slogans apparaissent partout : « Vive la paix », « Assez de morts », « Assez de sang », « À bas la guerre », « Halte à la boucherie ».

10 mai, L'Homme enchaîné :
— L'offensive pacifiste de Stockholm.
— Le désaccord divise les troupes d'attaque.
— À l'armée les grèves se multiplient.

15 mai, L'Intransigeant : Midinettes en grève. Paris sillonné par des colonnes de jeunes femmes en grève. Les boucheries fermées.

16 mai : Nivelle remplacé par Pétain qui tente de rétablir l'ordre et la confiance.

Lorsque, ce jour-là Polignac rentre à New York, Copeau écrit à Agnès :
Revu Polignac qui revient de France. Il n'est pas très gai.

Mais Agnès vient de lui télégraphier : Rentrerai au Limon le 4 juin. *C'est là qu'elle va l'attendre. Elle écrit :*
Les enfants dessinent, dessinent, chacune a une dizaine de grands dessins pour toi.

Copeau se voit déjà gravissant la « côte » qui va de La Ferté-sous-Jouarre au Limon :
Ah chérie, de quel jarret allègre je ferai diminuer la route sous mes pas! N'est-ce pas que j'ai raison de vouloir que ce soit dans notre jardin que je vous retrouve, ma femme et mes enfants bien-aimés? Ce sera merveilleux. Maintenant je vais y penser chaque jour, je ne vais plus me défendre d'y penser, comme je l'ai fait jusqu'ici.

Les lettres des enfants, une fois de plus, m'ont enthousiasmé, et leurs dessins aussi. Personne ne les comprend autant que je le fais. J'espère que de belles surprises m'attendent au retour. J'espère que ma présence leur donnera un nouvel élan. Il y aura de la bonne terre au Limon pour faire du modelage.

Ah, ma petite Agnès bien-aimée, si Dieu me donne vie je ferai de grandes choses. J'ai beaucoup de projets. [...]

Oui, ma chérie, je crois que tu te plairas ici, toi si vivante, si curieuse de nouveauté. Il n'y a pas que des millionnaires. Il y a des gens simples, gentils, fervents. C'est ceux-là que nous verrons. Tout continue à aller très bien. Les abonnements commencent à marcher grand train. Il en arrive tous les jours. Je pense que nous aurons trois recettes par semaine faites d'avance par l'abonnement. Encore beaucoup à faire pour la transformation du théâtre. Demain : réception au Metropolitan. [...]

Jeudi 17 mai, New York :
Réception officielle donnée au Metropolitan Opera House par le Board of Directors et le Women's Council du Théâtre-Français [125]. *C'est le professeur Nicholas Murray Butler, président de Columbia University qui présente Jacques Copeau à plus de cinq cents invités parmi lesquels se trouvent, outre les comités directeurs, le Consul général de France et Henri Bergson, des représentants de la colonie française, des artistes français et américains, des personnalités du théâtre et les principaux critiques américains, mêlés à l'élite de la société new-yorkaise.*

Après les allocutions d'usage et la lecture de deux câblogrammes adressés à Otto Kahn, l'un de l'ambassadeur de France M. Jusserand, exprimant ses vœux et sa confiance en la mission du Vieux Colombier à New York qui fera « de jour en jour mieux connaître et apprécier la vraie France. Le passé de M. Copeau est la meilleure garantie de son brillant avenir » – *l'autre du sous-secrétaire d'État aux Beaux-Arts M. Dalimier :* « Je suis heureux d'apprendre que vous venez de désigner Jacques Copeau comme directeur du Théâtre Français de New York. Copeau a l'estime de tous les amis de l'art théâtral en France et je suis persuadé que son action aux États-Unis contribuera à resserrer encore les liens intellectuels et artistiques entre nos deux pays. »

Jacques Copeau prend la parole [126] :
Mesdames et Messieurs, si quelque chose peut m'excuser à mes propres yeux d'être l'objet d'une manifestation si flatteuse, c'est que j'ai conscience, sans aucun orgueil, mais très

sincèrement, de représenter un peu la France... du moins de la servir, selon mes forces. [...]

Il s'agit de créer à New York avec la coopération de tous les artistes français de réelle valeur un centre de culture française, un courant d'authentique inspiration française, vivant, ardent, jeune, capable de perpétuel renouvellement, de perpétuel jaillissement, parce qu'il ne cessera pas d'être alimenté par sa source originelle.

[...] Ceux qui ne nous connaissent pas vous diront peut-être – ils vous l'ont déjà dit, j'en suis sûr – prenez garde, ces gens-là sont des artistes, et, ce qui est pire, des artistes modernes. Ils vont vous présenter des choses extravagantes auxquelles on ne comprend rien, des pièces tristes, des pièces noires!

D'autres – tout aussi peu renseignés – s'en vont répandant le bruit que le théâtre du Vieux Colombier ne joue que le répertoire classique, ce qui est le comble de l'ennui, des pièces qu'on a apprises à l'école et qui ont la froideur du sépulcre.

Mesdames et Messieurs, n'écoutez pas ces histoires absurdes. Faites-nous crédit. Venez nous voir. Ne vous fiez qu'à vous-mêmes. Je vous assure qu'on ne s'ennuie pas du tout au Vieux Colombier. La gaieté, la fantaisie sont même nos déesses favorites. Sans doute je vous donnerai des pièces classiques et je crois bien que vous vous étonnerez de les aimer entre toutes, de les trouver plus jeunes et plus vivantes, plus divertissantes aussi que la plupart des pièces modernes. [...]

Et je vous donnerai aussi des pièces modernes, et des plus variées... et même avec des habits noirs et des robes décolletées. Je m'adresse à tous les publics. Je m'adresse à la jeunesse, aux étudiants, aux artisans, comme à l'élite de la société.

Je puis donc demander à tous de nous aider, de collaborer avec nous, de faire de notre théâtre la maison de tous les amis de la France. [...] Chacun doit assumer sa part de responsabilité, faire sa propagande individuelle, recueillir des souscriptions, nous soumettre des idées, et inscrire ainsi son nom dans nos annales, en contribuant à créer cette chose magnifique que l'avenir développera : ici, en plein New York, un lieu de beauté et de vérité, où la douce langue de France, où l'art français de tous les temps, parleront leur vrai langage.

Le lendemain les journaux titrent :
— Copeau Welcomed to Stageland Here...
New French Theatre Welcomed.

Une petite brochure de quatre pages, en anglais, tirée à cinquante mille exemplaires, reproduit des extraits de cette allocution et appelle le public américain à souscrire aux abonnements.
Appelez vos amis, donnez-leur notre numéro de téléphone et demandez-leur de souscrire.

Envoyez-nous une liste de noms de ceux que vous connaissez qui pourraient s'intéresser à notre programme, non seulement à New York, mais dans toutes les autres villes des États-Unis.
Ceci est un théâtre parisien, le plus jeune et le plus vivant des théâtres de France, reconnu par les artistes et les écrivains éminents, qui s'établira chez vous, public américain, conscient du respect qu'il vous doit. Nous vous apportons son répertoire, ses costumes, ses décors, son organisation complète et sa compagnie entière, où il n'y a pas de vedettes mais où chacun est un artiste.
Nous vous offrons la sincérité, les couleurs, le mouvement de la vie, et la beauté sur la scène, sous toutes ses formes : drame, tragédie, comédie, farce et pantomime.
Nous aimons la poésie, la gaieté, la fantaisie.
Nous nous refusons à tout ce qui est artificiel, vulgaire ou pédant.
Nous tâcherons de représenter l'esprit de la France.

Une autre brochure, en langue française, sera publiée à l'intention du public français des États-Unis et du Canada.

Pour réaliser toutes ces promesses, le travail est intense dans les bureaux de 1328 Broadway où la secrétaire générale du nouveau théâtre, Miss Andrews, est installée, et au Garrick où les travaux ont commencé.
Mais bientôt des difficultés vont surgir.

25 mai, Copeau écrit à Agnès :
[...] L'architecte diplômé à qui on avait confié les travaux du théâtre est une brute insensible. Je suis parvenu à le faire balancer et lui enlever le travail pour le confier à un jeune

bohémien de vingt-six ans [127], qui te plaira, petit employé chez un architecte mais qui me semble avoir le feu du génie. Il travaille nuit et jour pour me satisfaire. Et il m'a dit : « Vous m'avez rendu la vie. » Ah! Magnès, j'aime les hommes. [...] Tant de décisions à prendre *sans personne* auprès de moi.

J'ai hâte d'être sur le bateau et de respirer. Au revoir

Mais avant de quitter l'Amérique, Copeau va tenter encore une démarche pour obtenir les sursis de ses comédiens.

Le 29 mai, il se rend à Washington pour en parler avec André Tardieu.

30 mai, Copeau à Agnès :

Je rentre de Washington. T'envoie encore à la hâte ce mot qui t'atteindra quelques jours avant que je te voie. Les derniers jours sont un enfer tant il y a de choses à régler.

Il n'y a que deux points noirs : mes comédiens que j'aurai certainement beaucoup de mal à avoir, on ne me l'a pas caché à Washington, et deuxièmement notre habitation ici. Miss Andrews a un projet féerique d'une Maison du Vieux Colombier [128] qu'habiteraient les comédiens et dont un étage entier me serait réservé avec entrée particulière. Restaurant au rez-de-chaussée, etc. Je tâcherai d'arranger ça pour le mieux. L'important c'est que nous soyons ici tous les cinq.

Ma femme chérie, mes enfants chéris, il me semble que je tomberai par terre en vous revoyant. Vous m'attendrez dans le jardin, pas à la gare, et je monterai la côte en courant. Au revoir.

Le 31 mai, Jacques Copeau signe son contrat avec Otto Kahn à l'heure où, sur le front, de nouvelles mutineries ont éclaté [129].

Copeau adresse à André Tardieu un rapport sur sa mission accomplie et un projet d'ensemble de propagande française ayant pour centre le Vieux Colombier de New York [130] :

[...] Notre pays n'a jamais produit ici une *manifestation d'ensemble* qui fût digne de lui, qui fût un témoignage de ses efforts et de ses aspirations actuelles, de sa faculté de renouvellement, de sa jeunesse.

Or, il faut bien nous représenter qu'à l'heure actuelle, dans tous les pays du monde, nous sommes dépassés sur le terrain de l'art scénique. L'Amérique elle-même prétend ne pas rester en retard sur les autres nations. Depuis quelques années elle a multiplié ses efforts. De toutes parts, surtout dans l'Ouest, des sociétés se créent pour lutter contre le théâtre commercial et favoriser le développement d'un mouvement nouveau. Des revues techniques se publient. Plusieurs universités, munies de scènes en plein air ou fermées, de *work shops*, de bibliothèques théâtrales, donnent à leurs élèves toutes facilités pour l'étude et la pratique de l'art dramatique. Le développement des *pageants* ou grands spectacles populaires en plein air, tend à devenir une forme d'art national. Enfin, dans ces dernières années, un mouvement remarquable s'est manifesté, sous le titre de *mouvement des petits théâtres*. Ce sont des associations de jeunes artistes désintéressés qui écrivent des pièces, en composent et fabriquent la mise en scène et les costumes, et les jouent eux-mêmes. Quelques-unes de ces associations sont prospères. Il en existe au moins une dans chaque grande ville. New York en possède plusieurs.

Quelle que soit la qualité foncière de ces activités, souvent incohérentes, elles existent. Elles sont l'indice d'un besoin nouveau. Je les ai signalées pour en conclure que jamais temps ne fut plus propice à exercer une influence de qualité nettement française dans ce milieu où des forces neuves aspirent à prendre conscience d'elles-mêmes, à se coordonner, à recevoir impulsion et direction.

Je crois fermement que la création d'un théâtre français, digne de notre culture, peut contribuer brillamment à soutenir, à rehausser notre prestige et notre influence intellectuelle en Amérique.

À cause du moment exceptionnel où aura lieu son inauguration, à cause de la qualité éminente des personnalités américaines qui s'intéressent à sa fondation et à son avenir, à cause de la demande passionnée que nous avons pu constater dans tous les milieux américains (mondain, universitaire, artistique) pour une source vraiment pure de culture française : à cause de tout cela nous estimons que le théâtre du Vieux Colombier qui, pour la première fois, établira à New York une petite colonie d'authentiques artistes français, peut devenir le centre et le noyau de toute une organisation d'influence française.

Nous nous sommes donné pour règle de grouper au Vieux Colombier de New York toutes les manifestations artistiques françaises de réelle qualité : de manière à ce que dans l'avenir le fait pour un artiste français d'avoir été invité au Vieux Colombier soit une marque de qualité qui le suive dans ses voyages à travers les États-Unis. Nous songeons à établir dans nos bureaux une véritable petite Agence de renseignements et de *managements* pour les artistes français. Dès maintenant, pour la saison 1917-1918, nous nous sommes assuré les concours de Pierre Monteux, de Risler, de Jacques Thibaud, de Henri Casadesus et son orchestre des instruments anciens, de Mme Gabrielle Gilles, d'Yvette Guilbert dans ses chansons du Vieux Temps.

À côté des spectacles réguliers de notre répertoire, nous donnerons des matinées, comportant des conférences, des récitations poétiques, des lectures, des œuvres inédites de la jeune génération française, des spectacles pour les enfants; pantomimes, petits ballets, fêtes costumées organisées par les jeunes élèves du Vieux Colombier.

À côté du théâtre, la société du Vieux Colombier qui doit tendre, elle aussi à resserrer les liens de l'amitié franco-américaine. La Maison du Vieux Colombier comporte une pension où les artistes du Vieux Colombier vivront en commun à des conditions très avantageuses; une salle de restaurant pour les mêmes artistes, une seconde salle pour le public; un salon de conversation et de lecture, une bibliothèque.

Dans la Maison du Vieux Colombier, le Cercle des Amis de la France, créé également par nos commanditaires, vient élire domicile. Il y a ses locaux où vont s'organiser, toujours sous la même direction, des causeries et des cours plus intimes, une petite école d'art dramatique, des expositions de gravures, dessins, peintures, sculptures, maquettes de théâtre, éditions de luxe, etc., etc...

Le foyer du théâtre sera transformé en une petite librairie où le public pourra trouver d'une part les pièces de notre répertoire à la fois en français et en anglais, d'autre part un choix des meilleurs ouvrages français classiques et modernes. Ce sera un bureau de renseignements de la librairie française où tout Américain cultivé sera sûr d'être tenu au courant des dernières nouveautés. Ce département de la librairie au Vieux Colombier sera sous la direction de M. Gaston Gallimard, directeur des Éditions de la *Nouvelle Revue Française.*

En terminant ce rapport je me permets, Monsieur le Haut

Commissaire, d'attirer votre attention sur l'importance de la tâche assumée et de vous signaler que, pour la mener à bien, il me serait extrêmement précieux et même indispensable de pouvoir compter sur tous nos collaborateurs du Vieux Colombier de Paris [131].

La demande des sursis adressée dans ce rapport au Haut Commissaire sera renforcée par une lettre de Otto Kahn au ministre de l'Instruction publique et des Beaux-Arts à Paris.

Le 5 juin avait été dans toute l'Amérique le **Registration Day** *: dix millions de jeunes Américains mobilisés pour le service militaire constituent la première conscription américaine.*
On apprendra plus tard que ce même jour, pour juguler les mutineries dans l'armée, Pétain demandait des cours martiales.

Il faut qu'avant son départ Copeau prenne toutes dispositions pour que le travail, préparant l'ouverture prévue et annoncée pour le 20 novembre, puisse être poursuivi en son absence. L'exécutif se compose de Otto Kahn, président du Board of Directors, de Rita Lydig présidente du Women's Council, de Miss Andrews, secrétaire générale ayant pleins pouvoirs pour coordonner et réaliser les projets. Elle a charge en particulier de trouver et d'aménager la Maison du Vieux Colombier. Elle est responsable en outre de tout ce qui est habituellement assumé par un secrétaire général dans un théâtre : publicité, billetterie, abonnements, programmes, rapports avec l'extérieur et organisation des concerts et autres manifestations annexes. Enfin, responsable de la coordination de toutes les questions afférentes à la transformation architecturale du Garrick.
Pour cette part primordiale du travail préparatoire, le maître d'œuvre, choisi par Copeau, est Antonin Raymond.
Toutefois, aucune décision ne devra être prise sans l'accord de Copeau. Cette collaboration transatlantique va s'avérer des plus difficiles. Le téléphone intercontinental n'existe pas encore. L'état de guerre rend hasardeux et lents les courriers et même les communications par câblogrammes.

Le 8 juin, Copeau reçoit un chèque de 18 000 dollars signé de Otto Kahn et destiné aux frais de montage des pièces et des répétitions à effectuer à Paris jusqu'au mois de novembre.

Les principaux journaux new-yorkais annoncent [132] *:* – Copeau going to France , – Le Directeur du nouveau théâtre du Vieux Colombier va rassembler sa compagnie – Le Garrick est transformé pour la french company – Il est non seulement dans les intentions de M. Copeau de présenter sa propre compagnie d'acteurs, de chanteurs et de danseurs français, mais encore de faire du Vieux Colombier de Manhattan un théâtre new-yorkais pour des manifestations scéniques de la France alliée, telles que des représentations d'Yvette Guilbert et d'autres chanteurs et musiciens de renom.

Plusieurs journaux reproduisent la lettre d'Yvette Guilbert [133] *que Copeau reçoit la veille de son départ pour la France :*

Cher Monsieur Copeau, chacun sait que vous êtes un artiste honnête et un créateur. Pour ces trois vertus, j'ai souhaité me joindre à vous. Je vous apporterai mon expérience de bien des années de labeur et je collaborerai ardemment à l'honneur de votre nouvelle entreprise. Il sera beau que, grâce à vous, les Américains puissent voir réalisé « l'Accord français » où, tous unis, chacun travaillera avec dignité pour transmettre l'esprit et la gaieté de notre sol natal. Nous serons de fidèles compatriotes, des amis chaleureux, de bons artistes s'entraidant d'un cœur léger. La paix régnera au Vieux Colombier et il faut espérer que l'une de nos colombes traversera l'océan portant un rameau vert digne d'être ajouté aux lauriers de la France.

Mais avant toute chose, Monsieur Copeau, vos artistes travailleront, c'est pourquoi j'attends l'arrivée du Vieux Colombier dans sa nouvelle demeure pour vous rejoindre, mon tablier chargé de trésors.

Avant son départ, Copeau reçoit encore une dernière lettre d'Agnès et des enfants, écrites le 21 mai :

Cette fois voici ma dernière lettre... Je compte donc être au Limon le 8, et j'aurai juste le temps de tout préparer... Aucun mauvais pressentiment ne m'agite... Je *sais* que nous nous reverrons.

Je n'essaierai même pas de te dire mon attente. Lorsque je pense à l'instant où je te verrai ouvrir la petite barrière, mon cœur s'arrête [...]

Maïène :

[...] C'est terrible, parce qu'il y a un bateau qui a coulé on
ne sait pas où, on croit que c'est entre Salonique et Malte, il
y a des épaves sur toute la côte et ce qui est plus terrible, des
cadavres de soldats anglais. Ce bateau était donc un transport
de troupes, on a trouvé sept cadavres, les pauvres s'ils ont été
roulés depuis Malte jusqu'ici! il y en a sur toute la côte, il y en
a deux au Lavandou, deux à la Fôsette, qui est à cinq minutes
de Saint-Clair, il y en a eu sept en tout dans les environs de
Saint-Clair, il y en a pas encore eu à Saint-Clair, j'aimerais
qu'il en vienne un ici, j'aimerais pas, le pauvre, mais je voudrais
faire quelque chose pour lui, si j'en vois un dans l'eau je le
sortirai, et je suis sûre que je le ferai même si j'ai très peur,
pas peur, parce que un mort c'est comme une carapasse, mais
quand même c'est terrible, mais j'essayerai. Hier Monique *
et moi nous avons trouvé un gros, bon godilleau de soldat, et
près d'Aiguebelle, c'est à vingt minutes d'ici, il y en avait un,
mais le douanier l'avait déjà trouvé, et l'avait mis sur les rochers.
Élisabeth ** et Marie-Ter *** l'ont vu, le pauvre soldat anglais,
mais on ne voyait que son uniforme gonflé d'eau, il était couché
sur le ventre et on ne voyait rien, Monique et moi, nous n'avons
pas été voir, ce n'était pas la peine puisqu'il n'y avait rien à
faire... n'est-ce pas?

La mer est très forte encore et le vent souffle encore de
l'est aujourd'hui, j'espère qu'elle n'en apportera plus. En tous
les cas nous irons demain porter des fleurs pour eux, je crois
qu'on les enterre demain à dix heures. Sur celui qu'on a
trouvé au Lavandou on a trouvé la photo de sa femme et de
ses enfants et une lettre à sa femme qu'il n'avait pas encore
envoyée. C'est beaucoup plus terrible quand il y a des choses
comme ça près de soi, quand on le voit dans les journaux on
ne peut pas savoir.

Le lendemain :

[...] D'abord nous sommes allés au Lavandou et nous avons
apporté des masses de fleurs. Arrivés devant la mairie où il
y avait des masses de gens endimanchés, nous avons attendu.

  * Monique Schlumberger.
 ** Élisabeth Van Rysselberghe.
*** Marie-Thérèse Muller.

Devant la mairie il y avait une dizaine de tout vieux hommes bien propres et très gentils, qu'on a fait venir en appelant « Faites venir les conseillers municipaux! » Alors tous les vieux se sont affolés, ils se faisaient des signes et s'appelaient, enfin trois d'eux sont montés, quelques minutes après on les a vu descendre l'escalier avec des grands drapeaux français tout déteints avec des énormes nœuds de crêpe noir dessus, enfin, après s'être accrochés les uns avec les autres par leurs drapeaux, ils se sont rangés de côté. Il y avait beaucoup d'affolement dans la mairie, des gens montaient et descendaient les escaliers, il y a même un soldat qui est arrivé en courant avec des bouteilles de vin plein ses poches et ses bras. C'était dégoutant parce qu'il y avait des gens qui venaient seulement pour voir, ils riaient et criaient et ils avaient du rouge sur les lèvres.

Enfin une auto est arrivée et deux officiers anglais sont sortis, c'étaient les pasteurs. Le maire voyant l'auto a descendu les escaliers presque en courant pour les recevoir. Il avait un habit tout noir et une bande bleu-blanc-rouge sur la poitrine. Puis les officiers anglais et le maire ont disparu dans la mairie. Quelques minutes après, une autre auto est arrivée et le sous-préfet est descendu. Il était tout jeune avec un nez crochu et un habit noir avec des galons d'argent. Le maire s'est encore précipité et encore ils ont disparu dans la mairie. Aussitôt un garde champêtre a couru à l'auto du sous-préfet et en a sorti deux petits drapeaux anglais roulés, ça a dû être le sous-préfet qui a été chargé d'acheter ça comme il vient de Toulon.

Après ça on a fait avancer les enfants de l'école et nous avons marché après, mais les enfants du commencement de la troupe s'arrêtaient de marcher et alors ça s'encombrait, il y avait des enfants qui se disputaient, enfin on est arrivé au cimetière. Les soldats étaient dans des caisses de bois entourées d'un drapeau français et il y avait des masses de fleurs. Alors le pasteur a lu dans la bible, il avait une très drôle de voix qui montait à la fin des phrases. Les pauvres, ils avaient très envie de pleurer, ils tremblaient, mais ils ne l'ont pas fait. Ils étaient eux-mêmes des rescapés du même bateau que ceux qui ont été noyés et ils devaient connaître les morts. Après, le maire a fait un discours, tout le monde se mouchait et toussait, et lui-même sanglotait, il a même commencé à dire, je-ne-peu-eu-pas-as! Ça avait l'air un peu piteux à côté des Anglais qui eux-mêmes avaient été là pendant le naufrage.

Après ça, le sous-préfet a fait un très bête discours, il se trompait tout le temps et je ne suis pas sûre qu'il savait très bien ce qu'il voulait dire, mais en tout cas il devait avoir l'habitude de faire des discours, il disait tout le temps boches, poilus, et des choses comme ça exprès.

Après chaque discours les Anglais, qui ne comprenaient pas un mot de français, hochaient la tête et parlaient tout bas, comme s'ils avaient très bien compris, pour enlever un peu du silence morne après les discours. L'interprète a pris une photo et a exprimé, pour les Anglais, tous leurs sentiments, e.t.c.; e.t.c.;... il rougissait chaque fois qu'il devait parler.

Voilà – maintenant je t'embrasse.

9 juin :
  Le jour du départ est arrivé. Accompagné de quelques amis, Copeau se dirige vers le port de New York où l'Espagne est à l'ancre.
  Parmi les passagers se trouvent Gabrielle Dorziat qui rapporte un demi-million de dollars amassés par diverses œuvres de charité américaines pour l'aide aux réfugiés et aux orphelins en France, et le jeune compositeur, Ernest Bloch, qui rentre en Suisse pour ramener sa famille à New York où il s'établira en octobre 1917.
  Il y a aussi Émile Hovelaque du Haut Commissariat et une Française Élias Sarkis qui plus tard fera le récit de ce voyage [134].

Mardi 12 juin :
  Le temps est très nuageux et froid. [...] Il y a deux messieurs qui parlent avec terreur de la zone des sous-marins où nous entrerons bientôt. [...] Cette traversée est monotone et ennuyeuse.

13 juin :
  Mais en France, le port de Boulogne pavoise. L'Invicta y fait son entrée : Pershing débarque avec le Premier Corps expéditionnaire américain – cent quatre-vingts hommes, venus pour sauver la liberté et la démocratie.

Jeudi 14 juin, suite du récit d'Élias Sarkis :
  La mer continue à être grosse. Hier, à 3 heures, on nous a fait mettre nos ceintures de sauvetage, et l'appel a eu lieu aux postes de secours.

Samedi 16 juin :

Ce matin nous avons vu un navire, un autre cet après-midi, transport lourdement chargé. Nous sommes sur la route active, de l'entrée et de la sortie de Bordeaux. L'absence de sous-marins m'étonne.

3 heures :

Un coup de canon déchire le silence... Je suis dans ma cabine. Les étroits corridors sont envahis par une galopade folle de ces messieurs que tout sang-froid a abandonnés. L'un d'eux m'aplatit sur la cloison. Un autre, honteux pourtant, se retourne pour me rassurer, se rassurer plutôt : « Manœuvres, madame, manœuvres! [...] » J'arrive sur le pont, où ceux qui n'ont pas tant tremblé se sont jetés à l'arrière, pour voir le *monstre* qui fuit après avoir craché son venin sans nous avoir atteints. [...] Le canon continue à déchirer l'air. Avec la même ardeur qu'ils galopaient en bas, ils parcourent le pont en criant : « Nous l'avons coulé! Nous l'avons coulé! » *Ils* n'ont rien coulé du tout.

Le navire fait des zigzags et file à toute allure. Tout cela est si soudain, on reste ébahi. Jacques Copeau parcourt le pont, la pipe au bec, scrutant les physionomies pour y découvrir une nouvelle formule de l'émotion humaine.

18 juin :

Dans l'embouchure de la Gironde, où il faut toujours compter avec la marée, nous avons passé la journée à n'avancer qu'imperceptiblement et à regarder les autres navires, dragueurs de mines, transports de passagers. Le *Touraine* glissait près de nous, pour faire en sens inverse notre voyage. Nous lui avons souhaité bon voyage, mais un des vaisseaux que nous avions vus samedi dans nos alentours a été coulé. Nous nous rendons compte, à présent, que nous avons vécu sous une tension. Et les ovations, tout le long des rives, mettent des larmes dans tous les yeux. À 6 heures, nous roulions vers la gare Saint-Jean dans l'omnibus de la compagnie. Il fait beau, chaud autant qu'à New York. Des poilus en masse, sales et gais, emplissent la gare; ce sont des permissionnaires qui retournent dans la fournaise.

Par mesure de sécurité, les départs et les arrivées des bateaux sont toujours tenus secrets par la censure.

Agnès Copeau et ses enfants sont au Limon, ne sachant pas au juste quel jour mettra un terme à leur impatience.

Agnès à Hélène Martin du Gard :
Nous sommes là, à l'attendre dans notre jardin, comme il le désire. Depuis deux mois ses lettres parlent de ce retour.

Jacques Rivière, prisonnier depuis le 24 août 1914, a été interné en Suisse pour raison de santé le 15 juin 1917. Il écrit à Agnès.

18 juin [135] :
Me voici délivré. Je ne peux rien vous dire encore tant je suis remué, stupéfait, hors de moi. Donnez-moi vite l'adresse de Jacques. Il me semble qu'il avait annoncé son retour pour juin. Je me souviens qu'il écrivait : « Peut-être quand je rentrerai seras-tu là. » Vous voyez que je n'ai pas manqué au rendez-vous.

En effet, au moment de quitter la France pour N.Y., le 20 janvier, de Bordeaux, Copeau avait écrit à Jacques Rivière :
Tu es le dernier, mon ami chéri, à qui je dise adieu, comme si nous nous embrassions sur le quai... Il est dur de s'en aller, de tout laisser derrière soi. Que trouverai-je à mon retour? Peut-être que tu seras revenu, mon ami!

Pendant la durée de la traversée, et depuis le 2 juin, de nouvelles mutineries ont éclaté sur le front – des divisions entières refusent de monter en ligne.

14 juin, Martin du Gard écrit à son ami Maurice Ray [136] :
[...] Ah, mon vieux, ce qu'on en a marre! Marre! Marre! [...] Honte et dégoût!
[...] Dégoût de tout. Et particulièrement de tout le mysticisme contemporain, quel que soit celui qui embouche le clairon, que ce soit Wilson ou Guillaume II.
Qu'on nous foute la paix avec cet édifice verbal qui masque le seul fond vrai de la vie, la convoitise, l'intérêt, les forces aux prises : *l'entremangement*. Clemenceau, Barrès, Reinach, Lloyd George, Ribot, Romain Rolland, Bataille, ils sont tous

atteints du même mal, ils s'agenouillent ensemble devant des *Mots*; cette guerre atroce n'aura même pas servi à faire éclater, aux yeux des gens capables de voir, *la faillite de la morale,* de la logomachie religieuse, des grands mots vides de sens et de réalité. [...]

Je compte sur l'infâme et brutal bon sens populaire, qui, peut-être, balayera tous ces accessoires néo-sulpiciens au nom du pain, du pinard et du coït.

J'assiste *presque quotidiennement,* à des événements que je ne puis écrire, mais qui sont, il me semble, GONFLÉS DE MENACE. [...]

L'effervescence est déclenchée, *elle s'étend* et *gagne furieusement.* Tu verras, tu verras. Je tiens pour certain déjà qu'*il n'y a plus d'offensive possible* sur le front français. Pas un chef ne s'y risquerait.

Il est grand temps que l'on cesse la guerre. Grand temps. Ou bien nous allons voir du vilain. [...] Tu verras. On s'est trop foutu d'eux : il fallait que ça casse un jour. Et c'est cassé. Il y a un révolutionnaire farouche qui somnole, qui s'éveille, ou qui s'agite déjà, en tout combattant.

J'entends dire des choses d'une véhémence sourde, terrible. L'air est chargé à haute tension. Tu verras.

C'est à cette heure que débarque Jacques Copeau à Bordeaux le 18 juin et qu'à Paris, de ministère en ministère il va chercher à arracher ses comédiens aux tranchées.

L'été en France

Les mutineries dans l'armée. La tragi-comédie des sursis. Le Vieux Colombier rouvert pour la fabrication des costumes et les répétitions. Nécessité d'augmenter la troupe. Périlleux amalgame. Premiers signes d'incompatibilité entre « anciens » et « nouveaux ». Les travaux de New York téléguidés de Paris. Les sursis enfin accordés à l'exception de ceux de Dullin et de Bouquet. Embarquement à bord du *Chicago* le 31 octobre 1917.

Le jour des retrouvailles de la famille Copeau dans le jardin du Limon est arrivé. Il a été tel qu'il avait été rêvé, et voulu...

Apprenant la nouvelle de la libération de Jacques Rivière, Copeau lui écrit :

4 juillet :
C'est la première nouvelle qui m'a accueilli à mon retour. Elle m'a fait étouffer de joie. Je ne peux pas te dire. Maintenant il faut vouloir revivre, Isabelle t'aidera.

[...] Je suis ahuri. J'ai une montagne de travail devant moi. Pourtant je saurai m'arranger pour aller t'embrasser, un peu plus tard. Tu comprends que je ne puisse pas écrire. Puisses-tu sentir que mon bonheur est égal à l'amour que j'ai pour toi.

D'autres lettres très attendues vont arriver au Limon : Michel Saint-Denis, le neveu de Copeau, qui, depuis son enfance, se destine à travailler avec son oncle, a été reconnu bon pour le service armé en juillet 1916 : il a dix-neuf ans. Il écrit [1].

2 juillet 1917, Secteur Postal 47 :

J'y suis cette fois, mon oncle chéri. Demain matin nous quittons tous le dépôt divisionnaire pour rejoindre le 57e Bataillon. [...]

Je me sens à l'approche d'un spectacle immense. Te rends-tu compte où j'en suis? Jusqu'ici je n'ai rien vu. Depuis deux jours seulement j'entends tonner les canons formidablement. Demain avec tous mes camarades j'entre dans la zone. Quelle atmosphère ici! Je suis bouleversé d'émotion et de joie.

3 juillet :

Ce soir nous montons en ligne. Nous n'attendons plus que le signal.

Écris-moi, aussi souvent que possible. Au revoir, oncle chéri, la pensée de l'avenir est une partie de mon courage.

Michel.

Parmi les lettres qui attendent au Limon, se trouve aussi la réponse de Roger Martin du Gard à la lettre que lui avait écrite Copeau de New York le 4 mai. Se souvenant de la réaction de Martin du Gard lors de son premier projet de tournée aux États-Unis en 1916 [2] *:*

Ah, que ne suis-je utile aussi, que ne suis-je un morceau *nécessaire* du cher ensemble, *lui écrivait-il alors,* que ne puis-je me donner à autre chose qu'à cette existence militaire pour laquelle je ne suis nullement fait et où je ne rends pas un service à ma mesure!

Le lendemain, il écrivait aussi à Gaston Gallimard qui devait accompagner Copeau [3] *[...]* Que je vous envie de trouver cette fenêtre ouverte sur l'air libre! Que j'envie les Jouvey, les Dullin! Quel féerique réveil, en pleines ténèbres! Je m'imagine si vivement leurs frémissements de joie, que j'en ai eu quelques heures de nostalgie – déjà passées, d'ailleurs. Vogue la galère! Mais que je vous envie!

Copeau, en lui annonçant la fondation du Vieux Colombier de New York, ajoutait dans cette récente lettre du 4 mai [4] *:* Aurais-tu une objection à ce que je demande ta mise en sursis pour collaborer à l'œuvre que nous entreprenons ici?

Et, sans attendre réponse ou « objection », le 2 juin, il avait déjà demandé le sursis de Roger Martin du Gard au Haut Commissaire Tardieu.

Mais voici la réponse de Roger :

Dimanche 17 juin 1917 [5] *:*
  Mon cher vieux, cette lettre attendra ton arrivée, et sera mon souhait de bienvenue. Tu rentres en triomphateur, et pour nous prouver que tu n'as pas fait un rêve fastueux, tu nous montres tes poches pleines! C'est une date, dans l'Histoire du Vieux Colombier!
  Je voudrais répondre à l'offre que tu m'as faite de vous accompagner là-bas. Tu ne sauras jamais combien elle m'a troublé, parce que tu n'auras jamais conscience du poids de l'asservissement militaire, ininterrompu, plus pesant chaque jour, à mesure que diminuent les forces de résignation et que grandissent les révoltes de l'individu. Si tu avais su la portée de la secousse, le retentissement en moi de tes paroles ailées, la griserie diabolique de tes deux lettres, – peut-être ne les aurais-tu pas écrites!
  Et je dis *non.*
  Mon vieux, je viens d'interrompre une grande heure ma lettre; perplexe, débordé par un flot de pensées que je n'ai pas la patience, le courage d'exprimer. Je te dois pourtant des raisons à mon refus. Je te les aurais données longuement, au moment où j'ai pris ma décision. Aujourd'hui, elles me sont lointaines, presque mortes, lourdes comme des cadavres, et j'éprouve une invincible répugnance à remuer cette eau, longtemps trouble, et qui commence à peine à reposer. Comprends-moi, et ne m'en garde aucune amertume. (D'ailleurs je n'ai pas *pensé* cette dernière phrase.)
  En réalité, j'ai pensé, dès le premier jour, que je dirais *non.* Invinciblement. Je suis porté par les événements, roulé par eux, je ne me sens pas le droit de me dresser contre eux, *pour des convenances personnelles,* puisque je ne me dresse pas, puisque je ne m'insurge pas contre eux *pour des convictions de pensée* autrement fortes et respectables. Il y a une différence entre

l'acquittement et la grâce. Je reste sous le joug jusqu'à ce que je puisse en sortir par la grande porte ouverte, enfin.

Je sais ce que je risque, je sais qu'il est question de nous remettre tous dans l'infanterie, dès que le contingent d'automobilistes américains sera assez nombreux. Je verrai bien. Je n'y ai aucun mérite; mon déterminisme est assez clairvoyant pour me faire sentir que je me suis décidé, *pour des raisons préexistantes,* plus fortes que celles qui me sont suggérées par mon impatience, par ma souffrance morale. Car je souffre vraiment. Et de plus en plus. L'atmosphère actuelle est irrespirable. Mais à quoi bon s'étendre là-dessus! Je suis déchiré de regrets, et que sera-ce peut-être dans quelques mois! Mais il n'y a pas à hésiter, ne m'en parle plus, dis-moi seulement que tu m'as deviné, sinon compris, et que tu connais assez mon attachement passionné à ton œuvre, à notre œuvre commune, pour soupçonner tout ce qu'un *non* me fait saigner le cœur.

Lundi 18 juin 1917, P.-S. :
Excuse cette lettre si incomplète. Je n'ai pas le goût de la recommencer, ni de prolonger les explications.

D'ailleurs je serai à Paris du 5 au 15 juillet environ, et j'espère te voir –, un peu.

Je t'embrasse affectueusement –, et fidèlement.

Roger.

Peut-être Copeau retiendra-t-il de cette lettre surtout le post-scriptum? Il va revoir son ami. Et il espère le convaincre. Il a hâte aussi de retrouver Gallimard, chez qui il soupçonne peut-être une baisse d'enthousiasme.

En avril il écrivait à Agnès :
J'ai peur de trouver en rentrant la rue Madame singulièrement endormie, mes amis déprimés ou assoupis sans élan vers l'avenir.

En effet, à son retour de permission, Roger Martin du Gard notera dans son journal, le 13 juillet 1918 [6] *:*
Longue conversation avec Gallimard, qui se sent évincé des projets de Copeau, de la saison à New York. Malentendu qui me préoccupe beaucoup. Copeau reproche à Gallimard de ne

pas se dévouer corps et âme à son œuvre, d'être neurasthé-
nique, effondré par la guerre, de ne pas savoir l'anglais, de
n'avoir pas le feu sacré. Gallimard reproche à Copeau d'avoir
usé et abusé de son temps, de son argent, de son dévouement,
et de ne plus lui faire une place convenable dans ses projets.
Il veut être son collaborateur, mais pas son sous-ordre. Et
avec Copeau, il n'y a de place que pour des employés.

C'est très inquiétant. Ils ont tous les deux tort et raison à
la fois. Mais entre eux, pas une explication franche.

Tout pousse donc Copeau à regagner Paris : cette montagne de
travail *qui l'y attend et aussi cette lettre qu'il reçoit de Dullin :*

[...] Ce que tu m'annonces est si beau... si beau... Cependant
je n'ose m'enthousiasmer. Je n'imagine pas *moi* pouvoir en
sortir. Un grain de blé dans l'engrenage quand la machine
est en marche! Cependant j'ai foi en la réussite de ton beau
projet ou plutôt j'ai une grande confiance en toi. J'ai à l'heure
actuelle plus de six cents jours de présence au front! ça
commence à compter! et à te dire franchement on a tellement
su nous embêter depuis quelque temps que nous n'avons plus
ce bel attachement de jadis, ce dévouement sans bornes. Je
m'efforce devant les hommes, devant mes camarades d'être
ce que j'étais avant, mais ce n'est qu'une comédie et c'est
triste, mon pauvre vieux. Tiens-moi discrètement au courant
de ces affaires. Jusqu'à nouvel ordre je me garde de tout
emballement prématuré. D'ailleurs pas grand effort à faire,
je suis bien aplati, *écrasé*. Me retrouverai-je jamais tel que
j'étais avant la guerre? Ai-je donc tellement *vieilli*? [...]
Par moments je suis malade d'espérer, d'autres fois je ne
puis y croire. Mais, vieux, arriveras-tu à me tirer de la machine?
Ce sera je crois ce qui te donnera le plus de mal et il m'est
bien difficile de t'aider comme me le murmure Jouvey! Chez
nous, c'est *dur, dur*. La discipline est beaucoup plus sévère
que dans l'infanterie, ensuite de ça, les malaises que j'ai ne
sont pas graves ou du moins ne paraissent pas assez graves
pour motiver mon retrait momentané d'ici. Je vois très bien
ce qui se passe, et puis je ne veux pas laisser ici le souvenir
d'«un» qui a lâché. Ce qu'il faut c'est que je sois rappelé
franchement comme l'ont été déjà beaucoup d'acteurs du
Français et autres. Enfin à toi la peine, mon pauvre ami. [...]

Il faut à tout prix obtenir les sursis.
Martin du Gard, pessimiste et clairvoyant, avait bien écrit à Copeau dès le 9 mai[7] *:*

Mon seul point d'inquiétude est la démobilisation des comédiens. Je ne saurais trop te recommander de centraliser là le plus gros de tes influences. Dès maintenant. C'est une opération presque irréalisable à l'heure actuelle, tant le courant des idées militaires y est contraire. Je ne crois pas que les récents remaniements du haut commandement rendent la chose plus aisée, au contraire[8]. Méfie-toi, et méfie-toi jusqu'au bout ; les promesses ne sont rien ; tu le sais. N'oublie pas. C'est par là qu'il faut commencer, et vaincre une à une les circulaires, qui se succèdent sans répit et qui, toutes, semblent fermer la porte à des évasions de ce genre, quel qu'en soit le motif. Casse-cou !

4 juillet :
Fête de l'Indépendance des États-Unis célébrée à Paris. Honneur à la grande République sœur ! Vivent les États-Unis !
Défilés. La fête se termine au cimetière de Picpus : par le fameux Lafayette nous voilà ! *du général Pershing*[9].

Dullin écrit encore :
[...] Il faut d'abord sortir de là, et crois que si ma pensée pouvait t'être bonne à quelque chose, elle est tendue vers toi et vers notre œuvre future. Il n'y a que ça qui m'intéresse vraiment et qui d'ailleurs vaille vraiment la peine de m'intéresser. Je suis encore costaud, vieux, ne t'inquiète pas. *Tire-moi de là et tu verras.* Dis à Jouvey qu'il me tienne au courant.
Je monte en ligne ce soir et n'en redescendrai pas avant le 20 ou le 25.

Copeau sait bien que ses camarades suivent avec angoisse ses efforts, que tout leur espoir est tourné vers lui, qu'ils attendent.
Il s'agit d'obtenir des sursis pour onze hommes, plus ou moins difficiles à obtenir selon la situation militaire particulière de chacun d'eux, et faute desquels on ne pourra même pas commencer les répétitions.

L'obtention de ces sursis dépend de trois ministères : la Guerre, les Affaires étrangères, les Beaux-Arts.

Copeau se rend à Paris et se met à faire le siège de ces ministères. À Paris, il retrouve Roger Martin du Gard, en permission du 3 au 13 juillet.

Vendredi 13 juillet :
Roger Martin du Gard à Pierre Margaritis [10] *:*
Mon vieux Pierre, Je reviens de permission. [...]
J'ai beaucoup vécu au Cherche-Midi... Copeau est bien le même. Éclatant d'espérance et de certitude. Les projets de sa saison sont splendides. La maquette du « Garrick » (le Colombier d'outre-mer) est épatante. On lui fait, sur ses plans, 250 000 francs de travaux pour qu'il ait la scène et le jeu de praticables avec lesquels il pourra mettre enfin toutes ses idées scéniques à exécution. C'est fou. Vraiment, son tréteau est une trouvaille; d'une ingéniosité, d'une simplicité, d'une loyauté vis-à-vis des auteurs, d'une richesse d'effets insoupçonnable. Je suis très emballé.

De plus en plus il est *seul, central* remettant tout le monde au second plan, ayant ses vues personnelles sur tout, sur les costumes, les décors, etc... De moins en moins il admet les collaborateurs; il ne supporte que des manœuvres, des employés, des dociles ouvriers.

Et sa pensée s'élargit, s'étend à tout un faisceau d'entreprises, dont le théâtre n'est que le noyau d'un groupement d'art français, véritable cité, comprenant aussi bien la librairie que le restaurant, l'école de comédiens, la piscine, la revue d'art dramatique, les réunions littéraires. Tout un monde.

Impossible de te raconter tout en quelques lignes. Vraiment, à le voir ainsi, à vivre plusieurs jours dans son sillage, c'est un renouvellement de tous les points de vue, c'est une orientation nouvelle, d'une envergure, d'une largeur, d'un éclectisme sans précédent.

Personnellement, il m'a fait beaucoup souffrir. Il avait attendu de me voir pour établir la liste de ses sursis d'appel. Il était convaincu qu'il vaincrait mes objections, qu'il balayerait mes hésitations, qu'il me retournerait comme un gant. Je ne me doutais pas combien il avait compté sur moi. Je pensais qu'il m'offrait *un filon*. Ce n'est pas ça. Ma défection creuse dans ses projets un trou qu'il ne peut plus combler. Il n'a personne qui me remplace auprès de lui. Il me confiait un rôle considérable, avec appointements à l'échelle de là-bas... J'avais la mise en scène de toute une série de pièces. J'avais la haute main sur les ateliers de décors, de costumes. Je devais faire des conférences dans plusieurs villes. Il m'avait même réservé divers rôles spéciaux que je devais créer là-bas. Tu ris? Pense aux assauts pressants qu'il m'a fallu subir et repousser, pense au charme qu'il a su déployer, à son insistance, aux miroitements vertigineux de ses promesses. Ça a duré deux jours. Jusqu'à ce qu'il ait bien compris que je ne transigerais pas. Mais, pour moi, quelles sueurs d'agonie! [...]

Il a traité tout ça de chimères, de complications intellectuelles. – « Tu penses trop. Vous pensez tous beaucoup trop. Vous pensez tellement que vous ne voyez plus rien, que vous ne savez plus rien faire que penser... » Il a un peu raison. Alors j'ai fini par lui dire : « Écoute, ne me pousse pas, ne me force pas à défendre plus que je ne veux mes raisons. Je ne sais pas moi-même si elles sont bonnes. Mettons que j'obéisse à un instinct invincible. Peut-être simplement à un atavisme pusillanime. Mais c'est un fait. *Je-ne-veux-pas-partir.* » [...]

Copeau dispose maintenant de quatre mois pour tout mettre sur pied : achever de recruter de nouveaux comédiens et constituer une troupe capable d'assurer les distributions d'un répertoire d'environ vingt-cinq pièces pour une saison de cinq mois. Préparer en même temps décors, accessoires, costumes.

À l'exception de Copeau et de Gallimard réformés, les hommes de l'ancienne troupe sont dans le service actif ou auxiliaire. Ils acceptent de se faire mettre en sursis pour suivre le Vieux Colombier à New York [11].

Copeau se tourne d'abord vers les femmes, libres d'engagements militaires :

Suzanne Bing est à Nice avec son petit garçon nouveau-né. Aussitôt appelée, elle le laissera à la garde de la mère d'une amie et arrivera à Paris pour le début des répétitions.

Blanche Albane, elle aussi, vient de mettre au monde un petit garçon [12].

Copeau lui écrit :

[...] Je vous félicite, je souhaite la bienvenue au petit Bernard.

[...] Je pense qu'il m'est interdit d'espérer que vous viendrez en Amérique? Nous nous embarquons en octobre. Ce n'est pas un vague «Théâtre Français» que je vais diriger à New York mais une authentique succursale de notre Vieux Colombier. [...]

Mais Albane reste inflexible : elle veut rester en France : Georges Duhamel est sur le front. Gina Barbieri ne viendra pas non plus : elle s'est engagée comme infirmière.

Valentine Tessier est toujours à Londres où elle joue depuis deux ans. Dès le 9 avril, Copeau la mettait au courant de ses projets [13]. *Il ajoutait :*

Je ne suis pas très heureux d'apprendre que vous jouez à droite et à gauche avec des cabotins plus ou moins répugnants et j'ai bien peur que vous ne soyez une Valentine encrassée quand je vous retrouverai. Enfin, je garde un petit espoir puisque vous me dites que vous ne pensez qu'à recommencer le travail avec moi. [...]

Au revoir, vivez maintenant avec cet espoir de rallier bientôt le Vieux Colombier. Je vous embrasse affectueusement.

Mais elle aussi maintenant attend un bébé qui naîtra le 9 juillet. Le 10 juillet, Copeau lui écrira :

Oui, je sais tout et je trouve cela très bien pourvu que vous rentriez à temps pour travailler; nous commencerons les répétitions ici le 1er août. Faites-moi savoir si je puis compter sur vous pour cette date. Nous répéterons pendant deux mois et nous embarquerons dans les premiers jours d'octobre. Nous ferons cinq mois à New York et probablement six semaines de tournée.

Votre petit commencera à parler quand vous reviendrez. Jouvey m'a donné de vos nouvelles et m'a dit que vous étiez splendide.

Je vous souhaite toute prospérité ainsi qu'au petit Valentin. À bientôt.

Quinze jours après la naissance de sa petite fille, Valentine la laissera à une amie et rejoindra son théâtre. Fallait-il que j'aime déjà mon Vieux Colombier et le Patron! *dira-t-elle plus tard* [14].

Jouvet l'avait bien dit : Évidemment les nouveau-nés sont un grand point dans notre république colombienne... En tout cas on n'est pas obligé de les tuer, voyons! *Il attend, lui aussi, un deuxième enfant pour le mois de juillet.*

Jane Lory [15] *répondra à l'appel, ainsi que Jessmin Howarth* [16], *qui écrit aussitôt :* Mais oui, vous pouvez compter sur moi. J'ai déjà refusé toute offre de travail pour l'hiver prochain en songeant à l'activité du Vieux Colombier. *Copeau l'avait rencontrée à l'institut Dalcroze, en 1916. Il notait alors* [17] *:*

Conversation avec Jessmin, jeune fille irlandaise qui voudrait venir avec moi. De beaux yeux gris, une charmante bouche fine (vingt-deux ans me dit-on) mais un gros nez qui semble étranger à ce visage et le dépare sans l'enlaidir. Elle me plaît. Tout de suite je lui dis : venez. J'en ferai un clown [...]

Quatre nouvelles comédiennes sont engagées dont Lucienne Bogaert [18].

Du côté des hommes, neuf nouveaux comédiens sont recrutés (tous encore sous les drapeaux), plus quatre techniciens, décorateurs ou régisseurs [19].

Nous allons voir par la suite que cet élargissement hâtif de la troupe va présenter de nombreux dangers.

Il semble que dès lors, parmi les articles qui paraissent à New York depuis le départ de Copeau, Pitts Sanborn [20] *du New York* Tribune *les aient pressentis :*

8 juillet :

C'est depuis le début de la guerre que la réforme théâtrale en Amérique a reçu, grâce au mouvement des petits Théâtres, son élan le plus vital. Et chose curieuse, c'est maintenant la guerre qui a incité le plus récent prophète de la réforme en Europe, à visiter nos rives.

[...] Ce qu'il fera pour l'Amérique reste à découvrir. En attendant, M. Copeau est tenu pour être le plus avancé des pionniers dans la course à la rénovation théâtrale.

Jacques Copeau, ardent, simple, magnétique, n'ayant pas atteint la quarantaine, aura un problème difficile à résoudre au Théâtre Français; il va être forcé de travailler avec des acteurs qui auront subi la contamination d'autres modes théâtrales. Cependant on peut lui faire confiance pour mater la plupart des plus vieux rouliers du théâtre et, après les avoir régénérés, il est certain qu'il accomplira des choses importantes à New York, non seulement pour le théâtre français mais pour l'art dramatique américain.

C'est bien là l'espoir et le but de Jacques Copeau.

De New York, Miss Andrews écrit à Copeau dès le 18 juin [21].
Elle énumère les difficultés qui ont déjà surgi :
[...] Votre présence manque vraiment beaucoup à New York, et au bureau, à un tel point que la machine à électricité et ascenseur, etc. s'est cassée – bref la cave a été inondée – et pendant deux jours pas de lumière et terreur : les onze étages à pied *up and down.*

Elle demande des réponses à différentes questions par deferred cable *ainsi qu'une intervention de Copeau auprès de Raymond pour qu'il consente à une* centralisation *de tous les efforts.*

Kahn, *dit-elle,* est très affairé en ce moment et je crois qu'il n'aime pas beaucoup être ennuyé par l'entreprise de mille côtés. [...] Il ne faut pas oublier que l'intérêt de vos amis maintenant que vous n'êtes plus là n'est plus aussi vif – et c'est à moi de les secouer.
Les souscriptions marchent bien. Grande demande pour les matinées. *Miss Andrews propose une nouvelle manière de les organiser par abonnements, à raison de deux matinées de deux différents spectacles par semaine.*
Proposition de publicité par affichettes dans tous les « bus » de New York à partir du mois d'août.
Mrs. Lydig va convoquer le *ladies' committee.* Votre absence fait un vide terrible à New York, dit-elle, et elle a raison.
De votre côté, je vous en prie, même par câble, *au plus vite,* les titres des pièces que vous jouerez.

13 juillet, Copeau répond :
Je n'ai pas encore mes hommes... la troupe n'étant pas au complet, impossible de fixer définitivement mon programme.
Et à propos du système d'abonnements proposé par Andrews :
Ce serait une absurdité : Il faudrait mettre sur pied seize spectacles différents, ce qui est absolument impossible. *Il expose un autre programme ne nécessitant que douze spectacles.*
Et il ajoute :

Vous me dites que Bonheur faisait seize spectacles, je vous en prie ne me parlez plus de ce Bonheur, et de ce qu'il faisait; si vous voulez que je vous donne cinquante-deux spectacles, je vous les donnerai, à condition que le souffleur y joue le premier rôle. Ça n'a aucun rapport, si nous voulons nous régler en quoi que ce soit sur ce que Bonheur a fait, nous ferons mieux de rester chacun chez nous. [...].

Ne vous laissez en aucun cas, je vous en prie, subjuguer par les vieilles femmes qui viennent vous voir, nous n'avons pas à suivre le public, c'est le public qui doit nous suivre.

Miss Andrews cherche, et pense avoir trouvé la Maison du Vieux Colombier idéale. Elle forme le projet d'y installer aussi le Cercle des Amis de la France [22] : *Elle écrit :*

Mme Lydig que l'idée a emballée, est présidente du Cercle, Mme Belmont, Vanderbilt et M. Otto Kahn sont vice-présidents. Ce Cercle me permet de payer un meilleur loyer pour la Maison et d'organiser des cours et conférences pour jeunes filles et jeunes gens par lesquels certains de vos acteurs pourront gagner un peu plus et le Cercle tiendra en vie un intérêt perpétuel et renouvelé pour le théâtre. J'espère que vous serez content de tout ceci.

Mais Copeau se montrera surtout réticent.

26 juillet :
Quand je vous ai quittée, ce Cercle des Amis de la France n'était qu'un projet fort vague et au sujet duquel nous ne nous étions mis d'accord sur aucun point précis. La seule chose qui importe et au sujet de laquelle je vous avoue que je suis un peu inquiet, c'est que j'entends que ce Cercle des Amis de la France n'entraîne pas de manifestations artistiques d'un ordre quelconque qui échappent au contrôle et à l'autorité absolue que j'ai sur le théâtre du Vieux Colombier.

[...] Je considère mon action aux États-Unis non pas comme une affaire mais comme une mission, et cette mission est non seulement de favoriser les manifestations françaises honorables, mais encore de décourager et d'empêcher celles qui ne le sont pas. Aucune considération au monde ne me fera transiger sur ce point, et le jour où je sentirais que ma responsabilité est engagée dans des choses que je n'aurais pas strictement voulues, je laisserai tout là sans me préoccuper des conséquences.

Je vous remercie, ma chère Miss Andrews, de tous les efforts que vous faites. Je sais que la grande distance qui nous sépare rend la collaboration difficile, mais je vous prie, comme il a été convenu, de me consulter avant de prendre aucune décision.

Ce qui m'importe surtout, c'est de savoir si oui ou non, les travaux du théâtre se poursuivent d'une manière satisfaisante et si je puis compter sur tout ce que j'avais demandé exactement.

Télégramme de Rita Lydig [23] :

Inquiétude inutile. Devriez savoir que Andrews et moi sauvegardons les intérêts du Vieux Colombier... [...]

J'assiste Raymond obtenir les nouveaux changements que trouve admirables.

C'est à coups de télégrammes successifs apportant à chaque instant de nouveaux changements que va se construire la scène du Garrick :

Le 18 juillet, Copeau écrit à Raymond [24] :

J'ai reçu votre câblogramme me disant qu'il était impossible de reculer davantage à droite et à gauche de la scène les deux marches donnant accès de la partie basse à la partie haute. Je vous avais demandé ce changement parce que dans l'étude de nos mises en scène, que nous faisons sur une maquette très précise, nous nous rendons compte qu'il est presque impossible d'arriver à certains résultats en conservant cette disposition. Si cependant vous vous trouvez devant une impossibilité radicale, nous serons bien obligés de nous y conformer et de tâcher de tirer parti de la difficulté. [...] Mes pensées ont particulièrement tourné autour de l'utilisation de la petite plate-forme à ménager sur l'emplacement de l'orchestre. Or, je vois que dans nos recherches à New York, nous n'avons pas complètement développé les possibilités de ces dispositifs.

1) Il me paraît que le plancher de cette plate-forme ne devrait pas être au même niveau que la scène, mais à un niveau inférieur de vingt ou vingt-cinq centimètres, je pense

(la hauteur d'une marche). Rappelez-vous, en effet, que sur la maquette nous avions un jour présenté en même temps la petite plate-forme de l'orchestre et le tréteau sur la scène. Or, l'un détruisait l'effet de l'autre. Eh bien, je pense que si la plate-forme de l'orchestre n'est pas au niveau de la scène mais à un niveau inférieur de vingt à vingt-cinq centimètres, il n'y aura plus concurrence entre les deux dispositifs. L'harmonie architecturale sera rétablie, et nous pourrons nous servir des deux choses en même temps, si cela nous est nécessaire. Même quand nous emploierons la plate-forme d'orchestre seule, le fait d'avoir à descendre pour s'en servir augmente l'intérêt, et enfin, c'est, en quelque sorte un pas de plus fait par le comédien vers la salle et le spectateur, et ce dispositif sera parfaitement complété par les quelques marches qui descendront réellement de la plate-forme de l'orchestre à la salle même.

2) Je voudrais que, à droite et à gauche de la scène, les deux fenêtres inférieures de la partie semi-circulaire extérieure au cadre fussent, si cela est possible, modifiées dans leurs proportions. Si elles ne peuvent être élargies, il faudrait tout au moins pouvoir en augmenter la hauteur. Je désire, en effet, qu'elles soient d'une praticabilité plus grande et plus facile. Je voudrais que les deux fenêtres inférieures qui resteront des fenêtres en temps ordinaire, avec les petits balcons ou tout autre dispositif d'applique, puissent, en cas de besoin, être utilisées comme une porte ; et alors, au moyen d'un dispositif que vous trouverez certainement et que je ne puis que vous suggérer grossièrement dans le croquis que je vous remets ci-joint, nous pourrions faire communiquer la plate-forme de l'orchestre avec cette porte, ce qui serait, je crois, d'un effet admirable et créerait une zone d'action tout à fait intéressante, extérieurement au rideau et au cadre de la scène. Naturellement, il conviendrait que le praticable reliant la plate-forme d'orchestre à la porte extérieure fût *removable*.

J'étudie très soigneusement avec Jouvet toutes les questions de mise en scène en ce qui concerne le matériel, et je crois que nous arriverons à des solutions satisfaisantes. Nous avons déjà une maquette du tréteau, qui est très belle et qui m'ouvre de magnifiques possibilités. Il est toujours entendu que Jouvet vous rejoindra à New York vers le 15 septembre.

Jouvet, souvent retenu à Saint-Cyr, ronge son frein : il n'est pas d'accord sur les transformations proposées par Copeau.

le 17 juillet, il écrit :
Mon Patron – nous allons être ennuyés jusqu'à la garde par cette histoire de marche! Si nous n'avions que du classique ou de la Comédie improvisée à jouer – j'en prendrais mon parti d'autant mieux que ce serait peut-être fécondant en quelque manière. Mais pour ce que nous allons faire, ce sera *atroce* – tel est du moins mon avis. Je pense qu'il vaut mieux arranger cela autrement, si c'est possible, et cela me semble possible. Cela me tient à cœur (et même au cœur) plus que je ne saurais vous dire. J'enrage d'être condamné à accepter tout cela sans m'en mêler – et de me voir condamné à cette conception, à cette combinaison – solutionnable autrement.

Je m'entête là-dessus et je n'en démordrai pas – c'est comme pour les fenêtres (je vous dirai cela – je vous montrerai cela une autre fois).

Ce n'est pas pour avoir raison, mais c'est parce que j'ai raison. Je vous assure que c'est un entêtement du meilleur cru – de la meilleure foi.

Vous avez baissé la scène. Pourquoi? Pour permettre aux *spectateurs* de voir les acteurs sur le tréteau – dans toute leur hauteur – pour avoir une vue du plateau franche – pour que la ligne d'horizon des spectateurs soit à hauteur au moins du niveau du tréteau.

Mais j'entends bien toute la valeur de cela au point de vue esthétique – enfin, pour l'œil.

Mais *quels spectateurs?* exactement *cinq ou six rangs de fauteuils.* Soit cinquante ou soixante spectateurs – les autres étant situés perspectivement au-dessus du niveau du tréteau.

[...] Le tréteau sera situé dans une cuvette inaccessible de plain-pied – je vous en fais un croquis exact ci-joint.

Eh bien moi, si vous voulez bien que je vous donne mon avis, fermement – moi, *je n'aurais pas touché à la scène* – à aucun prix. Si Raymond n'a pas encore commencé on peut tout sauver.

Garder la scène intacte, ne pas changer son niveau. Y appliquer le cadre de Raymond – qui naturellement sera chassé de cinquante centimètres sur le cintre. Ce cadre est beau – il est bien – il *m'est* convénient à moi – sauf les fenêtres.

Et maintenant vous allez faire *remonter la salle d'autant – de cinquante centimètres –* c'est-à-dire les spectateurs, les cinquante ou soixante spectateurs qui n'avaient pas l'œil bien placé pour le tréteau.

La chose ne sera pas plus coûteuse d'une part que de l'autre. Il faut aussi voir cela sur le plan, avec la règle et le crayon – mais ce doit être plus facilement réalisable que ne seront réalisables nos plantations dans cette *cuvette* que sera notre plateau. – Je vous jure qu'il faut arranger ça. – Je mets tout le monde au défi de me dire raisonnablement le contraire. Vitruve ou Raymond. Phidias ou Rodin ne peuvent rien là-dedans – et ça ne m'empêchera pas d'êtres plus machiniste qu'eux tous réunis.

En tout cas, même la marche à 0,40 m est inintéressante – il la faudrait garder à 0,50 m qui est le module des praticables.

Quand je pense qu'il restera un mois pour régler tout ce qu'il y a à faire, j'en suis comme désespéré.

Je n'ai pas le loisir de vous écrire mieux – ni de vous dire cela plus bellement – je vous adjure tout carrément de ne pas faire cela de gaieté de cœur pour sauvegarder la présentation du tréteau. Laissez-moi au moins avoir l'amour-propre et l'intérêt de ce que vous m'avez confié – et pardonnez les bavures là-dessus.

Je vous embrasse tout uniment, mais j'ai la marche qui me barre l'estomac.

Votre

Louis Jouvet *

Que Jouvet se soit montré plus machiniste *et plus architecte de théâtre que* Vitruve ou Raymond... Phidias ou Rodin... *semble être confirmé par cette lettre qu'il écrira à Raymond le 9 août et où l'on devine qu'il a eu gain de cause concernant* marches *et* fenêtres :

Cher Monsieur Raymond. – Le patron me charge de vous écrire, il est terriblement occupé, et cela m'ennuie un peu car c'est une bien désagréable lettre que je vais vous envoyer. – Nous sommes en train de travailler sur vos plans. – Nous avons fait une grande maquette au dixième et voilà que constamment nous nous voyons le goût des modifications. –

---

* Voir les explications données par Lucien Aguettand, Appendice G, p. 525.

Vous avez dû vous en apercevoir par les précédentes dépêches.
– Aujourd'hui c'est pis encore. – [...]

N'est-ce pas, le patron est encore plus ennuyé que moi de vous donner ainsi continuellement des contrordres, mais la chose a été faite si rapidement là-bas avec vous, qu'il n'a pas songé à toutes les nécessités dramatiques ; – et maintenant nous vous accablons de demandes agaçantes.

Je pense que j'irai bientôt là-bas – et que lorsque nous aurons fait connaissance vous ne m'en voudrez pas du tout et que vous m'aiderez de bon cœur ;

Nous avons complètement dérangé – *provisoirement pour nos recherches*, l'ordonnance et la distribution de votre *façade* d'abord. – voici de quelle manière.

1er – Nous avons supprimé la moulure qui entourait l'ouverture de scène.

2e – Nous avons supprimé les deux fenêtres situées de chaque côté – et donc nous avons sacrifié la beauté décorative à un usage dramatique plus large et plus souple. [...]

Ces ouvertures ne sont point définitives architecturalement – je veux dire qu'*elles supporteront à volonté des appliques dans lesquelles on pourra inscrire telle ou telle baie : – telle porte ou telle fenêtre* que l'on voudra. – *Ce sont de petites scènes !*

Les nouvelles ouvertures proposées sont-elles possibles, étant donné le mur de maçonnerie qu'il faut démolir ?

Si non : – quelles ouvertures sont possibles ? donner les dimensions.

Nous attachons une grande importance à ces ouvertures, et je suis forcé de faire *l'impossible* pour obtenir leur *possibilité*. [...]

J'ai beau relire ma lettre, je trouve que cela est bien imprécis et que vous allez peut-être vous sentir un peu découragé, cher Monsieur Raymond quand le patron sera là-bas. Nous ne travaillons jamais autrement. – C'est toujours comme ça avec lui – seulement il est là et alors on n'est jamais découragé. – Je vais arriver bientôt, nous serons deux. – Et vous verrez que nous travaillerons admirablement bien :

Raymond, à New York, n'a cessé de se débattre : J'ai travaillé nuit et jour sans arrêt pour obtenir autant que possible ce que je vous avais promis, *écrit-il à Copeau le 31 juillet*, mais il y avait beaucoup de difficultés à surmonter.

Lorsque Copeau avait choisi le Garrick de préférence au Bijou qui lui était proposé, Kahn décida de confier les travaux à Edward Margolies, propriétaire du Garrick et entrepreneur responsable notamment de la construction du Bijou et à Delano, l'un des architectes, diplômé des Beaux-Arts de Paris, chargé des plans pour le Garrick. On a vu que Copeau parvint à l'évincer en faveur du jeune Raymond.

Mais l'équipe au pouvoir, appuyée par les tout-puissants Shubert, n'a pas l'intention de se laisser faire; ils sont liés par des intérêts financiers communs. Leur objectif est de profiter du financement de Kahn pour la rénovation du Garrick afin que ce théâtre puisse être converti en cinéma dès que ce M. Copeau aura vidé les lieux. Ils se livrent donc à toutes espèces de manœuvres pour éliminer Raymond. Ne tenant aucun compte de ses plans, ils commencent les travaux selon les plans primitifs de Margolies et de Delano.

C'est un de ces trucs, *écrit Raymond à Copeau*, si diaboliques qu'ils vous font frissonner et par lesquels ces gens ont pu atteindre un contrôle aussi immense des théâtres de ce pays-ci. Kahn a plus confiance en eux qu'en moi. Ils savent qu'ils peuvent se débarrasser de moi, bâtir un *picture theatre* pour eux-mêmes, vous réduire à leurs termes et faire 25 000 dollars de bénéfices. [...]

Je ne puis vous décrire les subterfuges infâmes de ces basses créatures. On se sent aussi incapacité qu'un ver de terre et le combat perpétuel et les nuits blanches seraient à faire désespérer.

Miss Andrews — pourtant excédée par toutes ces disputes — et Mrs. Lydig — pourtant malade et au fond de son lit à la campagne où elle s'est retirée — parviennent à obtenir une conférence chez Kahn où les deux partis vont s'affronter : Raymond, Andrews, Lydig, Magonigle, contre les Shubert, Margolies et Krapp : Raymond dira que Kahn n'a compris qu'une partie de la situation, mais qu'il accepta néanmoins d'augmenter sa subvention de 20 000 dollars — un total de 45 000 dollars — avec exaspération.

Raymond loue l'amitié de Mrs. Lydig, de Miss Andrews et de R. E. Jones [25]*, et envoie à Copeau de nouveaux plans...*

27 juillet, Miss Andrews écrit à Copeau :
Je vous envoie ces quelques lignes pour vous dire de ne pas vous tourmenter car tout marche magnifiquement enfin...

L'accord complet règne et nous travaillons tous pour vous corps et âme. Les abonnements vont à merveille.

Au Vieux Colombier, à Paris, Jouvet bien que toujours cantonné à Saint-Cyr, a pu rejoindre Copeau. Ils travaillent tous deux dans un grand bureau au théâtre. Le dispositif fixe pour la scène du Garrick peu à peu prend sa forme définitive *. Raymond qui, à New York, se débat toujours avec les basses créatures, reçoit télégramme sur télégramme et tâche de réaliser au Garrick ce que Copeau et Jouvet inventent au Vieux Colombier.

La chaleur de la dernière semaine a été épouvantable, *écrit Raymond*, mais j'ai été passer dimanche au bord de la mer avec l'intention de revenir prêt à perdre ou gagner courageusement. Les chances sont du côté de la victoire. [...] Votre lettre respire la vraie essence de notre travail, et m'a remis sur la route beaucoup rafraîchi. J'ai réalisé combien j'étais devenu dur dans toutes ces interminables querelles. Écrivez-moi bien vite, vos paroles me donnent du secours. Donnez à Jouvey tous les plans et les idées que vous avez de sorte que je puisse les étudier avant votre retour.

À Paris, dans le hall d'entrée du Vieux Colombier, on installe un atelier de costumes. Copeau appelle Jean-Louis Gampert, jeune décorateur qu'il a connu à Genève, libre de toute obligation militaire.
Homme de métier plein d'invention et de fantaisie, Gampert va se charger des maquettes de costumes pour plusieurs pièces et de la peinture des tissus. Il sera également capable de couper certains costumes et de surveiller les essayages. Mais il sera vite séduit par le travail du théâtre dans son ensemble; il se glissera parmi les comédiens et assistera régulièrement aux exercices physiques, aux leçons de danse et de chant. On songe à lui confier de petits rôles.
Copeau appelle aussi Hélène Martin du Gard; mais elle est malade, il ne faut donc pas compter sur elle, et trouver une autre solution : Berthe Lemarié se chargera de diriger les quelques ouvrières qu'on va rassembler, dont la vieille Madame Didi, habilleuse de la première saison.
Cette équipe va se mettre aussitôt au travail.

---

* Plans du dispositif fixe p. 163 et p. 164.

27 juillet, Copeau écrit à sa mère [26] :

Je vais bien mais quel turbin! Et je n'ai pas encore mes acteurs. Me voilà obligé d'aller en chercher à Genève où je pars ce soir.

Il va en profiter pour revoir Jacques Rivière.

7 juillet, Agnès Copeau à Jacques Rivière :

Je suis sûre que vous revoir sera, et pour vous et pour Jacques, une heure très grave et importante. [...] Ah, combien je voudrais que vous puissiez être auprès de lui en ce moment ; je crois que vous seul parmi les amis le comprenez parfaitement et pourriez le soutenir. [...]

Écrivez-nous, chers amis, car votre bonheur nous est précieux.

La situation dans l'armée s'est améliorée. La revue du 14 juillet a eu lieu place du Trône, en plein Paris ouvrier. Tous les régiments à fourragère envoient des délégations qui défilent en chantant la Madelon.

À la campagne, les femmes font la moisson.

Roger Martin du Gard demeure pessimiste et écrit à son ami Maurice Ray [27] :

Pour moi j'habite toujours l'Aisne dévastée. Autour de moi, en avant, en arrière, partout lassitude générale, au-delà de toute expression, se trahissant chaque jour, dans tous les domaines, sous tous les uniformes, du plus petit au plus grand [...] le ressort est cassé cette fois, bien cassé et la certitude de la vanité du supplice ajoute à son horreur.

Le 3 juillet, Dullin écrit à Copeau :

[...] J'aurais beau vouloir être patient, savoir attendre, je n'y arriverai pas, je suis nerveux et fatigué. Je l'avoue. Je suis en plus de cela dans un assez mauvais coin. [...] Tu comprendras aisément que l'attente *d'autre chose*, l'anxiété de dire *nous touchons au rivage,* cela joint au trouble d'une séparation que tu connais et qui fut moins rapide que la manière dont je te l'ai annoncée. Nous nous sommes séparés. Sans méchanceté. Sans vilaine chose. J'ai voulu imposer à Caryatis des sacrifices qu'elle ne s'est pas sentie capable de faire. Je lui ai joué Brand, quoi [28]... Tout ou rien! La pauvreté avec moi ou le luxe avec un autre... Alors, tout ça nous a peu à peu dressés l'un contre l'autre. [...] Nous avons eu une longue discussion dans laquelle nous avons décidé de nous séparer.

Je suis libre. Nu. Comme la terre sur laquelle je couche, mais ça je m'en fous. Te voilà donc à la page. D'ailleurs je suis sûr que tu avais compris tout ça sans que j'aie besoin de te le dire.

Nous sommes dans un secteur assez bizarre. Nous prenons des petits postes isolés à deux hommes et un gradé, nous sommes pendant 24 heures à la merci de cinq ou six types résolus. Étant donné le paysage, en ruine, le pittoresque des lieux, c'est assez fertile en émotions mais pas franc du tout. J'ai eu l'autre jour un copain guillotiné pas loin de moi. C'est pas très beau tu sais! [...] Dis à Jouvey qu'il m'écrive.

Il faut, il faut obtenir les sursis...
Mais Copeau, allant de ministère en ministère, ne parvient à obtenir aucune réponse.

À New York il fait une chaleur effroyable.
Tout le monde est plus ou moins à la campagne, *soupire Miss Andrews. Et le travail se trouve perturbé. Rita Lydig, à Aratona Farm, est souffrante. Mais, soucieuse de maintenir son influence et son aide à la cause du Théâtre Français, elle sait qu'il s'agit avant tout de cultiver l'amitié d'Otto Kahn. Elle l'invite à lui rendre visite, et* au-dessus de la mêlée *des rivalités et des disputes dans les chantiers du Garrick, elle va entretenir avec lui un dialogue mondain :*

27 juillet, Otto Kahn à Rita Lydig :
Votre invitation est tentante et délicieuse et je n'ai pas le moindre désir de résister à la tentation. [...]
Un terme a été mis au gâchis du Théâtre Français à 5 h 57 hier après-midi, trois minutes avant l'heure fixée. [...]

31 juillet, Rita Lydig à Otto Kahn :
Je vous espère demain ou jeudi? La chaleur est insupportable mais je désire tellement vous voir.

Leur entrevue a eu lieu au clair de lune et le 6 août, Rita écrit à nouveau :

Juste quelques lignes pour vous dire quel véritable bonheur m'a donné votre visite... et combien d'espoir. Je vais demander à Raymond de venir ici un soir pour garder le contact et la conduite des opérations pendant votre absence. Je crois fermement que vous devriez accepter l'échantillon de mohair qu'il a choisi pour la décoration intérieure.

9 août, Otto Kahn :

Je n'ai pas besoin de vous dire quel souvenir délicieux j'ai gardé de ces heures que j'ai eu le grand plaisir de passer avec vous la semaine dernière. Vous avez le don très rare d'être à l'aise aussi bien dans une paisible campagne au clair de lune romantique que dans la frénésie et la bousculade de New York, aussi bien dans un salon que dans un cabaret. [...]

13 août, Rita télégraphie à Copeau :

Working for our Theatre always.

Pendant l'été, des articles continuent à paraître dans la presse américaine au fur et à mesure qu'arrivent les brochures de propagande du théâtre et les informations concernant le répertoire, la composition de la troupe et le mode d'exploitation du théâtre.

La publication des noms de la société new-yorkaise figurant au comité directeur et aux comités de soutien va susciter à nouveau l'inquiétude de Sheldon Cheney. Dans son article du numéro d'août du Theatre Arts Magazine *: « La Tâche de Jacques Copeau. »*

Il écrit :

Nous voyons avec un certain malaise, sinon avec alarme, l'annonce faite par le théâtre du Vieux Colombier. Nous avons la plus entière confiance dans l'idéal artistique et dans les capacités de Jacques Copeau comme directeur, mais nous nous demandons s'il ne s'est pas laissé induire en erreur par ses supporters en acceptant un projet qui limitera indûment son action. Tout d'abord, ce projet l'engage à présenter une nouvelle pièce chaque semaine, ce qui signifie des productions aussi hâtives que celles de nos théâtres de répertoire. Deuxièmement – pour dire les choses crûment, il n'a pas derrière lui ceux qui devraient y être. Les gens qui le soutiennent –

leurs noms apparaissent en grands caractères dans le prospectus – sont pour la plupart les réactionnaires et les mêmes personnalités marquantes de la société qui prêtent un tel éclat (et beaucoup d'or) au *Metropolitan Opera*.

Nous avions vu en Copeau le seul Français capable de se rendre compte qu'il fallait détruire le vieil idéal français d'une production théâtrale équivalant à un événement mondain. Et maintenant, nous voyons sa première tentative en Amérique introduite par une parade de noms de la société et à des prix de places élevés. Ses méthodes de scénographie simplifiées, de jeu sans prétention et sans vedettes, l'idéal *démocratique* de son art pourront-ils cadrer avec les idéaux et les exigences de ses protecteurs? Nous surveillerons cette expérience avec intérêt.

À Paris, au Vieux Colombier, on continue à passer des auditions. Comme en 1913, Copeau se laisse guider par un instinct qui, dira-t-il, l'a toujours guidé : Plus que le savoir-faire et les apparences du talent je m'efforçais de discerner en chacun le fonds naturel. Moins que par l'aisance à débiter une tirade, je me laissais renseigner par la qualité d'un sourire, par un geste surpris en dehors de la scène, par un mot que le cœur avait peut-être dicté.

Mais cet instinct va-t-il, comme alors, se montrer infaillible? L'autre jour, *raconte Suzanne Bing dans son Journal,* un jeune garçon me demandait Monsieur Copeau. « De la part de qui? » – « M. Vildrac fils. » Le petit Vildrac! un gosse l'année du Vieux Colombier. Et voilà! Adolescent, que j'aurais voulu sentir votre cœur un moment dans ma poitrine, au seuil de cette porte où je vous ai reçu, votre premier pas dans votre avenir! Il vous a conduit sur le plateau, oh gris, mystérieux n'est-ce pas, comme ça, dans le demi-jour et vous avez dit Petit Jean, un peu étranglé, je pense, et à la mémoire en pagaille sous l'émotion. Jouvey écoutait aussi dans la salle et moi près de la porte de fer, pour ne pas vous gêner... Ils vous ont trouvé gentil. Il veut vous emmener en Amérique, vous faire jouer quelques petits rôles et servir d'aide-accessoiriste... Pourquoi retarder l'apprentissage? Vous êtes précisément un tout jeune homme comme nous les rêvons, seize ans! Le premier de ces apprentis que nous formerons. Vous allez voir notre beau métier!

Les répétitions vont commencer avec des distributions certainement incomplètes : les femmes, les quelques acteurs « neutres » que Copeau a pu trouver à Genève au mois de juillet, quelques autres acteurs plus ou moins libérés de leurs obligations militaires. Entre autres, un jeune élève du Conservatoire, Jean Sarment.

Jeudi 23 août, au Billet de Service [29] :
Répétitions : 1 h 1/2 *Barberine* par le premier Acte.
      Après la répétition exercices de chant.
      À 8 h 30 Technique corporelle
Observations : Les mardis et mercredis à 9 h et les vendredis à
      9 h : leçon de chant chez Mme Bathori
                          90 Bd. Pereire
Mesdames et Messieurs les artistes sont priés de prendre part aux cours de *technique corporelle* par Miss Howarth les lundis et jeudis et samedis à 8 h 30.

Mercredi 29 août 1917 :
    Après-midi 2 h : Technique corporelle pour MM. Chiffolian et Sarment.
    3 h : *La Surprise de l'Amour.*
    Soir 8 h 30 Technique corporelle.

Début septembre, Journal de Suzanne Bing :
    Gournac est arrivé. Très bien. Il paraît content. Il plaît *beaucoup* à Jouvey [...] Il a quarante-deux ans. Il est trépident, gai, il fait jeune malgré son visage vieillot de singe malicieux. Nous espérons qu'il restera. *Mais avant la fin de septembre, Suzanne Bing notera :* Gournac, tombé ici en pleine désorganisation, s'est montré dès le deuxième jour désenchanté. Il parlait de retourner en Suisse. Il s'était ouvert à Jouvey. Pour lui c'est une « affaire » dans laquelle, devant les difficultés, il n'avait pas confiance. Qu'ils ont la confiance courte! Confiance, qui est comme la respiration, le moyen même de la vie.
    Lundi 10 septembre : Depuis mercredi dernier je couche là, derrière la maquette. Ce soir en rentrant je trouve une vaste jetée de marches entre des colonnes [...] ils ont dû faire tous deux une mise en scène de quelque chose ou simplement ce beau projet de marches. Je ne sais pas – je n'étais pas là – je n'ai pas vu, et ma journée me semble vide. Je n'ai même pas

eu le temps de finir les calques de jardins que le patron m'a
demandés.

Depuis quelques jours répétitions suspendues pour
démarches du patron, remplacées par leçons de Jessmin de
3 h à 5 h 1/2 : Technique corporelle, un peu de rythmique,
premières notions de solfège, jeux, pantomime, danse.

Je ne dis jamais assez largement les leçons de Jessmin, mais
ce serait trop long. Pensez que c'est à des comédiens qu'on
arrive à faire faire ça, disait le patron : vaincre leur orgueil,
leur peur du ridicule, leur idée préconçue que ça n'a rien à
voir avec le théâtre. Jessmin a même eu affaire à de l'entêtement, de l'impertinence. Mais la plupart se rendent déjà
compte. La libre et bienveillante critique réciproque fait
admettre les défauts. Les premiers exercices de même :
Entendre. Écouter. Faire l'aveugle. Jessmin nous a demandé
d'observer jusqu'à lundi, spécialement les vieilles gens, pour
mimer chacun un vieillard différent.

Le 29 août, Copeau avait écrit à André Suarès :
Depuis le jour de mon retour j'ai été empoigné par une
besogne infernale. Et le travail ne serait rien. Mais ce sont les
ennuis. Tout ce qui s'oppose – tout ce qui ne veut pas, qui est
inerte, sans vie et tout-puissant. Et qu'il faut vaincre. Depuis
deux mois j'attends une réponse du ministère au sujet des
hommes mobilisés que je réclame. On me remet de jour en
jour : tout est paralysé par cela. Et il faut s'arracher du travail,
pour faire des courses, des démarches. Depuis deux mois je
devrais être en plein travail. Et je m'exténue de souci.

*En effet, malgré les amitiés agissantes et les puissants appuis dont
dispose Copeau, certaines hostilités sont à l'œuvre dans les rouages
de l'administration et les dossiers mystérieusement s'enlisent dans
les labyrinthes des trois ministères dont dépendent les sursis. Ils sont
actuellement bloqués aux Affaires étrangères dans les bureaux d'un
M. Lefort. Copeau se démène, fait intervenir M. Hovelaque du Haut
Commissariat de Washington* [30].

Je ne comprends rien aux difficultés que l'on vous fait, *écrit
celui-ci à Copeau.* Au Cabinet du Ministre on m'a promis un
avis favorable. Je vais prier Jean Fernet [31] *(qui, par bonheur,
est un ami de Roger Martin du Gard et du Vieux Colombier)*

d'envoyer dare-dare votre note au secrétariat de Painlevé à qui j'ai parlé de vous et que j'ai prié de donner *l'ordre* de faire mettre vos dossiers en sursis immédiat.

Mais rien ne bouge.

Copeau se rend au secrétariat de Painlevé, qui promet de réclamer une fois de plus les dossiers. Qu'on va retrouver encore une fois stoppés entre les mains de ce lamentable Lefort, *écrit Hovelaque.* Il est vraiment *détestable.* Il en est ainsi pour toutes les affaires qu'il détient et dont il se montre jaloux comme une femme. Mais j'espère vraiment que cette fois ça y est et que vous allez sortir de vos inutiles impasses.

Tout cela est odieux et, hélas, invariable.
Les bureaucrates!!!

Pour mettre un comble à son désarroi, Copeau reçoit une lettre de Raymond.

10 août :
[...] Un incident assez grave : J'ai été appelé par les autorités militaires pour le service dans l'armée. Imaginez mon émotion. [...] Les plans sont tous finis et le théâtre pourrait être exécuté sans moi... mais le résultat de mes plans serait probablement une pauvre caricature de mes intentions premières. [...] L'idée que l'hiver prochain au lieu de travailler avec vous à vos idées tellement sympathiques, je serai obligé de me battre, me rend profondément triste, quoique je sente vivement mon devoir.

Miss Andrews, elle aussi, est catastrophée.

Le 27 août, elle écrit à Copeau :
J'ai été à Washington pour obtenir de l'Ambassade et de Tardieu des lettres disant que le théâtre du Vieux Colombier était d'intérêt international Mrs. Lydig a fait l'impossible [32]. [...]
Enfin. Nous en sommes maintenant à treize mille abonnements et à près de mille pour la première.

Passant outre à tous ces empêchements, on répète tous les jours et dans tous les coins, au Vieux Colombier, avec les acteurs dont on peut disposer. *Gournac et Lucienne Bogaert répètent* Le Carrosse du Saint-Sacrement *dans le jardin. Tous recevront également un entraînement régulier et des leçons de chant.*

Dans le grand hall, les costumes et les accessoires se fabriquent. Parmi les pièces de l'ancien répertoire, on emportera naturellement La Nuit des rois. *Copeau voudrait encore en améliorer la décoration. Il cherche à joindre Duncan Grant dont les costumes avaient contribué à l'enchantement des représentations de cette pièce en 1914. Il apprend par Vanessa Bell que :* Duncan est en Angleterre à la campagne. Il travaille avec un fermier tout près, ce qu'il faut faire au lieu d'être soldat. Il peut peindre les dimanches et quelquefois aussi des autres jours, et comme j'ai un atelier ici peut-être nous pourrons faire ce que vous désirez ensemble.

Copeau leur envoie les indications nécessaires et ajoute :
J'espère que ni les uns, ni les autres vous ne me trouverez indiscret et qu'il ne vous déplaira pas que nous essayions à travers tout ce qui nous sépare et en dépit de ces temps affreux, de renouer une collaboration qui ne s'arrêtera pas là, n'est-ce pas?

Grant répond, donnant des nouvelles du travail auquel il s'est mis aussitôt :
[...] Tout ça marche aussi vite que possible. Mais s'il vous plaît écrivez un mot pour dire lequel est le Dernier jour vous pouvez recevoir ces choses.

S'il vous plaît donnez mes amitiés sincères à Jouvet. J'étais très heureux d'avoir des nouvelles de lui. C'est un grand plaisir de faire ce travail pour votre théâtre dans un temps effrayant.

Une grande activité continuera à régner dans le théâtre pendant le mois d'août et le mois de septembre. Jean-Louis Gampert et Berthe Lemarié enrôlent des amis bénévoles. Copeau assiste aux essayages.

Le vendredi 24 août, Roger Martin du Gard à Pierre Margaritis [33] :
Copeau m'a sommairement expliqué comment il concevait, dès maintenant et pour toujours, le genre des costumes du Vieux Colombier, *et il m'a convaincu.* Il veut des costumes

simples, gais, improvisés, faits avec rien, et répudier tout luxe. [...] De plus, sans toujours avoir un goût impeccable, *il a ses idées* en fait de couleurs et de formes : et je suis obligé de reconnaître qu'il y a une insaisissable mais indéniable unité entre toutes ses conceptions, et que, son tréteau, ses décors, son choix de pièces, sa mise en scène, son jeu, vont parfaitement bien avec son goût de costumes – ou plutôt avec les costumes de son goût. Et devant un ensemble qui se tient si bien, je m'arrête avec respect.

[...] Il acceptera des conseils. Mais je crois que dans aucune pièce maintenant, il n'abandonnera le moindre détail à une autre direction qu'à la sienne seule.

Et nous n'avons rien à dire. Nous sommes devant un *créateur de génie*, qui a la vision nette *d'un ensemble*.

Je ne sais pourquoi je te dis tout cela aujourd'hui. Je crois que je ne t'ai jamais reparlé de cela depuis ces conversations où nous étions d'accord pour craindre que sa mise en scène parût *pauvre* en Amérique, etc... *Il s'en fout,* ce sont ses propres termes; et il m'a encore répondu ceci : « Je tiens justement à agir tout autrement que la plupart de ceux qui vont en Amérique, et qui font des concessions au goût américain. C'est moi qui imposerai mon goût là-bas, et je ne changerai pas plus l'étoffe de mes costumes devant un public de milliardaires, que je ne changerai le jeu de ma troupe et ma conception des personnages...

Nous faisons de notre mieux, *écrit Copeau à son neveu Michel,* et au milieu de l'extraordinaire bousculade dans laquelle nous vivons certains jours, au milieu de la charmante ivresse que donne cette activité et de la vaillance de ceux qui m'entourent, il m'arrive de lutter contre une émotion presque intolérable à la pensée que tu pourrais aussi avoir ta part dans cette belle tâche. J'ai engagé l'autre jour un tout jeune homme, le fils de mon ami le poète Charles Vildrac. Ce petit a dix-sept ans et on dirait qu'il ne sait comment faire pour supporter le bonheur qui lui arrive. L'autre jour mes trois petits étaient ici, dès la première journée on pouvait se rendre compte combien leur présence modifiait déjà l'atmosphère. Plus tard il y aura une véritable troupe d'enfants, ce sera vraiment la source de toute inspiration. Maïène est déjà bien grande et bien sérieuse; sans qu'elle en parle beaucoup je crois qu'elle prend déjà à cœur son futur travail.

Parmi les amis qui vont et viennent au Vieux Colombier pour donner un coup de main ou pour dire adieu, plusieurs en bleu horizon passent ici de longues heures de leurs permissions. Le jeune élève caporal Michel Saint-Denis est venu aussi.

Le 16 août, il écrit à son oncle :
[...] Est-ce la passion qui me possède et que je sens me remuer chaque fois que je travaille à ton côté. J'étais simplement heureux d'être employé le matin où tu m'as dicté *Le Couronnement de Molière* [34]. [...]
Parle-moi de l'avenir, parle-m'en beaucoup. Moi, je ne pense qu'à lui quand le présent n'a pas trop d'emprise sur moi. Serre bien les mains de tous ceux qui sont autour de toi. Dis-leur ma joie de me sentir bien plus avant parmi eux. J'avais l'impression de naître à ma vie.

Il repartira le cœur bien gros – et il écrit :
[...] Ta lettre m'a empli d'une grande tristesse que n'a pas pu vaincre l'excitation que me donnent toujours tes lettres. Et je suis empli de cette tristesse depuis. Je pense constamment que tu t'en vas. Et je songe au petit Vildrac qui part. J'envie, non son sort, mais sa joie.
Tu me dis de Maïène qu'elle prend déjà à cœur son futur travail. Je l'ai bien senti dans la longue lettre qu'elle m'a écrite. Elle m'en parle : « Il y a trois cents costumes à faire avant de partir et ils font eux-mêmes les étoffes en peignant sur la toile, c'est épatant. Je me réjouis d'être grande pour pouvoir faire tout ça. »

15 septembre, Michel écrit aussi à Suzanne Bing, qui note dans son journal :
En réponse à une longue lettre, récit de tout ce qui se passe ici, Michel m'a écrit une lettre dont je suis bien fière; il me dit que je complète envers lui l'action de son oncle en ce qui concerne la maison; il me donne sa confiance d'adolescent. Je sens sa jeunesse qui lui fait exalter la moindre possibilité de beauté : c'est un excellent stimulant que d'avoir à ne pas décevoir cela. Adolescents, c'est votre cœur et votre esprit

que je voudrais saisir; pour votre âme, votre enthousiasme, notre jeunesse fut assez semblable.

Jouvet affiche chaque jour le billet de service.

Mardi 11 septembre :
9 h : Leçon de chant chez Madame Bathori.
1 h 1/4 : Dans le bureau de Monsieur Copeau : *Le Carrosse du Saint-Sacrement* M. Gournac et Mme Bogaert.
3 h : *Barberine*, troisième acte.
8 h 30 : Technique corporelle.

11 septembre, Copeau écrit à son ami Valery Larbaud [35] *:*
[...] Vous me demandez de mes nouvelles, mais je suis bien incapable de vous en donner, car je ne sais pas comment je vais; un quart d'heure très bien, un quart d'heure très mal. La vérité est que je suis emberlificoté de toutes sortes d'embêtements officiels et autres, de difficultés qui peu à peu usent la force. Mais nous sommes durs à avaler et les bureaux n'auront pas le dernier mot avec nous. Depuis deux mois il règne une grande activité au Vieux Colombier. On y fabrique des costumes, des accessoires, on y prépare les mises en scène. Vers la fin de la journée des figures amies se montrent à toutes les portes et je vous assure que plus d'une fois je cherche la vôtre. [...]

Gide est absent, Ghéon toujours aux armées, Claudel, comme vous le savez, plénipotentiaire à Rio et Fargue se balade toujours entre le faubourg Saint-Martin et la rue du Vieux Colombier. Mais ce parcours emprunte les itinéraires les plus variés. Je lui ai demandé de me faire de petits scénarios de ballets pour enfants, en collaboration avec Satie; il m'a promis... mais...

Au revoir mon vieux Larbaud, ma femme et mes enfants partiront avec moi. Vous savez qu'on parle bien souvent chez nous du petit père Larbaud ou Valero Larby. Quand donc nous sera-t-il donné de passer un vrai temps ensemble, tranquille et dont l'amitié fasse tous les frais? Peut-être en Amérique qui sait?

En attendant les difficultés, *les* embêtements officiels *n'ont pas cessé et les* bureaux *non plus ne se laissent pas* avaler.
Copeau assiège les ministères.

Le 2 septembre, Hovelaque lui écrit :

Je dîne demain soir avec Painlevé et lui demanderai de pousser l'affaire. J'espère de tout cœur que vous apprendrez incessamment qu'une solution favorable est intervenue.

Au Vieux Colombier on continue à travailler, sans attendre la solution favorable.

Billet de service du 4 septembre :

9 h : Leçon de chant chez Madame Bathori.

2 h : *La Surprise de l'Amour.*

Observation : Mlle Lory a quitté la répétition avant la fin et sans prévenir.

Mais le temps passe. Il faut de toute urgence obtenir le prolongement du sursis de Jouvet qui prend fin le 3 octobre.

Les câblogrammes de New York se succèdent qui le réclament sur les chantiers du Garrick.

7 septembre, Copeau écrit à M. le sous-secrétaire d'État aux Beaux-Arts [36] *:*

Monsieur le Ministre,

J'ai l'honneur de signaler à votre attention la situation qui m'est faite par l'impossibilité où je suis d'obtenir du ministère des Affaires étrangères les quelques sursis qui ont été demandés par vos bureaux pour la reconstitution de ma troupe en vue de la saison du théâtre du Vieux Colombier à New York pendant l'hiver 1917-1918.

J'ai pris personnellement des engagements fermes vis-à-vis de la société du Vieux Colombier de New York et je vois le moment où je serai mis dans l'impossibilité de tenir ces engagements par les obstacles qui me sont opposés.

Je me permets d'attirer tout particulièrement votre attention sur le fait suivant :

Pour mener à bien les travaux de réfection du théâtre qui sont déjà en cours à New York et l'installation de la scène, il est absolument indispensable que mon régisseur général, M. Louis Jouvet, quitte Bordeaux le 15 septembre. [...] Je vous remets ci-joint une note concernant Jouvet. Comme vous le verrez, ce sous-officier a été reconnu, *à plusieurs reprises* inapte à faire campagne. Il est actuellement en convalescence de deux mois depuis le 3 août 1917, et son domicile est au théâtre du Vieux Colombier.

Après intervention du sous-secrétariat des Beaux-Arts et du ministère de la Guerre, on apprend que le dossier est resté arrêté au cabinet de M. Lefort *aux Affaires étrangères, qui va le transmettre enfin au ministère de la Guerre* « sans exprimer d'opinion ».

C'est exaspérant, *écrit encore Hovelaque.* Ce Lefort est vraiment odieux. Il aurait pu envoyer ce dossier à la Guerre il y a deux mois et l'affaire serait réglée, puisque la Guerre ne demande qu'à marcher. Et il en est de même pour toutes les affaires, si vitales soient-elles. On finit par vivre dans la fureur continue. [...] Quelle perte de forces et quelle exaspération inutile!

Tenez-moi au courant. Je sais bien que Lallemand [37] fera tout son possible pour gâter la chose.

Enfin le 14 septembre, sur une intervention d'Alfred Cortot [38] au ministère de la Guerre, on s'occupe de la mise en sursis de l'auxiliaire Jouvet. Les démarches seront poussées avec la plus grande diligence.

Dès lors, on va pouvoir annoncer l'arrivée tant attendue de Jouvet à New York où Miss Andrews a du mal à faire face à toutes les difficultés qui surgissent.

Le 15 septembre, elle écrit :
Je n'ai pas voulu vous tourmenter mais les difficultés entre Raymond et Margolies ont été terribles. J'ai fait ce que j'ai pu. Je l'ai soutenu et le soutiens encore, et, grâce à nos efforts et l'appui de Mrs. Lydig, Monsieur Kahn consent continuellement à faire de nouveaux frais.

En effet, Rita Lydig ne cessera pas tant que cela sera nécessaire de servir d'intermédiaire pour faire valoir les intérêts du French Theatre auprès de Kahn, et pour obtenir de lui les moyens de réaliser les projets de Copeau dans les moindres détails.

Je sais, *lui écrit-elle,* le 14 septembre que vous ne voulez pas qu'on vous importune avec des détails, mais c'est tellement important – il faut que j'implore votre indulgence. Ci-joint un échantillon pour les fauteuils – sélectionné par moi. Il en coûtera 2 000 dollars de plus que les 500 promis. Le support des lanternes en simple fer forgé coûtera 1 000 dollars de plus que prévu! Tout autre fauteuil est désespérant et tout autre support détruirait l'harmonie de la salle. La moquette sera d'un rouge profond. Le style et la chaleur de la salle dépendent de ces seuls détails. Permettez-vous cette légère dépense ou non? La commande doit être passée pas plus tard que demain, car il faut six à huit semaines pour que ces fauteuils soient livrés!! Il n'y aura d'autre couleur nulle part ailleurs et les fauteuils sont remarquablement confortables. Heureuse de vous voir bientôt.

Voulez-vous me téléphoner votre réponse aujourd'hui – je ne prévois pas d'autres nouveaux chiffres!!

Ce même jour, Andrews reçoit le télégramme annonçant pour le début d'octobre l'arrivée de Jouvet. Elle écrit :
Je viens de recevoir votre câble annonçant l'arrivée de M. Jouvet. Je pense qu'il m'apporte tous les détails : répertoire et programme. [...] Nous attendons son arrivée avec anxiété car Raymond ne peut rien faire au théâtre en ce qui concerne l'installation électrique, avant son arrivée. [...] Vous pouvez avoir tous les éclairages que vous désirez, seulement il faudra au moins six semaines pour l'installation.

Des autres sursis, on est toujours sans nouvelles. Otto Kahn intervient auprès de l'ambassadeur Jusserand et du Haut Commissaire Tardieu qui, à leur tour, font pression sur Paris.

20 septembre, Washington, 19 heures :
Haut Commissaire à ministre des Affaires étrangères. Urgent pour ministre des Affaires étrangères, des Beaux-Arts et de la Guerre [39].
Les personnalités américaines qui ont rendu possible par leurs dons l'organisation du Théâtre Français de New York multiplient depuis trois jours les demandes auprès de moi pour obtenir la mise en sursis des artistes nécessaires à l'ouverture du théâtre.
[...] Je vous ai déjà dit que je ne puis pas apprécier d'ici les possibilités réglementaires, mais je ne puis méconnaître le très mauvais effet qu'aurait la non-ouverture du Théâtre Français, étant donné le caractère artistique élevé de l'entreprise, et la déplorable bassesse de toutes celles qui, sous son nom, l'avaient précédée.

Au Vieux Colombier, on continue à travailler et à préparer le voyage.

19 septembre, note de service :
En raison de démarches officielles urgentes, que M. Copeau doit faire immédiatement, les répétitions seront suspendues pendant quelques jours. Elles seront remplacées par des séances de Technique corporelle sous la direction de Mlle Jessmin, auxquelles les artistes sont tenus de prendre part. M. Gournac et Mlle Bogaert continueront à étudier seuls *Le Carrosse du Saint-Sacrement*.
M. M. les artistes sont priés de venir retirer à la Régie l'étiquette qu'ils devront coller sur leur malle.

21 septembre, Copeau à Jacques Rivière :
Je viens de passer deux mois atroces, à combattre pied à pied contre toutes sortes de mesquineries. J'espère que je vais sortir de ces difficultés. Notre départ ne sera pas sensiblement retardé. Nous avons fait depuis deux mois beaucoup de travail ; mais naturellement le travail de la scène proprement dit a été à peine abordé puisque je n'avais sous la main qu'une très faible partie de mes collaborateurs ; naturellement ce sera pour là-bas plus de fatigue encore et de plus dures alternatives. Mais ne crois pas que le moral soit le moins du monde entamé. Il est au contraire excellent. [...]

Et confiant en ce prochain départ, il écrit des lettres d'adieux.

21 septembre, à son amie Pauline Teillon, sœur de Dullin [40] :
Mon Paulin, je vais partir bientôt et je te dis adieu... J'ai vu Charles il y a peu de jours. Il m'a donné à lire la magnifique lettre qu'il avait reçue de toi. Je l'ai lue avec une infinie émotion. Ô cœur toujours jeune et débordant de vie, je t'aime! Tu n'auras pas passé vainement sur la terre. Pourquoi ne pas continuer à écrire pour moi tes mémoires, que tu avais commencés [41]? Ils seraient pour moi d'un prix sans égal, vois-tu. Et moi aussi et moi aussi, Paulin, j'aurais bien des choses à te raconter si je pouvais te voir. Tant de choses qui se sont passées, que j'ai vues, que j'ai eues! Mais ne crois pas que je t'oublie, ma sauvage. Je pense à toi et je t'aime. Personne n'a pris ta place. Là-bas aussi je penserai à toi. [...]

Il semble que ce soit Jean Fernet, qui ait finalement réussi à mettre un terme au problème des sursis.

25 septembre, Jean Fernet à Roger Martin du Gard [42] :
J'ai eu la bonne fortune de réussir à déclencher aux Affaires étrangères la solution des affaires de Copeau. J'y ai attelé tous les gens que je connaissais. [...] J'ai fait hier mes adieux à Copeau qui voyait, avec quel soupir de soulagement tu peux le penser, la fin de ses préoccupations. La troupe partira au complet, moins Bouquet, je crois.

Le 1er octobre, Martin du Gard [43] *lui répond* :
[...] Pour le Vieux Colombier, tu as été merveilleux. Ton intervention de magicien nous délivre tous d'une inquiétude aiguë, et permet à Copeau de faire face à sa signature. Mon plaisir est double de penser que nous ne devons ce dénouement à aucune compromission, mais à ta sympathie pour notre effort. [...]

On espère enfin pouvoir fixer une date définitive pour le départ déjà ajourné plusieurs fois. Et pourtant la réponse des autorités n'est pas encore officielle et ne le deviendra que quelques jours avant le départ.
Agnès Copeau est au Limon. Avant le grand départ, il a été décidé de donner congé à la chère petite maison. En plein déménagement, elle écrit :

Dimanche 30 septembre :
C'est fait! [...] Tous les jours entre six et sept je fais une lente promenade dans le jardin qui, à cette heure qui n'est pas encore nuit, est d'une douceur inimaginable. Je revis ces dernières sept années de notre vie qui ont eu pour cadre cette petite maison et ce beau jardin. [...] Et voilà, dans quelques jours la grande porte se fermera derrière nous pour la dernière fois. Je sais qu'aucun des paysages qui m'attendent au loin ne touchera jamais mon cœur, autant que ce noble et sobre paysage que j'ai toujours regardé avec émotion. [...]
Le départ ne pourra pas être joyeux, n'est-ce pas. Nous ne pourrons pas quitter la France sans un grand déchirement. Mais je ne doute pas un instant de la voie dans laquelle nous nous engageons, une nouvelle voie, mais le prolongement

nécessaire et harmonieux de celle que nous avons suivie avec courage, avec ferveur, toute notre vie. Et nous voici suivis d'une belle jeunesse et de nos trois chers petits. Il y aura une belle victoire à remporter, n'est-ce pas?

C'est aussi ici, au Limon, dans le petit moulin, au fond du jardin qu'est né le Vieux Colombier. Ce soir, il va quitter pour toujours sa maison natale.

Suzanne Bing écrit son Journal : Le Patron quitte le Limon pour tout à fait. Nous sommes navrés Jouvet et moi. Il n'ira plus s'y rafraîchir 24 heures si rarement que ce soit. Sa fatigue sera comme plus sèche, plus rapide. [...] Son cabinet de travail... ce moulin... et tous ces souvenirs sont à nous tous. Le départ pour l'Amérique m'en semble plus grand, New York plus dur.

Plus de deux cents costumes sont maintenant terminés et emballés. Les grands paniers d'osier à l'emblème des Colombes sont bouclés. Les innombrables démarches pour assurer le passage de la douane sont terminées.

*Des notes affichées en permanence concernant bagages et passeports indiquent les démarches multiples et compliquées en ces temps de guerre qui doivent être faites par M*mes *et MM. les Artistes, de suite :*

« Les personnes appartenant à une classe mobilisable doivent se munir d'un certificat de bonne vie et mœurs au commissariat de police. »

Le départ de Paris quai d'Orsay train Paris-Bordeaux est prévu pour le 6 octobre à 8 h 25 du matin.

Cependant aucun sursis n'est encore officiellement octroyé et le départ définitif sera encore ajourné.

Ces ajournements répétés rendent interminables les adieux.

3 octobre, Roger Martin du Gard [44] :
Voilà plusieurs jours que je veux t'écrire avant votre départ. Mais cette lettre d'adieu m'émeut beaucoup, et me paralyse. Tu devines tout ce qu'elle remue en moi. Je souffre cruellement de constater que, dès le début, dès les premières années, nos chemins, que j'avais crus si parallèlement orientés, s'écartent. Ta première vraie grande expérience va commen-

cer, et je reste là. [...] C'est très dur. L'effort quotidien qu'il me faut faire pour garder un bon équilibre et ne pas laisser la lassitude envahissante atteindre le cœur de l'être, est rendu plus pénible ces jours-ci, et j'ai hâte de vous savoir partis, arrivés, installés loin de nous et jetés dans la lutte. [...]

Adieu donc, faites de belles choses, vivez pendant que nous croupissons dans l'humble corvée quotidienne. L'horizon me semble assez noir. Je crains que chaque jour de guerre ne nous enferre davantage, et que l'heure d'une paix acceptable soit passée. Nous allons tout droit à l'ère des guerres civiles, qui, dans chaque nation en guerre, va sans doute mettre fin à l'Autre. Combien de temps faudra-t-il pour que le sol soit redevenu assez solide pour nos tentatives? Je crois que l'on ne pense pas assez à l'après-guerre, et qu'on n'y prépare pas son esprit. Je souhaite me tromper; car si je prévois de grandes choses et des revirements aux conséquences incalculables, je prévois aussi de longues années de désordre où s'useront nos forces et notre élan. C'est alors qu'il faudra se tenir et s'aider.

Là-dessus je t'embrasse, mon ami, et tout le Vieux Colombier sur ton front olympien. N'oubliez pas les ceintures de sauvetage; et ne prenez pas là-bas de trop profondes racines, car c'est à Paris, qu'il faut *devenir*.

[...] Mes vœux vous suivent tous avec une émotion profonde.

Le 1er octobre, Jacques Copeau a invité son public, amis et abonnés, pour une causerie sur le Vieux Colombier : son passé, son présent, son avenir.

Copeau à Jean Schlumberger :
Pour la première fois, la salle s'est allumée; elle était pleine jusqu'au haut, les deux portes ouvertes, comme aux plus beaux soirs de *La Nuit des rois*. On dit que trois cents personnes n'avaient pas pu entrer. Tu peux imaginer mon émotion en me retrouvant devant ces gens. Le contact s'est rétabli de suite.

Tous ceux qui sont là, qui se retrouvent dans la petite salle, nombreux, serrés, émus, longtemps se souviendront.
Jacques Copeau prend la parole [45], *sa voix est altérée par l'émotion :*

Mesdames, Messieurs, mes amis. Je suis bien content de vous revoir rassemblés et mes premiers mots seront pour vous remercier d'avoir répondu ce soir en si grand nombre à notre appel. C'est avec une profonde émotion que je constate, ce que j'espérais d'ailleurs, que le nom de Vieux Colombier, prononcé pour la première fois après un si long silence, retrouvait un écho dans bien des cœurs. Pour la première fois ce soir depuis trois ans notre théâtre a rouvert ses portes. Il les a tenues fermées pendant ces trois années, non seulement parce que nos collaborateurs étaient dispersés, mais encore par la volonté que nous avons eue de rester fermé. Ça n'est d'ailleurs pas ce soir une réouverture, c'est une simple conversation que j'ai désiré avoir avec vous, avec des amis de la première heure, avec des compagnons fidèles de la première année. [...]

Votre présence ici est une preuve de la vitalité du Vieux Colombier et de cette fidélité que vous lui avez gardée.

[...] Cette maison, avec nous, c'est vous qui l'avez fondée, elle vous appartient, il me semble que tout ce qui concerne le Vieux Colombier, je vous en dois exactement compte.

Copeau rappelle alors la courte existence – un peu plus de huit mois – de ce Vieux Colombier... sorti d'un long désir, d'une longue méditation, sorti d'un besoin que nous avions et que nous n'étions pas seuls à avoir... sorti, comme je l'ai dit plusieurs fois d'une indignation.

Puis il rend un vibrant hommage à ses amis, à ses collaborateurs, à ces hommes capables de s'enflammer pour une idée, capables de croire avant la réalisation, capables d'aider, de se grouper et de travailler ensemble en bon accord et en parfait désintéressement. Le premier noyau de la troupe c'était Dullin, Jouvet, Bouquet, Bourrin, Cariffa, Weber, Suzanne Bing, Blanche Albane, Jane Lory, Gina Barbieri, Valentine Tessier. Nous étions une dizaine, une douzaine au plus... Ils ont donné sans compter leur temps. Vous ne pouvez pas vous représenter ce qu'a été le désintéressement de cette petite troupe. Ils ont travaillé jour et nuit. Ici nous avons tout créé de nos propres mains ; quand nous sommes venus il n'y avait rien, il n'y avait que les murs. C'est pourquoi je veux que ces noms-là soient inscrits à la première page de l'histoire du théâtre du Vieux Colombier, pour que d'autres jeunes gens soient pris eux aussi d'un beau zèle pour former quelque chose de neuf et de parfaitement pur.

La guerre est venue : tout ce que nous avions mis sur pied au prix de tant de peine, allait-il retomber à jamais ? Non.

Il rappelle alors la fidélité et l'affection du public qui permettent de créer la Caisse de Secours pour les femmes des comédiens du Vieux Colombier mobilisés – et la correspondance constante qui s'engage des quatre coins de la France entre tous les collaborateurs du Vieux Colombier. Cette correspondance dure jusqu'à ce jour [46]. Pour ma part, je puis vous dire aussi que c'est seulement dans ce grand silence, dans ce grand suspens que j'ai commencé à comprendre réellement ce qu'avait été notre œuvre de la première année, ce que nous pouvions faire encore. [...]

Puis il expose au public la mission *en Amérique qui lui a été confiée – il lui parle de l'Amérique, du soutien et des amitiés qu'il a trouvés là-bas.*

Donc, depuis mon retour, depuis trois mois, un peu de lumière est rentrée ici et on a commencé à travailler. [...] Nous avons fait à peu près deux cents costumes nouveaux, c'est pourquoi en entrant vous vous êtes peut-être heurtés à des machines à coudre.

Il parle des difficultés rencontrées ces derniers mois auprès des autorités et à l'heure actuelle encore, après beaucoup de démarches, nous en sommes encore à nous demander si tous nos collaborateurs nous seront donnés et notamment les plus importants d'entre eux.

[...] Avant de vous dire au revoir, non pas adieu, je tiens à vous dire que nous avons pensé à ouvrir le Vieux Colombier de temps en temps cet hiver. (J'espère que nous aurons du charbon.) J'ai demandé à mon amie Jane Bathori de donner quelques concerts pendant mon absence. Je n'ai pas besoin de vous présenter Jane Bathori, vous la connaissez tous. Elle est l'interprète la plus simple, la plus convaincue des chefs d'œuvre de la musique moderne. Vous recevrez des programmes de ces matinées.

Et pour clore la soirée, vous allez entendre en première audition *les trois Quatuors vocaux* de Ravel, *Nicolette, Trois beaux Oiseaux du Paradis,* et *Ronde.*

Ce même jour un câblogramme arrive de New York :

Câblé argent demandé. Enchanté meilleures nouvelles et arrivée Jouvet. Tâchez expédier colis accessoires avant quinze cause délai douane. Remettez départ troupe. Théâtre bien assez avancé. Arrivée fin octobre préférable. Andrews.

Jouvet quitte Paris le 5 octobre. Il attend l'embarquement à Bordeaux.

Le 6 octobre, l'après-midi, il écrit :

Mon petit patron,

Je ne sais pas si je suis très triste ou très fatigué – mais je suis bien seul – trop seul pour ne pas vous écrire – tout va bien, mais l'amitié du paquebot ne me suffit pas et j'ai besoin de penser à vous.

J'embarquerai à 4 heures – il est probable que nous ne partirons pas aujourd'hui, ni même demain – je ne sais pas – on ne sait pas.

Je suis sur le quai dans un tout petit misérable café plein de mouches – qui sent l'ail – avec des gens qui ont un accent désagréable – avec la pluie – avec un tas de débardeurs qui ressemblent un peu à Gournac.

Il est 8 heures – on ne partira pas ce soir – ni demain disent certains – ni après-demain disent d'autres. Je viens de dîner – les gens ont des gueules impossibles. J'ai une cabine avec trois jeunes Américains qui viennent de débarquer en France et qui s'en retournent déjà. Ils ont une sensible peur du torpillage! Il y a beaucoup d'enfants.

C'est plein d'officiers et d'Anglais – tout ça militaire – gommeux – chamarré – rutilant.

Je vais bien dormir ce soir – je vous écrirai demain. Je suis trop fatigué.

Bon courage, petit patron. N'oubliez pas Charles ni Tobie. Je vous embrasse de tout mon cœur très tendrement.

8 octobre, lundi matin :

Mon petit patron, on ne partira que ce soir – d'autres disent demain – personne ne sait. Je vous écrirai un petit mot tous les jours jusqu'à ce que l'on s'en aille.

Je suis incapable de faire quelque chose – il me semble que

je suis sur le quai d'une gare et que j'attends mon train depuis un mois.

C'est un désœuvrement terrible – je vais prendre une chaise longue et je resterai dedans jusqu'à ce qu'on arrive à New York.

Si vous télégraphiez, j'espère que vous serez assez gentil pour me dire ce qu'il en est pour Charles et Tobie! Ce serait une si terrible chose s'ils ne venaient pas!

J'ai bon courage quand même, vous savez, mais j'ai besoin de me revoir sur un plateau, sur un pont de théâtre. Je crois que cette traversée ne me sera d'aucun profit – même physiquement. Je vous télégraphierai en arrivant.

Mon petit patron, je vous aime bien et c'est tout ce que je sais vous dire – et ça vous suffit n'est-ce pas? Je vous embrasse de tout mon cœur, de tout mon cœur très tendre.

8 octobre, lundi 5 heures.

Mon patron – on dit ce soir, et c'est probable – c'est tant mieux car je languis comme je ne saurais dire – tout le monde me prend pour un Américain – je pense à Cambronne.

Soignez-vous bien – ramenez Charles et Tobie – on fera du beau travail – je serai très courageux et très vaillant – je suis pour l'instant un peu sentimental – mais bien tendrement.

10 octobre, Copeau à Jouvet :

Mon cher garçon,

J'ai reçu tes deux petits mots. C'est par acquit de conscience que je t'écris, car j'espère bien que tu as déjà quitté le rivage; mais j'ai une telle pitié de toi quand je me représente ton attente dans un petit café du port, que je ne puis m'empêcher de te faire un petit signe d'encouragement; mais ce n'est pas le moment de se laisser aller. [...] Nous touchons au terme. Évidemment Dullin ne pourra pas partir avec nous, mais jusqu'à présent tout est pour le mieux en ce qui le concerne. J'ai vu Bouquet en permission de quarante-huit heures. Je ne le laisserai pas sans appui à mon départ. J'attends d'une minute à l'autre les sursis des autres hommes.

Au revoir, mon vieux, travaille bien en m'attendant. Je te préviendrai quand nous quitterons le port.

P.-S. J'ai donné des instructions pour que ta femme reçoive de l'argent.

Le 7 octobre, Copeau écrivait à Michel Saint-Denis :

Toujours des difficultés – on me refuse Dullin et Bouquet. La troupe est assez bien composée. Je la crois solide. Les adhésions qui nous viennent sont du fond du cœur. Jouvet est parti. Nous nous embarquons le 20. Les nouvelles de New York sont excellentes. Le chiffre des abonnements est déjà considérable. Malheureusement je suis pour le moment mal portant. Mais ça passera. Il faut que ça passe. J'ai encore un travail énorme avant le départ. Mon *Impromptu* d'ouverture n'est pas encore écrit.

Au revoir mon petit. [...] En partant je te confie à toi aussi ta part de travail qui est de garder en toi, au milieu des plus dures épreuves, la pensée vivante de l'avenir... Je te serre dans mes bras. Je voudrais te dire une parole qui ne te quitte pas jusqu'à mon retour.

Je t'aime – j'ai confiance en toi.

ton patron

Lorsque Dullin apprend que son sursis est refusé, il écrit :

[...] Hier je me voyais déjà sur le paquebot. [...] N'aie pas peur, vieux, je serai patient, mais tout de même il m'est assez pénible de constater que nombre de cabotins officiels ont été arrachés au front et jouent paisiblement la comédie à Paris et que, parce que j'ai fait mon devoir je serai peut-être privé de ce sursis que je pourrais avoir ne serait-ce que pour me refaire un peu la santé. C'est bien le jeu de dupes – jusqu'au bout. Enfin passons. La pensée que le théâtre est appelé à faire ça me réjouit déjà assez et soyez sûrs que si je ne suis pas des vôtres je vous accompagnerai de ma pensée.

Nous avons un temps de chien. Nous sommes dans la boue et dans la vase jusqu'aux genoux. Je vais peut-être être obligé de rester encore douze jours avant de retourner au canton- nement. Ce sont des séjours qui comptent. Je ne suis pas malade.

[...] Je vais me débrouiller pour passer comme aspirant dans un régiment de marche (coloniaux ou tirailleurs) pour me sortir de cette vie stupide que nous menons, et je pourrai arriver assez vite officier, si je ne suis pas buté. Donc, vieux, ne t'en fais pas trop pour moi. J'ai un bon coffre et j'encaisserai bien encore celle-là. Cependant fais tout ton possible (je sais bien d'ailleurs que je n'ai pas besoin de te le dire). Il me semble que le Gouvernement peut faire ça. Je puis fort bien faire une tournée et être de retour pour me faire casser la gueule lorsque la cavalerie reprendra son rôle de cavalerie. Jusque-là ma présence dans les tranchées n'est pas très urgente. Enfin, ce que je te dis là est inutile. Ton programme est épatant. Ce qui augmente encore mon désir d'être des vôtres. Allons bonne chance, vieux.

10 octobre, Michel Saint-Denis à Copeau :
Mon cher oncle,
Recevras-tu ma lettre à temps? Je voudrais que tu la reçoives au moment de partir. [...]
Au revoir, mon vieil oncle. Ce soir, j'ai chassé toute tristesse noire. Mais je suis vraiment seul lorsque tu es loin. Et puis je suis inquiet, car tu te dis toi-même mal portant. J'ai le souci constant de ta santé. J'y pense constamment.
Comme j'aurais voulu être présent à cette réouverture d'un instant! Je me sens bien au milieu de vous. Nous respirons le même air. Je ferais mon travail préparatoire. Je me garderai intégralement.
Au revoir. Je t'embrasse à pleins bras. Ton

Michel.

14 octobre, Copeau à Roger Martin du Gard [47] *:*
Ce n'est pas sans déchirement que je pars. J'espère partir le 20. Au milieu du hourvari du départ je te dis adieu. Non, nos chemins ne s'écartent pas. Il ne faut pas penser ainsi... Plus que jamais nous avons besoin de nous sentir unis. C'est toujours pour nous tous que je vais travailler. Si je n'en étais certain, je n'aurais plus le même courage. Et il en faut! Écris-moi là-bas, théâtre du Vieux Colombier, 65 West 35th Street, New York. Jouvet est parti. Mais Dullin reste. Si je réussis, ce sera vraiment contre et en dépit de tout. Je t'embrasse.

À Jean Schlumberger :
Je te dis adieu, mon cher Jean. Notre départ est irrévocablement fixé au 27. [...] J'attends mes hommes d'un instant à

l'autre et je pense que nous pourrons travailler pendant une semaine avant de nous embarquer. [...]

Tu as raison d'être plein de confiance et d'espoir. Je crois que nous allons faire du grand travail...

25 octobre, à Jacques Rivière :

Je pars. Adieu. Je ne puis écrire. [...] J'ai eu d'inconcevables ennuis jusqu'à la dernière heure. Mais j'espère quand même partir le 30...

J'ai devant moi un labeur formidable, auquel je n'ai pu me préparer durant les deux mois grâce à l'inertie des bureaux. Mais j'espère quand même réussir.

25 et 26 octobre. Billet de service :

2h : *Les Fourberies.* Toute la pièce par le premier acte et Technique corporelle.

Le 27 octobre : 10 h au théâtre : MM. les artistes sont priés de venir poser devant M. Fauconnet [48].

Dimanche 28 octobre : Campo.

Lundi 29 octobre :

Ordres de la direction :

Tous les artistes sont priés de faire visiter leur passeport :

1° Au ministère des Affaires étrangères.

2° Au Consulat des États-Unis.

Tous les artistes sont priés de se trouver sur la scène lundi 29 octobre à 17 heures précises afin que toutes les dispositions soient prises d'un commun accord pour le départ.

26 octobre. Un dernier adieu à Jean Schlumberger :

Nous partons le 30. Adieu. J'ai une troupe un peu maigre. Mais confiance. Quand même. Une magnifique affiche de Vuillard et de très beaux cartons de Bonnard pour des rideaux, enfin un très beau buste de Molière par Marque et deux cents costumes fort réussis nous accompagnent. Là-bas l'attente est grande. Plus de cent mille francs d'abonnement, et tout loué pour le premier soir.

Au revoir. Tu auras des nouvelles dès notre arrivée.

30 octobre. Encore un petit mot à Michel :

Cette fois je pars. Au revoir mon enfant. Il est dur de partir. Pour là-bas je ne redouterais rien si ma troupe était plus solide. J'espère en faire à peu près ce que je voudrai. Mais il m'en coûtera du travail. [...] Ne crains rien. Je suis encore jeune. [...]

Ce même soir, à 20 h 25 : rendez-vous à la gare d'Orsay. La troupe quitte Paris *.

Le Figaro : C'est à cette date que se sont embarqués les missionnaires de l'Art français, porteurs, au milieu de la guerre et de la destruction, d'un rêve de beauté, de ferveur et de simplicité [49].

31 octobre. Billet de service :
La Troupe arrive à Bordeaux à 7 heures. Visa des passe-ports à 16 heures. Embarquement de la Troupe à bord du *Chicago*.
Pendant la traversée, lorsque le temps le permettra, M. Copeau fera répéter le texte des *Fourberies de Scapin*.

À Paris, dans le Vieux Colombier désert, Jane Bathori n'a pu retenir ses larmes lorsqu'elle est entrée dans le bureau de Copeau si plein de votre présence. Elle y trouve une lettre [50] :

30 octobre :
Ma chère amie ce petit mot vous accueillera quand vous entrerez pour la première fois dans le cabinet où j'ai tant travaillé. J'ai d'autant plus de plaisir à vous l'écrire que vous l'avez désiré. À votre tour travaillez bien. Soyez ici chez vous. Et quand vous serez assise dans ma vieille chaise trouée que j'aime tant, pensez un peu à moi qui suis bien fort votre ami... Puis-je vous dire que le regret de vous quitter aggrave encore pour moi l'amertume du départ. J'aurais voulu vous le dire tantôt quand vous êtes venue me voir. Vous voyez que nous avions encore des choses à nous dire et que vous êtes partie trop vite. Si vous voulez me faire plaisir, donnez-moi souvent de vos nouvelles, des nouvelles de ma maison que je vous laisse avec tant de confiance, et où plus tard nous travaillerons ensemble. Vous avez tant de jeunesse en vous, chère amie, et de force que je sens quand je vous regarde et que vous souriez. Il y a de la vie, de l'espace devant vous. Je reviendrai bientôt.

* Voir Appendice H, p. 527.

Gardez bien la maison. Je vous imaginerai plus d'une fois à cette place où vous étiez tantôt. J'emporte avec moi votre portrait que je mettrai là-bas dans mon cabinet de travail. [...]

31 octobre, Jane Bathori :
Je me sens vraiment un peu *seule*, peut-être vous qui parlez de ma force ne me reconnaîtriez-vous plus si vous me voyiez en ce moment. Moi aussi j'aurais voulu vous dire bien des choses l'autre jour. [...] Puis croyez-vous qu'il soit nécessaire toujours de parler – il me semble à moi que nous nous comprenons si bien sans rien dire. [...] Écrivez souvent, le plus souvent que vous pourrez, ça ne sera jamais autant que je le désire. [...] Je vais travailler le plus que je pourrai pour que vous soyez content, et continuer votre œuvre. Puissions-nous bientôt *travailler ensemble*! [...]

Dans un autre petit bureau, celui de la Nouvelle Revue Française, *rue Madame, point de ralliement et de réconfort depuis le début de la guerre, de tous les amis et des permissionnaires, Berthe Lemarié a repris sa place. Elle doit se sentir seule aussi, Gaston Gallimard, son ami, est parti avec les comédiens...*
Roger Martin du Gard pense à elle [51] :
Chère amie, c'est à vous que je veux écrire, maintenant qu'ils sont partis, pour que vous ne croyiez pas que tous les amis sont envolés, et pour que, dans votre nouvelle solitude, vous sentiez quelques pensées fidèles et sûres fixées sur vous. Les derniers jours d'affolade, le départ, la séparation, l'isolement des premiers jours, c'est une dure épreuve pour votre sensibilité, ma pauvre Berthe, et je vous plains de tout cœur. Il faut se dire que tout ça n'aura qu'un temps, comme le reste, et qu'au printemps les hirondelles reviennent fidèlement à leurs foyers. Et puis, vous restez à la *Revue*, comme une Vestale choisie, et c'est tout de même quelque chose pour vous, que ce travail à assurer, cette lueur à ne pas laisser éteindre ni vaciller, pour que nous la retrouvions tous au retour!
Si vous avez un moment, donnez-moi signe de vie, un mot seulement, pour me dire si vous luttez héroïquement et efficacement contre le cafard. Comment va votre Jean [52]? Où est-il en ce moment?
Ce que je voudrais aussi, c'est la *liste complète des partants*. J'avoue que je n'ai pas compris grand-chose aux sursis, qui

L'été en France   157

donc a-t-on réclamé et obtenu, si Dullin et Bouquet ne sont pas libérés? J'aimerais avoir la liste précise des embarqués, hommes, femmes et Auvergnats. Gampert en est, n'est-ce pas? Je vous baise la main, très affectueusement. Haut les cœurs!

Lorsqu'il reçoit cette liste des partants, Roger Martin du Gard écrit à nouveau [53] :
Merci de la liste. Hélas! quel poignard vous retournez dans ma plaie... Mon Vieux Colombier! Tous ces inconnus! Et moi je reste là... Je connais trois ou quatre noms sur vingt-cinq. Mon Vieux Colombier est un Vieux Colombier tout neuf que je ne connais plus du tout. C'est bien amer.

Et seul, il demeure pessimiste et critique l'opiniâtre ténacité dont Copeau a fait preuve.

Le 24 octobre, il écrit à Jean Fernet [54] :
Je crois Copeau parti, après trois adieux successifs, et trois retards imprévus. Malheureusement, Dullin et Bouquet ne l'accompagnent pas, et je me demande comment il va pouvoir tenir le coup sans ces vrais piliers de sa troupe... Les dernières lettres étaient nerveuses. On ne s'insurge pas impunément contre les éléments coalisés. [...] Copeau n'a pu se résoudre à *attendre*. Lutte titanesque contre l'*inopportunité*. Vogue la galère!

Pendant douze jours et douze nuits, tous feux éteints, le Chicago *va voguer, traversant l'Atlantique. À bord, le billet de service sera régulièrement affiché :*

Vendredi 9 novembre 1917, 14 h 30 :
A lieu dans le salon de lecture du *Chicago* un concert au profit du Secours National. MM. Sarment, Millet, Dhurtal y prennent part. M. Copeau et Mme Bogaert y jouent le *Pain de ménage.*

10 novembre :
Tous les artistes jouant dans *Les Fourberies de Scapin* sont prévenus que la première répétition de cette pièce en arrivant à New York aura lieu au souffleur. Chacun devra savoir son texte à la lettre.
Au débarquement toute la troupe se réunira sur le quai à

la lettre V pour assister à la visite de la douane et prendre les instructions de la direction.

À New York, depuis l'arrivée de Jouvet, on a redoublé d'ardeur au travail.

Les charpentiers, les électriciens, les mécaniciens se relayent par équipes de nuit et de jour pour transformer le vieux théâtre Garrick en théâtre du Vieux Colombier :

On a commencé le travail sur la scène du Garrick le 27 octobre, un mois avant l'ouverture... Une dizaine de jours ont été consacrés à des travaux de maçonnerie, de charpente et de déblaiement de la scène. Cette scène a dû être mise en état complètement en vingt-deux jours, en y construisant le dispositif nouveau de la loggia. Nous avons par conséquent dû acheter tout le matériel nécessaire et équiper du haut en bas une scène vieille et incommode qui rendait le travail particulièrement compliqué, en construisant nous-mêmes presque tout le matériel, avec rideaux, manœuvres de cintre, éclairage, etc. [55].

4 novembre, The New York Herald *:*

Quiconque cherche à se frayer un passage à travers un dédale d'échafaudages de construction trouvera Antonin Raymond, l'architecte, et Louis Jouvet en pleine activité à toute heure du jour et de la nuit. Louis Jouvet est le bras droit de Copeau, régisseur général, acteur, artiste et technicien de la scène. Il vient de se voir libéré après trois ans de service à l'armée.

MM. Raymond et Jouvet sont environnés de cubes emboîtables, de passerelles, de marches d'escalier, rappelant le jeu de constructions de quelque enfant géant. M. Raymond explique leur présence : M. Copeau désire une construction scénique capable d'offrir la plus grande variété d'aspects et une grande fluidité sans le secours d'une machinerie pesante et compliquée. Son idéal serait un dispositif aussi malléable et susceptible de transformations au cours des répétitions que le jeu des acteurs lui-même.

Le 10 novembre, The New York Times *annonce :*

Arrivée de Copeau retardée.

L'ouverture du théâtre du Vieux Colombier est remise au 26 novembre.

Ce jour-là, Lénine et son Comité de Salut de la Révolution entrent en pourparlers avec les puissances centrales pour un armistice.

1 196ᵉ jour de la guerre.

Le 11 novembre :
Le Chicago *touche au terme de son voyage. Copeau écrit à sa mère :*
Nous sommes en vue de la terre où nous aborderons dans deux heures, tous en excellente santé, après la plus merveilleuse traversée qu'on puisse rêver.

Dans la brume du soir, apparaît le port de New York The Sky Line. Plus tard, Pierre Scize se souviendra de cette arrivée à New York [56].
« Ville des flots précipités et écumants
Ville posée parmi les baies
Ma ville! »
Ainsi Walt Whitman salue-t-il New York. Ainsi la saluâmes-nous ce dimanche de novembre 1917, au crépuscule, à l'avant du *S.S. Chicago.* Quel plateau il y avait là, comme on dit au théâtre. Copeau d'abord, au plein de sa forme, l'œil aigu sous la puissante arcade, ivre d'audace, de foi, de conscience, de jeunesse. Un conquistador à l'abordage. Et « l'essaim chantant d'histrions en voyage » : Valentine Tessier, dans sa fleur, Lory, marionnette rieuse, Lucienne Bogaert, au masque de chatte persane. Suzanne Bing, translucide d'intelligence, Jean Sarment, sortant du Conservatoire, Alain Dhurtal, Marcel Millet, Vallée, Gournac, – et dans l'ombre, placide comme percheron au pré, rond, rose, sûr de l'avenir et bien vêtu, notre secrétaire général, Gaston Gallimard.

Devant nous, la féerie enflammée de Broadway, derrière, le noir silence de l'océan, la guerre interminable. Dans nos soutes, nos saints de France, à nous : Molière, Marivaux, Musset, Becque, La Fontaine, Renard. Et Péguy, ce jeune mort de la Marne appareillant pour son éternité. Quelle caravelle!

Le Vieux Colombier, qu'une seule saison de Paris avait fait illustre, venait conquérir l'Amérique.

AMERICA II

... C'était une entreprise insensée. Songez-y : en pleine guerre, transplanter, sans aucune acclimatation préalable, dans le milieu le moins favorable à sa croissance, et même à sa cohésion, non pas une organisation éprouvée, mais un rêve à peine éclos, dont la valeur est toute spirituelle – établir à New York – qui n'était pas le New York d'aujourd'hui, ouvert à tous les souffles d'avant-garde – un théâtre français régulier, qui jouera tous les soirs sans vedette, sans luxe matériel, sans bluff, sans autre recommandation que celle de sa qualité!... Il y avait bien là de quoi nous écraser dans l'œuf. Mais nous croyions revivre.

J.C. *Souvenirs du Vieux Colombier*, 1931

AMERICA II

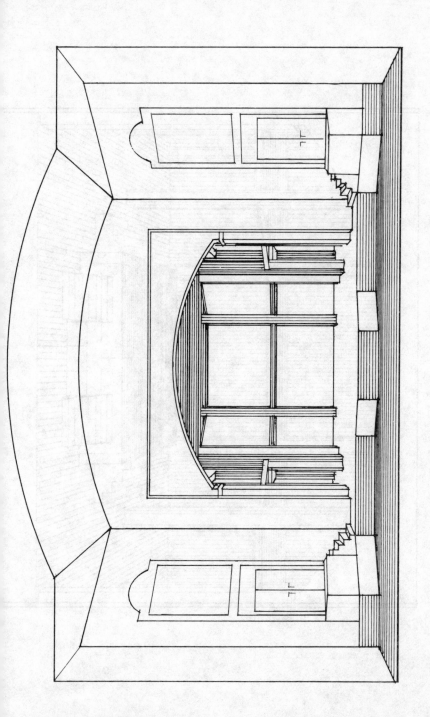

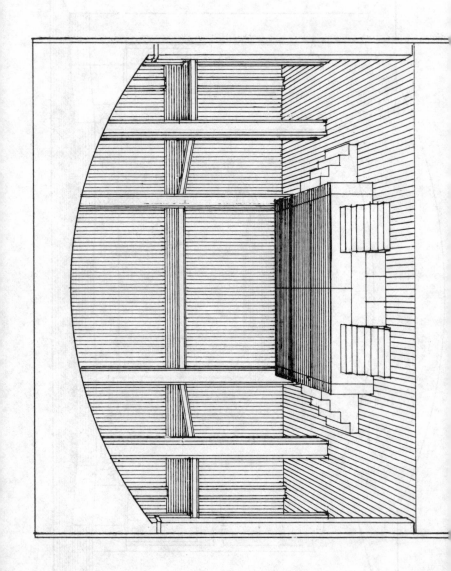

New York

L'arrivée – Premières déceptions : La Maison du Vieux Colombier n'existe pas. Le théâtre n'est pas prêt. Début de l'exil et malaise dans la troupe.

Le 11 novembre 1917 :
La troupe débarque. Puis, sous les hangars, groupés comme il l'avait été dit, à la lettre V, les comédiens se soumettent aux formalités de la douane qui traînent en longueur. C'est là qu'ils vont apprendre qu'il n'y a pas de Maison du Vieux Colombier pour les accueillir. Ce projet ayant échoué, ils vont être acheminés par petits groupes dans différents hôtels de la ville.
D'autres nouvelles inquiétantes sont apportées par Miss Andrews dès l'arrivée au port.

Copeau écrira à sa mère :
La préparation que j'étais en droit de supposer avoir été faite pendant l'été était nulle. Il nous a fallu tout réorganiser. Difficultés, obstacles, hostilités, etc.
À Alfred Cortot, lorsque plus tard il lui rendra compte des premiers mois de la saison, c'est ainsi qu'il décrira son arrivée à New York :
J'ai trouvé tout ici en plein désarroi. Tous ceux que j'avais laissés comme collaborateurs dans l'œuvre commune, je les ai retrouvés tournés les uns contre les autres, comme de véritables ennemis, et comme je n'ai voulu donner raison ni aux uns ni aux autres, mais imposer ma volonté à tous, je n'ai plus

eu bientôt autour de moi que des personnes indifférentes ou hostiles [1].

Et à Michel Saint-Denis :
Énormes difficultés au début. En mon absence tout était retourné au chaos. L'esprit s'était retiré. Il n'y avait plus qu'une *affaire* et une affaire américaine. Nous nous sommes vus contraints à commencer le travail au milieu des échafaudages. [...] C'est très dur, mais je suis persuadé que l'idée du Vieux Colombier triomphera et que l'avenir en deviendra plus assuré.

12 novembre, le lendemain de l'arrivée, une journée de « campo » qui ne se renouvellera pas souvent.

Jean Sarment racontera plus tard [2] :
[...] Nous partîmes en bande pour voir notre théâtre. Il était en pleine réfection : poutres, échafaudages, plâtres; et nous arrivions trop tôt.
Jacques Copeau cherchait Jouvet.
— Où es-tu, Louis?
— Ici.
Et l'on vit monter tout droit comme une fumée, émerger des dessous de ce qui allait être une scène, une forme longue et maigre, blanche comme un fantôme, un Louis Jouvet plâtré des pieds à la tête, coiffé de l'armet de Don Quichotte, blanc de plâtre lui aussi. D'une main il s'essuyait un front fondant de sueur, de l'autre il manipulait sèchement, à bout de bras, un mètre dépliable.
— Ça va bien... ça avance, disait-il. En ce temps-là, il bégayait encore un peu.
Et à nous :
— Ne vous mettez pas dans mes jambes! Allez visiter le pays! Curieux... me suis-je laissé dire... Fichez-moi le camp!... Ici il n'y a pas encore de planches... Pas de planches, pas besoin de comédiens!
Et il riait de son grand rire sourd-henni, syncopé.

Les comédiens s'en vont alors à la découverte de New York :
[...] La nuit tombe. Les rues et les avenues ruissellent de lumière électrique. Les mille feux multicolores de la publicité

lumineuse, animée, étincelante, vertigineuse, éblouissent nos yeux que le Paris de la guerre a déshabitués d'un pareil éclat. « Que nous sommes loin de la guerre ! » serait-on tenté de dire. Que non pas ! Tout nous la rappelle, au contraire, à mesure que nous pénétrons plus avant dans l'immense cité et que nous regardons plus attentivement autour de nous.

Nous sommes en pleines journées historiques de l'emprunt. De gigantesques drapeaux américains décorent les façades des monuments. Des multitudes de plus petits, aux couleurs des nations alliées, claquent au vent. Des avenues entières en sont pavoisées. Des pancartes immenses, des transparents lumineux, des banderoles qui barrent les rues obsèdent la vue, rappelant à tous le devoir patriotique : souscription à l'emprunt, enrôlements volontaires, contribution aux œuvres de guerre, tout ce qui peut intensifier la participation des États-Unis à la grande cause commune [3].

À Paris, les journaux annoncent tour à tour : la guerre civile en Russie ; le ministère Painlevé renversé et le 15 novembre : Clemenceau forme un nouveau ministère et devient lui-même ministre de la Guerre. Le journal de Clemenceau L'Homme enchaîné *reprend son ancien titre :* L'Homme libre. The New York Times : Count on « Tiger » to rouse France. New war vigor expected *.

Au Garrick, dès le 13 novembre, sans un coin au théâtre pour travailler, on se met pourtant au travail : on déballe les costumes, on les essaye, on répète deux ou trois fois par jour.

L'ouverture prochaine et le premier spectacle du nouveau Théâtre-Français sont annoncés et commentés par toute la presse [4] :

— Copeau vient à nous comme un réformateur de l'art scénique. Très différent de Granville Barker, Adolphe Appia ou Max Reinhardt, il a quelque chose en commun avec Gordon Craig dont il diffère pourtant, puisque loin de sacrifier l'acteur au dispositif scénique et à la mise en scène, il met, avant tout, l'accent sur le travail de l'acteur.

— Et c'est précisément cet accent mis par Copeau sur le

* Comptez sur le Tigre pour réveiller la France. On s'attend à une nouvelle vigueur dans la conduite de la guerre.

travail de l'acteur qui lui fait tant apprécier l'étude et l'interprétation du répertoire classique français.

« Le théâtre du grand siècle français, *dit-il*, est d'une nudité presque austère. L'acteur y est réduit à lui-même, à la justesse de son jeu et des sentiments qu'il expose. Rien ne peut l'aider à dissimuler ses faiblesses. » [...]

« Quant aux farces de Molière : elles doivent être jouées fortement, bonnement, populairement, et non avec le stupide respect qu'on croit devoir à un auteur comique de génie. »

– L'agencement architectural de sa scène présente pourtant de nombreuses particularités. La grande variété de possibilités pour le jeu et l'action requises par Copeau seront obtenues au Garrick à l'aide d'un proscenium : plate-forme amovible couvrant la fosse d'orchestre, avançant dans l'auditorium, entourée des spectateurs sur trois côtés, et communiquant avec la salle par quelques marches qui en rendent l'accès facile, offrant ainsi une troisième extension à la scène.

– Au-dessus de la scène, au fond, une *loggia* forme une autre scène élevée d'un étage. À la hauteur propre pour recevoir un plafond dans les scènes d'intérieur.

Note de Copeau : « Ce dispositif de la loggia, absolument sincère, obéissant à une nécessité ressentie. Rien d'une reconstitution. »

– De chaque côté de l'avant-scène (dans l'emplacement précédemment occupé par les loges de spectateurs) se trouvent deux petites scènes, ou plates-formes latérales, communiquant par des marches avec l'avant-scène et dominées par deux tours percées d'une porte et d'une fenêtre avec balcon praticable.

– Enfin, on a réintroduit, comme une sorte de scène sur la scène, le tréteau des anciens bateleurs. C'est une plate-forme amovible d'environ trois pieds de haut avec des marches de chaque côté d'un banc à la face, et d'autres marches au centre de chacun des deux côtés. Par sa position au milieu de la scène, il fait se concentrer l'action sur une surface exiguë et élevée. Un cyclorama de couleur neutre entoure la scène.

– Il n'y aura pas de rampe mais un éclairage produit par des *bunches* [5] et projecteurs situés et actionnés à partir du balcon – celui-ci aboutissant plus près de l'avant-scène qu'il n'est ordinaire dans la plupart des théâtres.

– Tout cet appareil scénique, conçu pour mettre en relief et servir le jeu de l'acteur, offrira une grande variété de possibilités de groupements, d'entrées et de sorties et, d'une manière générale, donnera une grande *fluidité* à leur jeu. Ce dispositif procure comme une base physique à la mise en scène et rendra chacune des représentations de Molière chez Copeau aussi surprenante que n'importe quelle nouveauté *.

* Voir p. 163 et 164.

(empty)

Première saison du Vieux Colombier
à New York
1917-1918

27 novembre : ouverture. *Les Fourberies de Scapin*. Désaffection rapide du public snob, mais formation d'un noyau de spectateurs fidèles et d'amis fervents. Travail intensif. En 4 mois et 10 jours : 21 pièces jouées. Le sentiment d'exil augmente : La troupe se démoralise. Aggravation des tensions avec l'arrivée de Dullin.
Le drame s'annonce.

Mardi 27 novembre 1917.
Le soir de la première, le minable vieux Garrick de la 35ᵉ Rue, un des plus laids de la ville, méconnaissable et entièrement renouvelé, sera salué par la presse, comme un des petits théâtres intimes les plus charmants de New York. Sa simplicité, son élégance, sa beauté enchantent l'œil. Le balcon a été supprimé et l'avancée du proscenium a réduit la capacité de la salle à cinq cent cinquante places *. Trois loges se situent à l'arrière de la salle. Les couleurs sont délicates et l'éclairage doré. L'art dramatique français y trouvera un cadre approprié. Cette salle ne ressemble à aucune autre à New York.

Lorsque l'assistance la plus nombreuse et la plus élégante y pénètre, c'est déjà un monde théâtral nouveau qu'elle découvre.
Dans les loges, se trouvent ce soir l'ambassadeur de France M. Jules Jusserand et Mᵐᵉ Jusserand avec leurs invités.

* Appendice I, plan de la salle du Garrick Theatre, p. 529 et 530.

Dans la loge de Mrs. Rita Lydig, parmi ses invités, M. Gaston Liebert, consul général de France.

Dans la troisième loge, M. et Mme Otto Kahn reçoivent le marquis et la marquise de Polignac.

L'orchestre est occupé par toute la Haute Société new-yorkaise.

Un élégant programme d'une quarantaine de pages est distribué, qui présente le théâtre du Vieux Colombier, cette chose noble et vivante *(Eleonora Duse).*

Le théâtre du Vieux Colombier est le plus jeune des théâtres français, et le seul qui puisse être comparé à ces nombreuses scènes artistiques créées à l'étranger depuis vingt-cinq ans.

Le but et l'ambition de ses fondateurs : créer une scène française complètement libre et désintéressée, attachée aux chefs-d'œuvre du passé et en même temps ouverte aux auteurs à venir.

Le théâtre du Vieux Colombier représente les efforts et les aspirations de la France moderne : il est aussi un théâtre de tradition qui cherche à donner une nouvelle interprétation aux œuvres du répertoire classique.

Le programme artistique du théâtre du Vieux Colombier peut se résumer en peu de mots – modestie, sincérité, recherche ardue, innovations continuelles, refus absolu de compromis avec l'esprit commercial ou le cabotinage; lutte au nom de la vraie tradition contre ce qui est académique, contre la virtuosité esthétique et toute affectation, et ceci au nom de la sensibilité, de la culture et du goût.

Dans l'interprétation de son répertoire, le théâtre du Vieux Colombier essaie de mettre au premier plan et en pleine lumière l'œuvre elle-même, dans sa vérité et son style propres et, par l'action, la mise en scène et le jeu des acteurs, de faire surgir l'esprit du poète du texte de la pièce. De ceci résulte une simplification absolue et même la suppression des décors, ainsi que le bannissement de toute vedette. La compagnie du Vieux Colombier est une réunion de personnalités homogène et disciplinée dont le seul but est de servir leur art.

M. Otto Kahn et ses amis ont demandé à Jacques Copeau de créer à New York un nouveau théâtre français avec un répertoire digne de notre culture, où l'interprétation et la mise en scène soient en harmonie avec les tendances de l'art dramatique moderne.

C'est ainsi qu'après trois années de silence, le théâtre du Vieux Colombier renaît à la vie pour la première fois, non à Paris, mais au cœur de la ville de New York.

Parmi les vingt-cinq pièces que nous présenterons au jugement du public américain, quinze au moins apparaissent à notre répertoire pour la première fois et ont été préparées pour la circonstance. Tous les costumes, les accessoires, les décors sortent des ateliers du Vieux Colombier [1].

Mardi 27 novembre :
PREMIER SPECTACLE * :
L'Impromptu du Vieux Colombier de Jacques Copeau,
monté en sept répétitions.
Les Fourberies de Scapin, de Molière,
montées en dix-huit répétitions.
Le Couronnement de Molière,
monté en neuf répétitions.

Ce spectacle d'ouverture a été monté avec un total de 31 heures de répétitions [2] :
La partie musicale du spectacle est exécutée par la Société des Instruments Anciens, sous la direction de M. Henri Casadesus, et la partie chorégraphique sous la direction de Miss Jessmin Howarth.
14 h 30 : répétition générale devant la presse.
20 h 30 : première représentation au Garrick Theatre.

Tandis que les derniers spectateurs arrivés gagnent leurs places, le murmure du public décroît, l'éclairage de la salle est légèrement baissé. L'Impromptu du Vieux Colombier va commencer :
Au proscenium : lumière atténuée, silence...
Dans l'ouverture centrale du rideau d'avant-scène, paraît Suzanne Bing, vêtue des voiles roses de Viola dans La Nuit des rois.
Elle salue de la tête, puis elle commence à parler doucement :

Recevez le salut de la France...
Tandis que vos navires, lourds de moissons et de soldats

---

* Voir répertoire et distributions Appendice J, p. 531.

poussent leurs proues guerrières vers l'ouest où l'on se bat,
un souffle moins rude a détaché de notre rivage, vers vous,
cet autre navire,
qui débarque, ce soir, au cœur de votre ville,
sa cargaison de poètes, d'acteurs, de musiciens,
avec tous les oripeaux du drame et de la comédie.
Au milieu de la guerre,
Accueillez le sourire de la France...

En parlant, Suzanne s'est insensiblement approchée du bord extrême du proscenium. Elle s'incline profondément au-dessus du public :

avec amitié,
avec respect,
avec reconnaissance,
je vous salue.

Puis le régisseur, Robert Casa, entre rapidement et va entrouvrir le rideau au milieu pour appeler les acteurs, qui paraissent successivement, les uns en costume de ville, les autres à moitié ou entièrement revêtus de leurs costumes de scène et tels qu'ils vont jouer l'Impromptu. Celui-ci se termine, la pièce va commencer, lorsque Jessmin paraît en dansant.

Copeau :
Ah! te voilà, toi, petit danseur, esprit, démon familier de la maison, plus preste et plus pur que nous, et qui fais honte quand tu parais à notre forme imparfaite, à nos gestes sans vie et sans beauté! Va, cours, tandis que ce mince rideau nous sépare encore de l'illusion. Du haut en bas de la maison, à tous ceux qui donnent le spectacle, inspire le rythme. Va! ma flamme, mon esprit, ma joie! (*Jessmin sort en dansant sur la musique qui va mourant.*) Rideau!

*Le rideau se lève et découvre la nouvelle construction architecturale de la scène : la loggia fermée par de brillants rideaux peints par Bonnard et, au milieu du plateau nu, le Tréteau [3] * au plein feu de l'éclairage, tel un ring de boxe prêt au combat.*

---

* Voir dessin du Tréteau p. 164.

Copeau bondit sur le Tréteau, et crie vers la coulisse :
Argante, Géronte, Octave, Léandre, Zerbinette, Hyacinte, Sylvestre, Nérine, Carle, et les deux porteurs... êtes-vous prêts?

Tous les acteurs de la pièce, en coulisse, d'une seule voix :
Oui!

Copeau (après un temps) :
Allez! *(Il descend en courant les marches du Tréteau.)*

Le régisseur frappe les trois coups, la pièce commence et se joue sans interruption dans un mouvement rapide.

Note de Copeau [4] *:*
Les Fourberies de Scapin, montées pour la première fois à New York... firent l'expérience du dispositif du Tréteau... Nous avons tâché, dans la circonstance, de rapprocher cette comédie française de la tradition italienne et de lui rendre la violence et même la cruauté de son mouvement.
[...] Je crois n'avoir peut-être jamais rien donné qui fût plus de chez nous, ni mieux réussi sous un certain rapport.

À la fin des *Fourberies*, au second rappel, le buste de Molière a été installé au milieu du tréteau sur un socle. Il y a un silence assez prolongé. Tout à coup éclate très violemment un air de Syrinx. Le danseur qui représente le drame satyrique de l'Antiquité jaillit à l'avant-scène – il danse une danse fougueuse qui exprime la joie, la jeunesse, l'amour. Il reconnaît Molière, bondit sur le Tréteau. Il danse pour Molière avec familiarité et tendresse... de plus en plus près du buste. On dirait qu'il lui parle à l'oreille. Puis, portant son instrument à ses lèvres, il en tire une sorte de cri, un appel prolongé, auquel répond de la coulisse une espèce de chœur sans paroles. La comédie d'Aristophane paraît qui, malgré des déformations grotesques d'un personnage comique, a une beauté antique, une grande noblesse de style. Il danse entremêlant sa danse d'entrechats à contretemps – c'est le rire.
Nouvel appel de Syrinx : la comédie d'Aristophane, bondissant vers la coulisse tend la main et ramène la comédie de Térence. Toutes deux traversent la scène en courant et en tendant la main vers la coulisse de cour en extraient la Comédie

de Plaute. L'air sur lequel ils dansent s'anime et se transforme : du fond de la scène bondissent sur le tréteau les
personnages de l'ancienne comédie italienne, Arlequin et
Pulccinella. Leur danse autour de la statue de Molière est une
danse d'enthousiasme.

Puis l'ancienne comédie italo-espagnole et l'ancienne farce
italo-française se joignent à la danse.

Lorsque paraît la comédie de Shakespeare, les autres personnages lui rendent hommage, mais elle s'échappe de leur
cercle, vient s'incliner devant la statue de Molière et répand
d'un seul coup devant elle toutes ses offrandes.

C'est maintenant un défilé qui commence sur une mesure
lente. D'abord la comédie de Corneille en grand costume
Louis XIII, homme et femme; puis les personnages de
Regnard, Marivaux et Beaumarchais. Cérémonie autour du
buste de Molière.

Il y a un petit arrêt de la musique. Fortunio ou Fantasio
paraît en scène timidement avec un air de chercher son chemin et d'être ébloui. La comédie italienne et la comédie de
Shakespeare se détachent du Tréteau et viennent saisir par
la main la comédie de Musset qu'elles conduisent à Molière.

Le défilé reprend : ce sont quelques-uns des personnages
principaux de Molière... Puis la comédie moderne... puis tous
les interprètes des *Fourberies* en farandole.

Arrêt de la musique. Nouvel appel de la Syrinx : Jessmin,
toujours sous l'apparence du démon du Vieux Colombier
danse. Sa danse achevée, au milieu du proscenium elle tend
les deux mains vers cour et jardin où paraissent les deux
petites filles de Copeau, Maïène et Édi. Chacune tient à la
main une cage d'osier avec une colombe; elles gravissent le
Tréteau et vont en faire offrande à Molière.

Arrêt de la musique. Par la gauche paraît le patron de la
troupe en costume de Scapin, par-dessus lequel il a passé la
grande robe qu'il avait dans *L'Impromptu*. Il tient par la main
son jeune fils Pascal qui porte une grosse couronne de laurier.
Tous deux s'inclinent à l'avant-scène, gravissent le Tréteau,
s'inclinent devant Molière. Puis le patron récite l'hommage
à Molière; sur la dernière phrase il élève dans ses bras son
fils qui pose sur le front de Molière la couronne de laurier [5].

La presse :

— Salut! et Longue Vie au nouveau théâtre du Vieux Colombier!
— Enfin un vrai théâtre français pour l'Amérique!
— Débuts de Copeau, un triomphe de l'Art!
— Public cordialement enthousiaste.

Hiram K. Moderwell :

Il est un peu surprenant que la compagnie choisie pour représenter l'art dramatique français soit celle qui représente précisément la révolte contre la tradition française actuelle. Mais c'est un choix très heureux.

— Jacques Copeau a prouvé par cette seule représentation qu'il va exercer une influence vitale sur l'art théâtral américain. [...]

Après les comptes rendus d'usage dans tous les journaux, d'importants articles ne tarderont pas à paraître dans les revues et dans les gros quotidiens du dimanche.

John Corbin : Molière ressuscité!

[...] On peut tenir que l'interprétation des grands rôles demande de grands artistes et même de grandes personnalités. M. Copeau maintient que, pour représenter une œuvre dramatique réelle, il n'y a qu'une seule personnalité, un seul artiste qui compte, et c'est l'auteur. Mieux vaut une compagnie d'amateurs malléables et intelligents qu'une compagnie dont l'un des membres s'arroge le droit de se faire valoir aux dépens de l'œuvre qu'on entend servir.

Dans *Les Fourberies de Scapin*, cette méthode a produit des résultats intéressants qui appellent la réflexion et plus encore, peut-être, la discussion. Dans l'ensemble, elle a été couronnée de succès. L'événement est d'importance pour notre vie théâtrale.

A. G. H. Spiers :

Le spectacle d'ouverture du Vieux Colombier est bien conçu pour suggérer une similitude entre la nouvelle compagnie française et celle de Molière avec laquelle elle a, en effet, de fortes analogies.

Nous y reconnaissons les mérites des théories de Copeau et, ce qui est infiniment plus important, combien il en applique à fond les principes novateurs. La France possédait jadis une forme de théâtre d'un style aujourd'hui oublié : la farce. Tout dans l'interprétation de cette pièce révèle une étude minutieuse des vieux farceurs. Copeau a quelque chose de leur agilité et beaucoup de leur mobilité. Sa silhouette, son visage, ses attitudes sans oublier le costume classique et le béret rappellent constamment les vieilles gravures. [...] Et ce que Copeau fait lui-même, il l'exige des autres membres de sa compagnie, chacun selon son personnage. Il a fait revivre les acteurs de la commedia dell'arte et son travail est une révélation.

Samuel A. Eliot :

[...] Rien ne peut égaler la beauté et l'extraordinaire habileté déployée dans l'action toute rythmique des *Fourberies de Scapin*.

C'est le *rythme* qui fut la principale révélation de cette merveilleuse soirée d'ouverture. La fraîcheur, cette traînée lumineuse du style qui déborde le cadre de scène et ignore la rampe ou toute autre barrière entre le spectateur et le spectacle qui se présente à nous tel un *show* coloré, vivant et appelant le rire, nous révèle à nouveau le pouvoir contagieux et la puissance d'envoûtement que peut exercer le pur art du théâtre.

The New Republic :

Je n'ai jamais attendu aucune saison théâtrale avec autant de curiosité, autant d'excitation.

Tout artiste, je pense, soit-il peintre, musicien ou poète sera avide de voir au Vieux Colombier que l'art le plus simple, au théâtre, est le plus expressif.

D'autres critiques remarquent la mise en valeur de toutes choses par les moyens les plus simples, les plus frappants : Combien dans cette mise en scène toutes choses sont habilement employées. C'est ainsi que le tissu étendu à terre sur lequel Scapin et Sylvestre jouent aux dés au début de l'acte, Scapin s'y enveloppera quelques minutes plus tard et ce sera le sac dans lequel on cachera Géronte pour la scène de la bastonnade.

L'emploi du Tréteau tient une large place dans la presse, où il est diversement compris et apprécié.

2 décembre :
John Corbin dans The New York Times *estime que* cette scène élevée située au centre du plateau, aussi inutile et même excentrique qu'elle puisse paraître à première vue, se révélera probablement comme ayant une raison d'être précise. [...] Reliée au sol par de nombreux groupes de marches, elle quadruple les effets possibles de célérité physique et de rythme.

27 décembre, A. G. H. Spiers. The Nation :
[...] Copeau fait renaître le Tréteau des fêtes foraines... Il y concentre notre attention et, en même temps, ce tréteau, par ses dimensions, limite les mouvements des acteurs. Scapin peut s'y démener à son gré ; il peut s'y coucher ou s'accroupir pour jouer aux dés avec Sylvestre, il reste toujours en pleine vue du public et de plus il peut dominer les autres personnages alors que ceux-ci se trouvent en dessous sur la scène inférieure. Et lorsque ces personnages, à leur tour, montent sur l'estrade, ils en sont en quelque sorte captifs, les bords du tréteau limitant leurs mouvements, leurs tentatives de fuite... tout en rendant inévitables certaines rencontres [...]

Ainsi comprise, la raison d'être du Tréteau est conforme aux intentions de Copeau :
Le Tréteau est, dans les *Fourberies*, un *piège à vieillards*, il doit donner la sensation du péril, on doit voir Argante suspendu au bord de *l'incréé*[6].

D'autres critiques ne voient dans ce Tréteau qu'un simple décor qu'ils réprouvent absolument :
George Nathan[7] :
Je dois avouer que lorsque le programme m'indique que « la scène se passe dans le port de Naples » et que Copeau me présente une scène avec un balcon couvert de draperies[8], soutenu par quelques colonnes en imitation marbre, j'imagine moins le port de Naples que le hall de l'hôtel Astor.

16 décembre, le même George Nathan écrira dans le Chicago Sunday Herald :
Le spectacle d'ouverture, hélas, a dû être un choc pour ceux qui ont dévoré les brochures de M. Copeau, car il offre en réalité peu de nouveauté et peu de choses qui n'aient été déjà mieux réalisées par d'autres *novateurs*. [...]

Franchement je ne vois pas la signification de ce Tréteau, *écrit Arthur Hornblow.* Il distrait l'attention et n'a pas de *raison d'être.* La scène privée de ses dégagements habituels, sous un éclairage cru et anormal, ressemble à une grange vide et dépourvue d'attraits.

Louis Defoe ne voit dans la nouvelle architecture scénique du Garrick qu'un caprice d'esthète.

Laurence Reamer :
M. Copeau ne peut pas faire croire à son public, alors que celui-ci pourrait jouir du jeu excellent des acteurs, qu'il soit obligé de n'entendre que le bruit de leurs pieds sur les planches. Pendant les scènes jouées sur le tréteau, le vacarme fut incessant. M. Copeau *proteste* un peu trop avec ce plancher tapageur!

Dès cette première soirée, on peut voir se dessiner dans la critique deux courants qui reflètent plus ou moins l'opinion du public, au début de la première saison.
La critique se montre divisée aussi sur l'opportunité du choix des Fourberies de Scapin *considérée par certains d'entre eux comme une œuvre mineure de Molière et peu digne de représenter son génie.*

Arthur Hornblow :
[...] pièce d'un comique grossier, dénuée de toute beauté de langage...

H.K. Moderwell :
[...] pièce sans doute choisie pour ses absurdes fourberies qui offrent à la compagnie l'occasion de déployer ses dons pour l'improvisation, qui semblent être le plus clair de son art. Cependant ses *Fourberies de Scapin* nous rappellent à pro-

pos que Molière était avant tout un homme de théâtre et pas seulement un nom dans les manuels de littérature française.

C'est la mise en scène et surtout l'interprétation qui emportent l'adhésion et suscitent le plus souvent l'admiration de la quasi-unanimité de la presse :

Tous remarquent la qualité d'ensemble de la troupe : sa *fluidité,* sa *liberté d'expression continuellement surprenante,* l'intensité, l'originalité de l'interprétation pleine de *brio,* de naturel, de simplicité, dégagée des artifices du théâtre, toute d'instinct, de vie et de joie.
– Copeau a su inculquer à ses acteurs un enthousiasme, une sincérité et un esprit de corps, qui donnent à l'ensemble de leur travail un accent d'authenticité.
– La vivacité de leur *pantomime expressive* rend sans importance l'absence de décors dont la présence, en fait, n'aurait qu'atténué l'effet. – Le spectateur est amené à croire à une véritable improvisation. – Il est évident que cette compagnie ne travaille pas *à partir d'une tradition* mais qu'elle remonte aux sources mêmes de la tradition.

Si on ne trouve que fort peu de réserves dans la presse sur l'ensemble de la compagnie, l'une d'elles mérite d'être notée car, par la suite, elle réapparaîtra souvent :

Louis Sherwin :
On ne peut guère juger le côté féminin de la troupe sur ce qui lui fut demandé d'accomplir hier. Cependant, combien je souhaiterais voir les théâtres du *nouveau mouvement* montrer moins d'aversion pour les jolies femmes.

C'est à Jacques Copeau dans le rôle de Scapin et à Louis Jouvet dans le rôle de Géronte que vont les plus grands éloges :

Copeau :
Étonnant virtuose, il joue avec une imagination et une vivacité, une variété dans le comique qui le révèlent comme un acteur de premier ordre : grâce, intelligence, puissance. Extraordinairement agile, souple, athlétique, à la fois mime et comédien, il s'exprime autant avec son visage, ses pieds et

ses mains qu'avec sa voix. La performance accomplie par M. Copeau est inouïe : elle peut être définie comme une réminiscence d'un art passé et comme une révélation.

Jouvet :

C'est Louis Jouvet qui contribue le mieux au dessin et au style de la pièce. Il s'est imposé d'emblée comme un acteur d'un remarquable talent et un acteur de composition de premier rang. La manière hagarde dont il a répété le fameux *que diable allait-il faire dans cette galère* est une chose à ne jamais oublier... New York a rarement pu voir une interprétation si neuve et si moderne d'un personnage ancien. – M. Jouvet nous montre l'âme d'un avare avec une telle vérité que le personnage semble avoir été créé pour la saison 1917-1918.

Quant à L'Impromptu *et au* Couronnement de Molière, *ils sont qualifiés par Louis Defoe de* Queer ceremonies *et d'*elaborate hocus-pocus.

Louis Sherwin estime que lorsque les Français deviennent solennels et cérémonieux, ils peuvent être aussi embêtants, pompeux et stupides que nous-mêmes.

The Playgoer *déclare :*

Pourquoi couronner Molière? Pourquoi ne pas le laisser reposer dans un oubli respectueux sur le dernier rayon de notre bibliothèque?

Parlant de L'Impromptu du Vieux Colombier, *John Corbin écrit :*

Dans quelques semaines, les principes exposés dans cet *Impromptu* seront le sujet de conversation le plus répandu dans les milieux mondains et artistiques de notre ville.

Comme Molière, *écrira A. G. H. Spiers dans* The Nation *du 6 décembre :*

Copeau a une position à défendre, il a des théories à avancer, il doit combattre pour elles, il doit conquérir un public. Il a besoin de notre soutien et il doit se garder de nos interventions. Copeau nous expose quelques-uns de ses principes fondamentaux, mais il n'insiste pas. Il fait se dérouler sous nos yeux une répétition et il nous amuse, comme le fit son grand prédécesseur [...] Copeau, le réformateur combattant, réussit à nous mettre dans la disposition la plus favorable à accueillir son entreprise. Il ne nous a rien appris de bien neuf à propos de ses idées, mais il nous a amusés, il nous a touchés, il nous a charmés. Nous nous intéressons à lui, à sa compagnie, à ses desseins; nous sommes prêts à n'émettre point de jugements trop hâtifs et nous avons reconnu que sa tentative hardie vaut d'être observée attentivement.

*Comment va maintenant réagir le public qui, dans sa majorité, comprend peu le français? Quelques critiques l'ont effarouché parlant de la soirée comme d'*une dure épreuve... une bien dure épreuve. *D'autres l'ont encouragé, mettant en relief les qualités plastiques de la troupe qui* rendent la compréhension possible par le seul moyen des yeux.

— C'est une curiosité qui vaut la peine d'être vue, *dit l'un d'eux.* Et c'est infiniment plus qu'une curiosité. C'est une maison vivante, pour un art qui nous est inconnu et nous semble étrange, mais qui est extraordinairement prenant.

— Deux heures et demie passées au Nouveau Théâtre-Français, *dit un autre,* sont divertissantes au plus haut point et valent d'être vécues, même par ceux qui ne savent pas un traître mot de français.

Ce spectacle d'ouverture aura onze représentations avec une moyenne de recettes de 534 dollars *.

Le 19 décembre, Copeau écrira à Henri Casadesus pour le remercier de sa collaboration [9] :

Il faut que je vous remercie, mieux que je ne l'ai fait aujourd'hui, et que je vous prie de remercier profondément vos camarades pour nous avoir si généreusement offert votre concours. Rien ne saurait me toucher davantage qu'un tel désintéressement, qu'une telle preuve de solidarité. Elle augmente mon amitié pour vous.

Cette solidarité se manifeste aussi, dès le début, de la part de certains critiques américains et de la Drama League of America qui assure déjà la vente du répertoire du Vieux Colombier en éditions

* Voir les graphiques des recettes, Appendice K, p. 540.

françaises et anglaises dans ses librairies et qui maintenant publie
une notice dans les programmes de son Playgoing Committee...
considérant la transplantation à New York du théâtre du Vieux
Colombier comme un événement trop significatif pour être passé
sous silence.

Quant à Otto Kahn :

Depuis le commencement, il s'est montré d'une droiture,
d'une justice d'esprit, et d'une fidélité parfaitement admirables, *écrira Copeau à Alfred Cortot deux mois plus tard* [10]. Au
lendemain de l'ouverture, il m'a fait appeler chez lui, et quand
je lui demandais s'il était satisfait, il m'a répondu que ce mot
ne correspondait pas à son sentiment ; il était « ému et reconnaissant ». Aussitôt il m'a parlé de l'avenir, désirant tout de
suite établir que nous pouvions faire à New York une seconde
saison et m'offrant d'entretenir la troupe à la campagne pendant l'été pour préparer de nouveaux spectacles. Ce qui m'a
surtout touché dans son appréciation, c'est qu'elle portait sur
l'esprit même de l'entreprise. M. Kahn m'a dit que chaque
fois qu'il s'était intéressé à une œuvre d'art, il avait eu le
sentiment que cela n'était de sa part qu'un sacrifice d'argent
plus ou moins grand pour un résultat plus ou moins passager
et éphémère, mais que dans le cas du Vieux Colombier, il
était au contraire surtout frappé par la possibilité de l'avenir
qu'il y discernait à cause de l'esprit, dont il est animé. « Quand
nous aurons bien établi les choses ici », ajouta-t-il, « nous pourrons les établir d'une manière aussi solide et permanente en
France, et je crois que dans la voie où vous êtes engagé, vous
pouvez faire n'importe quoi. » Je n'ai pas besoin de vous dire,
mon cher ami, combien ces paroles m'ont donné d'enthousiasme et de confiance.

Au théâtre, le travail s'installe :

Dès le lendemain de la première, à 13 h, les répétitions ont repris :
La Navette, Le Carrosse du Saint-Sacrement *et* La Jalousie
du barbouillé.

Observation : Il n'y aura que cinq répétitions pour ce spectacle
dont la première aura lieu le 5 décembre.

Représentations tous les soirs ; deux matinées par semaine, jeudi
et samedi. Selon la coutume anglo-saxonne, le dimanche est jour de
relâche, qui sera employé à répéter.

Répétitions tous les jours de 13 h à 17 h 30, raccords, essayages de costumes et perruques. Construction des éléments de décors.

Louis Jouvet signe les notes de service, derrière lesquelles on sent l'inlassable vigilance du Patron :

29 novembre :

Il est absolument interdit à qui que ce soit de regarder par les ouvertures du rideau de scène ou par les ouvertures du proscenium. Les acteurs doivent rester en scène pour saluer au moment des rappels jusqu'à ce qu'on ait averti qu'ils peuvent remonter dans leurs loges.

MM. les artistes sont priés d'apporter à la représentation du *Couronnement* toute l'attention dont ils ont fait preuve précédemment et d'éviter de causer en scène ou de regarder dans la salle. La mise en scène établie par Mlle Jessmin ne doit pas être modifiée.

L. J.

30 novembre et 2 décembre :
Récitals Yvette Guilbert.

8 décembre : Musical America :
Plus grande que jamais, Guilbert nous revient. Débuts impressionnants de la Diseuse dans une nouvelle série de Récitals.

3 décembre :
Les linges et serviettes que le théâtre met à la dispositon des artistes ne doivent pas leur servir pour se démaquiller.

4 et 5 décembre :
En scène, costumes et têtes faites, décors, accessoires.
A 13 heures : *La Navette, Le Carrosse, Le Barbouillé.*

Mercredi 5 décembre 1917 :
DEUXIÈME SPECTACLE :
La Navette, de Henri Becque.
Reprise montée en huit répétitions.
La Jalousie du Barbouillé, de Molière.
Reprise montée en neuf répétitions.
Le Carrosse du Saint-Sacrement, de Prosper Mérimée

monté en neuf répétitions.
Total : trente heures de répétitions.
Trois décors construits en trois jours [11].

La presse :

— Intérêt croissant.
— Ce deuxième spectacle renforce notre conviction : l'équipe est de tout premier ordre.
— Le deuxième spectacle est un délice pour les yeux et pour l'esprit.

Dans l'ensemble, la critique est excellente avec certaines réserves. S'adressant surtout à La Navette *qualifiée de* Frenchy *et qui est pour le* Evening Mail : une exposition de « bad morals », et de « poor dress-making * ».

Sheldon Cheney :
[...] En attendant les pièces plus significatives annoncées, nous réservons notre jugement sur la qualité du répertoire. En matière de mise en scène, le travail de Copeau est tellement plus sensible, tellement au-dessus de la moyenne que des louanges sans réserves peuvent lui être adressées. Nous attendons la suite avec un intérêt enthousiaste.
— Merci à M. Copeau de faire revivre Molière, écrit *The New York Herald.* Farce de Molière dans le style Copeau d'une brillante drôlerie. Pour *The Brooklyn Daily Eagle,* ce qui est le plus surprenant est la fraîcheur — une fraîcheur qui renaît après deux siècles, grâce au jeu des acteurs... Les éclats de rire qui saluent cette ancienne farce sont aussi fréquents et aussi irrépressibles qu'à l'Hippodrome pour les plus récentes bouffonneries.

The Theatre Arts Magazine *salue cette seconde mise en scène d'un Molière comme un nouveau succès pour* une interprétation franchement théâtrale *et y voit une nouvelle preuve du flair incomparable de Copeau pour un art théâtral réellement libéré, quintessence du théâtre non littéraire.*

* « Immoralité » et « lamentable couturier ».

*Lorsque Corbin fera le bilan des trois premiers spectacles du Vieux
Colombier à New York, c'est encore de* La Jalousie du barbouillé
qu'il parlera :

Ce petit bout informe de *nonsense* absolument dépourvu de
tout style et que les éditeurs de Molière ont, pour la plupart,
jugé indigne de paraître dans ses Œuvres complètes, Copeau
l'a pris entre ses mains pour voir ce qui arriverait s'il le traitait
simplement en franche comédie – en *théâtre*. Ce qui risquait
vraisemblablement de tourner à une sèche recherche d'un
intérêt purement historique eut pour résultat d'enrichir la
scène d'une œuvre d'un art authentique, d'un joyau sans prix
de clownerie. N'importe quel metteur en scène est capable
de reprendre une pièce encore vivante, mais prendre une
pièce prétendue cadavre et lui insuffler la vie, ça c'est un
travail génial.

*Quant à Defoe, il trouve encore une fois au Barbouillé cet intérêt
médiocre qui s'attache à tout « bric-à-brac », théâtral.*

*Le jeu des acteurs est unanimement loué et c'est un nouveau
triomphe pour Louis Jouvet dans le rôle du médecin.*

Le Carrosse du Saint-Sacrement *remporte le plus grand succès
de la soirée :*

– Une des plus jolies pièces qu'on puisse voir à New York.
Grands éloges pour l'interprétation jugée enchanting *surtout pour
François Gournac dans le rôle du Vice-roi promu au premier rang
de la troupe avec Copeau et Jouvet, pour Lucienne Bogaert, dans
le rôle de La Périchole et pour toute la troupe,* remarquable par
son jeu d'équipe. *Mais encore davantage que l'interprétation, c'est
la mise en scène, l'utilisation et l'éclairage du dispositif scénique qui
sont admirés.*

The New York Times, *John Corbin :*

Les toiles peintes ont beau être honnies au Vieux Colombier, la mise en scène de la pièce était telle qu'elle donnait
d'un palais espagnol sous les tropiques une suggestion plus
complète que n'eût pu le faire n'importe quelle peinture.

Et A. G. H. Spiers dans The Nation :

Ce serait une erreur de croire que la décoration soit toujours insuffisante... Elle varie selon les besoins des pièces. Un
des décors les plus élaborés montrés jusqu'à maintenant est

celui du *Carrosse*. La scène représente un large hall inondé de soleil, au fond les légers piliers soutenant la loggia habillée de treillage et d'une tapisserie à larges feuillages verts d'un dessin hardi. Et, masquant l'entrée des deux côtés de la scène, des paravents rouge sombre et noir. Des meubles riches, de brillants coussins et des tissus orientaux à l'avant-scène, et au milieu un ample siège rouge à côté d'une table. Près de cette table, sur un tabouret on apporte une bougie allumée et un gobelet plein d'un liquide jaune.

L'effet est rendu plus somptueux encore par les costumes des trois acteurs qui sont en scène quand le rideau se lève. Mais Copeau tient encore quelque chose en réserve : Une figure qui réunira en une combinaison harmonieuse toutes ces nuances d'or, de rouge, de vert et de noir. Et cette figure c'est La Périchole, dont l'apparition fut hier saluée par une explosion d'applaudissements. Portant un peigne très haut et une mantille claire, le buste moulé dans un étroit corsage et habillée de larges paniers à la Vélasquez, cette jeune actrice est un enchantement pour les yeux. Sa robe est une combinaison de vieux rose, d'or et de noir, rehaussés d'une rose rouge dans ses cheveux noirs, de beaux bijoux au cou, des dentelles aux bras, à ses jambes des bas verts et des souliers de satin blanc avec des pompons rouges. Et pour donner à son costume encore plus de richesse et de style, elle porte, attachée aux épaules, une longue traîne de satin jaune doublée de vert. Comme la personnalité de La Périchole domine le texte écrit, son costume est le couronnement de la composition scénique. Lorsqu'elle apparaît, nous avons devant nous une image qui nous révèle l'essence même de toute la pièce.

6 décembre. Billet de service :

11 h : Essayages pour *La Nuit des rois :* qui passera le 25 décembre.

Matinée et soirée : *Impromptu, Scapin, Couronnement.*

Cette semaine, Valentine Tessier est malade. Le 8 décembre, elle ne répétera pas et elle n'a pas joué son rôle dans L'Impromptu *et dans* Le Couronnement.

Copeau racontera plus tard que Valentine, ayant assisté à une répétition du Carrosse *et observé le jeu de Lucienne Bogaert dans le rôle de La Périchole, avait fondu en larmes disant :* Jamais je ne jouerai la comédie comme ça! *Valentine n'était pas d'un naturel jaloux, peut-on cependant se permettre de supposer que ce jour-là, où il ne lui fut pas possible de répéter son rôle de* Barberine, *elle souffrit d'une « péricholite » aiguë? Elle aura sa revanche, car c'est elle qui reprendra le rôle en 1920 à Paris et y remportera un succès triomphal. Pour l'heure, elle sera prête à répéter son rôle de* Barberine *la veille de la première, le 10 décembre : Rehearsal Room à 13 h 30 très exactement, en costumes.*

11 décembre. Billet de service :
    11 h : Essayages.
    13 h 30 *très exactement* : Répétition des Couturières en scène costumes, têtes, accessoires, décors *Barberine, Pain de ménage.*

Mardi 11 décembre 1917 :
TROISIÈME SPECTACLE :
Barberine d'Alfred de Musset.
Reprise montée en neuf répétitions.
Le Pain de ménage de Jules Renard.
Reprise montée en quatre répétitions.
Total : onze heures de répétitions.
Quatre décors en deux jours [12].

La presse :

Ces acteurs français nous apportent un art qui, jusqu'à maintenant n'a pas été atteint dans notre pays, et un répertoire qui semble, pour le moment, le plus artistique et le plus enrichissant qu'on y puisse trouver.
— Le troisième spectacle révèle la même perfection du jeu des acteurs *parmi lesquels sera distinguée surtout Suzanne Bing dans le rôle d'Astolphe.* C'est à Suzanne Bing que vont les honneurs de la soirée, *dit Alexander Pierce.*

L'utilisation du dispositif scénique et l'extrême simplicité de la décoration sont, en général, très remarqués et appréciés :

— Il n'y a pas un metteur en scène à New York aujourd'hui qui puisse se mesurer à Jacques Copeau dans l'art d'obtenir avec les plus simples matériaux des ensembles aussi harmonieux.

— Copeau a banni le pernicieux encombrement de l'imagerie réaliste. Il nous restitue le véritable esprit de la dramaturgie élisabéthaine. Le résultat est une mise en scène d'une rare délicatesse, d'une perfection exquise. [...]

— Il introduit aussi dans sa mise en scène quelque chose qui, dans une certaine mesure, tient lieu de support musical : *le rythme*. Quoique continuellement sensible au cours des trois actes de *Barberine*, cette impression de rythme n'est pas perceptible au point de distraire l'attention. Il fait partie d'un tout et ne joue jamais le rôle d'une innovation surajoutée.

Mais pour Laurence Reamer :

Barberine fait partie du *bric-à-brac littéraire* et on ne peut rien imaginer de plus éloigné de nos goûts actuels que ce conte sentimental... *Un autre critique pense que* dans *Le Pain de ménage*, le jeu de Mlle Bogaert était tellement insuffisant qu'il faisait paraître celui de M. Copeau plus brillant qu'il ne l'était en réalité.

16 décembre. Enfin dans un nouvel article, Reamer déclare :

Pour l'auteur de ces lignes, il n'est absolument pas certain que l'extrême simplicité, à la manière du Vieux Colombier, ne soit pas plus destructrice d'illusion que ne l'est la surcharge de décoration qu'on a pu voir dans certains spectacles de Broadway.

The Playgoer, *rendant compte de la soirée des abonnés du troisième spectacle, devant une des plus brillantes assemblées qui puissent être réunies dans un théâtre à New York, insinue que* personne n'aurait admis que *Barberine* était « barbante » *et que* la vieille dame qui avait dormi pendant toute la durée du spectacle aurait été prête à déclarer qu'elle avait passé une délicieuse soirée... il est vrai qu'elle dormait, *ajoute-t-il.*

Les trois premiers spectacles donnés en l'espace d'une quinzaine de jours marquent une première étape pour le Vieux Colombier dans la conquête de New York. La véritable bataille va commencer.

18 décembre, The Christian Science Monitor :

Dès le départ, les critiques de New York avaient tenu prêtes toutes leurs louanges, et comme on pouvait s'y attendre, certains renversent maintenant la vapeur.

Louis Sherwin :

Le temps est venu de considérer avec quelque franchise le nouveau Théâtre Français. Jusqu'à présent, nous avons été plus que polis à l'égard de M. Copeau et de sa compagnie. C'est avec une anxiété positivement pathétique que nous avons cherché à accueillir une entreprise qui nous donnerait le meilleur du théâtre français. En fait, nous avons fait infiniment plus pour le théâtre français que pour notre propre théâtre. Quoi qu'il en soit et pour dire les choses carrément, notre nouveau théâtre français ne semble rien d'autre qu'un nouveau temple de la préciosité. Tout y est si diablement raffiné, si culturel, si timoré! M. Copeau nous apparaît bien comme un compatriote de Musset, peut-être de Pascal, mais certainement pas de Rabelais. Les pièces qu'il se propose de nous donner sont les œuvres les moins importantes, les plus aptes à être oubliées, les moins connues des maîtres de la scène française. Son programme est éminemment prudent, éminemment chaste, de couleur mauve. Il manque de couleur, de virilité, de nerf. En fait, je suis persuadé que M. Copeau n'est qu'un réactionnaire de bon ton qui s'ignore.

George Jean Nathan :

Pendant ces quatre ou cinq derniers mois, tous les trois jours, le courrier du matin nous a apporté une circulaire ou un pamphlet affirmant modestement, dans un style fleuri, que M. Copeau était un type très épatant... Pour sûr, il ne serait pas entièrement juste à l'égard de M. Copeau de juger son effort d'après ces seules affirmations. Mais, le fait est qu'après un bombardement aussi assidu et aussi prolongé de ses déclarations, ses premières réalisations auraient dû être d'une texture infiniment plus ferme pour nous convaincre.

Évidemment soucieux de soutenir le nouveau théâtre américain tel qu'il se manifeste depuis quelque temps déjà à New York, George Nathan conclut que : les Whashington Square Players offrent un heureux compromis entre les équipements inutilement surchargés de l'Urban-Belasco Academy et les subterfuges de Copeau et de son école de la chaise de cuisine et du drap de lit.

Louis Defoe, qui se révélera jusqu'à la fin un implacable ennemi, écrit dans le New York World *sous le titre :* Dead plays *à la Copeau :*

Le théâtre du Vieux Colombier dont les amateurs de théâtre avaient lieu d'attendre beaucoup n'a été, jusqu'à présent, qu'un mausolée excentrique pour un « bric-à-brac » de pièces inertes. Il faut des pièces modernes capables d'éveiller un intérêt pour les méthodes de ce metteur en scène.

Cet appel à des pièces modernes se fera souvent entendre et finira par influencer Otto Kahn et par avoir de graves conséquences pour la suite de l'entreprise.

Quant à John Corbin qui sera, lui, un fidèle soutien en même temps qu'un clairvoyant critique pour le Vieux Colombier, il écrit le 23 décembre dans The New York Times :

Les trois premiers programmes du Vieux Colombier ont suffi à démontrer que cet ensemble mérite amplement sa réputation. M. Copeau nous a donné six pièces des plus variées comme genre et comme présentation, d'où il résulte qu'il s'est imposé comme un metteur en scène de dons exceptionnels. Déjà il est possible de saluer cette entreprise comme étant de loin la plus originale et la plus significative de nos nombreuses importations récentes.

Jusqu'à présent, il n'y a eu encore aucune pièce d'une importance capitale. Mais la semaine prochaine, le Colombier va nous donner *La Nuit des rois* de Shakespeare, qui passe pour être un de ses succès les plus marquants.

Dès le lendemain de la première de Barberine, *la troupe a en effet commencé à répéter* La Nuit des rois *— et, pour stimuler un peu le box office.*

15 décembre :

Le Théâtre Français a inauguré une nouveauté importée de Paris : des carnets de douze billets au prix de dix.

On se souvient qu'avant l'arrivée de Copeau à New York avec sa compagnie, lorsque la presse annonça la création du nouveau Théâtre Français et publia la liste des personnalités composant ses divers comités de soutien, Sheldon Cheney se montra inquiet et clairvoyant :

Copeau has the wrong croud back of him, *disait-il. En effet, ceux-là mêmes qui, il y a quelques mois, s'arrachaient la présence du rebelle de la scène française allaient maintenant prouver que l'enthousiasme de cocktail-parties pour les curiosités d'avant-garde n'assure pas forcément un public de théâtre. Désorienté dès la première représentation, le public mondain, les premiers souscripteurs vont, à partir du troisième spectacle, se montrer de plus en plus réticents et certains déserteront peu à peu les soirées des abonnés.*

Et qu'est devenue la Princesse? On l'a encore aperçue dans sa loge à la première de Barberine, *mais le temps est maintenant passé de son intimité avec le brillant jeune metteur en scène français. Plus de lectures, plus de longues promenades, plus de confidences nocturnes. Copeau est tout au théâtre, son unique passion.*

Elle a bien essayé de récupérer les enfants. Elle les a invités à déjeuner chez elle dans sa luxueuse maison de Washington Square. Ils ont mis leurs beaux habits neufs et ils sont venus tous les trois. Elle leur a dit : Vous êtes chez vous – courez partout! Amusez-vous! *Elle leur a dit aussi :* Je n'ai jamais connu un homme aussi attaché à sa petite famille que votre père. *Petite famille...? De quoi se mêle-t-elle cette dame? Ils l'ont regardée... Ils ont mangé... Ils ont dit « merci », et ils sont repartis chez eux, dans le petit appartement de la 34e Rue où, déjà, Agnès a recréé le « Tout-rond » de leur forteresse, le cercle enchanté de leur famille.*

Nous sommes installés dans un appartement assez agréable parce que clair et plein de soleil, *écrit-elle à Hélène Martin du Gard le 9 décembre* [13]. Vous savez que la délicieuse et confortable maison qui devait nous attendre et me débarrasser enfin de tous soucis matériels est allée rejoindre tant d'autres projets!

New York est un cauchemar, je ne vous en parlerai que lorsque je m'y sentirai moins perdue, moins étrangère, mais la vie ici est d'un intérêt puissant. Pourtant je ne jouis pas de tant de choses étranges et nouvelles, mon cœur est resté en France. Je ne peux penser qu'à tout ce qui se passe là-bas et je souffre d'être séparée d'elle.

Rita Lydig doit se sentir évincée. Des désaccords ont dû surgir entre elle et Miss Andrews. Elle se fait l'écho de bruits qui courent au sujet de celle-ci. Elle écrit à Otto Kahn :

21 décembre :

Je m'embarque sur l'*Espagne* le 9 janvier. C'est une chose désespérante à réaliser que par manque de foi et d'une vision perspicace, un beau projet va sombrer!

Vous avez permis à Copeau d'héberger une espionne autrichienne! Une femme d'une si vilaine réputation – qu'il était impossible que son atmosphère ne finisse pas par détériorer vos efforts si beaux.

J'ai dit franchement la vérité à Copeau quand il est arrivé... je lui ai démontré par où vous manquiez de perspicacité. Vous êtes un enfant – plein de foi. Mais j'avais vos intérêts et ceux du Vieux Colombier trop à cœur, pour ne pas voir la vérité.

Puisque Copeau n'a pas voulu accepter mon aide anonyme et dévouée, je ne suis plus entrée dans le théâtre que deux fois, aux soirées de mon abonnement. J'avais promis de donner une réception pour les comédiens, mais je souhaiterais beaucoup que Mme Kahn veuille s'en charger; c'est un privilège qui au fond lui appartient, et je n'ai ni le cœur ni le désir de le faire.

La publicité a été lamentable. Andrews a fait courir des bobards pernicieux concernant les finances du théâtre – et c'est vous qui aurez à en souffrir.

J'ai cessé de m'intéresser et à Copeau et au Vieux Colombier. Je vous souhaite toutes sortes de bonnes choses pour la nouvelle année et suis fidèlement

your charmer   Rita Lydig [14].

Tous ces remous et ces défections dans le public mondain n'échappent pas à Copeau. Il écrit à Alfred Cortot [15] :

Il est certain qu'en un mois, nous avons acquis ici des amitiés nombreuses, enthousiastes et dévouées. [...] Il vous suffira de vous rappeler sur quel ton on parlait ici l'année dernière du Théâtre Français et à quel point celui-ci était tombé bas dans l'opinion américaine, pour vous rendre compte que nous avons fait œuvre saine et profitable au bon renom français. Aujourd'hui, les mêmes, qui ne nous mettaient même pas en comparaison avec le théâtre allemand, écrivent que c'est un signe des temps de voir que le seul théâtre artistique de New York aujourd'hui, est un théâtre français. [...] Mais je n'ai pas besoin d'attirer votre attention sur la difficulté qu'il y a à maintenir dans la présentation et l'interprétation un haut degré artistique, tout en fournissant l'énorme travail matériel que représentent des changements aussi fréquents de programme. Nous y avons réussi, cependant, comme vous pourrez vous en rendre compte, en parcourant les quelques extraits de la presse traduits en français que je vous adresse sous pli séparé. Nous y avons même trop bien réussi, puisque la principale critique que nous font ceux qui ne nous suivent pas, ou ceux qui nous sont hostiles, c'est de nous maintenir à un niveau trop élevé.

Il n'est pas moins vrai de reconnaître que nous éprouvons de la résistance de la part d'une partie du public, en particulier le public mondain, et de cette partie de la société qui a des attaches germaniques. Mais cela a été prévu; ce qui l'a été moins, c'est le peu d'empressement à nous soutenir que nous rencontrons dans le public français. À vrai dire, c'est particulièrement de ce milieu-là, que sont dirigées contre nous des insinuations et de la malveillance. [...]

Il est certain que les frais sont beaucoup trop grands :

1) Parce que l'installation a coûté ridiculement cher, grâce au peu de conscience des personnes qui s'y sont trouvées mêlées.

2) Parce que le loyer du théâtre est beaucoup trop lourd.

3) Parce que toute la main-d'œuvre ici et toutes les matières premières sont à des prix absurdes. De plus, jamais la saison théâtrale à New York n'a été aussi mauvaise que cette année, cela à cause de la guerre. Cinq théâtres de New York ont dû fermer leurs portes, et enfin, nous sommes en ce moment ici dans la plus mauvaise période de l'année.

À l'exception de Denys Amiel qui signe l'article suivant, la presse et la colonie françaises ne semblent pas en effet être toujours de fervents supporters du nouveau Théâtre Français.

1er décembre. The New France :

Je voudrais apporter ici l'appréciation d'un homme de théâtre français de la jeune génération. Je tiens à dire aux Américains qu'ils se trouvent en présence d'un labeur d'art tel que la partie la plus intellectuelle et la plus exigeante de la France actuelle y souscrit sans réserve [...]

Après une sorte de surprise, par endroits réservée, la presse américaine commence à ouvrir l'œil et les oreilles avec la plus attentive curiosité... Que cette attention se soutienne et, nous qui savons, nous pouvons affirmer qu'elle ne sera pas déçue.

7 décembre. Le Courrier des États-Unis :
Offrant jusqu'ici au public new-yorkais des pièces d'un intérêt très relatif, Copeau a réussi, malgré la sécheresse des pièces qu'il nous a données, à intéresser le public. [...] M. Copeau survivra à ses débuts.

[...] Il a forcé la critique à s'incliner devant son art ; il doit maintenant s'efforcer de plaire au public. Or, il faut que vous le sachiez, Monsieur Copeau, le public new-yorkais est comme tous les publics : il va au théâtre beaucoup plus pour se divertir, pour chercher des émotions, que pour s'instruire, [...] il veut trouver chez vous tout ce qu'il trouve dans tous les théâtres de Paris réunis. [...]

À l'occasion d'une lettre adressée à Éd. de Billy, le 31 janvier, Copeau ajoutera un mot au sujet du Courrier des États-Unis :
Quoique ce soit le seul journal français de New York, il ne nous soutient en aucune façon, et s'il ne nous ignore pas complètement, il fait des réserves très décourageantes sur notre œuvre. Ne croyez pas que je vous écrive ceci dans un esprit de représailles ; je tiens seulement à attirer votre attention sur la chose, qui, comme vous le comprendrez facilement, est assez importante pour nous et nos efforts ici dans la cause commune. Vous avez toujours pris tant d'intérêt au théâtre du Vieux Colombier, que je me suis décidé à vous écrire à ce sujet.

*D'autres Français se montreront longtemps indifférents ou hostiles. Une certaine M*me *Lefèvre écrit à Otto Kahn, le 12 décembre :*

Pardonnez à une inconnue de vous parler du théâtre du Vieux Colombier dont vous êtes, me dit-on, l'âme dirigeante.
J'y étais trois fois et, à l'exception de la première représentation, je quittais le théâtre très désillusionnée. Mon Dieu, quelle assemblée de médiocrités! Parmi les actrices, pas une de valeur, pas une de jolie ou élégante ; des hommes, il vaut mieux ne pas parler.
Mais ce qui est pire que tout cela est le choix des pièces. Vous savez mieux qu'un autre que notre public n'apprécie pas l'esprit, il n'aime que l'émotion, le mélo, si vous voulez.

Ici nous n'avons pas de public du boulevard, ce qui est bon pour le Vaudeville est déraciné sur le Broadway.

Ce que notre public aimerait voir, c'est des drames comme *La Robe rouge, Madame X*, même *La Dame aux Camélias* et non pas le répertoire du Conservatoire ou les levers de rideau de la Comédie-Française.

Si M. Copeau ne se conforme pas au goût américain, il fera faillite et cela ne prendra pas long.

On me dit qu'il est en train d'engager pour le théâtre une dame Van Doren, dont le mari est Maurice Tourneur, *un déserteur de l'armée française;* cela serait le comble [16]!

Des lettres plus perfides parviendront à Otto Kahn! L'une d'elles, de Jean-Louis Janvier, directeur du Théâtre de Russie.

Le 19 février :

Des revues qui m'arrivent de New York et qui renferment des articles sur le Théâtre Français me donnent aujourd'hui le désir de vous écrire et de poursuivre avec vous la conversation que nous avions à peu près à pareille époque l'an dernier.

Vous en souvenez-vous? Je vous disais : quelle impression le public de New York aura-t-il d'une saison montrant les classiques français avec la méthode du Vieux Colombier?

Je vous faisais part de mes doutes. Le Vieux Colombier a-t-il d'ailleurs une méthode? N'y a-t-il pas là une sorte de trompe-l'œil? On peut en juger aujourd'hui.

Il y a chez nous deux novateurs, ce sont Antoine et Gémier. Nous avons commencé ensemble. Ce sont de vieux routiers.

Pour innover, il est parfois utile de savoir, car on ne fait que copier et ce que j'ai vu de cette jeune école, si elle peut s'appeler ainsi, ne montrait qu'une grande activité et une grande intelligence au service d'idées exotiques mal connues, celles de Gordon Craig, de Reinhardt et de Stanislavski. Je les rapprocherais des Washington Players.

Cela dit, était-il utile pour une compagnie française que votre amour de notre littérature et de notre pays patronnait à New York si magnifiquement, de manifester notre art dramatique exclusivement ou presque, par des représentations classiques? Je ne le crois pas et je vous avais dit ma pensée à cet égard.

Je crois que « théâtre » et « moderne » sont deux mots insé-parables. [...]

Devant un public d'une origine intellectuelle différente de la nôtre, vouloir intéresser ou amuser – car je suppose que c'est le but! – par des chefs-d'œuvre recouverts déjà pour nous de la respectueuse poussière du passé, c'est faire œuvre louable d'éducateur et de restaurateur, mais c'est aussi s'expo-ser à des mécomptes, car c'est déplacer l'essence du théâtre qui est d'abord la vie du jour! le mouvement!

Notre théâtre, je parle de celui de Donnay, de Brieux, de Mirbeau, de Porto-Riche, de Sacha Guitry, de Tristan Ber-nard, de Flers et Caillavet et de bien d'autres est... ce qu'il est, on peut parfois regretter que l'adultère soit un de ses principaux mobiles, on ne peut nier son incontestable esprit, son mouvement, sa gaieté unique au monde, sa vie légère qui souvent en cache une profonde, sensible et énergique. C'est je crois ce théâtre-là qu'il faudrait représenter à l'étranger. [...] Combien je regrette encore de n'avoir pu, cette année comme l'an dernier, retourner en mission aux États-Unis; j'aurais aimé parler avec vous de ce théâtre dont j'aurais tant souhaité conduire les destinées et pour lequel je me rappelle à votre souvenir quand des modifications surviendront dans sa direction.

Otto Kahn répondra un mois plus tard par six lignes de politesse. Et au théâtre, on travaille. Peu soucieux de ce qui se passe au-dehors, les comédiens et leur patron répètent avec confiance et allé-gresse La Nuit des rois *qu'on va jouer pour Noël.*

Car il se trouve néanmoins un véritable public à New York pour le Vieux Colombier. Il va se constituer peu à peu. Il commence à se manifester :

17 décembre. Percy MacKaye [17] *à Copeau :*

Le jour de l'ouverture de votre théâtre, j'ai été obligé de me précipiter de là à la gare pour attraper mon train pour Washington. Depuis lors, j'ai voulu chaque jour vous envoyer quelques mots pour vous saluer et pour vous remercier. Mais foin de ces vieux mots trop défraîchis pour exprimer cette fraîcheur, ce cœur vivant de votre œuvre et les sentiments qu'elle inspire.

Simplicité, honnêteté, joie sont dans votre théâtre de belles réalités – des qualités comme une espèce d'émerveillement qui n'est pas artificiel, qu'ont en commun tous vos comédiens et qui est contagieux pour les spectateurs. Fécondité de vie à exprimer, imagination pour l'extérioriser, ardeur pour lui donner une portée claire – tout cela y était si spontané que je songeais, ayant quitté votre Colombier, combien gracieux et bon tout cela était que je trouvais ici et combien rarement dans d'autres théâtres.

C'était splendide. Riche et inoubliable.

3 décembre 1917. Lettre d'un jeune homme de vingt ans [18] :

Cher Monsieur Copeau,

À ce moment même que j'écris, je suis encore rempli de la sincérité, grandeur et beauté qui m'ont transpercé l'âme mercredi dernier. Il me suffit de dire que j'ai vu *Les Fourberies de Scapin.*

[...] Je vais vous dire maintenant le but de cette lettre... Ma demande est de devenir huissier chez vous car la beauté que j'ai vue et ressentie l'autre soir est celle à qui j'ai toujours rêvé. Il faut que j'y sois près.

Cette reprise de La Nuit des rois *avait été préparée depuis longtemps. Dès son retour en France, Copeau avait écrit à Duncan Grant et à Vanessa Bell :*

Je voudrais modifier et améliorer la décoration scénique que nous avions au Vieux Colombier.

Il me faudrait : 1) la maquette d'un rideau de fond, pour : l'entrée de Viola avec le capitaine, quand le capitaine dit : *C'est l'Illyrie, Madame.*

Je voudrais que ce rideau fait d'un tissu léger, fût très légèrement peint, et de la façon la plus fantaisiste, de manière à soutenir les sentiments d'irréalité, de rêve et d'aventure que doit donner cette scène. Il serait destiné à être éclairé d'une faible lumière crépusculaire d'un bleu-vert. Mais il serait destiné aussi à être vu en pleine lumière après la fin de la pièce, lorsque les acteurs défilent à l'avant-scène pour saluer le public.

2) Pour les décorations du jardin d'Olivia, j'ai imaginé un système de paravents et de colonnes. Il y aurait au fond de la scène deux colonnes, chacune surmontée d'un gros vase

débordant de fleurs aux couleurs très vives. Je voudrais que Grant me fasse une maquette de ce vase et de ces fleurs.

De chaque côté des colonnes, il y aura des paravents ajourés, simulant un treillage. En avant de ces premiers paravents, il y aura deux autres paravents un peu moins grands, à quatre feuilles et qui seront entièrement décorés de la façon la plus libre et la plus brillante : de fleurs, d'oiseaux, de papillons, d'insectes, enfin de tout ce que l'imagination de Grant lui suggérera.

En avant de cette seconde série de paravents, il y en aura une troisième série de plus petits, plus trapus, entièrement exécutés comme des feuillages, selon le texte de Shakespeare : cela doit être des buis. Comme je ne me fie pas du tout, en ce moment surtout, à l'habileté d'un praticien pour exécuter ces quatre paravents d'après une maquette, je désirerais vivement, si cela n'est pas trop lui demander, que Grant les exécutât de sa propre main, grandeur nature.

Pour moi, les petits paravents qui représentent des buis, doivent être d'une tonalité assez soutenue, tandis que les paravents à fleurs doivent être plus légers, plus éclairés, et acheminer l'œil vers la dernière ligne du décor où les paravents ajourés donneront une impression de légèreté dans la lumière et l'éloignement. Cette dernière ligne sera soutenue par l'architecture des colonnes et par la note des couleurs très brillantes des pots de fleurs placés sur les colonnes.

Et Grant lui avait répondu :

J'ai envoyé hier un croquis pour la scène d'Illyrie. C'est très simple à faire et j'espère suggérera dans la demi-lumière vert-bleu assez de mystère. Dans le dernier passage des acteurs je crois que les costumes seront assez beaux contre les grands espaces de couleur. Je crois qu'il sera mieux si une couche de blanc (d'espagne ou de chaux) pourra être donnée à la toile, et les couleurs (sauf le bleu qui doit être assez solide et uni) frottées là-dessus légèrement. (Le marbre est fait jetant les couleurs sur le blanc à moitié sec avec une grande brosse et les laissant couler.) Si vous désirez quelque chose plus compliqué et naturaliste je vous enverrai un autre croquis aussitôt que possible. Nous avons trouvé aussi d'étoffe très beau, orné comme marbre, marron et bleu, que je crois sera très bien pour les colonnes.

À partir du 12 décembre, on a répété La Nuit des rois *tous les jours à 13 h.*
La discipline au travail est toujours sévèrement observée.

16 décembre. Billet de service :
Observation : M. Chifoliau a quitté la scène hier après le premier acte de *Barberine* et n'est pas venu saluer au rappel.

Cette façon d'agir est une impolitesse pour le public et pour les camarades. Il a déjà été mis une note au billet exprimant les ordres formels du patron à cet égard.

Tout le monde doit rester en scène pour les rappels.

L. J.

Jeudi 20 décembre. Rehearsal room :
10 h : *Nuit des rois.*
14 h 30 : Matinée : *La Navette, Le Carrosse, le Barbouillé.*
20 h 30 : *Barberine, Pain de ménage.*
Observation : Le prochain spectacle, qui passera mardi 8 janvier, sera *La Nouvelle Idole,* de François de Curel, dont la distribution sera affichée incessamment.

Cette pièce n'avait pas été annoncée au programme de la saison 1917-1918. La décision de la mettre à l'affiche a dû être prise dans le but de répondre aux critiques concernant le manque de pièces modernes au répertoire et l'espoir de faire ainsi remonter les recettes qui en cette semaine d'avant Noël avaient baissé d'environ mille dollars.

Il est bien possible que cette annonce ait provoqué divers remous dans la troupe, et une certaine consternation. Néanmoins, c'est la fièvre et l'allégresse qui règnent ces jours-ci dans le théâtre : La Nuit des rois *va passer dans cinq jours.*

21 décembre. Billet de service, Rehearsal room :
10 h à midi : *Nuit des rois.*
13 h 30 à 16 h 45 : *Nuit des rois* – Tout le monde.
Essayages de costumes.

22 décembre. Rehearsal room :
10 h : *Nuit des rois.*
Observation : MM. Dhurtal et Sarment arrivent 1/4 d'heure

en retard à la répétition et s'attirent de vives observations de M. Copeau.

14 h : Matinée : *La Navette. La Jalousie du barbouillé, Le Carrosse.*

20 h 30 : Soirée : *Barberine. Le Pain de ménage.*

À 17 heures, entre matinée et soirée, il sera procédé à l'essayage des costumes de *La Nuit des rois* pour les artistes qui n'ont pas essayé hier.

Lundi 24 décembre.

Les bolcheviks à Brest-Litovsk. Ouverture des pourparlers de paix.

Billet de service : 10 h 30 : Répétition *Nuit des rois.* Terminé à midi.

13 h 30 : En scène, décors, costumes, têtes, accessoires.

Premier, deuxième, troisième actes en entier. Terminé à 6 h.

Soirée : 10ᵉ représentation *Barberine* et *Pain de ménage.*

25 décembre :

12 h 30 : En scène *La Nuit des rois* — costumes, têtes, décors, musiciens, chansons du fou, réglage lumière.

Observation : MM. les artistes sont priés de ménager autant qu'ils peuvent leur linge de scène.

M. Chotin a manqué à la répétition sans aviser qui que ce soit.

Mardi 25 décembre 1917 :

QUATRIÈME SPECTACLE :

La Nuit des rois de Shakespeare.

Reprise montée en dix-huit répétitions.

Total : trente heures. Un décor en sept jours [19].

La presse :

— Les abonnés se sont rendus en grand nombre à ce spectacle réputé pour être le clou du répertoire du Colombier. Malgré l'inopportunité d'une première ayant lieu le jour de Noël, toutes les loges et tous les fauteuils sont occupés par un public chaleureux qui applaudit vigoureusement.

— Un régal. — Un triomphe artistique complet. — Si

M. Copeau avait l'intention de s'endormir sur ses lauriers, il pourrait continuer à jouer *Twelfth Night* et à remplir le théâtre pour le reste de la saison.

— *La Nuit des rois*, âgée de plus de trois cents ans, est un divertissement plein de vie et de joie et tel qu'on peut le désirer pour un soir de fête. Elle est jouée dans un tempo si juvénile, si gai et la phrase bondit si allègrement sur les lèvres des comédiens français.

— Nous espérons que le Vieux Colombier nous offrira une autre de ses versions de Shakespeare : il connaît si sûrement le secret de donner un esprit neuf aux vieilles choses.

Cet esprit neuf *n'est pas sans dérouter certains critiques :*
— Lorsque les parties romanesques du texte, écrites en majestueux vers blancs, sont traduites en une prose lisse et coulante et que les scènes se succèdent avec une rapidité quasi cinématographique (rendue possible par l'extrême simplicité de la mise en scène au Vieux Colombier), l'histoire de la pièce se déploie à une allure et avec un naturel peu habituels dans les mises en scène des pièces de Shakespeare.
Samuel Eliot dans The Theatre Arts Magazine, *va jusqu'à trouver la mise en scène :* timide, superficielle, maigre *et donc* la chose la plus antishakespearienne du monde.

Les costumes et la décoration scénique surprennent et parfois déplaisent :
— Traduire le texte de Shakespeare en français et les costumes en toiles cubistes, c'est prendre un parti intellectuel auquel le public de New York n'est pas encore prêt.
D'autres critiques trouvent les costumes : unusually decorative.
L'interprétation est en général jugée excellente *et souvent* parfaite. La meilleure que j'aie jamais vue, *dit Q. K. dans* The New Republic.

Le jeu d'ensemble de la troupe est toujours loué. On remarque surtout Gournac dans le rôle de Malvolio et Weber dans celui du bouffon qui, au dernier acte, tire le rideau sur l'Illyrie en chantant : « Quand j'étais un tout petit garçon... »
— La qualité poétique de la pièce est particulièrement bien rendue par les comédiens français jusque dans les parties

comiques où les acteurs jouant les *clowns* ont su garder une poésie dans la caricature de leurs personnages.

— *Mais* Bing est cependant la véritable vedette de la pièce, offrant à New York une des meilleures Viola qu'on ait jamais vue.

— La Viola de Suzanne Bing est une créature pleine d'humour, d'émerveillement et de grâce. Tout son corps est émerveillé quand elle écoute ; l'émerveillement qui est au cœur de toute aventure romanesque peut être perçu dans sa voix et dans son regard.

Q. K. : L'utilisation du dispositif scénique ne constitue pas le moindre intérêt du spectacle. La scène centrale représente tour à tour le salon d'Olivia, le jardin du duc ou la route... Un escalier mène à l'appartement d'Olivia représenté par l'étage supérieur de la loggia... Trois jeunes filles avec des chapeaux de paille... une corbeille d'osier avec des oranges sur un banc... une lanterne qui dessine sur le sol un halo de lumière jaune... tels sont les filtres magiques qui mettent en branle l'imagination des spectateurs... Un rayon de lune tombe d'aplomb sur un grand banc circulaire. Les buveurs sont là qui s'éclairent de multicolores lanternes rondes. Ils chantent dans la nuit d'été et les voix du jardin invisible nous parviennent dans un murmure de violoncelle qui accompagne la dolente chanson du bouffon.

D'après Waldo Frank : Cette comédie a peu de poids en tant qu'action dramatique. Elle offre d'infinies perspectives de charme poétique. Ses principales vertus sont de légèreté, de libres dimensions, de successions rapides, de silhouettes de personnages et d'humeurs changeantes. Et ce sont justement ces qualités-là que met en valeur la mise en scène de Copeau :

La pièce se meut sur trois niveaux : le balcon, la scène proprement dite, les portes aux deux ailes du proscenium et la trappe qui se trouve sous l'avancée couvrant la fosse d'orchestre. Sur ces quatre plans, les personnages tissent le dessin d'un mouvement fantastique qui s'enfle et flotte aux premiers plans et, au lointain, venant de l'ombre sous le balcon de la comtesse où éclatent les rires éméchés des clowns Tobbie Belch, Aiguecheek et leurs complices. Leurs cabrioles et leurs grimaces sont la véritable motivation de la pièce. Ces arabesques de mouvements humains légèrement imprégnés des nuances des costumes et du parfum de la langue shakespearienne se font et se défont sur la scène au gré d'un caprice magique.

Le verbe shakespearien, évidemment, fait défaut. Mais toute sa magie, toute sa vertu et son rythme se sont transmis au mouvement de la pièce.

Le 30 décembre, John Corbin conclura :

M. Copeau a encore démontré l'avantage supérieur qui résulte de la fidélité à l'esprit de la dramaturgie shakespearienne. Au New Theatre, cette pièce avait été donnée sur un dispositif scénique utilisant toutes les ressources de la mécanique, y compris une immense scène tournante et pourtant l'histoire s'y déroulait avec moins d'effet de variété, de rapidité et de contrastes que dans cette mise en scène privée de décors. [...]

Waldo Frank, rentrant chez lui, après la représentation écrit à Copeau [20] *:*

[...] J'entends toujours la musique de Twelfth Night. J'ai bien dormi là-dessus et de son rythme le soleil a jailli aujourd'hui avec allégresse.

À bientôt, Magicien...

D'autres spectateurs écrivent aussi :

Je ne cesserais de parler du Théâtre Français, mon cher, cher Monsieur Copeau. Il devrait être subventionné de façon permanente par ceux qui en Amérique reconnaissent de quelle valeur est pour nous une semblable école d'Art.

8 janvier, un acteur :

J'ai vu *La Nuit des rois* hier soir, l'intérêt que j'y ai pris était double ayant eu l'occasion de jouer Sir Andrew et Malvolio, mais je crains n'en avoir jamais su rendre l'humour comme le firent vos artistes. Quelle délicieuse fantaisie – je reviendrai. Je suis absolument sûr que votre représentation de *La Nuit des rois* est dans l'esprit que voulait Shakespeare.

Cwallis Fleming.

26 décembre. Billet de service :

Pas de répétition.

15 h 10 : Concert de la Société des Instruments Anciens.

Soirée : *La Nuit des rois.*

27 décembre :

Matinée et soirée : *La Nuit des rois.*

MM. les artistes sont priés d'être très soucieux de la mise en scène établie. Il y a déjà eu des altérations et des négligences apportées au cours des représentations de *La Nuit des rois.* Cette remarque s'adresse particulièrement au défilé et à la figuration.

Le 28, en scène à 13 h : première répétition de *La Nouvelle Idole,* que l'on répétera tous les jours.

MM. les artistes qui ne sont pas distribués dans *La Nouvelle Idole* sont instamment priés de travailler dès à présent leurs rôles pour *Les Frères Karamazov.*

31 décembre :

Après la répétition de *La Nouvelle Idole,* lecture par M. Copeau des actes 1 et 2 des *Frères Karamazov,* dont la première est prévue pour le 22 janvier, et dont la première répétition aura lieu le lendemain matin 1er janvier à 10 h 30 suivie de deux représentations de *La Nuit des rois* en matinée et soirée.

Les répétitions des *Frères Karamazov* se poursuivront tous les jours, simultanément ou en alternance avec les répétitions de *La Nouvelle Idole.*

Avis : Après avoir assisté à la représentation de *La Nuit des rois,* M. Copeau fait distribuer aux artistes les recommandations suivantes :

1) Se tenir aux mouvements réglés par la mise en scène et s'y conformer rigoureusement.

2) Revoir le texte avant chaque représentation de façon à n'y introduire aucune improvisation de leur cru.

3) Articuler clairement et parler assez haut pour être entendus jusqu'aux derniers rangs de la galerie, par le public étranger qui écoute; en particulier ne pas laisser tomber les fins de phrases.

4) Observer les places qu'ils occupent réciproquement sur la scène de façon à ne jamais se masquer les uns les autres aux yeux du public.

5) Garder le mouvement et particulièrement à chaque

enchaînement de scène dont les attaques sont singulièrement molles.

6) Veiller pour les sorties à ne pas faire voler les rideaux de découverte (spécialement au proscenium).

Ces recommandations sont générales mais ne visent, en tant que reproches, que quelques interprètes qui voudront bien y reconnaître ce qui les concerne personnellement.

Les artistes qui y figurent sont incités à ne pas causer entre eux – à ne pas regarder dans la salle, et à suivre l'action.

La figuration de M. Sarment est excellente.

L. J.

Note au Billet de service :
MM. les Artistes sont priés de venir à la Régie signer une lettre collective que la compagnie du Vieux Colombier adresse à : M. Otto Kahn, à M. l'Ambassadeur de France, à M. le Consul de France à l'occasion de la nouvelle année.

À Paris, au Vieux Colombier, on a travaillé beaucoup aussi pendant cette fin d'année. Jane Bathori à son tour s'est débattue avec les lenteurs de l'administration et toutes les difficultés du temps de guerre.

Le 13 novembre, elle écrivait à Copeau :
La maison est vide et si grande sans vous et le temps a bien duré déjà de votre absence. Beaucoup de gens ont l'air de s'agiter autour du Vieux Colombier et de son ouverture. Je pense que cela marchera pas mal à tous points de vue. Je voudrais qu'il vous arrive là-bas les échos de votre chère maison dans laquelle je vais tâcher d'entretenir la flamme jusqu'à votre retour. En fait de flamme, nous n'avons pas encore le charbon – on nous a donné deux mille kilos de coke de supplément c'est tout ce que nous avons pour le moment avec l'envoi de cinq mille kilos de charbon.

*Le 25 novembre, le théâtre ouvrait ses portes et Jane Bathori écrivait à nouveau le 2 décembre * :*

---

* Voir le détail des saisons Bathori en Appendice L, p. 543.

Les débuts de notre saison ont été exceptionnellement brillants; chaque dimanche nous refusons du monde. 1re séance : *Chants de la Révolution*, gros succès pour *Ça ira* et *La Carmagnole*. On redemande la séance; ce sera pour le dimanche avant Noël probablement.

26 novembre :

L'Esprit nouveau, d'Apollinaire, conférence lue par Pierre Bertin.

Pierre Bertin racontera plus tard que [21] cette lecture fut critiquée par Apollinaire qui trouva que j'avais lu trop vite, ce qui était vrai! Apollinaire, jalousement, me reprit le manuscrit dès que je rentrai en coulisses. Après je dus, je crois, dire des vers de Cendrars, de Fargue, etc.

Le 2 décembre :

On donne Le Jeu de Robin et Marion, *d'Adam de la Halle, considéré comme le premier opéra comique français, introduit par une conférence de Gustave Cohen.*

Pierre Bertin poursuit son récit :

Jane Bathori jouait Marion, moi Robin et quelques élèves à moi et à elle, très jeunes, se partageaient les petit rôles. Un ténor engagé chantait Le Chevalier. C'était Walter Straram qui conduisait un quatuor, très bon musicien mais homme insupportable, imposé par Bathori. On joua cela dans les pendrillons du théâtre. Pas de costumes! Mais un ami-dilettante que nous aimions beaucoup, Fernand Ochsé (mort en 1944 dans les camps nazis), riche et dévoué, ami de Honegger, qui avait vingt ans alors et était très beau (ce qui fait qu'il figura dans le *Jeu de Robin*), prêta son argent et des costumes pour habiller cette troupe d'amateurs.

Le caporal Michel Saint-Denis, en permission à Paris, s'est rendu aussitôt au Vieux Colombier; il écrit à son vieil oncle :

La salle était pleine comme aux plus beaux jours de 1914. Et en majorité l'ancien public était là. [...] Ça continue bien dans le même sens. [...] C'est la première fois que je retrouve mon enthousiasme. Ça m'avait donné une grande excitation et de la tristesse, le désir passionné de mettre la main à la pâte. [...] Dimanche je rejoindrai mon bataillon, sans doute aux tranchées.

20 décembre, Roger Martin du Gard, en permission lui aussi, écrit à Copeau [22] :
Le Colombier de Bathori attire tout Paris. Les limousines emplissent les rues et vont jusqu'à ma porte du Cherche-Midi. C'est de bon augure. Quand? Quand?

Et à son ami Margaritis, il écrira le 16 janvier [23] :
Je ne sais pas grand-chose du Colombier et de Jane Bathori. Grand, incontestable succès. Salle archicomble toujours. On dit : « C'est un des rares endroits à Paris où l'on entende de bonne musique en ce moment. » [...]

Car c'est au Vieux Colombier que Jane Bathori accueille Les Nouveaux Jeunes *qui deviendront* Le Groupe des Six : *Georges Auric, Francis Poulenc, Germaine Taillefer, Louis Durey, Darius Milhaud et Arthur Honegger.*

15 janvier, Jane Bathori à Copeau :
Je tâche de soutenir l'honneur du Colombier aussi haut que je peux. Rien n'est facile en ce moment et c'est un rude apprentissage – mais plus nous irons et plus nous verrons nettement le but et les moyens d'y arriver. Déjà les musiciens pensent à nous aider et à créer un genre nouveau. C'est cela que je veux, c'est cela l'avenir. Je me sens pleine de courage, mon ami, et cependant je suis un peu bien seule pour une telle responsabilité.
J'ai plein d'espoir au cœur et j'aime de plus en plus la musique. [...]

La veille de Noël, Roger Martin du Gard est de retour à Audin-nicourt dans l'Aisne. Il écrit à Yvonne de Coppet [24] : Je vous écris ce soir de réveillon dans ma petite turne qui a la forme d'un tronçon de tunnel. Nous sommes ensevelis sous la neige. Il fait un froid terrible dehors. J'ai un vieux brave poêle alle-mand que je bourre de bois vert et qui me fait aimer mon tunnel et ma veillée sous la lampe Pigeon. Je suis aussi bien que possible.
... Oui je suis triste... parce que tous mes amis sauf Marcel

sont morts très bêtement, pour rien du tout, pour défendre le capitalisme et d'autres vieilles lunes. Et non seulement mes amis, mais tant d'inconnus, et tous ceux qui vont tomber par centaines de mille, cette année, cet hiver, avant le soleil du printemps. [...] Cette guerre remue le monde, si profondément, que rien de ce qui existait avant ne sera épargné ; aucun fil d'autrefois ne sera rattaché aux fils à venir et c'est un déplacement, un remaniement, un renversement complet de toutes les valeurs dans tous les domaines. Et je crois fermement que ceux qui vivront l'avenir, ayant connu le passé, embrasseront dans leur vie humaine ce que trois ou quatre ou cinq générations successives doivent embrasser normalement. Je me réjouis d'être le spectateur et peut-être l'acteur de ce monde nouveau. Et, en un sens, cette affreuse guerre qui vieillit tant les cœurs, est une espèce de rajeunissement tout de même.

Le jour de Noël, devant son vieux poêle allemand, il écrit à Gaston Gallimard [24] :

Je viens de passer une semaine à Paris. J'y ai vu Berthe, à la Revue. [...] J'aurais été même plus souvent à la Revue si, comme je te l'ai souvent répété, je n'éprouvais une certaine répugnance à y rencontrer tant de non-valeurs aveulies sur le divan, et une telle apparence de laisser-aller, d'amateurisme et de paresse. On ne saura jamais tout le mal que les cigarettes de X ou de Y, mâle et femelle, auront fait à cette chère maison... Tu me permets cette franchise ?

Après avoir fait l'éloge de Berthe Lemarié, il ajoute [24] :

Sois tranquille, ta firme est en de bonnes mains ; et s'il n'y avait que des gens comme elle pour représenter la *Nouvelle Revue Française* cela n'en irait que mieux.

[...] Je ne te parlerai pas de la guerre. J'ai retrouvé Paris assez pessimiste. Ceux que la presse n'a pas trop intoxiqués, ceux qui ne dansent pas la danse du scalp autour de Caillaux [25] pour s'étourdir, ceux qui essaient de voir au-delà sont assez inquiets des nuages qui s'amoncellent et de l'orage qui menace, paraît-il, trop de points particuliers de notre front, Nancy, Paris, Calais... ?

28 décembre, il écrit aussi à Berthe Lemarié [26] :

Ma chère amie, ils sont partis si nombreux qu'il faut serrer les rangs les jours de fête, et se dire qu'on s'aime bien. Je n'ai pas pu repasser à la Revue avant mon départ comme je le voulais, et j'ai emporté le remords de ne pas vous avoir vue pendant ces quelques jours autant que je l'aurais souhaité. En tout cas je vous ai vue « à l'œuvre », et je suis encore sous le charme de vous avoir trouvée si calme, si sérieuse, si complètement dévouée à ce lourd travail dont le poids plie à peine vos épaules, que rien n'avait préparées à cette sorte de fardeau ! Il m'a semblé que vous supportiez moralement très bien cette responsabilité; et même que votre vie y avait trouvé comme un point d'appui, une source d'équilibre, de régularité et de secret contentement? Je n'en suis pas autrement surpris; j'ai toujours expérimenté que le travail et l'ordre étaient les meilleurs garants de la santé morale, et qu'il n'y a pas de reconstituant pharmaceutique qui vaille cette conscience d'être utile, d'accomplir sa tâche, et de faire du mieux que l'on peut son devoir présent. Mais vous allez me prendre pour un prédicateur de l'Avent et je suis trop dodu pour me permettre de jouer au prélat. Je crains d'être pris au jeu...

Je voulais seulement vous rappeler, à l'occasion de cette année qui commence, que vous avez en moi un ami sûr et très affectueux. [...]

Voulez-vous aussi me permettre de vous embrasser, en bon camarade de combat, et vous souhaiter comme à moi, pour l'an qui vient, la fin de notre commun cauchemar?

Et à son ami Maurice Ray [27] :

[...] Écris-moi que tu as des tuyaux sûrs et que la paix est proche. Je suis sur le sable, je n'en puis plus.

À New York, cette période de fin d'année est dure.

Le 31 décembre, le State Fuel Administrator a ordonné la suppression des affiches lumineuses six jours par semaine, pour économiser le charbon. La crise du charbon retarde le départ des bateaux. Les transatlantiques sont retenus pendant trois semaines dans le port de New York. Les nouvelles de France sont rares. Le moral de la troupe est à rude épreuve. Les difficultés d'hébergement ont, dès le début, favorisé la formation de groupes où des mécontentements et parfois des inimitiés se font jour.

Pendant la première semaine de janvier on a joué en alternance La Nuit des rois, Barberine, La Navette, Le Carrosse du Saint Sacrement, la Jalousie du Barbouillé, *et on a répété tous les matins et les après-midi* Les Frères Karamazov *et* La Nouvelle Idole.

Note au Billet de service : MM. les Artistes sont instamment priés d'éteindre dans leurs loges les lampes qu'ils n'utilisent pas lorsqu'ils descendent en scène.

Le régisseur général Louis Jouvey

Les recettes sont basses. Il ne faut rien négliger pour accroître le public et obtenir une collaboration plus active de ceux qui ont déjà manifesté leur intérêt. Parmi ceux-ci un antiquaire, directeur de la maison Jansen de New York, Clément Rueff.

Le 4 janvier, Copeau lui écrit [28] :

Au début de notre saison, vous avez eu l'amabilité de m'écrire une lettre de sympathie, qui m'a beaucoup touché. C'est ce qui me pousse aujourd'hui à vous tenir un peu au courant de la situation du Théâtre-Français.

Comme vous le savez, les quatre spectacles que nous avons donnés dans le courant du premier mois, ont été fort bien accueillis par la presse et par l'unanimité d'une petite élite qui ne cesse de nous témoigner son approbation par une présence constante à nos représentations. Mais cette petite élite ne suffit pas à soutenir le théâtre comme il devrait être soutenu. Bien des appuis qui devraient nous être donnés nous manquent jusqu'à présent. [...] Le public de langue française entre autres est loin de faire ce qu'il peut pour nous aider.

C'est pourquoi la propagande personnelle exercée par nos véritables amis, peut avoir une influence décisive sur l'avenir de notre entreprise. Je vous demande de l'exercer dans les limites du possible, soit en cherchant à exciter à nouveau l'intérêt de vos sociétaires et de vos amis, soit en ayant la complaisance de nous fournir directement des listes de personnes dont vous pensez qu'elles sont susceptibles de s'intéresser aux programmes et à des communications personnelles, que nous leur adresserons.

Si vous avez certaines suggestions à me faire, je serai très heureux de les entendre.

Le 15 janvier 1918, Clément Rueff répondra :

Ce que vous me dites me peine énormément, mais ne me surprend pas. [...] Je suis indigné autant qu'on puisse l'être de voir l'indifférence de cette masse d'ignorants, dont est composée en majeure partie la soi-disant Colonie française de New York, qui se permet de critiquer votre œuvre, qu'ils sont incapables de comprendre.

Mais j'espère que si vous n'avez pas obtenu du public français de New York le support auquel vous aviez droit, et que vous méritiez, peut-être aurez-vous par la suite, comme compensation, un support plus assidu de cette élite américaine qui de tout temps a aimé la France et la Beauté.

Toutefois, comme vous voulez bien me demander quelques suggestions, je me permettrai de vous dire qu'à mon avis, étant donné qu'avant tout il faut que vous puissiez établir les finances de votre théâtre sur une base solide, il serait peut-être de bonne guerre de donner une ou deux représentations de pièces plus légères. Je comprends qu'il vous en coûtera, il m'en coûte à moi de vous le suggérer mais, que voulez-vous, il est impossible de nager contre le courant et, après tout, je crois que vous accomplirez une œuvre plus utile en maintenant votre théâtre par quelques concessions, qu'en le détruisant en restant sur le haut piédestal d'art sur lequel vous vous êtes placé, et sur lequel je voudrais personnellement tant vous voir rester.

C'est sans doute avec un peu d'amertume que Copeau aura vu se glisser parmi les éloges de ses véritables amis *de tels conseils.*

Déjà le marquis de Polignac lui avait suggéré [29] *que les pièces à panache genre* Cyrano de Bergerac *auraient plus de succès en ce moment. « Et je crois,* disait-il aussi, *que les pièces de Curel auront du succès. »*

Alors, se souvenant peut-être de ce qu'avaient représenté les pièces de François de Curel pour les jeunes hommes de sa génération [30] *:*

[...] L'exemple de François de Curel, entre tous peut-être, exaltait nos jeunes ambitions. Becque était trop difficile, Hervieu trop froid. Mais à l'âge où l'on découvre toutes les idées avec frénésie, où la fièvre du sang nous fait croire à notre génie, où la passion intellectuelle nous retient davantage peut-être que la connaissance de nous-mêmes et l'analyse des sentiments humains, où tout sentiment se double et s'exagère d'une idée, nous voyions dans Curel un génie fraternel. Avec lui la scène s'élargissait, les grands problèmes de la morale humaine y étaient discutés avec ampleur, avec loyauté et avec éclat. Nous adhérions aux métaphores du poète, comme à des vérités philosophiques. Les soirées du *Repas du lion*, de *La Nouvelle Idole*, du *Coup d'aile* et de *La Fille sauvage* au théâtre Antoine restent parmi les souvenirs les plus émus de notre jeunesse.

François de Curel nous jetait dans l'ivresse de la pensée pure. [...]

Copeau, sans ivresse *ni* enthousiasme, *a décidé de mettre* La Nouvelle Idole *à son répertoire...*

8 janvier :
9 h : Service de Régie pour réunir les accessoires de *La Nouvelle Idole*.
12 h 30 : Mise en état des décors.
14 h : Répétition générale.
17 h 30 : Réglage lumière.

Et Copeau écrit à Clemenceau, pour le mettre au courant des résultats du premier mois d'exploitation du Vieux Colombier à New York [31].

Monsieur le Président du Conseil,
Si futile que puisse paraître l'objet de cette lettre, au regard des grands problèmes qui occupent votre esprit et réclament vos soins, je me permets de vous l'écrire, parce que avant la guerre vous avez témoigné de l'attention et de l'amitié au Vieux Colombier, et parce que, depuis la guerre, à deux reprises, vous vous êtes montré généreux envers lui.
[...] Le théâtre français est désormais respecté et admiré ici. Vous vous en convaincrez en parcourant les extraits de la presse que je joins à cette lettre. Si nous sommes soutenus, si nous durons, nous créerons en Amérique un centre de culture artistique et d'influence intellectuelle française sans précédent, et auquel pourront se rattacher peu à peu d'autres

institutions propres à servir notre expansion et à favoriser notre prestige. Je craindrais d'abuser de votre attention en vous exposant ce programme. Mais qu'il soit réalisable, les résultats déjà obtenus me le font tenir pour certain. Déjà nous parvenons à faire lire et traduire nombre d'auteurs français jusqu'alors inconnus en Amérique.

Je crois fermement que les entreprises françaises [...] et, au premier rang, celle du théâtre du Vieux Colombier, M. Otto Kahn est disposé à les soutenir de son nom, de son crédit, de ses ressources. Son dévouement pour la France n'a plus à faire ses preuves. Je me permets de suggérer qu'il conviendrait qu'elles fussent sérieusement prises en considération à Paris.

[...] Depuis le début de mes relations avec lui, je n'ai cessé de le trouver d'une générosité, d'une constance, d'une netteté dans les rapports, qui font voir en lui l'un de ces grands mécènes qui jadis permettaient aux artistes de se développer librement et de donner leur mesure. Si son appui nous faisait défaut, nous ne pourrions plus rien.

Mardi 8 janvier 1918 :
CINQUIÈME SPECTACLE :
La Nouvelle Idole de François de Curel,
montée en douze répétitions.
Total trente-cinq heures. Deux décors en huit jours.

La Presse :

– La pièce remarquable et significative qu'attendait le public.

– Une pièce bien faite, de François de Curel, est reçue avec grande faveur.

– L'intérêt avec lequel est reçue *La Nouvelle Idole* devrait prouver au directeur Copeau que c'est dans cette voie qu'il trouvera le succès.

– Hier soir les French Players ont tourné une nouvelle page en représentant une pièce moderne. L'adroite mise en scène de M. Copeau et l'excellent travail des comédiens s'unissent encore une fois pour faire du petit théâtre de la 35e Rue un haut lieu pour les amateurs de théâtre.

Le Courrier des États-Unis *ne manque pas de faire entendre sa voix :*

M. Copeau, passant du classique au moderne, a offert quelque satisfaction à un auditoire qui ne s'est pas senti porté à l'enthousiasme, jusqu'ici, pour le répertoire du Vieux Colombier. [...] Le Public a considéré cette représentation comme le premier pas dans une voie où il compte voir s'engager M. Copeau.

Mais Louis Sherwin estime que la politique du Théâtre-Français de New York devient, de semaine en semaine, plus énigmatique. Pourquoi, par exemple, M. Copeau a-t-il choisi de nous régaler avec la moins intéressante des pièces de M. de Curel? Il agit comme si son dessein était de nous démontrer combien les Français les plus brillants peuvent être assommants quand ils s'y mettent.

D'autres critiques comparent cette pièce ordinaire aux expériences originales et inspirantes de mise en scène des classiques auxquelles on avait pu assister précédemment et s'étonnent du bon accueil qui lui est fait :

Il est surprenant, *écrit Laurence Reamer,* qu'un public qui avait reçu avec un calme plat les merveilleuses représentations de Molière ait été tellement électrisé par cette pièce très ordinaire.

L'interprétation reçoit un accueil favorable :
— Suzanne Bing, dans le personnage pathétique de la petite Antoinette, atteint une grande profondeur.
— François Gournac *est aussi particulièrement remarqué.*
— Les acteurs français donnent un excellent exemple de l'art d'écouter en scène.

Ayant reçu des extraits de cette presse François de Curel [32] *écrit à Copeau :*

[...] Je serais très heureux de vous voir représenter d'autres pièces de moi. Celles que vous voudrez. [...] Je vous ferai parvenir dans le courant de l'été des brochures de pièces qui ont été entièrement refaites. [...]

9 janvier; Billet de service :
   Répétitions : 13 h 30 : *Karamazov* en scène.
             15 h 15 à 18 h 30 : *Karamazov* rehearsal room.

Vendredi 11 janvier :
             10 h 45 à 12 h et 13 h 40 à 16 h : répétitions *Karamazov* en scène.
             16 h : Conférence gratuite sur l'Alsace reconquise par M. Cabanel, aumônier militaire des Chasseurs Alpins.
             17 h : Photographies.
             20 h 30 : *La Nuit des rois.*

Le samedi 12 janvier, les journaux publient un plan d'économies de charbon qui prévoit trois jours de fermeture par semaine pour les théâtres et pour les industries.

Ils annoncent en même temps une vague de froid sur New York.

Cette journée du 12 janvier a commencé au théâtre par une répétition des Frères Karamazov *à 10 h 30. Puis on joue en matinée et en soirée* La Nouvelle Idole. *Dans sa loge Copeau écrit une longue lettre circulaire pour ses amis* [33]. *Il les met au courant de l'activité du théâtre depuis l'ouverture, de l'accueil du public et de la presse, de son espoir* de voir notre travail exercer une influence réelle sur le théâtre américain et en particulier sur les jeunes artistes qui cherchent quelque chose. Comme à Paris, il s'est formé ici, autour de nous, dès la première semaine, un groupement d'amitiés solides, d'admiration fervente, grâce auxquelles je pense que nous pourrons progressivement élargir notre public.

À cette lettre commune il ajoute un petit mot d'amitié personnellement à chacun des destinataires.

Afin d'essayer de dissiper les malentendus et les contresens qui circulent çà et là dans la presse, et d'éclairer le public sur la nature de son entreprise, Copeau donne une interview au New York World [34], *qui paraîtra le 13 janvier :*

Il semble que l'impression se soit répandue ici, *dit-il en parlant l'anglais très couramment,* que je suis un intellectuel. Je ne le suis pas. Je souhaiterais que vous corrigiez cette impression. Le Vieux Colombier n'a pas l'intention de n'appeler à lui que les éléments riches ou intellectuels de la société. À Paris notre public venait de toutes les classes de la société, les écrivains et, en particulier, les gens cultivés des classes moyennes insatisfaits par le vieux théâtre conventionnel. Ce sont ceux-là mêmes que j'espère retrouver ici.

Les deux principales raisons d'être du Vieux Colombier à New York sont 1) Y faire vivre un théâtre pour lui-même. Simplement un théâtre qui ne sacrifiera jamais son idéal à des contingences commerciales.

2) D'engager une campagne pour la propagation de la pensée française dans la littérature et dans le drame. [...] Pour atteindre ce but il ne sera pas nécessaire d'attirer le Grand Public à notre théâtre. Nous serons satisfaits si nous parvenons à exercer une influence sur les artistes, les écrivains, les étudiants et les professeurs de l'Amérique par lesquels nos idées passeront et influenceront peut-être le théâtre et l'art de ce pays. [...]

Dans le théâtre moderne il y a une situation qui ne devrait pas exister : D'un côté nous avons les gens de théâtre, acteurs, metteurs en scène, etc., et de l'autre côté les hommes de lettres qui restent chez eux à écrire des pièces. Il est de la plus haute importance que l'homme qui écrit une pièce soit un homme de théâtre. Il en a été ainsi dans toutes les grandes époques de théâtre.

Au Vieux Colombier nous espérons réunir nos écrivains pour qu'ils acquièrent une complète intimité avec le théâtre lui-même.

Créer une compagnie au sein de laquelle l'auteur, ou les auteurs, aussi bien que les comédiens soient capables, au besoin, de peindre leurs propres décors et de fabriquer leurs costumes dans leurs propres ateliers.

Ils formeront ainsi une compagnie travaillant toujours ensemble dans l'intérêt de leur art.

Dimanche 13 janvier. Billet de service :
12 h 45 à 16 h : *Les Frères Karamazov*, rehearsal room.
15 h : Concert des Instruments Anciens.
17 h : 1ʳᵉ réception pour les Amis du Vieux Colombier.

C'est au cours de cette réception qu'est annoncé officiellement le départ de Miss Andrews [35] et son remplacement, au poste de secrétaire général du Vieux Colombier, par Richard G. Hendorn, assisté de Edward L. Bernays comme Press Agent, Gaston Gallimard demeurant Administrateur général.

20 h 35 : Répétition en scène des *Frères Karamazov.*

Le travail continue ainsi pendant la semaine suivante.

Jouvet comme les autres acteurs répète les **Karamazov,** *souvent deux fois par jour; il dirige la construction des décors et chaque soir il fait sa ronde :*

MM. les Artistes : les loges 5 et 7 n'ont pas été fermées hier dimanche et les clefs sont restées sur les portes. De même pour la n° 2, dont la lumière n'a pas été éteinte samedi après la matinée.

15 janvier. Billet de service :
Une conférence de M. Copeau et Percy MacKaye a lieu à 16 h 25. Tous les artistes sont priés d'y assister en scène.

Percy MacKaye s'adresse à eux, en une allocution de circonstance, leur disant [36] :

[...] Ce que vous avez accompli en France est déjà une contribution permanente à l'art de votre pays. Avec audace vous avez jeté un défi à la bêtise et à l'ennui et, avec une joyeuse prière à vos saints, *l'Imagination et la Poésie,* vous avez gagné plus d'une bataille pour la renaissance de la Beauté au Théâtre. [...]

Il est heureux pour nous, ici, en Amérique, que vous soyez venus nous faire partager vos conquêtes, vous, artistes de France, ambassadeurs, porteurs d'un grand art, pierre de touche de la civilisation. [...]

Copeau écrit à ses amis.
17 janvier, à Ghéon [37] :
[...] La vie que je mène ici et ce travail que je fais sont bien durs et bien ingrats. Nous sommes si loin de tout ce qui nourrit notre cœur et inspire notre esprit! Nul succès ne peut dédommager de cela...

18 janvier, à Roger Martin du Gard [38] :

Merci pour ta bonne lettre du 20 octobre où je te retrouve tout entier. Tu es le seul à m'avoir écrit. Et pourtant j'ai grand besoin d'entendre vos voix. C'est dur d'être ici. Ne nous envie pas trop. C'est dur. Et je fais ma tâche avec plus de patience et d'application que d'enthousiasme. Il me semble parfois que je n'ai plus ma force de jadis. Mais ça reviendra, je pense, quand je respirerai l'air du pays... Mon vieux, je sais bien que cet *Impromptu* dont tu me parles est une pauvre chose. [...] Celui que j'écrirai pour la réouverture de Paris sera d'une autre encre, d'une autre vie, parce que je saurai que je m'adresse à mon public. Ici il n'y a pas de public. C'est le désert. Je t'expliquerai tout ça au retour. [...] Nous travaillons comme de pauvres forçats. On peut dire que nous avons réussi. On nous respecte. [...] On parle beaucoup de nous, on nous discute, on nous attaque. Mais il nous faudrait trois ans pour nous imposer. Et nous avons eu à lutter contre des difficultés atroces. À notre arrivée, c'était la gabegie complète. Nous souffrons encore d'erreurs commises par d'autres que nous. Seulement maintenant nous voyons un peu plus clair et redressons la direction. Gaston a été admirable de dévouement, d'énergie, de travail. Je le vois trop peu. Nos occupations nous séparent. Jouvet au-dessus de tout éloge comme acteur et comme régisseur. Il a beaucoup mûri... Suzanne s'est placée au tout premier rang de la troupe féminine. Je n'ai joué que *Scapin*, pas mal, et avec grand succès. Agnès nous a refait un intérieur que je retrouve le soir, en rentrant épuisé. Les petits sont merveilleux. Parle-moi de toi. Comme nous aurons à travailler ensemble! Comme il faudra se sentir les coudes. Ah! tu sais, j'ai beaucoup de belles choses dans la tête, si la vie m'est laissée, si la force m'est donnée. Mais il faudrait pouvoir travailler, préparer et non pas toujours tourner le moulin. Tous nous vous embrassons, Hélène, Christiane, chers amis dont nous parlons chaque jour.

À toi, ton solide,

Jacques Copeau.

Le 19 janvier, Copeau écrit à son amie Pauline Teillon qui vient d'être gravement malade :

[...] Mon Paulin chéri, que j'admire ton courage, ton calme devant le danger, ta confiance en la vie, ta lucidité. Je n'ai pas pu écrire parce que je vis comme un esclave, tournant la roue sans arrêt, sans répit, épuisé de fatigue le soir et recommençant le lendemain, et cela loin du pays, sur une terre ingrate, pour des hommes qui ne comprennent guère ce que nous faisons pour eux. Et puis je n'ai pas tous mes anciens. Charles me manque terriblement. J'espère pourtant qu'il me rejoindra bientôt. Il va bien. J'ai de bonnes nouvelles. Ne t'inquiète nullement de lui. Je l'ai laissé entre les mains d'amis dévoués qui veillent incessamment sur lui.

[...] Mon petit Paulin sur un lit d'hôpital, ma sauvage, ma coureuse de montagnes! Je voudrais me pencher sur toi et t'embrasser pour te donner la force, l'espoir, pour te rendre la santé. Mais tu guériras, ma chérie, j'en suis sûr, tu reverras le soleil. Au printemps tu reverras tes montagnes, et ce sera la paix, la vie rendue au monde. Tu sais, n'est-ce pas, que je suis avec toi de toute mon âme, dans ta souffrance et que jamais mon cœur ne s'est détaché de toi. Comme c'est dur d'être si loin... Je t'aime et je t'embrasse.

19 janvier, à Jacques Rivière :

[...] Je ne vais pas mal, mais je suis excessivement fatigué. Plus que fatigué. Je suis dans un état de relâchement et d'inappétence que je n'avais pas connu depuis longtemps. Tu me sais courageux. Je suis aujourd'hui sans courage, sans confiance en moi-même, sans point d'appui. Et cela est affreux quand on a à porter en même temps tant de responsabilités. Sans doute suis-je débilité par le climat physique et moral de ce pays, si desséchant. Mais tant d'expériences ne seront pas perdues. Et j'ai toujours la force de regarder l'avenir. [...] Nous nous sommes imposés dès le début. Mais nous ne réunissons qu'un public fort restreint. Et, dans l'ensemble, nous ne sommes guère compris. Il faut lutter. Et la lutte, ici, ne signifie pas grand-chose à mes yeux...

Ah! mon ami, que j'aspire au jour où nous nous trouverons tous réunis! [...]

La première des **Frères Karamazov** *est prévue pour le mardi 22 janvier. Billet de service :*

MM. les Artistes sont priés de se renseigner dès 18 heures pour l'emploi du temps de la soirée.

MM. les Artistes sont priés d'être exacts, la répétition commençant à l'heure fixée, exactement.

On apprend que les restrictions de charbon ne viseront les théâtres qu'un jour par semaine, le mardi.

Mardi 22 janvier :
   C'est ce soir que devait avoir lieu la première des Frères Karamazov. « Black-out sur Broadway. C'est la soirée du Fuel Administrator et les braves gens du pays des théâtres ont obéi à la lettre à ses instructions. »
   Au Garrick : 15 h à 23 h 30 : Répétition *Karamazov.*
   Le théâtre est fermé au public. Tous les figurants doivent être à 20 heures précises au théâtre pour participer au chœur du 1er acte.
   La Première des *Karamazov* se donnera mercredi, à 20 heures exactement.

Mercredi 23 janvier 1918,
SIXIÈME SPECTACLE :
Les Frères Karamazov,
de Jacques Copeau et Jean Croué, d'après Dostoïevsky.
Reprise montée en trente répétitions.
Total soixante-six heures. Quatre décors en quinze jours [39].

La salle est pleine. Mr. et Mrs. Otto Kahn, Mrs. Philip Lydig sont présents.
   L'accueil du public pour une représentation qui ne prit fin que vers le matin, et qui fut jugée si intensément intéressante qu'elle put capter l'attention d'un public américain pendant 3 h 3/4, laisse présager un succès.

La Presse :

— Hier soir la Compagnie de Jacques Copeau a jeté son atout sur le plateau.
— Drame monumental, peut-être le plus grandiose qu'on ait pu voir à New York pendant cette saison.
— [...] Tout ce que peut suggérer le goût et l'intelligence lui ont été prodigués... Une impression étonnante de réalisme atteinte par des moyens excessivement simples. On peut dire

avec force que cette pièce est d'un intérêt captivant et que, donnée en anglais, elle attirerait tout New York.

À ces appréciations, la plus grande partie de la presse fait écho.

– Le jeu des acteurs se situe au-delà de toute expression d'une louange banale, il place la compagnie du Vieux Colombier au rang le plus élevé.

– Il ne serait possible de trouver meilleures interprétations dans aucun théâtre existant actuellement dans le monde que celles de Jacques Copeau, Louis Jouvet, Robert Bogaert, François Gournac et Jean Sarment, dans leurs rôles respectifs.

Laurence Reamer :

Le souper où le vieux Karamazov, ivre, est servi par son extraordinaire valet Smerdiakov, joué de façon inimitable par M. Gournac, est une scène inoubliable et probablement un exemple du plus excellent jeu d'acteur qu'on puisse voir où que ce soit dans le monde actuellement.

The New Republic. Q. K. :

[...] Individu par individu les actrices et les acteurs qui composent la compagnie de Jacques Copeau sont-ils plus brillamment doués que les membres d'aucune autre compagnie que j'aie vue à New York, à Londres ou à Paris? Non, ils ne le sont pas. Ce qui les rend inimitables c'est l'âme qu'ils reflètent, c'est l'esprit créateur qui les façonna et les mit en mesure d'exprimer tellement plus qu'ils ne l'eussent pu faire par leur seule intelligence.

J'ai vu des comédiens qui, à mon avis, avaient un talent plus riche et surtout plus puissant qu'aucun des acteurs du Vieux Colombier. Il est pourtant vrai – il est d'autant plus vrai – que je prends plus de plaisir à une représentation du Vieux Colombier qu'à aucune autre, dont je garde le souvenir. L'explication évidente est que, en général, le but de Copeau est de donner à son public tout le plaisir que peut donner le théâtre et que ses moyens d'y parvenir sont une intelligence d'ordre supérieur, une sensibilité d'artiste, un instinct pour subordonner les parties à un tout, et le pouvoir d'un conducteur d'hommes-né, capable d'insuffler à sa Compagnie le désir de donner son maximum. [...]

Mais c'est la mise en scène et l'utilisation faite du dispositif scénique qui sont le plus constamment loués :

The New Republic :
Le meilleur éloge qu'on puisse faire de ce spectacle est simplement de dire qu'il faut s'y rendre si on veut voir l'art de la mise en scène porté à sa plus haute expression. [...] Quelle imagination chez un artiste qui peut ainsi enchanter nos yeux et pourtant maintenir à leur place tant de beauté et de couleurs qui ne sont que les moyens de servir un plus large dessein.

Quel génie pour placer cet escalier que le père Karamazov et Ivan et Smerdiakov gravissent ou descendent poussés par la fatalité, jusqu'à lui conférer une vie propre qui porte jusqu'à nous ses présages.

La voix de l'« opposition » se fait cependant entendre :
Louis Sherwin :
Voici la tentative la plus ambitieuse et en tout cas la plus importante de M. Copeau en sa première saison à New York.

Cette représentation confirme définitivement notre conviction que son théâtre n'est qu'une pose grandiloquente, pompeuse et écrasante de plus. Le jeu, qui semble monté sur échasses et réglé par un métronome, n'est que le ronron conventionnel et artificiel de la Comédie-Française en un peu moins bien. Jamais un seul instant il ne m'a donné l'illusion des passions de véritables êtres humains – je n'ai eu que l'impression d'un opéra privé de ce qu'il y a de plus intéressant dans un opéra : l'orchestre. Nous rendre la plus exacerbée des pièces réalistes à la manière d'un opéra romantique de Verdi – c'est trop pour moi.

Trois fois je suis sorti du théâtre de M. Copeau jurant de ne plus y remettre les pieds. Trois fois j'ai été faible ou charitable – ou ce que vous voudrez. Mais cette fois-ci c'est terminé.

Le Théâtre Français de New York semble voué à ne servir que la sotte attitude de ceux qui sont en mal d'étaler leur « culchure » ou la loyauté de leurs sentiments pro-alliés et ainsi de suite. Tout cela est d'un prodigieux ennui, [...] et fait que l'on se tourne avec soulagement vers les *Washington Square*

Players après une soirée au Mausolée dramatique de M. Copeau.

Mais des spectateurs de plus en plus nombreux ne cesseront de manifester leur sympathie, leur admiration et leurs encouragements [40].

[...] Depuis ces soirées au Vieux Colombier mes pensées se retrouvent continuellement dans cette énorme et funeste maison Karamazov, le pas du terrible vieillard et de ses victimes de longues années résonnent sur les interminables escaliers qui symbolisent dans un façon frappant, dont la génie seule pourrait évoquer la vie quotidienne et douloureuse qui se passait dans ce lieu. Même sans un mot d'explication, ces escaliers pénibles parlent de la vie de ces femmes tristes, et de ces enfants terrifiés dont un tel mari et père avait assommés de douleur. [...]

Les Washington Square Players sont tous venus voir Les Frères Karamazov :

28 janvier, Philip Moeller :
Il m'a semblé assister à une des rares choses vraiment splendides que j'aie vues au théâtre.

Rollo Peters :
Je veux vous remercier pour la beauté des *Frères Karamazov*, pour l'entière beauté de la mise en scène, pour la signification dont rayonne la pièce. Pour la première fois cet hiver, au théâtre, j'ai oublié le *théâtre*, expérience trop rarement éprouvée dans notre théâtre new-yorkais, trop complètement réalisée par vous et vos confrères du Vieux Colombier, pour que je néglige cette occasion de vous témoigner notre gratitude et notre profonde admiration.

Enfin, Rollo Peters rendra publique cette admiration dans un article du nᵒ de février du Theatre Arts Magazine :
À Jacques Copeau.
Il y a ceux d'entre nous qui opiniâtrement gardent la foi en un idéal. Au-delà des poussières accumulées par les mœurs

et la technique de notre scène, leur apparaît une vision d'un théâtre fait de noblesse, de claire beauté et de vérité.

À ces croyants parviennent quelquefois une promesse... un encouragement. [...]

[...] À Jacques Copeau et à ses compagnons, merci. Ils nous ont rassurés, ils nous ont donné la force de travailler et de lutter pour un théâtre qui sera plus fort qu'une Église puisqu'il aura partie liée avec la vie.

Les Frères Karamazov *sont incontestablement un succès, les recettes montent :*

Arthur Hornblow :

[...] L'affluence à chacune des représentations a dépassé les capacités de contenance de la petite salle. La pièce s'est montrée si populaire que dès le lendemain de la première on a dû faire appel aux chaises de cuisine en les plaçant devant la première rangée des fauteuils d'orchestre.

Jeudi 24 janvier. Billet de service :
Rehearsal Room 11 h : Danses de la *Surprise de l'Amour.*
Matinée et soirée : *Les Frères Karamazov.*

Vendredi 25 janvier :
11 h : Essayage des costumes de *La Surprise.*
13 h 20 à 18 h : Rehearsal Room : *La Surprise.*
Soirée : *La Nouvelle Idole.*

Copeau envoie à Gide la lettre circulaire, écrite le 12, et déjà envoyée à d'autres amis; il y ajoute un long post-scriptum :

25 janvier :
Mon cher vieux, j'avais dicté cette lettre omnibus pour vous mettre un peu au courant, et désespérant de pouvoir vous écrire, mais au moment de la signer je n'y puis consentir... Faut-il que je vous fasse des reproches? Vous ne m'avez pas écrit une seule fois. Madeleine n'a pas écrit une seule fois à Agnès qui en a du chagrin. Quoi? ne savez-vous pas ce que c'est que l'exil?

Et Copeau met Gide plus intimement au courant du travail infernal *qui a été le sien depuis l'arrivée à New York. Mais, ajoute-*

t-il, nous faisons notre chemin, nous le traçons, et d'autres déjà s'y engagent à notre suite. Et chaque expérience même douloureuse, est tellement profitable! J'apprends beaucoup. [...] Les résultats sont *ce qu'ils doivent être*. Nous avons des amis et des ennemis, des fanatiques et des détracteurs. Et tout le monde *nous respecte*.

Il parle à Gide de Waldo Frank et l'engage à lui confier la traduction de La Porte étroite [...] *Il fera son travail avec amour et révérence. Si vous ne le lui donnez pas, vous serez un beau jour pillé par un huron qui mettra votre livre en lambeaux* [41].

Mon vieux, dans quelques jours j'aurai trente-neuf ans. Que Dieu me donne vie et force pour accomplir ce que je dois accomplir. Chaque jour je vois plus nettement devant moi le chemin qui est mon chemin. Et ma foi est toujours plus forte, et rend mon cœur plus pur, plus détaché, plus intrépide. Aimons-nous bien, cher vieux. Tant de choses reposent sur notre amitié.

Mais pourquoi ce silence?

Un froid terrible, et grande neige. Quel drôle de pays! On s'en souviendra de ce continent [...]

Pendant toute cette semaine on répétera tous les matins à 11 heures: Danses, chants, essayages costumes et perruques pour La Surprise *de l'amour qu'on répétera en scène tous les après-midi, sauf le jeudi et le samedi où on joue les* Frères Karamazov *en matinée et soirée. Par contre on pourra répéter toute la journée du dimanche et le mardi 29 janvier, sans chauffage ni lumière, pendant le black-out des* Fuel restrictions.

Les notes du Billet de Service, signées par Louis Jouvet, sont toujours aussi vigilantes pour la discipline.

30 janvier:
Mme Bogaert n'a pas assisté hier matin aux danses de *La Surprise*, sans prévenir qui que ce soit. Le téléphone du théâtre est *Greeley 1522*. Mme Tessier, en retard hier après-midi à la répétition.

Un musicien russe a manqué la représentation du soir. (*Frères Karamazov.*)

Jeudi 31 janvier :
SEPTIÈME SPECTACLE :
La Surprise de l'amour, de Marivaux,
montée en 8 répétitions.
Total : trente heures. Un décor en quatre jours.
La représentation est suivie d'une conférence de M. Copeau :
« *La France Soldat du Droit* [42] ».

La Presse.

Pour cette pièce la presse dans son ensemble est assez terne.
– Avec de la musique, écrit le *New York Herald*, on en ferait
une excellente comédie musicale.
– Une comédie de Marivaux, jouée de façon charmante...
Grâce et gaieté. Un public nombreux suit la représentation
avec ravissement et attention.
– [...] Marivaux ne sera pas un favori parmi nous, mais
personne ne devrait manquer ce spectacle.

Le Courrier des États-Unis, 1er février :
Assurément l'intention de M. Copeau est, sans doute, d'instruire le public, [...] Car il est hors de doute que le répertoire
du théâtre du Vieux Colombier est bien fait pour instruire
plutôt que pour amuser. Le public s'en contentera-t-il?

*Les 30 et 31 janvier Paris a subi les plus violentes attaques des
Gotha depuis qu'elles ont commencé. Trente-six morts, dont vingt-
deux à Paris. Cent quatre-vingt-dix blessés, dont cent quatorze à
Paris. Trois hôpitaux atteints par les bombes.*
*Tous les comédiens du Vieux Colombier ont laissé à Paris parents
et amis. On attend des nouvelles.*

Copeau écrit à Waldo Frank :
Quand vous serez rentré à New York, dites-le-moi. [...]. Je
me sens de plus en plus seul; et il y a des jours où je ne
comprends pas ce que je suis venu faire ici. Vous qui dites
que je suis fort, n'ayez point honte de ma faiblesse. Plus je
vis ici, plus je vous comprends. Et c'est à vous seul que j'ai
besoin de parler.
Le lendemain de la première de la « Surprise »

Vendredi 1ᵉʳ février. Billet de service :
10 h 30 et 13 h : Répétition de *La Traverse.*
15 h : Réunion des abonnés du Théâtre au Smoking Room.

La Discussion intime et l'allocution de M. Copeau sur les premiers mois de la saison sont suivis avec intérêt et un enthousiasme évidents, *écrit le* New York Herald.

16 h 55 : Répétition de *Poil de Carotte.*
La Traverse *et* Poil de Carotte, *huitième spectacle, doit passer le 6 février. Il sera répété tous les jours matin et après-midi. On apprend qu'une nouvelle taxe de guerre sur les billets de théâtre est décidée par le gouvernement.*
Le mardi 5 : black out : *de 12 heures à 24 heures répétition en scène, « sans chauffage et sans lumière ».*
Très grands froids. Les temps sont durs.
C'est ce moment que choisit le redouté George Jean Nathan pour publier dans The Smart Set *de février un article intitulé* Les Fourberies de Copeau.

La manière qu'on a ici de prendre des vessies pour des lanternes, et qui a permis à ce monsieur de se faire passer pour un personnage important du Théâtre Continental, peut être comparée à la façon dont on goba le Dʳ Cook comme découvreur du Pôle et Granville Barker comme un super Stanislavski – le tout n'étant que le produit d'une agence de presse avisée.
En tant qu'*autopromoteur* le seul rival de Copeau en ces dernières années a été Henry Bernstein. Et pourtant, en dépit de tels talents *« à la yankee »*, ce ne fut qu'un bien faible *remue-ménage* qu'il parvint à provoquer en France du vivant de son entreprise théâtrale. Là-bas, comme à New York, ses réalisations artistiques les plus originales et les plus marquantes semblent avoir été confinées, en majeure partie, entre les pages de raffinés pamphlets.
Mais, bien qu'il soit un homme incontestablement intelligent et bien que, comme Barker, il ait, pour prospecter la littérature dramatique de son pays, un coup d'œil assez sûr – il n'est, au fond, comme Barker, qu'un simple artiste de théâtre de second plan, un simple imitateur attardé de Reinhardt, Craig, Stanislavski et même du plus éloigné Antoine [43] dont

les mises en scène de Molière ressemblaient fort à celles que Copeau nous offre maintenant si brillamment. Il n'est lui aussi – encore comme Barker – qu'un homme de théâtre qui continue à se révolter bruyamment contre les idées des *« révoltés »* précédents, que les révoltés actuels ont heureusement, depuis longtemps, tranquillement abandonnées.

Copeau, pendant l'unique saison de sa carrière théâtrale à Paris, avait réussi à devenir... ce que les *Washington Square Players* sont devenus à New York après leur première saison. Sa Compagnie joue beaucoup mieux que la leur mais, en matière de recherche théâtrale, de drame et de théories concernant l'interprétation dramatique, il ne s'est montré, par ses réalisations, en aucun sens ni à aucun degré supérieur à eux, nos propres amateurs.

Pour dire la simple vérité à propos de Copeau : il n'est, en fait, que le spectre de Craig, portant une cravate lavallière, un chapeau du Quartier latin et des pantalons de velours mal ajustés...

[...] Sa voix est la *Voix de son Maître.*

Est-ce cet article qui a indigné Waldo Frank? *Il écrit à Copeau.*

5 février :

Vous me permettrez, n'est-ce pas, de vous dire à quel point je suis navré et dégoûté des désappointements que vous avez dû essuyer ici à New York. Je sais bien que tout cela ne sera qu'expérience : qu'un épisode dont vous tirerez force et science, comme de vos luttes parisiennes. Mais n'oubliez pas comme vous êtes cher, et votre œuvre, à ceux ici qui vous comprennent et qui correspondent, en quelque part, à la vraie troupe que vous avez en Europe. Nous sommes peu nombreux : point assez, à présent, et trop affaiblis de circonstances, pour vous exprimer, que d'une façon personnelle, l'aura et le grand respect que nous sentons pour tout ce qu'exprime le nom : Jacques Copeau. Mais ça a commencé : ça s'améliorera quand vous reviendrez, il y aura une armée pour vous faire chemin. Car vous aurez laissé ici une influence, un désir d'émulation parmi les vrais jeunes Américains dont vous ne soupçonnez pas vous-même l'étendue.

Cependant, moi, qui suis votre ami, voudrais bien causer avec vous et tâcher de vous ragaillardir un peu. Votre véritable état, l'autre soir, m'était si visible : malgré que vous bouleversiez, comme à l'ordinaire, les gens de votre « gaieté » et de votre « allégresse ».

Si vous voulez me voir : si vous pensez que je puis vous être du bien, dites-le-moi. Je suis à vos ordres.

Et n'oubliez pas que l'âme américaine ne fait que naître : qu'elle est petite et même malade – et que les expressions d'amour, chez les enfants, sont bien faibles et très subjectives.

Je n'ai aucun souci à propos de vous. Vous êtes fort : vous êtes aux débuts de vos conquêtes. C'est *nous, notre* conduite dans tout ceci, qui m'enrage.

Mercredi 6 février 1918 :
HUITIÈME SPECTACLE :
La Traverse, de Paul Hervieu,
montée en huit répétitions.
Poil de Carotte, de Jules Renard,
monté en sept répétitions.
Total trente-deux heures. Deux décors en cinq jours.

La Presse :

The Boston Evening Transcript :
Le dilemme du Théâtre Français.

Fidèle à la promesse qu'il fit à ses abonnés qui semblent assister à presque chacune des premières de M. Copeau avec une égale indifférence, si, toutefois, ils condescendent à y assister, le directeur du Vieux Colombier a ajouté hier soir deux nouvelles pièces à son répertoire, toutes deux contemporaines. Car, malheureusement pour M. Copeau, les garants de son entreprise qui l'ont fait venir et l'ont établi à New York l'ont fait, en grande partie, par zèle patriotique pour tout ce qui est français et en partie à cause du goût qu'ils ont pour les plaisirs du théâtre parisien. Or, ce qu'ils entendent par théâtre parisien ce sont les pièces légères de l'Athénée, des Capucines, du Vaudeville ou des Variétés. Le Théâtre Français de M. Copeau avec Molière et Marivaux, de Curel et Tristan Bernard, avec quelques incursions dans Shakespeare et Dostoïevsky, le tout avec tendances novatrices, c'est une tout autre affaire – et, pour ces « garants » en particulier, une affaire de peu d'intérêt...

Le sujet de La Traverse *sera pourtant jugé conventionnel et désespérément naïf ! Mais l'interprétation des deux pièces excellente :* M. Copeau dans le rôle de M. Lepic et Suzanne Bing dans Poil de Carotte ont touché aux tréfonds de la nature humaine.

La plupart des critiques cependant ont un souvenir nostalgique pour « Miss Barrymore's Play Carrots » donné il y a une dizaine d'années, et de l'interprétation du rôle par Miss Éthel Barrymore, parfois au détriment du jugement qu'ils portent sur Suzanne Bing.

Pourtant, un spectateur écrit :
Votre interprétation et celle de Suzanne Bing nous restituent une image de la vie si poignante et si réelle, telle qu'elle ne peut se révéler à nous que par de rares visions. Et c'est en cela que vous et vos artistes êtes si forts : vous êtes capables de faire appel en nous comme à une *seconde vue.*

Le travail continue. Le lendemain de la première représentation du huitième spectacle, le neuvième est annoncé : le 20 février on donnera Les Mauvais Bergers *d'Octave Mirbeau.*
Il fait un froid terrible.

8 février :
Nous avons eu jusqu'à 27 au-dessous de zéro, *écrit Agnès à Hélène Martin du Gard* [44]. Mais sec et fortifiant. Jacques en somme n'est pas mal. Nous ne savons pas encore si nous devons rester ici l'hiver prochain ou si nous revenons en France après cette saison. Notre sort sera décidé très prochainement. Si Jacques accepte de rester encore l'hiver prochain, il faudra qu'il puisse travailler dans de meilleures conditions matérielles. Cet hiver il a été forcé par le système d'abonnements hebdomadaires de monter un nouveau spectacle tous les quinze jours, et même souvent toutes les semaines. [...] Jamais je ne l'ai vu si déprimé que certaines journées précédant une première représentation pas au point, selon lui. Nous avons connu des heures très dures dans ce New York impassible. [...]

Mais le Vieux Colombier de New York est en train de se créer, comme à Paris, un vrai public enthousiaste et fidèle. Un des admirateurs des Frères Karamazov *écrit :*

[...] J'ai pensé que dans ce froid affreux qui envahit un peu nos âmes aussi... il sera peut-être à vous agréable de savoir que ce vendredi soir nous serons là, une vingtaine de personnes en tous, vous tenant en reconnaissance vive et chaude et vous remerciant pour la dévotion, le travail et surtout la conscience, et de la beauté pure et les moyens d'en réaliser – enfin le génie.

Copeau écrit à son neveu Michel Saint-Denis :
[...] Je viens d'avoir trente-neuf ans. [...] Ah si j'avais une vraie troupe, des éléments frais, un instrument enfin, qui réponde à l'exigence de mon esprit. Mais chaque réalisation pour moi est une chose atroce. Nous sommes loin, loin encore du commencement!... Je suis fatigué, mais pas abattu.

Pas abattu, certes, mais bien soucieux :
Depuis le début de janvier il y a eu un constant échange de lettres et de télégrammes entre Copeau et le Haut Commissariat de Washington : il s'agit du renouvellement des sursis de plusieurs comédiens qui viennent à expiration – et en particulier celui de Jouvet. C'est Édouard de Billy qui a pris l'affaire en main.

Le 7 février, il écrit [45] :
Paris refuse les prolongements de sursis. [...] En ce qui concerne M. Jouvet, comme ce refus vient après trois télégrammes du Haut Commissaire, il n'y a rien à faire. [...] Comment allez-vous vous arranger? [...]

9 février, Copeau répond :
Mon cher ami, votre lettre du 7 février, que je viens de recevoir, me plonge dans la consternation. Je n'ai qu'une chose à faire, c'est que si Jouvet m'est enlevé, je suis obligé de fermer le théâtre. Il est indispensable à l'entreprise, au même titre que moi-même. Je ne peux pas le remplacer. Précisément en ce moment, nous sommes en pourparlers avec M. Kahn en vue de renouveler notre contrat pour la saison prochaine. Sans Jouvet, je ne peux pas entreprendre une nouvelle saison. Et alors, que d'efforts perdus, et réduits à rien précisément au moment où, à force de travail, nous commençons à prendre le dessus et à imposer à New York ce qu'il n'a jamais connu – un véritable théâtre français. Que

faut-il faire ? Je n'en sais rien. Pouvons-nous obtenir un répit, qui vous permettra de présenter vous-même une requête lors de votre prochain voyage à Paris ? Il me semble qu'on doit trouver un moyen d'éviter une catastrophe, ce que serait le départ de mon principal collaborateur. L'affectueux dévouement, que vous m'avez toujours témoigné, me fait espérer en vous.

Toute cette semaine, matin et après-midi, on répète Les Mauvais Bergers.

Denys Amiel : L'homme qui après *Les Frères Karamazov* tente l'œuvre courageuse et, disons-le, très délicate de représenter *Les Mauvais Bergers,* est un esprit généreux, avide de montrer que ce qui intéresse le plus la France ce sont les œuvres de pensée qui se rattachent aux plus grands problèmes de l'humanité.

14 février. Billet de Service :
MM. les artistes sont informés que pour la figuration des *Mauvais Bergers* ils sont tenus d'assister à toutes les répétitions de Ier, IIIe, IVe, et V^e actes. Il sera affiché incessamment la distribution de la figuration de chaque acte.

Dimanche 17 février :
De 10 h 40 à 24 h : répétitions des *Mauvais Bergers.*
15 h : Concert d'adieux de la Société des Instruments anciens. Mme Bogaert absente à la répétition du IVe acte. Deux dollars d'amende.

Le froid est toujours aussi vif, toutes les dames de la société new-yorkaise tricotent pour les boys et pour les poilus. Elles se rendent au théâtre munies de gros sacs multicolores et d'aiguilles à tricoter décorées de strass ou de brillants.
Valentine Tessier, « one of the shining lights of the Theatre du Vieux Colombier », *dans une interview qui paraîtra dans le* New York Tribune, *le 17 février, sous le titre* « Please do not knit », *s'exprime ainsi :*

« Je vous en prie, dites de ma part que je souhaiterais que les dames veuillent bien s'abstenir de tricoter au théâtre. Sans aucun doute c'est un acte de patriotisme, et peut-être ne devrais-je pas le condamner. Et je ne le condamne pas lorsqu'il s'exerce à la maison. Mais aucune actrice ne peut donner le meilleur d'elle-même quand la salle est pleine de femmes qui tricotent. Je ne sais pas si le public réalise que le jeu des acteurs dépend de lui dans une large mesure. Nous, acteurs, sommes conscients des gens assemblés de l'autre côté de la rampe. Nous tâchons de les ressentir et de jouer d'une manière qui se rencontre avec chaque public particulier. Nous devons le faire : les publics sont si différents.

Alors, s'il nous arrive d'apercevoir le public dans la salle et que nous nous trouvons confrontés à des femmes qui tricotent activement, cela nous jette un froid. Elles tricotent sans arrêt, jettent un coup d'œil sur la scène, se disent : " Ah bon ce sont toujours les mêmes qui sont là " et elles retournent à leur tricot. Aucun acteur ou actrice ne peut résister à cela quelle que soit sa sympathie pour le travail patriotique. »

L'ampleur de la mise en scène des **Mauvais Bergers** *en rend le travail particulièrement ardu; il semble que les amis de Copeau veuillent se porter à son aide. Waldo Frank écrit à Otto Kahn le 17 février :*

Si je prends la liberté de vous écrire cette lettre c'est parce que je sais que ce que je ressens est partagé par un groupe important d'hommes dévoués aux arts et parce que j'espère que notre reconnaissance personnelle pour les services que vous avez rendus à la culture de notre pays ne sera peut-être pas malvenue. Je reconnais que la part exacte prise par vous en amenant le théâtre du Vieux Colombier en Amérique nous a été cachée par votre modestie et ceci est une raison de plus pour que nous souhaitions vous remercier et pour que ce soit par l'intermédiaire d'une lettre.

La pleine signification du mouvement littéraire et dramatique représenté par M. Copeau et M. Gallimard ne s'est révélée que lentement au grand public américain. Il fallait s'y attendre. Mais peut-être n'êtes-vous pas vous-même entièrement conscient de la grande influence qu'exerce ce mouvement sur la jeune génération des artistes et des écrivains sérieux. Ceux d'entre nous qui sommes au courant de la culture européenne, estimons que le double groupe de la *Nouvelle Revue Française* et du Vieux Colombier représente ce qu'il y a de plus vital, de plus créatif et de plus puissant dans les lettres contemporaines. Je m'en suis toujours senti proche quoique de loin. Nous avons toujours été conscients du besoin où nous étions de relations personnelles avec ces maîtres, mais nous n'avions nul espoir d'y parvenir. Ainsi l'arrivée de M. Copeau au sein de notre vie même, prenait presque l'aspect d'un miracle. Ce qu'il nous fallait à nous, jeunes Américains qui combattons pour créer une discipline américaine, pour éduquer le goût américain, pour engendrer une culture américaine, c'était précisément une révélation de l'ordre de celle qu'a été pour nous le théâtre de M. Copeau. Il nous a été donné non seulement d'étudier les réalisations de cette grande école mais de pénétrer à l'intérieur de son laboratoire et d'y vivre dans son esprit.

Nous réalisons que c'est vous que nous devons en remercier et nous souhaiterions que vous réalisiez vous-même quel grand et salutaire bienfait vous avez apporté à ce pays.

Un bien profond a chance de se manifester avec réticence et lentement.

Les conséquences de cet aliment artistique que vous nous avez procuré cette année seront, je l'espère, trop véritables pour engendrer des imitations et trop profondes pour produire des résultats immédiats. Mais je suis convaincu que la présence parmi nous de ce grand groupe français aura des effets durables sur le travail de la génération littéraire montante de ce pays. Je suis convaincu que ces effets auront une grande signification. Et je pense qu'il est juste que nous, qui avons reçu, témoignions notre gratitude à vous qui avez donné.

le 20 février Otto Kahn répondra à cette lettre :

Je vous prie d'accepter mes remerciements pour votre lettre. Soyez assuré que j'apprécie à la fois l'élan généreux qui vous a poussé à l'écrire et les termes aimables par lesquels vous vous exprimez.

S'il fallait une preuve de ce qu'est, de ce que signifie et de ce dont témoigne Copeau, on la trouverait dans le fait que ceux qui espéraient faire de lui un lion mondain et artistique, se détournent à présent de lui, alors que vous, et tous ceux qui sentent, pensent et luttent avec vous, se rallient à lui avec enthousiasme et avec une affectueuse appréciation et compréhension.

Cela a certainement été pour moi un privilège d'avoir pu être l'instrument qui a planté la graine de ce bel arbre du Vieux Colombier dans notre pays.

Je crois avec vous que, bien que lentement, il prendra racine dans notre sol, qu'il se développera généreusement et parviendra à une haute taille.

Dès le lendemain de la soirée d'ouverture, Otto Kahn avait fait allusion à la possibilité d'une deuxième saison du Vieux Colombier à New York et à l'hébergement de la troupe dans sa villa de Cedar Court à Marristown New Jersey, pendant l'été, afin d'y préparer cette deuxième saison.

Des pourparlers en ce sens sont maintenant engagés et donnent lieu à un échange de correspondance entre Otto Kahn et Jacques Copeau pour en fixer les modalités.

Pour cette deuxième saison un élargissement du répertoire, propre à donner un aperçu du théâtre français moderne dans son ensemble, est envisagé et accepté. Mais lorsque ce répertoire fut connu de la troupe comment ne pas comprendre la consternation des plus proches collaborateurs de Copeau ralliés dès le début à ses indignations, nourris de ses jugements. Il allait maintenant falloir servir les auteurs qu'il avait si violemment critiqués et rejetés pour des raisons qu'il les avait amenés à partager.

C'est Paul Hervieu, avec L'Énigme *dont Copeau disait en 1904* [46] [...] chez cet auteur l'abondance de psychologie parlée et de discours moraux, masque l'indigence des caractères [...].

Il tire de sa pénurie d'art une ressource d'intrigue... Si l'on veut, la situation est humaine. Et il n'y a pas dans la pièce un atome d'humanité. [...] À l'esprit tragique de Paul Hervieu s'oppose une sensibilité mélodramatique. Elle se reflète crûment dans son style, qui n'est pas seulement incorrect, mais antihumain, antinaturel par son emphase laborieuse et banale, conventionnelle jusque dans la trivialité... Il sonne faux... C'est ainsi que la forme de M. Hervieu accuse ce manque de *sympathie* et de *sincérité* faute desquelles il n'est pas d'art dramatique.

C'est Brieux, dont le Vieux Colombier de New York va maintenant jouer Blanchette, *dont Copeau avait dit* [47] :

Le drame, c'est-à-dire la peinture directe, authentique et sincère des personnages, de leurs rapports et de leurs conflits, M. Brieux l'évite chaque fois qu'il le rencontre. Entre le moyen naturel, logique, riche de puissance dramatique – et le « truc » le plus vide, le plus usé, son choix n'est jamais douteux. C'est le virtuose des « à côté » [...]

C'est ainsi qu'en toute occasion, M. Brieux substitue à l'analyse véridique des sentiments et de leurs mobiles, d'ingénieux *raccourcis* et de puissants *effets*. Cela s'appelle *du théâtre*... De l'homme de théâtre il a, en effet, toutes les souplesses, toutes les roueries, tous les tics, et cet éternel ronron qui ramène invariablement mêmes mouvements, mêmes rythmes et mêmes césures... M. Brieux a une manière, et point de personnalité. Toutes ses pièces sont pareilles; elles ont même forme et même allure, même son. Elles sont laides [...].

Tous ces procédés matériels, ces grossières précautions, ces trucs gratuits, c'est le faux métier, le mauvais métier, le plus répandu, quoiqu'on dise, celui que les auteurs apprennent avec aisance, appliquent avec excès. Non seulement il ne forme pas l'auteur dramatique, mais il le déforme. Il correspond à l'ensemble des recettes et des formules qui permettent aux médiocres de se répéter intarissablement, de produire sans inspiration. Il est inutilisable pour un talent libre et original. Ce n'est certes pas d'entre les « hommes de théâtre » que sortira le grand auteur dramatique de notre temps, s'il doit naître.

C'est Alfred Capus dont on va jouer La Veine.

De son analyse de L'Oiseau Blessé *à* La Renaissance, *en 1908, Copeau déduisait* [48] : que ce sont des *antidrames* qu'écrit Capus et que ce sont des *anticaractères* qu'il décrit [...]. Il y a dans toutes les réactions des personnages une étrange modicité. Ils tressaillent parfois mais à fleur de peau [...]. Le malheur ne tient pas sur leurs âmes. Et pour les fautes il y a la confession, et pour les conflits, la conversation. Ah comme on souhaiterait, parfois, qu'une brusque secousse vînt serrer ce nœud trop légèrement noué par la main de l'auteur, comme on aimerait que ces hommes et ces femmes perdissent leur lucidité, qu'ils fussent frappés plus profondément et que la vie,

enfin, la vie obscure et sans merci leur arrachât le cri d'Her-
mione :

Où suis-je? Qu'ai-je fait? Que dois-je faire encore?

*Oui, on comprend le désarroi des comédiens que le manifeste de
1913 avait rassemblés et dont Copeau avait attisé la révolte, la
ferveur et les espoirs...*

*On peut aussi imaginer que devant un tel répertoire la scission
entre les anciens et les nouveaux de la troupe se fera plus profonde :
les uns le ressentiront comme une trahison et ne voudront admettre
ni les avantages que devraient représenter la possibilité de faire une
deuxième saison où néanmoins prendront place de grandes œuvres
– ni les concessions que seules les circonstances imposent. Les autres
ne sentiront pas la déviation et se réjouiront de trouver éventuellement des rôles où ils pourront donner leur mesure.*

*Entre les deux clans Copeau est malheureux; il écrit dans son
carnet :*

Je ne suis plus à l'aise parmi eux. Est-ce que je ne les aime
plus? J'ai le sentiment de les gêner, d'être intrus parmi eux.
Et d'ailleurs ils ne me demandent jamais de me joindre à eux.
Il n'y a rien de positif dans leurs entretiens. Rien que raillerie,
débinage ou basse plaisanterie.

Un peu trop d'argent – trop livrés à eux-mêmes – trop
réunis par petits groupes où les sympathies se consolident
mais aussi les antipathies, souvent injustifiées, se décuplent,
s'exagèrent.

Le patron n'est plus le patron. Les services prennent une
autonomie qu'ils n'étaient pas mûrs pour avoir. Cela à cause
de *l'exploitation.*

La troupe est trop nombreuse. Les inemployés sont ferments de discorde. Les mécontentements individuels
s'associent.

Clan des anciens. Clan des nouveaux.

Empoisonnement depuis le début par introduction d'éléments nouveaux.

Et je ne croyais pas qu'ils eussent besoin d'être *préservés.*

Le But : rendement. Arriver à faire passer un maximum
de pièces en un minimum de temps, et que cela fasse illusion
pour un public grossier, dont on se dit : ce sera toujours assez

bon pour lui, d'où sournoisement la tentation du moindre effort.

Raillerie facile. Ils en inventent.

Copeau reconnaîtra pourtant plus tard : Il faut aussi oublier *les faits* pour comprendre ce qu'il a pu y avoir de légitime dans leur réaction.

Un certain remaniement de la troupe va néanmoins être nécessaire en vue de la deuxième saison. L'inquiétude règne.

Parmi les ferments de discorde *doit-on compter aussi Jessmin,* l'Esprit du Vieux Colombier *qui, tel* Ariel, *était la flamme et la joie du soir d'ouverture, il y a un peu plus de trois mois?*

Elle écrit à Copeau :

[...] Je voudrais vous prier de changer mon rôle dans le théâtre – ou bien de vouloir me permettre de cesser d'être un membre régulier de la troupe. [...]

[...] Je me sens dans une fausse position, et j'en suis depuis longtemps déjà bien malheureuse. Je comprends que si vous aurez pu savoir les conditions de travail à New York, vous aurez jugé inutile d'amener un professeur de gymnastique, – et encore, vous vous serez peut-être dispensé de « l'Esprit du Vieux Colombier [49] ».

Les lettres de France sont rares et lorsqu'elles arrivent elles sont déjà périmées.

Le 15 février, Jean Schlumberger écrit de Rechesy, décrivant la vie qu'il y mène comme un renoncement au monde, une application à des tâches qu'on n'a pas choisies, auxquelles on se donne sans réserve mais *sans amour* véritable.

[...] Mais ne t'inquiète pas : il suffit de souffler cinq minutes sur ma cendre pour en tirer une flamme assez vive. Je ne suis pas éteint du tout.

La vie de Rechesy est cependant devenue plus souriante par l'arrivée de quelques collaborateurs plus jeunes. [...]

De temps en temps je réunis chez moi la petite classe, je leur fais quelque lecture. Je passe à l'un *L'Otage*, à l'autre *L'Immoraliste*. Le brave Iehl [50] est un charmant compagnon. J'ai aussi touché un petit Allégret [51] – aucun des deux Télémaques suisses de notre mentor éperdu. Et puis il est arrivé à l'improviste un nommé Baty [52] qui s'apprêtait à fonder en

octobre 1914 un Vieux Colombier catholique – l'art dramatique, forme de la communion des Saints – un garçon qui a
des idées intéressantes, qui aime passionnément le théâtre.

[...] Mon vieux, ne te laisse pas manger tout à fait; nous
aurons besoin de toi ici – mais ça remplit le cœur de joie que
de penser à la bonne bataille que tu mènes là-bas contre le
Boche.

La bataille qui se prépare au Garrick en ce moment est celle des
Mauvais Bergers. Copeau connaissait Mirbeau depuis longtemps.
Il a raconté sa rencontre avec lui dans son Journal :

Dimanche 29 octobre 1905 :
À 10 h 1/2 rendez-vous avec Léon Blum. Nous allons
ensemble chez Mirbeau. La porte est entrouverte. Mirbeau
nous accueille dès l'antichambre... il est vêtu d'un complet de
molleton beige. L'attitude est militaire et affable, plutôt réservée, parfois exubérante, la voix sourde et hésitante, le sourcil
dur, le visage très fatigué, couturé de rides, les chairs tom-
bantes, mais l'œil est admirablement pur et doux, malicieux,
inquiet, d'un jaune vert avec des reflets d'acier...
On parle surtout des confrères – pour en dire du mal [...]
Puis on passe à la politique. Les événements russes [53] pas-
sionnent Mirbeau. [...] Je regarde et j'écoute. À 12 h 1/2 nous
le quittons. « Vous connaissez maintenant le chemin », me dit-
il.

Mercredi 20 février 1918 :
NEUVIÈME SPECTACLE
Les Mauvais Bergers, d'Octave Mirbeau,
monté en vingt et une répétitions.
Total : trente-deux heures. Cinq décors en neuf jours.

La Presse :

Le Courrier des États-Unis :
– Ceux qui se souviennent de l'accueil que le public parisien
fit aux *Mauvais Bergers* [54] ont dû un peu frémir en apprenant
que M. Copeau avait décidé de l'inclure dans le répertoire.
– [...] La représentation a obtenu hier soir le plus vif succès.

Nous dirons même qu'elle fut accueillie avec enthousiasme par le public qui était très nombreux.

John Corbin :

Cette pièce nous offre une distribution de quelque vingt-quatre acteurs et au cours de ses cinq actes la richesse de sa langue, de son sujet et de son action est bien la plus grande chose que la Compagnie française nous ait offerte jusqu'à ce jour.

Le révolutionnaire est joué par Jacques Copeau avec l'intensité d'un leader bolchevique. Le rôle de Madeleine, un des rôles favoris de Sarah Bernhardt, est assumé par Suzanne Bing avec une merveilleuse sensibilité.

Clayton Hamilton :

En jouant cette puissante pièce la troupe du Vieux Colombier se montre très près de son apogée. Quiconque aura vu ce grand spectacle ne pourra facilement l'oublier. Une expérience aussi impressionnante est rarement vécue au théâtre.

Robert Welsh :

La représentation est si bien ordonnée que chaque star américaine, gonflée de sa propre importance, devrait y être conduite comme à une leçon de choses d'une valeur sans égale. La scène de la populace est une des réussites scéniques les plus accomplies de l'année.

Adolphe Robert, New York Call, *journal socialiste :*

Tout socialiste devrait voir *Les Mauvais Bergers.* Voici enfin une pièce qui met à nu avec une vigueur farouche la lutte des classes, sans aucun compromis, et qui ne craint pas de s'achever sur une note tragique presque intolérable.

Sa représentation dans le New York d'aujourd'hui soulève quelques questions intéressantes. Qu'auraient à dire nos censeurs et nos demi-censeurs si elle était écrite en anglais et non en français ? Comment les leaders radicaux et travaillistes, qui ne croient pas à l'action directe, recevraient-ils cette bombe dramatique si elle leur était assenée en leur propre langue ? Comment se fait-il que les écrivains français osent être des rebelles jusqu'à la limite de leurs convictions et que les acteurs français jouent ce qu'il leur plaît de jouer, alors que nos propres pourvoyeurs d'art tremblent trop souvent devant les censeurs et le bureau des licences?

Charles Darnton :
   Un public distingué écouta poliment jusqu'à ce que, sur des civières, l'on emporta au travers de la scène les corps des grévistes tués par la troupe. Alors des grappes de spectateurs commencèrent à prendre la fuite vers la sortie [55].

Et lorsque au mois de septembre on s'adressera aux abonnés pour le renouvellement de leur abonnement pour la saison 1918-1919, l'un d'eux, un Français, écrira :
   Vous me demandez de renouveler mon abonnement pour la saison prochaine. Je regrette de ne pouvoir le faire et pour cause. Par les temps qui courent le public demande, à mon avis, des pièces de théâtre sinon gaies au moins spirituelles et intéressantes. Vous ne faites que broyer le noir. J'ai envoyé à des amis mes billets pour la représentation des *Mauvais Bergers*. Ils m'ont avoué avoir été obligés, après le spectacle, d'aller au cabaret se griser pour oublier les horreurs de la soirée.
   D'autre part, ce que les Américains attendent d'une Française, si elle n'est ni artiste extraordinaire ni grande beauté, c'est qu'au moins elle sache porter la toilette. Galanterie à part vos actrices étaient rudement mal fagotées.
   Pardonnez-moi cette franchise mais, hors une petite coterie, c'est ce qu'on entend à droite et à gauche au sujet du théâtre du Vieux Colombier.

21 février. Billet de service :
Matinée et soirée : *Les Mauvais Bergers*.

Vendredi 22 février :
   Soirée : *La Surprise de l'amour*.
   M. Copeau, indisposé, n'est pas venu donner sa lecture-conférence. M. Bogaert, en costume, en a fait l'annonce.
   Le prochain spectacle qui passera en soirée le mardi 5 Mars se composera de *La Petite Marquise*, de Meilhac et Halévy, et de *L'Amour médecin*. La distribution sera affichée demain et les rôles seront remis aux artistes.

Aucune solution n'a encore été donnée pour le renouvellement des sursis demandés.

Mais une bonne nouvelle arrive le 23 février : un télégramme de Tardieu :

J'ai le plaisir de vous annoncer que M. Clemenceau, Président du Conseil, a bien voulu, en raison des motifs que je lui ai fait valoir, accorder une prolongation de congé de six mois à MM. Jouvet, Jacob Hians, et Jean Sarment.

Veuillez transmettre cette décision aux intéressés.

En le remerciant Copeau annoncera à M. le Haut Commissaire qu'il a pu faire des arrangements pour avoir une seconde saison à New York.

Dimanche 24 février. Billet de service :

14 h 30 à 16 h : Répétition : *La Petite Marquise.*

Plusieurs artistes n'étant pas arrivés à l'heure à la répétition du soir, M. Copeau, fatigué, est rentré chez lui.

La répétition n'a pas eu lieu.

Mlle Jessmin, toujours malade, n'a pas assisté à la répétition.

Quoi d'étonnant qu'au lendemain de ce neuvième spectacle, qui a nécessité un immense effort, malaises, lassitude et fatigue se soient abattus sur la troupe?

Personne pourtant n'a flanché et le 4 mars, au Billet de service :

La direction rend hommage au dévouement des artistes qui, dans *Les Frères Karamazov,* et surtout dans *Les Mauvais Bergers,* ont assuré avec zèle le service de figuration.

Toute la semaine suivante on joue en alternance Les Mauvais Bergers, Les Frères Karamazov, La Traverse *et* Poil de Carotte *— et on répète* La Petite Marquise *tous les jours.*

22 février, Jacques Rivière écrit à Copeau :

J'ai eu une bien grande joie en apercevant l'enveloppe du Vieux Colombier et ton écriture. Elle a diminué un peu quand j'ai lu ta lettre. Mon cher vieux, je suis si peu habitué à te voir perdre courage, ou du moins à te sentir affaibli dans ta confiance, que je me trouve tout bête pour te communiquer à mon tour l'espoir que tu m'as si souvent rendu et pour te faire partager le renouveau de force que j'éprouve justement en ce moment. [...] Sur la nature des difficultés avec lesquelles tu es aux prises, je ne peux faire que des hypothèses. J'ai cru pourtant remarquer, d'après votre programme, que j'ai eu entre les mains, un léger fléchissement dans le sens du théâtre moderne. Sans doute correspond-il à la difficulté que tu auras eue d'imposer les classiques à ton public. Mon vieux, il ne faut pas te décourager pour si peu. Comme tu le sens, j'en suis sûr, tes juges naturels ne sont pas là-bas. C'est nous qui le sommes, et nous t'avons déjà jugé.

Mon vieux, il me tarde effroyablement de te savoir sur le chemin du retour, et de te revoir [...]

À mon tour de penser : Que ne puis-je te parler, t'expliquer toutes les raisons que tu as de croire en toi. Je te montrerais, à ma manière, à ma vieille sale manière abstraite et ridicule, tout ce que tu as déjà fait, tout ce que tu nous as donné. Je te montrerais, comme je vais le faire dans ma dernière conférence aux Genevois [56], comment tu as été tout de même l'âme de la *Nouvelle Revue Française* et son axe, comment tu en as principalement assuré la continuité et maintenu la direction. En un mot, je te foutrais sous les yeux un petit portrait en pied de Jacques Copeau (l'homme, l'œuvre), que je te forcerais bien de reconnaître. [...]

25 février, André Gide se décide enfin à écrire.

[...] Ah! cher vieux, rien ne serait plus amer que de sentir un jour que vous n'avez plus besoin de mon amitié et que vous vous passez d'elle – car elle est aussi vive et sensible que jamais – et je le sens bien à l'émotion qui me prend à vous lire. [...] Je sens que vous devez avoir traversé des jours terribles; mais on n'a pas l'âme que vous avez, cher vaillant vieux, pour ne triompher que de monstres en verre filé : – Bravo. Vous faites là-bas, je n'en doute pas, une besogne très utile et dont le succès nous tient à cœur, en tant que Français, qu'artiste – et qu'ami. [...]

Vielé-Griffin écrit aussi à Copeau [57] : La Thomasserie – Vallières-les-Grandes (Loir-et-Cher).

Vous voilà donc tous – le mari, la femme et les enfants – citoyens de la vaste ville que fondait une poignée de « Wallons » il y a trois siècles, dont mon ancêtre Philippe de Trieux! Sa fille Marie du Trieux épousa, en effet, le premier Vielé américain, Corneille Bonaventure, venu de Horn, avec 8 autres réfugiés « Wallons », c'est-à-dire Français, sur son bateau *La Fortune,* en 1613.

Cependant, nous vivons studieusement en Touraine, entre la Loire et le Cher. Deux flots ininterrompus de contingents américains remontent, à contre-courant, ces belles vallées. Nos gendres, qui aux Vosges, qui à La Rochelle, qui à Bourges, servent diversement la Patrie. Nos filles sont fécondes : trois nouvelles venues depuis l'automne!

Heureux homme qui relevez, là-bas, le renom un peu terne de la dramaturgie française! Ici on ne nous épargne ni les *Petites Bonnes d'Abraham,* ni les *Dames de chambre,* ni la reprise de toutes les ordures. On a fait du *Marchand de Venise* une manière d'apothéose de la juiverie, en ajoutant, sans plus de gêne, au texte d'*Antoine et Cléopâtre* sous prétexte d'entraîner le grand Will dans une sarabande de mauvais lieu. Enfin! [58]...

Pas de pessimisme, mais la guerre qui fait de nos amis des Saints, n'a pas la même action sur les natures moins nobles; celles-ci sont nombreuses.

Envoyez-moi une carte parfois.

27 février : Roger Martin du Gard répond à la lettre que Copeau lui écrivait le 18 janvier [59].

Mon cher vieux. Ne regrette pas l'effort qu'il a fallu faire, au milieu de ta vie trépidante, pour m'écrire ces deux pages, que je viens de recevoir avec tant de joie. Elles étaient nécessaires pour me faire toucher du doigt ce qui se passe là-bas. Je suis avec vous. Nous parlons le même langage. Ces quelques lignes m'en disent plus long, plus juste, que tout ce que j'ai reçu et lu de vous, jusqu'ici. [...] Non, ce n'est pas perdu, le bilan est magnifique, à bien regarder. Songe à la vie que cette saison vous a rendue; on s'étiole ici, quand on n'est pas pris par cette guerre... Je pense à Noé, mon vieux, qui foutait le camp devant le déluge, en empilant tout son cher bétail à lui, dans son arche... Je t'attends sur l'Ararat! N'en laisse pas dépérir! [...]

Tu ne me surprends pas en me disant que Gaston est admirable d'énergie et de dévouement. Je sais, de longue date, qu'en ces occasions il est irremplaçable. Il ne peut que gagner à un peu de solitude et de déracinement. Qu'il ne s'inquiète pas de ce qu'il a laissé. La Revue marche [...] Berthe s'acharne à tenir le coup avec une maîtrise d'elle-même, une persévérance dans le sérieux, un effort dans l'organisation que je n'aurais peut-être pas espérés si suivis et si féconds. Les femmes sont épatantes, elles sont la source de tous les miracles. [...]

Laissez-moi vous embrasser tous les cinq, mes chers Copeau, et souhaiter de vous retrouver bientôt, vivants, et heureux. – Une accolade fraternelle et fidèle à Gaston, dont je sens mieux encore l'amitié depuis que sa place est vide. Et ne m'oublie pas non plus auprès de l'attachante Bing, et du cher Jouvet, les piliers sacrés du temple!

Mardi 5 mars 1918 :
DIXIÈME SPECTACLE :
La Petite Marquise de Meilhac et Halévy,
montée en neuf répétitions.
L'Amour médecin de Molière.
Reprise montée en huit répétitions.
Total : trente et une heures. Trois décors en trois jours.

Pendant l'entracte : Une allocution de Jacques Copeau annonce une deuxième saison du Vieux Colombier à New York. Ouverture au mois d'octobre :

Le directeur général s'adresse à une salle comble pour lui dire qu'en dépit de bien des insuffisances et des déceptions, le succès artistique et commercial de l'entreprise avait été assez satisfaisant pour permettre une seconde saison. Il remercie M. Otto Kahn pour son soutien et annonce que celui-ci est garanti encore pour la saison prochaine.

Les applaudissements qui saluent cette promesse et le nom de M. Kahn, indiquent l'acquiescement chaleureux du public à l'intention du directeur général de faire du Vieux Colombier un élément permanent des saisons théâtrales de New York.

La Presse :

Les commentaires suscités par l'annonce d'une deuxième saison font passer au second plan la critique du spectacle lui-même.

Il semble que la concession faite au goût supposé du public, en donnant La Petite Marquise, *n'ait pas été pleinement justifiée.*

La pièce est jugée « trop longue pour son contenu ».

– « Créée à Paris en 1874 cette date permet de reconnaître que les avances de M. Copeau en direction du drame moderne se font quelque peu à la manière des crabes. »

L'ennemi déclaré du Vieux Colombier, le bien-nommé De Foe, reconnaît enfin quelque mérite au bric-à-brac à la Copeau *:*
Le public, qui avait languissamment suivi les acteurs français dans leurs efforts pour extirper les quelques bribes d'humour qui subsistent dans la farce périmée de Meilhac et Halévy, s'est ensuite tourné avec plus d'intérêt vers *L'Amour médecin* de Molière. Quoiqu'il soit évident que le public new-yorkais ne se passionne pas pour ces exhibitions de bric-à-brac dramatique que sont ces pièces du XVIIe siècle, il n'en est pas moins vrai que la Compagnie y apparaît *à son meilleur avantage* et que les méthodes de Copeau s'y justifient à peu près. La représentation hier soir fut enlevée dans un mouvement large et vigoureux et les personnages présentés avec la juste touche d'un grotesque divertissant et dans une mise en scène donnant au texte sa pleine valeur.

Lewis Sherwin du New York Globe *lui aussi se laisse gagner :*
L'Amour médecin est joué pour le délice des yeux et pour réjouir l'esprit. [...] S'il y avait des metteurs en scène américains capables de représenter les pièces avec moitié autant d'intelligence et d'imagination dans l'économie des moyens, le mot classique perdrait de son épouvante et nous verrions les foules se ruer vers des représentations de Shakespeare et de Marlowe.

Et The Evening Telegram :
Si New York ne se précipite pas au Vieux Colombier pour se divertir de *L'Amour médecin* il aura laissé passer la création la plus artistique de l'année.

Les critiques les plus attentifs et les plus sérieux qui suivent les efforts et les spectacles du Vieux Colombier depuis l'inauguration, commenteront surtout l'allocution de Copeau et la perspective d'une seconde saison du Vieux Colombier :
Sous le titre Copeau's Mission *Alexandre Pierce dans* The New York Tribune *(17 mars) résumera cette allocution :*

[...] Nous n'avons pas atteint tous ceux que nous pouvons prétendre atteindre, *dit-il*. Nous avons eu des publics très divers. Certains ne furent que très peu réceptifs. D'autres, par contre, très chauds et pleins de sympathie. Étrangement, il y a beaucoup de gens qui viennent au théâtre sans amour et sans intérêt. Et ceci fut pour moi une découverte surprenante. Naturellement c'est à nous de les intéresser [...] mais nous n'avons jamais manqué de public. Nous avons encouragé les étudiants à venir au théâtre, et tous les soirs, vous pouvez les voir massés aux places du balcon. Et je suis heureux de les y voir venir et s'y plaire. Car nous ne sommes pas une école. Nous faisons partie de leur vie. Et c'est ce que nous voulons.

Je ne peux pas donner raison aux quelques critiques qui ont désapprouvé notre répertoire classique.

Ce que je souhaite faire c'est briser cette indifférence pour les classiques – non pas que je sois un *littérateur*, mais parce que le théâtre moderne est mauvais. Il est stupide de dire que les vieilles pièces sont mortes. Le mot *classique* perdrait cette signification de froideur, de mort et d'ennui s'il y avait ici, dans ce pays, un homme capable de les représenter tels qu'ils sont.

Je ne suis nullement découragé, ni déçu. Nous n'avons eu que la peine que nous devions avoir. Nous représentons l'art et le théâtre. J'ai fondé mon théâtre pour combattre le mauvais théâtre. Je ne pouvais agir autrement que je n'ai fait. C'est ma mission d'exercer une influence sur l'intelligence. Supposez une grande vedette venant de Paris pour jouer un mélodrame. Vous aurez un grand succès mais aucune influence française.

De jeunes artistes ici ont subi l'influence du théâtre allemand et de Gordon Craig. Ils ne reconnaissent même pas l'art du théâtre français qui passe encore pour découler de l'école de Sardou.

Quand une nouvelle école naît il lui faut lutter pour sa vie. Ici nous n'avons rencontré nulle hostilité. Il y a ici de la tolérance pour tout et pour n'importe quoi.

L'année prochaine, sans cesser d'avoir un programme artistique j'espère que nous plairons. Nous avons eu autant de joies que de difficultés. Nous nous sommes fait beaucoup d'amis qui viennent voir tous nos spectacles. Certains reviennent jusqu'à trois ou quatre fois par semaine.

Une lettre anonyme paraît dans The Evening Sun [60] :
   [...] Il est bien vrai qu'à ses débuts l'entreprise de M. Copeau fut considérée par un grand nombre de personnes comme une sorte d'affaire intellectuelle et ésotérique. Mais, petit à petit, cette notion se dissipe. Le Théâtre-Français devient de moins en moins un divertissement pour une élite et commence à atteindre le public.

   C'est pourquoi je dis : que nous comprenions le français parfaitement, imparfaitement ou pas du tout, si nous aimons le théâtre, c'est un devoir pour chacun de nous d'assister au moins à une représentation pendant la saison au théâtre de M. Copeau. Nous sommes assurés d'y apprendre quelque chose en regardant et en écoutant, ne serait-ce que le fait que, négligeant d'étudier la langue française, nous avons laissé inconnues, pendant des années, de merveilleuses contrées de l'art et de la littérature que, depuis longtemps, nous aurions dû explorer. Pour son enthousiasme artistique, bonne chance à M. Copeau et honneur à Otto Kahn pour sa foi inébranlable et son généreux soutien pour le Vieux Colombier.

   Parmi les critiques généralement hostiles aux tendances et aux méthodes du Vieux Colombier, Lawrence Reamer, du New York Sun, *commente aussi l'annonce d'une deuxième saison du* Vieux Colombier. *Après avoir loué la qualité des acteurs, il s'en prend à la* sceneryless Stage *de M. Copeau, et il conclut :*

   Cela demanderait un génie beaucoup plus grand que celui de M. Copeau pour parvenir à convaincre le public américain qu'il existe une excuse pour rejeter délibérément − et de manière assez ostentatoire par-dessus le marché − un des prolongements naturels du théâtre. Non, M. Copeau n'a pas besoin de meilleurs acteurs. Il a besoin de décors.

John Corbin, dans un important article du New York Times [61], *écrit :*
   [...] Quoi qu'on puisse dire à propos du Vieux Colombier, ses pièces se sont uniformément maintenues à un très haut niveau d'intelligence et ses mises en scène ont été inspirées

par un instinct dramatique aussi original que remarquable. Il y a eu des moments où l'entreprise a frôlé le désastre financier mais, comme les productions se succédaient, le nombre de ceux qui appréciaient ce qui était fait pour eux augmentait régulièrement.

Qu'il existe un public prêt à soutenir – dans une certaine mesure – de telles entreprises, a été depuis longtemps la conviction d'une minorité de « croyants » et leur foi a maintenant reçu une indubitable confirmation. Le public de New York a été mis à l'épreuve et il n'a pas été trouvé entièrement manquant.

[...] Les insuffisances du Vieux Colombier sont évidentes. [...] Mais il est possible que les limites de la Compagnie et du répertoire résultent en quelque sorte des qualités du directeur. [...] M. Copeau a au moins l'honnêteté de fuir ce que son cœur méprise. Il ne peut entreprendre rien qui ne fasse appel à lui de l'intérieur et ne réclame les soins amoureux d'un créateur. Ainsi renaît, par chacune de ses mises en scène, un petit chef-d'œuvre. [...]

Un talent théâtral aussi riche qu'il est fécond se révèle à nous et c'est un rare privilège de pouvoir en jouir une année de plus dans des conditions encore plus favorables.

Pourtant les conditions d'exploitation de la deuxième saison se montreront encore plus dures que le sont celles de la première. Ayant exposé à grands traits le programme de la saison prochaine, Copeau envisage la nécessité de monter un nouveau spectacle tous les huit jours, abandonnant à grand regret l'alternance qui a donné lieu à un certain mécontentement de la part du public pendant l'actuelle saison.

Pour entreprendre une deuxième saison il faut aussi avoir la certitude d'obtenir une prolongation des sursis des acteurs, qui expirent en avril-mai 1918 et dont on est toujours sans nouvelles.

Copeau s'adresse de nouveau à Édouard de Billy [62] :

Je ne peux pas me passer des hommes que je demande :
1) Parce que j'ai besoin, pour ce travail énorme que nous fournissons, d'une troupe homogène et disciplinée. Ayant fait travailler celle-ci pendant quatre mois, je commence à l'avoir en main.
2) Avec une autre troupe, *tout serait à recommencer.*

Pour faire mes frais, l'an prochain, il faut que je monte *un spectacle tous les huit jours*. Pour y arriver il faut : D'une part que je puisse profiter des pièces montées cette année, qui sont distribuées et sues, et qui ne demanderont pas un nouveau travail.

D'autre part, que je puisse travailler pendant tout l'été à préparer mon nouveau programme.

3) Si je suis obligé de retourner en France pour chercher d'autres comédiens, j'y passerai tout mon été au lieu de travailler ici. [...] En résumé, si on me refuse les prolongations demandées, on m'oblige à abandonner mon entreprise, c'est-à-dire à ne point récolter ce que j'ai si péniblement semé durant ma première saison. J'ai besoin d'être fixé *au plus tôt*, pour savoir si oui ou non, je puis tenir mes engagements envers M. Otto Kahn.

Otto Kahn a confirmé son offre de mettre à la disposition de Copeau et de sa troupe sa vaste villa de Cedar Court à partir du mois de mai, pour y travailler tout l'été.

24 mars : Les acteurs du Vieux Colombier peuvent s'estimer fortunés, *écrit de Foe dans un nouvel article malveillant du* New York World... :

Otto Kahn et ceux qui ont pris à cœur de faire connaître aux amateurs de théâtre les idéaux et les idées bizarres de M. Copeau avaient donné leur consentement à financer cette entreprise pendant une année encore.

La semaine dernière le bon vouloir de M. Kahn a pris un aspect inattendu. Il a mis sa maison de campagne à la disposition de M. Copeau et de ses comédiens. Passer d'un Vieux Colombier à la résidence d'été d'un millionnaire représente une transition qui se rencontre rarement dans une vie d'artiste.

Il serait souhaitable que des entreprises similaires à celle du Vieux Colombier au sein de notre propre théâtre puissent être patronnées et aidées aussi généreusement.

7 mars, Copeau écrit à Blanche Albane :

Vos deux lettres m'ont touché le cœur. Je vous embrasse. Malheureusement, je ne pourrai pas vous répondre bien longuement, je suis trop occupé, trop fatigué. [...] Mais je ne suis nullement découragé, seulement fatigué, profondément fatigué. Mes amis me manquent. Ceux que je n'ai pas ici. Vous par exemple, ma petite Albane. Et c'est de l'ingratitude envers ceux qui m'entourent. La vieille troupe a été à toute épreuve. Mais il n'y avait pas que la vieille troupe. J'attends Dullin d'un jour à l'autre. Si Bouquet pouvait venir! Si vous pouviez venir! La Comtesse du *Mariage* vous attendrait! Gallimard rentrera en France pour l'été. Il aura mission de remettre entre les mains de tous les amis les documents complets sur notre saison.

Embrassez pour moi votre petit Bernard et votre vaillant Georges. Donnez-moi souvent de vos nouvelles.

Le 8 mars, écrivant à sa mère, Copeau lui explique les raisons qui l'ont amené à accepter une deuxième saison à New York.

Je fais vivre ma troupe. J'affermis l'existence matérielle et j'augmente la réputation du théâtre. J'assure mon avenir personnel. Je sers le bon renom français et notre influence intellectuelle. Enfin, je prépare la possibilité d'ouvrir plus tard, à Paris, mon école dramatique, qui est mon principal but... [...] Maintenant j'attends Dullin d'un moment à l'autre. Tout me sera plus facile avec lui [...]

Le 9 mars, au matin, Charles Dullin débarque à New York. Ce jour si longtemps espéré, rêvé, désiré, que va-t-il devenir dans la réalité?

Lorsque la troupe était arrivée à New York, en novembre dernier, elle avait eu la déception de ne pas y trouver la Maison du Vieux Colombier promise pour l'accueillir.

Les comédiens s'étaient alors égaillés au travers de la ville, se groupant entre eux selon leur choix et leurs affinités. Le plus important de ces groupes s'est installé à East 16th. Street. Il comprend Gaston Gallimard, Louis Jouvet et Jessmin, qui est devenue son amie, et, pendant un certain temps, les deux décorateurs suisses, J.-L. Gampert et Van Muyden, ainsi que le couple Jacob Hians. C'est à ce groupe que se joint Dullin. C'est probablement auprès de lui qu'il s'informe et qu'il recueille confidences et, éventuellement, griefs et revendications. Il sera sollicité, tiraillé, pris à partie par les autres clans de la troupe. Certes, ce n'est plus son Vieux Colombier de 1913-1914 que Dullin retrouve à New York.

La veille de son départ et pendant la durée de son voyage, Paris subissait, chaque nuit, les raids des Gothas. Depuis bientôt quatre ans Dullin a vécu sous l'uniforme dans la boue et la nuit des tranchées. Le voilà à Broadway. Les lumières et le luxe des magasins l'éblouissent. Il va s'habiller de neuf, il va porter des chemises et des chaussettes de soie. Il va découvrir le cinéma.

Je revois encore Dullin, *racontera plus tard Copeau* [63], débar-quant en Amérique, achetant une chemise rouge de son seul argent et s'entraînant à jeter le lasso pour devenir cow-boy...

Oh! que je voudrais te montrer ce pays, *écrit Dullin à sa sœur Pauline* [64]. Comme tu ouvrirais grands tes yeux et comme tu sentirais que les hommes sont bien fous de se fixer quelque part. Tous les contes qui nous émerveillaient quand nous étions enfants, tous nos plus grands rêves d'aventure sont possibles, vois-tu. Mais nous nous enracinons dans un coin et nous arrivons à nous figurer que ce coin est un monde. Alors que le monde!... L'homme se plaint de ne pas être heureux. Il ne se rend pas compte qu'il est la plupart du temps le seul coupable. Il manque d'imagination et d'audace. Il faut qu'il soit pris dans un engrenage pour qu'il se rende compte de ce qu'il peut. Combien sur les milliers de héros qui sont morts pour le pays se doutaient-ils qu'ils étaient capables d'une aussi grande chose? Il en est de même pour les voyages, pour la vie. On a peur de perdre le peu qu'on a, de risquer. On est avare sans richesse.

Ce pays m'exalte beaucoup et je l'admire. Copeau n'est pas tout à fait de mon avis. C'est qu'au fond il est moins vivant que moi. C'est un littéraire qui préfère les livres à la réalité. [...] J'ai eu des désillusions avec tous les hommes que j'ai eu la faiblesse ou la générosité de croire supérieurs aux autres. Maintenant, je reconnais leurs qualités, je vois leurs faiblesses, je les prends pour ce qu'ils pèsent, mais je ne les enrichis plus de ma confiance illimitée, ni de mes illusions. Je veux être un grand acteur et je le serai [...]

Non, Copeau ne préfère pas les livres à la réalité, nul plus que lui n'aime la vie et les êtres. Mais Dullin ne comprend pas que la réalité, pour son ami, est devenue une lutte de tous les instants, un travail obsédant qui, peut-être, maintenant semblent l'éloigner de lui. Ce n'est plus celui avec lequel, marchant sous les arbres du boulevard des Batignolles pendant les nuits d'été, il refaisait le

Théâtre, en 1911, celui que Dullin écoutait avec une confiance illimitée [65].

Pendant ses longues insomnies Copeau relit Conrad *et, comme le capitaine du* Typhon, *accroché au gouvernail,* Je tiens, *dit-il,* mais, pour Dieu, ne me parlez pas.

Il note dans son Journal : Pendant l'hiver 1917-1918 au Vieux Colombier de New York il y a eu tempête pendant quatre mois.

Et voici qu'entre Dullin et lui vont naître les malentendus, une mésentente et bientôt la discorde...

Pourtant Dullin, sitôt arrivé, s'est mis au travail. C'est le 19 mars qu'il doit débuter dans le rôle d'Harpagon. On répète L'Avare *tous les jours.*

12 mars. Billet de service :
Rehearsal Room, 13 h 50 à 17 h 45 *L'Avare.* Le soir, à l'entracte de *La Petite Marquise*, allocution de M. Copeau sur l'activité du Vieux Colombier et sur les projets de la saison prochaine.

MM. les artistes sont priés de laisser couler un petit filet d'eau dans leurs loges pour éviter le gel possible.

Observation : M. Chiffoliau est prié d'apporter plus de soin à l'entretien de ses costumes.

De nombreux articles dans la Presse ont salué l'arrivée de Dullin, The Tribune :
Charles Dullin, qui est arrivé de Paris pour assumer le rôle de Harpagon, est sorti des tranchées pour rejoindre le théâtre du Vieux Colombier. [...] Il a été pendant ces trois dernières années un soldat de France participant à toutes les grandes offensives.

Denys Amiel présentera Dullin aux lecteurs de New France :
M. Charles Dullin est resté le montagnard indépendant et farouche. Il vit pour son art et pour le théâtre du Vieux Colombier.

Au moment où paraîtra cette revue, le Vieux Colombier donnera... *L'Avare...* Quand j'aurai dit que, lorsque cet acteur joua ce rôle au Vieux Colombier à Paris, Georges Clemenceau, notre grand ministre français, alla le voir trois fois consécutives, on comprendra quel rare talent sut déployer cet acteur dans ce rôle [...].

L'arrivée de Charles Dullin est pour la saison prochaine un gage de réussite assurée.

Cet accueil qui lui est fait n'est pas sans inquiéter certains membres de la troupe, et lorsque sous ce titre : « Un grand acteur français en Amérique », on annonce que ces jours-ci le théâtre du Vieux Colombier va donner quelques représentations supplémentaires des Frères Karamazov *avec la rentrée de cet étonnant acteur dans son grand rôle de Smerdiakov, Gournac, qui a joué le rôle, avec grand succès, avant l'arrivée de Dullin, s'insurge.*

Le 14 mars, il écrit à Copeau [66] :

Dullin m'a fait la demande que vous savez; avec une certaine hésitation, le pauvre, une certaine gêne, il m'a exprimé son désir de se remettre au travail après quatre hivers de silence; la raison qu'il m'a donnée de vouloir se remettre au travail en jouant une fois *Les Frères Karamazov*, alors qu'il a à jouer presque tous les soirs un rôle aussi important que *L'Avare* est, ai-je besoin de vous le dire, une raison qu'on pourrait qualifier, il me semble, de mauvaise raison. Ne jouera-t-il pas assez, cet été? Et l'hiver prochain, donc! Mon étonnement devant son désir lui a fait dire qu'au Vieux Colombier, à Paris, les questions d'amour-propre n'entraient pas en jeu. Je crois bien! À Paris, le Vieux Colombier était une chapelle dont, sans conteste, il était, dans son genre, le premier officiant! Mais si quelqu'un avait surgi! [...]

Je regrette que Dullin m'ait fait cette demande, je regrette que vous l'ayez combinée ensemble. Cela augmente le troupeau de mes mélancolies, de mes déceptions. Pourquoi tous ces mystères, ces adorations que vous avez entre vous et ce déplaisir que vous me causez gratuitement au moment où la saison de New York va finir? Trouvez-vous délicat, généreux, après les services que je vous ai rendus, de créer un état bizarre, un duel, un tournoi, en me jetant à la figure et à la figure de tous, l'interprétation de Dullin dans un personnage où il peut avoir toutes les supériorités? Vous voulez « lancer » Dullin. C'est très bien, cela. Mais *L'Avare* suffit et la saison prochaine suffira! [...]

J'ai voulu vous dire un mot de tout cela afin que vous preniez la peine d'aller au fond de votre conscience. Même si vous donnez à cet incident moins d'importance que moi, je pense qu'avec votre désir de «pureté professionnelle» vous le jugerez un peu malséant et malsain.

Et en post-scriptum il ajoute :

Que diriez-vous si je venais vous demander une satisfaction pareille, en échange? Celle de jouer *L'Avare* quelques jours après la première, un bon jour, et avec les mêmes facilités ou prérogatives que vous accorderez à Dullin? Je vous prie de me donner une réponse à ce sujet.

À Copeau, qui a répondu à cette lettre, Gournac écrit encore le 16 mars :

Je vous ai parlé, il est vrai, avec amertume, avec tristesse. J'éprouve à votre endroit une espèce d'irritation, de malaise, et tout cela est né avant notre déplorable discussion. C'est ma faute : je reconnais votre grande valeur, mais je vous avais placé trop haut et il y a eu tout de même trop de contradictions entre vos manifestations écrites ou parlées et certaines phases de notre vie théâtrale à New York. Le différend est d'ordre tout intellectuel et je vous le répète, en répudiant tout sentiment de flatterie, je sais que vous avez de la valeur. Mais, sot que je suis, rien de ce que j'écris ne peut vous atteindre; vos intimes disent que vous êtes imperméable et vous ne saurez même pas me pardonner mon chagrin.

Prévoyant l'amertume de Gournac, on avait pourtant pris soin de programmer, avec la première de L'Avare, *une reprise du* Carrosse du Saint Sacrement *où Gournac avait eu grand succès.*

Mardi 19 mars 1918 :

ONZIÈME SPECTACLE :

L'Avare de Molière,
reprise montée en douze répétitions.
Le Carrosse du Saint Sacrement de Prosper Mérimée. Reprise.
Total trente heures de répétitions. Un décor en sept jours [67].

La Presse :

Le lendemain, la presse se joint au public pour acclamer Charles Dullin dans le rôle d'Harpagon :

Comedian From the Trenches Makes Hit in French Play *.

The New York Herald : La salle est comble. Les éclats de rire fréquents, les applaudissements spontanés prouvent le succès du plus récent spectacle.

Plusieurs critiques expriment l'opinion que : « Jusqu'à présent M. Copeau a représenté Molière par des pièces mineures franchement burlesques – hautement intéressantes. Mais qui, pour le public en général, ont pu paraître peu marquantes. Hier soir on a pu assister à *L'Avare,* un des chefs-d'œuvre incontestés de Molière. »

New York Globe : L'Avare pourrait peut-être sembler languir si la pièce n'était soutenue par cette sorte de génie pour le théâtre, que possède la troupe du Vieux Colombier, et qui se révéla encore hier soir par la manière dont le personnage d'Harpagon régna sur la représentation sans que M. Dullin soit contraint à forcer sa composition. Ce même génie se révèle aussi dans la manière dont sont tenus les rôles secondaires. *L'Avare* révèle en M. Dullin un acteur de composition d'un rare talent.

The New York Evening Telegram : Avec l'arrivée de Charles Dullin le théâtre du Vieux Colombier gagne encore plus de lustre.

New York s'éveille lentement à ce fait que quelques-unes des meilleures interprétations qu'on puisse y voir se trouvent sur la scène du petit théâtre de la 35ᵉ Rue...

C'est sous de tumultueux applaudissements, des acclamations et des cris que Charles Dullin vint saluer et remercier un public follement enthousiaste.

L'Avare *est suivi d'une reprise du* Carrosse du Saint Sacrement *avec Lucienne Bogaert et François Gournac.*

À nouveau les brillantes couleurs de l'Espagne enflamment le décor et le jeu des acteurs. Elles ne pourront être oubliées de sitôt.

Le Vieux Colombier peut avec raison s'enorgueillir de ces

---

* Comédien débarquant des tranchées fait un « tabac » dans pièce française.

deux spectacles. Ils rendent doublement bienvenue l'annonce faite par Dullin, prévenant le public que le théâtre donnera un nouveau et dernier spectacle pour cette saison, mardi 2 avril, qui se composera de :

La Paix chez soi, de Georges Courteline.
Le Testament du père Leleu, de Roger Martin du Gard.
La Chance de Françoise, de Georges de Porto-Riche.

Depuis la deuxième semaine de mars, les raids des Gothas sur Paris se sont multipliés. Le 13 mars, au cours du vingt et unième raid, soixante-six Gothas ont fait cent morts et soixante-dix-neuf blessés. Les nouvelles du front sont également alarmantes.

Devant l'arrivée des premiers effectifs américains, Ludendorff, le 21 mars, attaque la jonction de l'armée britannique et française. Retraite britannique. Chute de Saint-Quentin. La route d'Amiens est ouverte.

Le samedi 23 mars la grosse Bertha, dont la puissance de tir est de 100 à 120 km, est tapie à 120 km de Paris, à Coucy-le-Château, vingt-deux obus tombent sur Paris.

Paris 24 mars, Jane Bathori écrit à Copeau :

C'est l'âme un peu triste que je vous écris, car je prends une détermination. Je boucle le Vieux Colombier aujourd'hui – rien à faire en ce moment – depuis les raids d'avions, déjà une diminution terrible des recettes, et aujourd'hui Paris est depuis deux jours sous le bombardement, qui n'a en lui-même rien d'effrayant, je vous assure. Seulement les gens partent, ou ne sortent pas; en tout cas ils ne viennent pas entendre de musique. Et je n'ai pas d'argent à perdre, n'est-ce pas. Et puis vraiment tout est difficile, les communications sont en partie arrêtées : plus de métros, plus de poste!! [...]

Je ne sais pas ce que l'on dit en Amérique, mais vraiment quelle vie bizarre cela nous prépare, et que de temps perdu pour la bonne cause, c'est-à-dire, mon ami, pour la nôtre, la seule qui devrait compter. [...]

Quel dommage, vraiment, cette affaire était si bien partie, et on aurait pu faire du si bon travail dans la suite. Grâce à vous j'ai pu tout au moins donner une indication de ce que je puis faire. Je ne l'oublierai jamais.

[...] On entend le canon régulièrement et on attend les événements.

24 mars :
À l'ouest de Saint-Quentin la bataille fait rage.
À New York les journaux titrent :
– La capitale française sous le feu. – Dix tués et une quinzaine de blessés sous un mystérieux bombardement. À Paris les nerfs tiennent bon.

Le 23 mars : Agnès Copeau a quitté New York avec les enfants pour se rendre à Bremestead, une école située sur le Lake George où ils sont arrivés en traîneau au clair de lune.
Les 23-24 mars Copeau est à Washington et à Philadelphie pour préparer la tournée qui aura lieu dès la fin de la saison de New York. Il écrit à Agnès :

[...] C'est à Philadelphie que j'ai eu la nouvelle du bombardement de Paris et de la première phase de l'offensive allemande. Et mon vieux chagrin de n'être pas parmi les combattants m'est remonté au cœur...

26 mars : Dans la région de Noyon et de Nesles, la bataille se poursuit avec acharnement.

Au Garrick, le travail continue. Le succès de L'Avare *se confirme. Jouvet veille à l'ordre et à la discipline :*

MM. les Artistes sont instamment priés de respecter le matériel qui est sur la scène et en particulier les accessoires. Il est formellement défendu de déplacer le matériel en coulisse, soit pour prendre une chaise ou pour toute autre nécessité. À plus forte raison pourrait-on se dispenser de prendre des accessoires comestibles. Voilà plusieurs fois où des pommes et des oranges disposées pour le service de la scène, ont été prises.

L. J.

Note au Billet de service :
Le Directeur de la scène souhaite porter à la connaissance du personnel du théâtre et particulièrement des machinistes, que la dernière représentation de la saison sera donnée le samedi 6 avril 1918.
Le théâtre du Vieux Colombier profite de cette occasion

pour remercier toute l'équipe pour la bonne volonté qu'elle a montrée pendant toute cette saison rendue si difficile à cause des circonstances actuelles et d'une organisation trop tardive. Le Théâtre Français est d'autant plus touché de cette collaboration que le peuple américain est maintenant un allié de notre pays, et nous espérons que la même équipe voudra bien nous aider encore la saison prochaine. Quant à nous, nous nous efforcerons encore de la traiter matériellement et moralement avec toute la confiance et la considération dont nous la sentons digne. Nous sommes heureux que la troupe [68] qui nous succédera au Garrick ait pu s'assurer la collaboration de notre équipe et espérons qu'elle en sera appréciée autant que par nous.

L. J.

Dimanche 24 :
   Toute la journée, répétitions du Testament du Père Leleu *et de* La Chance de Françoise.
   Copeau rentre de Philadelphie et s'installe seul dans une chambre d'hôtel 49ᵉ Rue.

26 mars :
   Recul des Alliés, jusqu'à la ligne du front de 1916.
   Noyon est évacué.
   Montdidier tombe. Premiers effectifs U.S. au feu.
   À Paris, mort de Claude Debussy.

27 mars, Agnès :
   [...] Oh si, je m'affecte des terribles nouvelles... les voilà de nouveau traversant la Somme... et je pense à tous ceux pour qui le soleil ne luit plus [...]

27 mars. Billet de Service :
   Rehearsal Room, 10 h 30 à 11 h 30 : *Le Testament du Père Leleu.*
   Mˡˡᵉ Lory, malade, a été absente. M. Dullin répète seul.
   11 h 30 : Dullin répète le rôle de Smerdiakov en remplacement de M. Gournac.
   13 h 45 à 16 h : *La Chance de Françoise.*
   Ce même jour la Drama League of America, *qui en a exprimé le désir, tient, au théâtre du Vieux Colombier, sa cinquième réunion annuelle. Copeau s'adresse à cette assemblée en anglais, exprimant*

sa reconnaissance à la **Drama League of America** *qui n'a pas cessé de prodiguer ses encouragements et de soutenir le Vieux Colombier dans sa tâche difficile.* La **Drama League** *estimant que cette conférence présente un exposé trop remarquable des buts du Vieux Colombier et un message trop important aux artistes américains, pour que le texte n'en soit pas conservé* – la conférence sera publiée et diffusée par ses soins [69]. *Une représentation de* Poil de Carotte *est donnée par les comédiens du Vieux Colombier.*

28 mars, à Paris :

Les obsèques de Claude Debussy, à 3 h 30 précises; on se réunira à la maison mortuaire, 80 avenue du Bois-de-Boulogne [70].

29 mars, Vendredi saint :

À 4 h 1/2 dans l'église Saint-Gervais, de nombreux fidèles écoutent les chanteurs de Saint-Gervais avant l'office des Ténèbres. L'église est atteinte par les bombes de la Bertha qui y font une centaine de morts.

Communiqué officiel. 1 338e jour de guerre.
Front français. 1er avril – 2 heures après-midi.
Dans la soirée d'hier et dans la nuit, la lutte a continué au nord de Montdidier avec une extrême âpreté. [...]
Les troupes franco-britanniques ont brisé les vagues assaillantes qui n'ont pu déboucher. Une brillante contre-attaque nous a permis de refouler complètement l'ennemi.
[...] Grivesnes, objectif d'attaques incessamment renouvelées et allant jusqu'aux corps à corps, est resté entre nos mains, en dépit des pertes considérables subies par les Allemands. [...]

1er avril, Jean Schlumberger à Jacques Copeau :

Nous avons traversé des journées d'une indicible angoisse et l'on attend encore les communiqués avec des battements de cœur. Celui de cet après-midi était tout soulevé d'un souffle de victoire. La confiance est grande, mais l'enjeu est tel qu'on ne respirera pas avant d'avoir une certitude. On s'était presque habitué à l'idée de ne rien retrouver debout dans toute la partie de la France qu'ils ont envahie; la rage au cœur on avait sacrifié Laon, Cambrai, Lille. Mais maintenant voilà

Amiens et Paris sous les obus. Vendredi Saint-Gervais a été gravement endommagée. On ne croyait pas que la haine qu'on sent en soi pût grandir encore; on ne conçoit plus qu'elle puisse jamais se satisfaire; elle aura sa part dans toutes nos décisions; elle sera un furieux aiguillon au travail.

À cet égard c'est un grand réconfort que de sentir combien à tout prendre, notre effort passé était déjà dans la ligne qu'il nous faudra tenir. Je vois tant de gens en désarroi parce qu'ils ne savent comment faire la soudure entre le passé et l'avenir. Nous n'aurons qu'à continuer. [...]

Au Garrick le travail continue.
Vendredi 29 mars. Billet de service :
Répétition *Le Testament du père Leleu, La Chance de Françoise* et *La Paix chez soi.*

Samedi 30 mars :
Matinée : *La Petite Marquise*
         L'Amour médecin.
Observations : M. Chifoliau est prié de peigner sa perruque de Sganarelle avant d'entrer en scène, ou de la faire peigner par le coiffeur.
Durant la dernière représentation de *L'Amour médecin* le mouvement de la pièce a été singulièrement ralenti.
Note : M. Chifoliau, deux dollars d'amende : est entré en scène avec une perruque dépeignée malgré l'observation faite.
Soirée : *L'Avare*
        Le Carrosse du Saint-Sacrement.
Copeau à Agnès : Salle comble. Dullin a été acclamé.

30 mars, Agnès :
Je t'ai vu en rêve, tu étais si pâle, si déprimé que je me suis réveillée angoissée [...]. Oui je comprends ton chagrin de ne pas combattre... Les Anglais résistent maintenant parce qu'ils ont reçu des renforts français...
J'attends avec angoisse les journaux... Ah si on arrivait à faire ce qu'on n'a pas pu faire après la Marne... On disait hier que les Allemands avaient perdu quatre cent mille hommes. Quel épouvantable massacre. Je ne vis plus ici, mon Jacques, toute mon âme, toutes mes pensées sont en France.

1er avril, Copeau à Agnès :

Je ne suis pas si pâle ni si déprimé que ton rêve me montrait, mais il est vrai que, comme un nageur, je regarde sur l'autre rive la touffe d'herbe où ma main s'accrochera.

Demain passe le dernier spectacle. Il y aura encore la semaine de tournée qui sera dure. On nous prépare grande réception à Washington. Je te raconterai tout cela quand je serai au repos. Je t'expliquerai aussi tout ce que j'ai enduré secrètement durant ces quatre mois. Mais je m'accuse de faiblesses. Il y a la guerre et ceux qui se battent. Comme toi j'espère que maintenant tout danger est passé. Depuis quatre ans qu'on tremble, comment les nerfs ne seraient-ils pas à bout! Et maintenant que j'ai vu et senti l'Amérique, ce monde moderne, je comprends mieux la situation de la France dans le monde. [...] J'espère aller vous voir à la fin d'avril [...] Je ne suis pas mal dans mon petit hôtel de la 49e Rue.

Mardi 2 avril :
   Douzième et dernier spectacle de la saison 1917-1918.
   La Paix chez soi de Georges de Courteline — montée en dix répétitions.
   Le Testament du Père Leleu de Roger Martin du Gard. Reprise : six répétitions.
   La Chance de Françoise de Georges de Porto-Riche montée en huit répétitions.
   Total vingt-six heures de répétitions. Trois décors en six jours.

La Presse :

— New Copeau Play Pleases Audience.
— Les trois pièces furent jouées avec un éclat qui n'est que trop rare sur nos scènes. L'accueil enthousiaste reçu par ce dernier spectacle de la saison du Vieux Colombier est de bon augure pour les pièces de la saison prochaine.
— Les *French players* ont encore prouvé qu'ils sont le groupe d'acteurs le plus accompli de cette ville.
— Charles Dullin se montra particulièrement bon.
Une simulation aussi habile de sénilité n'a pas été vue ici depuis le Louis XI et le Waterloo de Sir Henry Irving.

– La diversité des dons de la compagnie lui permet de passer de Molière à la comédie moderne et à une farce qui entre des mains moins expertes se serait montrée rien moins que drôle.

12 avril. Suzanne Bing écrira à Roger Martin du Gard :
[...] Charles est ici, vous le savez déjà; dès son arrivée [71] on a donné *L'Avare* et *Le Père Leleu*. Immense succès. C'est *Le Père Leleu* qui a terminé la saison. Les gens crèvent de rire. De ma loge, pendant que je m'habillais pour *La Chance de Françoise*, je laissais toujours la porte ouverte pour entendre la salle éclater. Dullin a été mieux que jamais, et Lory aussi bien que Barbieri, toute différente. Les journaux disaient que c'est la mort la plus comique qu'on ait jamais vue en Amérique.

Enfin, Le Courrier des États-Unis *salue le dernier spectacle de la saison et reconnaît, comme à regret, qu'*« en somme le succès de la troupe de M. Copeau fut plus brillant que jamais ».

2 avril 1918 :
La bataille de la Somme et de l'Oise.
Nos troupes repoussent toutes les attaques allemandes.
Le bombardement de Paris par canon à longue portée a repris. Il y a eu un mort et un blessé.

3 avril, Agnès :
[...] Oui, c'est vrai que les nerfs sont à bout de force... [...] Je pense sans cesse aux premières journées de Verdun, j'entends encore les trains dans la nuit. Combien d'autres ont dû se diriger en hâte, vers le front de la Somme... Comme l'année qui se trouve devant nous, nous paraîtra longue, mon Jacques... Je t'ai senti si malheureux parfois que je pleurais toute seule. Je veux te croire et que tu n'es pas trop mal en ce moment... Tu devrais prendre un mois de repos ici. [...]

4 avril, Copeau :
Ici les choses continuent avec la même amertume et les mêmes soucis. Mais je les supporte mieux.
[...] Je redoute la tournée... je soupire après un peu de loisir. Pouvoir respirer!

6 avril :

Nous partons demain matin. Washington : deux mille dollars de location. Ce soir, ici, la dernière, ce sera beau. Toute la salle est louée. Hier soir, dernière des *Karamazov*, nous avons fait le maximum. Alliance Française hier : nombreuses sympathies recueillies. Rien de France...

– Dernière représentation à New York. Salle comble.

Après la soirée, chargement pour la tournée.

8 avril, Copeau à Agnès :

[...] j'ai fini la soirée avec Otto Kahn qui était aux anges et semblait prêt à me donner tout ce que j'aurais pu lui demander...

Ne sois pas inquiète de moi, je vais bien...

Ludendorff attaque à nouveau le secteur britannique. Armentières tombe, le mont Kemmel pris d'assaut; force est faite aux Français de déplacer vers ces lieux deux armées, dégarnissant le front sur l'Aisne.

Agnès :

[...] Les nouvelles sont de nouveau angoissantes. Je ne vis plus ici... toutes mes pensées vont vers la France... Dire qu'ils ont repris en une semaine ce que les Anglais et les Français avaient mis tant de mois à reconquérir! Ils sont effrayants... N'avons-nous pas chanté victoire un peu trop tôt?

Dimanche 7 avril. Billet de service :

Rendez-vous à la gare Pennsylvania à 10 h 45, hall central. MM. les Artistes sont informés qu'ils n'ont droit à aucun bagage sauf bagages à main. Ceux qui auraient à emporter des costumes personnels de ville, qui nécessiteraient l'emploi de malles, sont priés de les apporter à Mme Philomène.

Les billets de service seront placés quotidiennement comme à l'ordinaire. MM. les Artistes sont priés d'en prendre connaissance. Ils devront recevoir et contrôler personnellement, avant les représentations, toutes les pièces de leurs costumes et accessoires. En cas de réclamation, s'adresser pour les costumes à Mme Philomène, pour les accessoires à M. Casa. Ils sont priés d'autre part de plier et remettre en ordre dans un seul paquet ces mêmes costumes, l'habilleuse ne pouvant pas matériellement inventorier à nouveau chaque costume.

Copeau à sa mère :
Nous sommes partis le 7 pour Washington. Nous y avons joué *L'Avare* le 8 en matinée et en soirée. *Les Frères Karamazov.* L'immense Poli's Theatre – mille huit cents places – était plein.

Billet de service :
14 h 30 : Matinée, *L'Avare.*
Après la matinée, conférence : *La Rénovation théâtrale*, organisée par la Drama League Washington Center.

The New York Sun :
Sortie massive de la Société à Washington pour les French Players. Le Marquis et la Marquise de Polignac plaisamment désignés comme étant leurs *managers.* Ils reçoivent dans leur loge à chacune des représentations.
L'Ambassadeur de France et Mme Jusserand ont également des *box-parties* à chaque représentation, dont une *White House Party* pour Mme W. Wilson.
Pour la soirée je crois n'avoir jamais vu une assemblée aussi brillante même à Washington. On remarque aussi de nombreux uniformes bleu horizon.
Tout le monde semblait être là, excepté, toutefois, le Président, Mme Wilson et leur cabinet qui sont au Keith Theatre à quelques blocs de là, où le Président donne le bon exemple en souscrivant au *« Liberty Loan »* pour mille dollars.

Mercredi 10 avril : Au Little Theatre de Philadelphie : six représentations : Les Frères Karamazov *et* L'Avare, *avec un succès éclatant.*

12 avril :
Lutte d'artillerie de Montdidier à Noyon.
Nos troupes ont évacué Armentières, rendu intenable par les gaz.
Paris, bombardé. Une bombe sur une crèche. Quatre tués et vingt et un blessés.

12 avril Philadelphie. Copeau à Agnès :

Quelles angoisses renouvelées nous traversons [...] J'entrevois comme un paradis le séjour à Bremestead... et ma solitude au milieu de vous. Nous causerons tous les deux comme deux vieux amis, ma chérie. Tu me retrouveras tout entier et je l'espère, pas trop vieilli. Il neige... [...] Rentrons New York demain. Je vais bien, mais je suis fatigué. J'ai surtout sur tout le corps une espèce d'angoisse musculaire qui est pénible, mais ma tête est calme. Ah, ma petite Agnès, puissé-je arriver à faire en ce monde ce que je sais que je suis capable de faire, avant que ma tête ne se trouble et que mes forces ne diminuent. Puissé-je rendre à la terre ce que Dieu m'a confié!! Je t'aime, tu as été pour moi, tu es et seras tout ce qu'une femme peut être pour un homme, et je te bénis.

15 avril, Agnès :

Ta chère lettre de Philadelphie arrive juste aujourd'hui, date que nous fêtions jadis et appelions l'anniversaire de notre mariage [72]. Lorsque je sens ton amour vivant et fort encore, toute ma jeunesse me monte au cœur, et j'ai confiance, courage, joie ; la vie, en dépit de tout, me semble si merveilleuse.

Presse de la tournée :

À Washington et à Philadelphie presse excellente [73] :

— Les French Players du Vieux Colombier triomphent.

— Public très nombreux et peu habituel au Little Theatre de Philadelphie.

— Jeu superbe.

— Louis Jouvet, inoubliable dans le père Karamazov, domine la distribution.

— Interprétation parfaite de Charles Dullin dans le rôle de Harpagon.

— Toute l'interprétation de la Compagnie pourrait bien servir de leçon à nos propres acteurs.

— De prochaines visites des artistes de M. Copeau seraient attendues avec délices.

18 avril, une lettre de Otto Kahn à Copeau :

Encore une fois mes plus sincères et chaleureuses félicitations pour les résultats de Washington et de Philadelphie. Je n'ai pas besoin de vous dire quel plaisir cela m'a fait. Cela est d'excellent augure pour la saison prochaine à New York et en tournée. Je serai très heureux de vous voir vendredi ou samedi pour déjeuner à 12 h 30.

Après la fin de cette saison c'est l'heure des bilans. Jouvet rédigera le sien, plus tard, pendant l'été * :

En dix-neuf semaines, du 27 novembre 1917 au 6 avril 1918 le théâtre du Vieux Colombier a donné à New York cent quarante-cinq représentations de douze spectacles composés de vingt et une pièces formant un ensemble de soixante actes.

D'après le nombre d'heures de répétitions consacrées à chacune des pièces de cette saison, Jouvet, dans son rapport, conclura :

Ce qui fait pour la répétition d'un acte une moyenne de huit heures, pour la construction d'un décor une moyenne de deux jours et demi.

Étant donné les conditions de ce travail, il n'est pas aisé de le juger ou de le discuter, il suffit de constater que malgré toutes les difficultés on est arrivé à l'accomplir dans le temps donné.

Le 12 avril, Suzanne Bing écrivait à Roger Martin du Gard [74] :

[...] Pour notre modeste part de comédiens, nous avons eu les répétitions dès 10 h 1/2 du matin, et on jouait en matinée les jeudis et samedis. On répétait aussi les dimanches. Vous jugez de ce que ça a pu être pour le Patron et pour Jouvet. On peut voir sur la figure du Patron qu'il a porté tout le poids tout seul des tourments de cette entreprise, non seulement lutter contre le « faire de l'argent », mais l'angoisse d'avoir pu croire notre force, notre union, relâchée. Qu'en fait elle ait résisté, c'est une preuve qu'elle est à toute épreuve. Les jeunes éléments, d'une part Jessmin, de l'autre Paul et Cicette Jacob-Hians, se détestent réciproquement, et ont ainsi introduit chez nous une atmosphère qu'on n'y doit pas respirer. Vous pensez bien que sans avoir tourmenté le Patron des misères de chaque jour, il a tout ressenti dans son cœur...

* Voir l'essentiel de ce rapport à l'appendice M, p. 546.

Sa fatigue est extrême. Il a tous les muscles « loris », rien que parler lui fait mal. Je ne sais pas s'il vous écrit souvent, mais il a une grosse peine de ne pas revoir bientôt ses amis, de ne pas les avoir près de lui. [...]

De nombreux et importants articles paraissent à cette époque, qui font, eux aussi, un bilan de la saison.

18 avril, The Nation *:*
La fin de la saison française.
La première saison vient de se terminer. Annoncée avec grand espoir dès ses débuts, le travail de la Compagnie s'est montré si remarquable, si varié, si stimulant, si fécond en résultats artistiques et intellectuels que l'on est amené à déplorer que le résultat financier soit si décourageant. Cela a été une lutte constante contre l'indifférence du public, car l'audience, quoique bien disposée, était souvent restreinte. M. Copeau et ses admirateurs – et ceux-ci sont nombreux – peuvent se consoler, sachant qu'une base solide a été établie et que son public s'est accru en même temps que son répertoire. [...]

Un professeur de français écrit : Je désirerais beaucoup que mes élèves puissent assister aux pièces françaises que vous présentez d'une manière si admirable au théâtre du Vieux Colombier. Je pense pouvoir faire apprécier à une dizaine de jeunes femmes l'apport linguistique et culturel que ce serait pour elles d'assister à douze ou seize pièces l'année prochaine aux environs de Noël. Si cela pouvait s'arranger elles recevraient deux ou quatre points qui compteraient pour leur diplôme B.A. * Serait-il possible d'obtenir pour elles des tarifs spéciaux ? Aucune université des États-Unis n'a jamais offert de crédits pour un diplôme qui permettraient l'étude des drames français en assistant à leurs représentations sur scène, mais je crois que si cela était fait une fois, d'autres universités suivraient.

15 avril, Clayton Hamilton, The Vogue *:*
Le théâtre du Vieux Colombier est, de loin, le théâtre le plus intéressant de New York, mais à cause de ses fréquents

* Bachelor of Arts.

changements d'affiche il a été difficile, même pour un critique d'un magazine bimensuel, de suivre le rythme de ses activités.
N° de mai, The Century Magazine, *Samuel A. Eliot Jr* [75].
Le Nouvel Art du théâtre.

[...] Nous pouvons proclamer ici que le Vieux Colombier de New York est le théâtre le plus artistique des États-Unis et ceci est dû presque entièrement à la vertu du jeu des acteurs. Il a, à sa tête, un génie qui le dirige avec originalité, perspicacité et verve. Il est évident que les acteurs sont entraînés avec soin. Chacun de leurs muscles, chacun de leurs mouvements, chaque intonation de leurs voix semblent en état de répondre à ce qui leur est demandé. Chaque grimace est étudiée. Le jeu est équilibré, flexible et rythmé avec un art prémédité et pourtant le tout semble improvisé, aussi joyeux que devait l'être le jeu dans la Commedia dell'Arte, aussi frais, aussi étincelant. Cette compagnie peut s'attaquer à n'importe quoi. [...] Mais tout cela fut rendu possible grâce à la munificence des mêmes hommes fortunés qui fondèrent le New Theatre et non grâce au support d'un vaste public avide d'art. Or, sans un tel public tout théâtre d'art est fondé sur le sable. Sans le recours à un assez grand nombre d'abonnements provenant d'un public bien organisé aucun théâtre d'art américain ne pourra produire des acteurs.

27 avril, The New Republic :
Philip Littell, ayant lu et étudié les critiques de Jacques Copeau [76] *parues il y a dix à quinze ans dans* L'Ermitage, La Grande Revue *et la* Nouvelle Revue Française, *écrit que depuis il n'a* cessé de souhaiter qu'il y eût dans ce pays un critique qui, comme Jacques Copeau, se préoccupe aussi intensément de l'art dramatique et sache aussi clairement que lui ce qu'il en espère dans l'avenir. Ses critiques sont vigoureuses, elles provoquent la réflexion, elles nous obligent à être d'accord ou à reconnaître pourquoi nous ne le sommes pas. Si elles étaient réunies en un volume elles seraient d'une aide immense pour les dramaturges qui sont assez ambitieux et assez jeunes pour être capables d'apprendre.

Certains critiques feront aussi, de leur point de vue, un bilan financier. L'un d'eux titre [77] :
Voici la situation financière des théâtres Ultra Artistiques :
[...] De source sûre on apprend que M. Kahn a perdu plus

de cent mille dollars cette saison en essayant d'établir Jacques Copeau et ses acteurs parisiens.

Le public, lui, ne soutint pas le théâtre français parce que celui-ci prit position comme théâtre expérimental. Copeau introduisit ici ses idées bizarres. Des spectacles soignés ne furent que rarement donnés et le résultat fut un échec désastreux de toute la saison. Ont dit aussi que le supporter du Greenwich Village Theatre [78] accuse un déficit de plus de cent mille dollars pour son expérience. Le public de théâtre – des gens qui paient de leur argent durement gagné leurs billets – veulent voir des spectacles soignés. Ils ne veulent pas assister à des expériences, voir des amateurs et ainsi de suite.

L'amateur de théâtre qui achète son billet chez Belasco, par exemple, a l'assurance d'assister à une pièce consciencieusement préparée, jouée par des acteurs choisis avec beaucoup de soin. Il a l'assurance d'avoir le meilleur de ce qu'un manager reconnu et pourvu d'une longue expérience peut offrir.

Sans doute la pièce pourra-t-elle n'être ni amusante ni remarquable mais au moins sera-t-elle présentée avec tout le savoir-faire et toute l'ingéniosité dont un maître professionnel est capable. On ne peut pas en dire autant des *expériences* des *petits théâtres* de New York ou de n'importe quelle autre ville.

L'auteur de cet article revient à la charge le mois suivant :

Il y a quelques années on a beaucoup parlé de *théâtres subventionnés* et de combien ils étaient nécessaires pour maintenir *l'art* en vie.

Les théâtres subventionnés de New York : le Théâtre Français et le Greenwich Village Theatre, ont fait très peu de chose pour l'*art* la saison dernière.

Le Théâtre Français, sous la direction de Jacques Copeau, a donné quelques-uns des spectacles les plus atrocement mauvais, jamais vus sur aucune scène.

Il est absolument vrai que les meilleures productions dramatiques sont données dans des théâtres dirigés par des *commercial-managers* [79].

La semaine prochaine les Ziegfield Follies de 1918 commencent leur saison d'été... et Hitchykoo 1918 aura son premier rival...

À Paris, Guillaume Apollinaire, dans L'Europe Nouvelle [80] *du 11 mai, commentera à sa manière la saison du Théâtre Français :*

Jacques Copeau obtient en ce moment à New York un légitime succès.

Les Américains, d'ailleurs, sont un peuple qui ne craint pas le neuf. Ils sont intelligents. Ils sont un peu grossiers encore, mais ils s'affinent terriblement depuis quelques années. La troupe du Vieux Colombier semble plaire presque autant que Mme Sarah Bernhardt.

Sur quelle passerelle ont-ils donc franchi le précipice qui la sépare de M. Jacques Copeau ?

Mais les Américains n'ont pas besoin de transitions, ils sont le peuple des rapides et des brusques mouvements.

Après la tournée la troupe rentre à New York et les acteurs qui ne sont pas réengagés regagnent la France [81].

Le départ de 11 membres de la troupe ne se fait pas sans créer de nouveaux remous. Cette troupe avait été composée d'éléments hétéroclites, l'unité n'avait pas pu en être assurée, comme cela avait été le cas pour les premiers comédiens longuement entraînés à un esprit et à un travail communs au cours des mois de préparation au Limon, pendant l'été de 1913.

L'inquiétude qu'exprimait le chef de troupe s'adressant à ses comédiens dans L'Impromptu du Vieux Colombier, *le soir de l'ouverture, il y a cinq mois, était bien fondée.*

Ce que je ne sais pas encore, *disait-il,* c'est si parmi ces femmes et ces hommes appelés à la même tâche un esprit commun peut naître et grandir. Et voyez-vous, mes amis, tout est là : notre action n'aura point de force, notre art n'aura point d'âme, si vous ne savez pas vous fondre en un seul être brûlant d'une même flamme, sentant, comprenant, obéissant, aspirant d'un même élan. J'avais rêvé d'une longue et studieuse préparation. Et nous voilà, une fois de plus, mis en demeure de faire face à une tâche si grande que nos forces pourront à peine y suffire. J'avoue que cela me fait trembler.

Tout cet hiver, le travail au théâtre a été intensif, les nouvelles de France souvent angoissantes, et tous ont eu le mal du pays, comme « seuls les français peuvent l'avoir », dira Jessmin. À la fin de cette saison, ils sont tous surmenés, en particulier ceux sur lesquels repose, non seulement la plus grande part du travail, mais la plus lourde responsabilité morale — et en premier lieu le Patron.

Il est conscient du malaise qui règne dans la troupe, il en mesure les dangers.

Il sentait bien, *écrira plus tard Roger Martin du Gard* [82], que tout lui échappait, que l'air du théâtre devenait irrespirable, que la foi n'y était plus. Et cette confiance ambiante était si nécessaire à sa vie, à celle de l'œuvre, qu'il a cru en mourir.

Anxieux de retrouver un esprit d'union, de ferveur et d'enthousiasme, il espère y réussir en ayant recours au moyen qui avait réussi en 1913 : une communauté de vie et de travail à la campagne — hors la ville. Il sait aussi que cette ferveur, cet enthousiasme, s'il doit pouvoir les communiquer, il faut qu'il les retrouve en lui-même.

Journal de Suzanne Bing : À la fin d'avril nous sommes allés tous les deux à l'école d'enfants de Mme Frank, un matin. C'est une petite maison, joliment arrangée, nous visitons tout du haut en bas. Les tout-petits jouent au sable et au ballon sur le toit. Les murs sont tapissés des dessins des enfants. Le patron est excessivement frappé par ces dessins; quelques-uns sont faits de cellules multiformes et multicolores d'une puissance extraordinaire. D'autres représentent des personnages de théâtre et sont le plus souvent légers, dessinés en pointillés. [...] Les enfants sont gentils ils nous montrent tout ce qu'ils font... nous assistons aussi à la leçon de musique. Le patron sort de là rafraîchi. Il voit son école et ses petits. [...] Nous nommons tous les petits qui sont déjà à nous : ceux de Jouvet, de Valentine, de Martin du Gard, d'Albane, de moi. Nous traversons le Central Park, il s'extasie devant les toutes jeunes branches, il s'arrête devant les bourgeons, il respire l'herbe.

C'est près de ses enfants qu'il pense retrouver la joie. Il se prépare à les rejoindre pour quelques jours à l'école de Bremestead où ils sont avec Agnès.

18 avril, il écrit à sa femme :
   [...] Chaque fois que j'ouvre une de tes lettres, mon cœur se soulève un peu et j'ai la gorge serrée d'émotion. Comme

je t'aime, ma petite Agnès! Oui, j'ai un infini besoin de te rejoindre. Cette chambre dont tu me parles me séduit beaucoup. Nous pourrons nous y isoler. Je ne pourrai vous rejoindre qu'une fois libre de tout engagement. Il faut que je trouve le moyen de faire jouer la troupe un peu durant ce mois afin que personne ne souffre... qu'il n'y ait point de dispersion. Le 25 je dînerai chez Otto Kahn afin de tout arranger pour Morristown. Ton cœur a dû battre fort au récit du raid audacieux des Anglais sur les côtes de Flandres [83].

22 avril, Agnès :

Le lac débarrassé de sa glace, de nouveau mouvant et vivant... La chambre très convenable... tu te sentiras bien chez toi comme au Limon... Moi aussi j'ai la main qui tremble un peu quand j'ouvre tes lettres... Je n'ai jamais pu prendre le bonheur d'être aimée de toi comme une habitude ou une chose due, ton amour toujours m'étonne et me ravit [...].

27 avril. Les enfants aussi lui écrivent :

Cher papa,

Aujourd'hui c'est samedi alors je peux t'écrire. Devines? Je sais que tu ne pourras pas, devine qu'est-ce que j'ai été hier? Oh – c'est terrible – Je vais te raconter. Hier il y avait une parade à Lake George (c'est une petite ville) pour je ne sais quoi, je crois les *Liberty Bonds,* ou quelque chose comme ça. Alors un jour on a dit, j'en savais rien, moi, qu'on allait mettre trois filles dans le pony-cart pour représenter les alliés – (horreur!) et alors naturellement tu devines – ces alliés, c'était, Elsie Stackhouse comme l'Angleterre, une fille comme UNCLE SAM!!!!!!! et ―――― !!! et ―― moi – comme la France – je suis presque honteuse mais c'est pas de ma faute, et maman a dit qu'on ne pouvait pas faire autrement. Heureusement qu'il n'y avait pas de grands drapeaux, sans ça on aurait été embobinés dedans, et alors non, ça, ça serait trop fort. Ça les occupait beaucoup ici, même les grandes personnes, et ils faisaient des grands discours et le prenaient tout à fait au sérieux. Non, je ne peux pas penser qu'hier je paradais comme allié. Je vais te raconter comment on était habillé, ça c'est encore le plus terrible. Moi j'avais d'abord une chemise de nuit, puis un énorme drap, drapé tout autour de moi, et par-devant comme une espèce de plastron un petit drapeau – mes cheveux étaient défaits (ça m'a même donné très chaud) et sur ma tête j'avais une espèce de petit bonnêt rouge avec une cocarde.

Elsie était la même chose sauf qu'elle avait un drapeau anglais et une couronne sur la tête – l'autre je t'ai dit était l'Uncle Sam et comme c'était une fille c'était plutôt piteux. Puis il y avait une petite fille de quatre ans qui était LIBERTY – Avec une espèce de couronne bleu, blanc, rouge, et des espèces de voiles. Dans tous ces atours là nous avons été parader. Nous étions en avant, en y allant sur la route, et à un moment donné nous avons été rattrapés par toute une caravane d'autos décorées, il y en avait au moins soixante. Et tous les gens applaudissaient et enlevaient leurs chapeaux quand ils passaient, c'était terrible, surtout que le pony avait plutôt peur. Enfin nous sommes arrivés à l'endroit où l'on devait se rassembler avant la parade. Là, le pony a eu vraiment peur et s'est rué, et a voulu aller se cogner contre un arbre – maman a eu très peur, mais rien n'est arrivé. Alors on a paradé. Enfin, on s'est rassemblé sur une espèce de place où des gens ont fait des discours – ça a dû être le bouquet – malheureusement je n'ai pas pu entendre, ne pouvant pas rester près de là à cause du pony qui avait peur. Mais naturellement j'ai entendu LIBERTY et DEMOCRACY qui se répétait je ne sais combien de fois dans chaque discours.

Hier j'ai reçu une lettre de Lucienne [84] que ces gens-là devraient voir – c'est une très belle lettre, parcequ'elle est si courageuse. Elle dit que les Gothas ont jetés des bombes sur Jouarre et ont tué deux jeunes filles, elle dit : « Voyez quelle résultat de guerre que sa leur raporte a tuer des jeunes filles, femmes et enfants qu'ils dorment tranquillement dans leurs lits. Je crois qu'ils font sa ces sauvages là pour essailler de démoraliser l'arrière, mais ils se trompent formellement car on ne fait guère attention à eux et sa nous redonne toujours de plus en plus de courage pour les abattre ces criminels là, dans la journée ont fait son travail comme d'habitude et le soir ma fois ont entend l'alerte mais cela nous émouve pas beaucoup, ont commence à partager la guerre avec nos chers Maris eux qui combattre côte à côte avec tant de courage! »

Dans sa lettre elle me met deux petites violettes de son jardin. Je n'ai jamais été plus contente d'être française, pas fièrement mais juste, tu sais bien, [...]

26 avril, Copeau à Agnès :

J'arriverai lundi 28 ou mardi 29... Je voudrais déjà vous avoir rejoints... et à la campagne, loin du téléphone, loin de tout, et pouvoir dormir!... Ne me crois pas triste. Malgré tout je tiens bon. Mais nous allons avoir des jours difficiles. L'offensive recommence.

25 avril 1918 :

Nouvelle bataille pour Amiens.

Les Alliés reprennent Villers-Bretonneux.

Un combat de tanks.

La représentation de L'Avare *au Vassar College avait été annoncée dès le 23 février* [85] :

« Le Vieux Colombier viendrait à Vassar.

Jacques Copeau nous a généreusement offert d'amener sa Compagnie à Vassar pour le seul prix de son déplacement. Ceci est une merveilleuse occasion pour Vassar de prendre connaissance de ce que le Président Butler de Columbia estime être le meilleur de la vie des Lettres et de l'art français.

Voulez-vous profiter de cette offre splendide? Montrez votre enthousiasme par votre contribution. Des listes de souscription passeront dans les réfectoires lundi. »

La représentation a lieu le 3 mai.

Excellente et very successfull representation à Pough Keepsie, *écrira Jouvet le 5 mai,* dans un collège magnifique auprès duquel Versailles n'est que de la Saint-Jean. Grand théâtre massacré par des équipements d'amateurs – plantation classique avec de mauvaises frises. Quatre immenses rappels après le monologue. Bouquet tricolore à la fin de la représentation – pour Charles – qui a très bien joué.

Valentine aussi – moi je savais mon texte et je n'ai gêné personne [86]. C'était la Founder's Day Celebration, il y avait quantité de jeux et de danses durant la journée. Nous avons touché vingt-quatre dollars. Il y avait quantité de jeunes filles – environ quatre cents – c'était beaucoup pour ma sentimentalité et ma tendresse encore que... [...]

Je passe mon temps à faire des comptes et des statistiques.

Embrassez tout le monde autour de vous – je vous embrasse, vous, très affectueusement.

*Gaston Gallimard a accompagné la troupe à Vassar College,
avant de s'embarquer pour la France où il va passer quelques mois.
Il écrit le 6 mai :*

Nous avons été reçus avec enthousiasme, sauf le vieux professeur de français, qui ne vous lâche plus quand il vous a
empoigné pour vous parler de Brieux, tous ou plutôt toutes
ont été charmantes. Le parc est très beau ; les pelouses étaient
vertes ; cela sentait bon l'herbe et les jeunes filles – des centaines de chandails de couleur s'étalaient partout. *L'Avare* a
été frénétiquement applaudi. Deux jeunes héritières ont lancé
à Charles un bouquet bleu, blanc, rouge. J'ai envoyé ton
rapport à Tardieu [87].
[...] Et maintenant au revoir. Je t'embrasse avec toute mon
affection.

*De nouveaux problèmes sont à résoudre concernant la prolon-
gation de certains sursis [88].*

Le 3 mai, Bremestead, Copeau à Jouvet :

Je suppose que Gaston aura emporté la collection complète
des situations militaires de la troupe, dont il peut avoir besoin
à Paris. S'il ne l'a pas fait, envoie-les-lui par le prochain courrier.

J'espère que vous allez bien tous. Dis à M. Herndon qu'il
me tienne au courant de ses rapports avec Mrs. Kahn, au sujet
de Morristown.

Il fait beau ici. Je me repose. Dès le second jour j'ai retrouvé
le sommeil, ce qui me fait espérer que je pourrai encore être
bon à quelque chose.
Amitiés à tous.

*Dans la petite chambre, louée chez deux vieilles filles du village
de Diamond Point, sur le Lake George, Copeau travaille, préparant
la prochaine saison, mais le cœur n'y est pas encore.*

8 mai, il écrit à Jouvet :
Mon cher vieux,
Chaque jour j'attends une lettre de toi, qui ne vient pas.
Et je me rappelle, avec un peu de mélancolie que tu me
pardonneras, le temps, qui n'est pas loin, où dès que nous

étions séparés je recevais de toi de si longues et si chères lettres.

De mon côté j'aurais voulu, d'ici, t'écrire une très longue lettre. Mais j'ai accumulé pour ces quelques jours de repos tant de besogne, et les journées passent avec une si effroyable rapidité, que je crains de ne pas trouver le temps de t'écrire comme je le voudrais. [...]

Ne vaudra-t-il pas mieux que nous causions, cet été, tranquillement, que nous retournions toutes les questions qui nous intéressent en commun? Nous avons tant de choses à nous dire! Nous avons vécu si loin l'un de l'autre tout l'hiver! Tu penses peut-être que c'est de ma faute. Je ne sais pas. Ce que je sais c'est que j'ai cru souvent que tu n'avais plus pour moi la même affection, ni en moi la même confiance. Et j'en ai souffert plus que je ne saurais te dire. C'est en grande partie de là qu'est venu le plus souvent l'état misérable où tu m'as vu. De toi, comme de tous ceux que j'aime vraiment, le moindre clin d'œil m'est horriblement sensible.

Vois-tu nous sommes, toi et moi, à des moments si différents de la vie. Toi, à un moment de développement rapide, d'expansion, de découvertes peut-être, de réaction certainement (après ces années de guerre) et, dans une certaine mesure, de transformation. Moi, à un moment de maturité, de tassement, de retour, et de tristesse. J'ai beaucoup vieilli, je ne peux pas me le dissimuler. J'ai cru à certains moments que j'avais irrémédiablement vieilli (je crains toujours l'effondrement). Mais ici le calme et la force me sont un peu revenus. Je sens remuer en dedans tout ce qui y est encore, tout ce qui en sortira, si Dieu me prête vie et si vous me prêtez aide. Et quand tu te pencheras vers moi, quand tu reviendras t'appuyer à mon bras, tu reconnaîtras j'espère qu'il est encore solide.

J'ai abattu pas mal de besogne ici. Mais qu'il en reste pour cet été! Et quelle remise au point!

Allons, bonsoir. Si je me lançais j'en aurais pour toute la nuit. Et il faut me coucher.

Ton ami

Jacques Copeau.

Vendredi 10 mai, Jouvet répond :

Mon cher patron,

Je reviens de Morristown où je suis allé avec Herndorn – évidemment, c'est magnifique.

Je suis allé aussi à la French High Commission.

Pour vous et Charles il n'y a qu'une demande de prolongation de séjour à faire.

Herndorn s'occupe de l'aménagement de Morristown avec sa sagesse habituelle.

Gaston n'est parti que mercredi dernier.

Il ne faut pas m'en vouloir d'être aussi sec, mais je suis un peu lâche et découragé depuis un moment – et c'est une sécheresse à laquelle je ne peux rien – je ne sens plus mon cœur.

Je vous embrasse quand même – avec tout ce que je peux avoir d'affectueux en ce moment.

Louis Jouvet.

C'est peut-être parmi les jeunes filles de l'école de Bremestead que Copeau retrouve le mieux son élan, sa verve et sa gaieté. Il leur fait des lectures, il leur fait découvrir Molière.

Mai 1918, Agnès écrit à sa belle-sœur [89] :

Rien n'est plus gentil que de le voir entouré de petites Américaines, leur parlant gaiement, leur faisant des lectures. Il est extrêmement populaire et on a même fait une chanson en son honneur. Les petites filles déclarent nos enfants bien heureux d'avoir un père aussi intéressant.

Avant son départ, après une dernière lecture de Molière il leur adresse un petit discours en anglais :

J'ai beaucoup apprécié votre simple, claire et affectueuse hospitalité. Cela a été pour moi une joie et un repos. Ce fut un privilège pour un vieil homme de n'être entouré, pendant quelques jours, que de jeunes visages, comme si le monde entier était devenu jeune et n'était peuplé que de jeunes filles.

18 mai, il écrit à Agnès :

Voyage de retour à New York. Dîné médiocrement d'un « sirloin * », longtemps rêvé mais décevant. Regretté le cacao.

---

* Entrecôte.

Arrivé à New York ce matin à 5 heures. Retrouvé Jouvet à sa pension. Les souvenirs de Diamond Point seront charmants pour moi.

15 mai, Agnès :

Dis-moi quand tu m'attends... Temps magnifique. Enfants joyeux... Bonnes nouvelles du front. En passant devant ta demeure chez les mélancoliques Misses Millers, j'ai eu un petit serrement de cœur... C'était doux de t'avoir ici... et charmant de te voir avec toute cette bande d'enfants.

Alors à lundi... j'espère pouvoir te faciliter le côté matériel de l'entreprise d'été.

17 mai, Copeau :

J'ai vu Kahn. Tout semble être en règle pour Morristown. J'y vais demain pour m'assurer de ce qui y a été laissé. Lundi j'embarque tout le monde. J'emmène demain un couple que j'ai arrêté et qui me paraît bien : homme alsacien – femme de Lisieux. Mme Kahn laisse là-bas un Italien dont elle paiera gages et nourriture.

L'été à Cedar Court

Arrivée de la troupe. Difficultés de la vie communautaire. Mécontentement. Vie austère et travail intensif. 29 spectacles à préparer en 4 mois. Développement de la crise latente. 15 jours de solitude pour Copeau. Il se ressaisit. Mais l'« empoisonnement collectif » continue. Épidémie de fièvre typhoïde.

Lundi 20 mai :
Installation de la troupe à Cedar Court Morristown, New Jersey.
La troupe comprend 19 personnes [1].
Départ de New York, par le ferry-boat 16 h 15, jusqu'à Hoboken, puis par le train. Arrivée à Morristown à 18 heures.
Dîner de toute la troupe à 20 heures.

Le temps est couvert et frais pour la saison. Vers le soir un orage éclate.
Cedar Court est une grande villa dans le style de la Renaissance italienne, revu par les architectes américains. Son ordre de marche comporterait une vingtaine de serviteurs :

Allées d'honneur, sentes cavalières ou forestières, vastes terrains de golf, champs d'iris, arbres d'essences rares, bosquets, charmilles, vergers, potagers, étangs et ruisseaux, ponts chinois, deux tennis, piscine et immenses serres [2]. Nous vivions chez un milliardaire, *écrira plus tard Jean Sarment* [3]. Il offrait à des artistes l'hospitalité en son domaine, à quelques milles d'une petite ville où, le dimanche, les nègres portaient des gilets roses.

Pour nous recevoir dans sa maison, le milliardaire l'avait fait vider de ses meubles.

Avait-il peur que ces baladins exilés ne les lui enlevassent?...

Mais, au cœur de l'été, il est si bon de dormir sur un lit de camp dans une pièce nue! [...]

Les journalistes qui, pendant l'été, visiteront Cedar Court seront frappés par l'extrême simplicité de ces chambres d'artistes : Un lit de fer peint en blanc, une table et une chaise. La salle de bains moderne attenante semble, en comparaison, d'un luxe raffiné [4].

La grande salle de bal occupant tout le rez-de-chaussée de l'aile droite de la villa sera affectée aux répétitions. À l'une des extrémités de cette salle un tréteau de dix pieds sur dix sera dressé.

La salle de billard deviendra l'atelier des décorateurs et des dessinateurs.

Des ateliers d'accessoires seront aussi aménagés.

Les grandes terrasses couvertes, munies de sièges suspendus, pourront servir de lieux d'étude et de répétitions. On répétera parfois en plein air.

La réouverture du théâtre pour la deuxième saison est prévue pour le début d'octobre. On dispose de 4 mois 1/2 environ pour préparer cette saison où vingt-neuf spectacles sont prévus.

Pour faire face à cet énorme travail, des horaires de répétitions et d'entraînement assez sévères seront nécessaires.

Au bulletin de service, le premier programme et les horaires du mois en cours sont affichés. Ils suscitent déjà commentaires et critiques parmi les comédiens. Comme le remarquera plus tard Denys Amiel lors d'un reportage à Cedar Court [5] :

[...]L'affichage de ces horaires marquera le début d'une expérience : sera-t-il possible ou non à un groupe formé d'un si grand nombre d'artistes de tempéraments si divers, de se plier à une vie aussi réglementée, où le nombre d'heures consacrées au travail laissera si peu de place aux loisirs. Telle est la question qui se pose.

Afin d'organiser cette vie communautaire pour le meilleur rendement et la facilité du travail, on va essayer entre autres des heures de repas et des menus peu conformes aux habitudes admises.

Pendant une semaine l'emploi du temps sera analogue à celui du 23 mai :

Lever 6 h 30.
Entraînement physique : 7 h pour les hommes, 7 h 40 pour les femmes (dirigé par Mlle Jessmin).
9 h : Petit déjeuner copieux servant de déjeuner.
9 h 30 à 15 h 30 : Travail individuel.
15 h 30 : Diction avec Jacques Copeau et Charles Dullin.
16 h : Goûter copieux.
16 h 30 à 19 h 45 : Exercices, jeux variés, pantomime.
20 h : Dîner.

Ce même soir Copeau note dans son Journal :

Je travaille avec une troupe disparate et tâche à l'assouplir par des exercices variés en dehors des répétitions proprement dites.

Le 23 mai, première série d'exercices. *Action muette sans accessoires :*

1) Un homme rentre chez lui, trouve une lettre et la lit.
C'est un ennui qui lui arrive – une difficulté grave – un malheur;

2) le même en présence d'un ami

3) en présence d'un indifférent

4) un homme attend une femme qui ne vient pas au rendez-vous (deux minutes)

5) une femme. Même jeu. Même temps

6) un homme rentre chez lui (ce qu'il y a d'habitude dans sa contenance. Ce qu'il y a de propre à son sentiment actuel)

7) mouvements en plein air. Épisode Nausicaa (*Odyssée*).

Dans l'exercice n° 5, Lory montre de la personnalité, Tessier et Suzanne de la qualité, une volonté intérieure, de la *continuité* dans l'expression.

La remarque importante du jour, c'est qu'il y a deux sortes de manifestations dans le jeu des acteurs; les manifestations discontinues qui semblent intentionnelles, factices, théâtrales – et les manifestations continues qui donnent une impression de modestie et de sincérité intérieures, de vie réelle et de puissance.

La continuité et la lenteur comme conditions du jeu puissant et sincère.

Dans l'exercice n° 7, trop de choses. D'où désordre. À refaire.

Mercredi 24 mai :

1) Exprimer par la physionomie seule, et très rapidement, un sentiment ou une émotion que les camarades devineront.

2) La naissance d'une émotion, d'un sentiment ou d'une pensée se développant jusqu'à la plénitude.

Lucienne Bogaert exprime avec bonheur le développement de son émotion. Sa figure s'altère. La progression est rendue sensible par l'entrée en jeu successive des différents traits du visage. Peu à peu elle penche la tête et, à contre-jour, son visage s'assombrit.

3) Le dos tourné : l'étonnement – l'inquiétude – l'accablement – la colère – le chagrin – le courage et l'espoir renaissants.

Aucun n'arrive à l'état de complète décontraction préalable. Quelques exercices d'improvisation [6] :

Dès le premier (consultations chez le docteur) Millet se révèle improvisateur, dans un personnage de Marseillais bavard. Je vois poindre en lui le personnage du « représentant ».

25 mai : Notes au Bulletin de service pour rappeler à MM. les artistes d'être aussi exacts que possible.

– Paye à midi [7].

– Tous les dimanches : Campo, sauf quelques exceptions.

– Une note avec un croquis, pour demander à l'Atelier d'accessoires, qui vient d'être installé, la fabrication d'un petit dispositif pour « les exercices de physionomie et grimaces » de la hauteur d'un homme, comprenant, en son sommet, une planchette percée d'un trou ovale pour passer le visage et d'une draperie noire pour dissimuler le corps.

Samedi 23 mai. Carnet de Copeau :

Le matin longue conversation avec Millet sur l'improvisation et sur les buts et l'esprit du Vieux Colombier. Je lui confie mon cahier sur l'improvisation.

Essais d'exercices. Seuls Millet, Dullin et Tessier montrent de la bonne volonté et réussissent à faire quelque chose. La morne incompréhension et l'apathie des autres étouffent toute ma ferveur.

Le soir causé avec Weber que toute sa gentillesse sépare si fort de la réalité.

Ce sont des jours d'épreuve.

Copeau s'en souviendra plus tard [8] :

Ces efforts, contrariés par les événements et abandonnés faute de ressources en 1916, furent repris en mai 1918, avec la compagnie du Vieux Colombier, à Cedar Court. Ils y furent poursuivis, pendant deux mois environ, dans les pires conditions morales, et sans aucun résultat appréciable. [...]

À partir du 27 mai, pour se conformer aux désirs des comédiens, les heures des repas seront changées :

9 h petit déjeuner, 12 h déjeuner, 19 h dîner.

Les autres horaires seront maintenus, commençant par la gymnastique des hommes à 7 h.

Les distributions du *Médecin malgré lui*, de *Gringoire, Le Mariage de Figaro, Le Menteur* et de *Chatterton* sont affichées le 28 mai.

Le même jour les Allemands, lançant une nouvelle offensive sur un front de 40 km, reprennent le Chemin des Dames et atteignent l'Aisne.

Les canons à longue portée bombardent à nouveau Paris. Paris toujours de bonne humeur sous le feu, *dit le* New York Times.

Mais à Cedar Court le sentiment de l'exil s'accroît avec l'inquiétude.

Dans sa lettre d'adieu à Copeau, André Gide écrivait de Cuverville :

[...] Si vous, vous me regrettez, que ce ne soit pas tant aux instants de joie qu'à ceux où... Mais puissiez-vous n'en pas connaître...

Ces instants sont venus... Ce soir Copeau regrette son ami, il lui écrit :

29 mai :

Mon cher André, j'ai presque les larmes aux yeux en me
mettant à vous écrire. C'est l'émotion de la solitude, de l'exil,
un jour plus amer que les autres, car ce matin les journaux
étaient pleins de l'avance des Allemands sur les ponts de
l'Aisne et quand cette lettre vous parviendra Dieu sait quelle
aura été la fortune de la bataille. C'est aussi l'émotion de vous
parler, mon ami, à vous que j'aime tant, à qui j'aurais tant à
dire si brusquement je me trouvais assis auprès de vous, vous
qui me manquez cruellement. Rien de vous depuis le 25 février.
Si vous saviez quel bien me fait une lettre de vous, vous
m'écririez plus souvent. Moi je n'ai pas pu vous écrire. Et par
où commencer, maintenant, après un si long silence? De tout
ce que j'ai fait ici je ne vous entretiendrai que lors de mon
retour en France, dans un an, car vous savez déjà que nous
sommes engagés pour une seconde saison. Mais ce que je puis
vous dire, à vous qui me connaissez et qui ne me savez ni
pessimiste ni lâche, c'est que j'ai souffert ici, durant ces six
mois, dans mon corps, dans ma pensée, dans mes nerfs, comme
jamais de ma vie je n'avais souffert, de fatigue, d'isolement,
de tourment, quelquefois d'impuissance. Je renonce à vous
expliquer cela. Je l'écrirai pour moi-même, plus tard, si j'en
ai la force. Par moments j'ai pu croire que tout était perdu,
et l'esprit même qui me guidait si vivement naguère, que je
ne tenais plus rien dans mes deux mains serrées. Aujourd'hui
encore j'ai des instants de doute affreux où tout, et l'effort
même, semble inutile. Enfin, aux derniers jours de la saison,
mes nerfs étaient à ce point usés que j'ai cru ne jamais revenir
à mon état normal. En vérité je souffre encore beaucoup d'une
sorte de contraction interne bien lente à se dissiper. Agnès
seule a été le témoin de ma misère et de cette lutte quotidienne; tout à l'heure elle était là et se penchait sur moi en
me disant : « Mon pauvre petit, est-ce que tu ne riras plus
jamais? » Elle m'a quitté et je me suis mis à vous écrire, mon
vieux confident. Mais cette confidence est pour vous seul. Ne
dites à personne que j'ai cruellement vieilli. Mais, vous, croyez-
moi quand je vous le dis, et ne souriez pas. Je sais maintenant
ce que c'est qu'être *sur le retour*. Crise, crise et crise au milieu
de la plus terrible lutte, alors qu'il faut penser à tout, répondre
à tout, se décider sur tout. Ne vous contentez pas de me

frapper l'épaule et de m'appeler « mon vieux vaillant ». J'ai senti dans ma force une atteinte.

Cela ne s'appelle pas découragement ni échec. Je n'ai pas échoué puisque j'ai créé ici quelque chose, puisque j'ai acquis de nombreuses et quelques solides amitiés, puisque enfin ceux qui m'ont appelé me retiennent pour une année encore. L'adresse ci-dessus vous dit que nous sommes à la campagne. Oui, installé avec toute la Compagnie dans la propriété d'un milliardaire qu'il nous a offerte pour l'été. Cela ne sent pas la défaite. Quatre mois de travail libre pour préparer la nouvelle saison.

Je sais qu'on m'oublie à Paris. Je sais qu'on m'attaque, qu'on a répandu sur moi des bruits malins et même d'ignobles calomnies. Ah! saleté! Je sais que d'autres suivent la voie où j'ai marché le premier, répétant mes paroles en se les appropriant et qu'on y applaudit sans même un mot pour le Vieux Colombier. Mais que je sache que mes amis, au moins, ne m'oublient pas. Et quand vous entendrez dire que j'ai échoué ici, que j'ai gâché la partie qui m'était offerte, dites que cela n'est pas vrai. J'ai fait respecter et admirer ici l'art français, j'ai tout ce qui vaut quelque chose et l'on admet que le théâtre le plus artistique des États-Unis est le Théâtre Français. Dans quelles conditions nous avons atteint ce résultat, mes camarades et moi, et quelquefois en dépit de mes camarades, vous le saurez plus tard.

Ne me croyez pas aigri, mon cher vieux. Ce n'est pas moi que je défends, c'est mon œuvre. Je suis seul, tout seul à savoir ce qu'elle est et ce qu'elle vaut, par où elle pêche, ce qu'elle peut devenir. Et je vois partout trop d'ignorance, d'infatuation, de légèreté, de méchanceté bête, d'égoïsme.

Je voudrais que Gallimard, qui est maintenant à Paris, pût vous parler de tout cela. Mais je doute qu'il le fasse. Et comment vous parlerait-il de ce qu'il connaît à peine? Je vous ai dit que je suis *seul* depuis que j'ai touché cette terre. Oui, seul, malgré de chères présences. Il n'y a que mes enfants dont la vue me cause une joie sans mélange.

Ah cher vieux, j'aurais besoin que vous fussiez là pour me dire que je n'ai pas tenté en vain une œuvre au-dessus de mes forces, que je réaliserai un peu de ce que j'ai rêvé. Voici que j'ai presque quarante ans. Je ne peux plus recommencer.

Est-il puéril, pour une simple petite chose, d'élever une

voix aussi pathétique au milieu de ce monde qui s'écroule? De quoi demain sera-t-il fait? Ne valait-il pas mieux tout simplement donner sa vie? Il n'y avait sans doute rien de mieux à faire. Je le crois souvent. Je jure que je saurais la donner. Je ne fais pas autre chose tous les jours : donner ma vie.

Pardonnez-moi, mon cher vieux, l'accent de cette lettre. Écrivez-moi bientôt. Dites-moi quelque chose de votre travail et les nouvelles de tous les amis. Aucun d'eux ne m'écrit. Je ne sais rien.

Embrassez bien votre femme pour nous. Et dites-moi que je suis toujours, comme vous m'avez nommé, votre indispensable ami.

À cette époque Copeau n'est probablement pas « indispensable » à Gide...

5 mai, Schlumberger écrivait à Copeau :
Je n'ai pas de nouvelles bien neuves à t'envoyer des amis. Gide toujours aussi jeune homme.

En effet c'est le 18 juin qu'il partira pour l'Angleterre avec Marc Allégret pour l'inscrire à Cambridge, et qu'il notera dans son Journal [9] :

Je quitte la France dans un état d'angoisse inexprimable. Il me semble que je dis adieu à tout mon passé.

Gide ne répondra à la lettre de Copeau que le 1ᵉʳ octobre.
Gallimard avait quitté New York le 8 mai et était arrivé au Havre le 20 mai.

Le 30, il écrira à Copeau :
À peine débarqué j'ai dû aller à Bénerville où ma grand-mère est en train de mourir; ce n'est plus aujourd'hui qu'une question d'heures. Ce n'est pas un événement très heureux pour nous. J'ai même assisté à des choses assez écœurantes, dont la moins dégoûtante n'est pas de la voir pincer et brutaliser pour la « réveiller » et lui faire donner toutes sortes de signatures. Je te raconterai cela, car vraiment j'ai hâte de me

retrouver au milieu de vous. C'est assez déprimant de retrouver une famille après six mois de liberté.

Je me suis occupé, dès mon arrivée, de tout ce qui intéresse le Théâtre.

(Démarches concernant la prolongation des sursis, droits à obtenir pour les pièces du répertoire envisagé pour la saison 1918-1919, contacts à prendre avec la Nouvelle Revue Française, *avec les amis, avec Jane Bathori au Vieux Colombier.)*

Je t'annonce que Bouquet vient d'être réformé n° 1. Je l'ai vu. Mais avant de s'embarquer il faut qu'il attende ses papiers. Je te télégraphierai.

Il est entendu, tu le sais déjà peut-être par Dullin, que Marcelle [10] accepte son engagement, mais je doute qu'elle veuille ou puisse arriver avant le mois d'août.

J'ai eu un assez long entretien avec Gide [...] Il y a assez peu de chose à faire à la *Nouvelle Revue Française*. Berthe avait bien travaillé. À part quelques éditions à mettre en train, il n'y a qu'à laisser aller les choses. On ne vend pas beaucoup de livres, on ne trouve pas de papier, il n'y a plus beaucoup d'argent.

J'attends d'un jour à l'autre Jacques Rivière.

Crois à ma sincère affection et à ma grande impatience de retrouver mon travail auprès de toi.

Pourtant Gallimard avait participé au malaise de la troupe et à sa démoralisation pendant la saison passée. Depuis 1915 et jusqu'au départ pour les États-Unis il avait dû séjourner plusieurs fois en sanatorium. Il était encore nerveusement malade au moment du départ. Roger Martin du Gard, toujours pessimiste et clairvoyant, lui écrivait [11].

Le 22 juillet 1917 :
[...] Les dernières lettres d'Hélène qui me parlaient de vous, m'ont bien attristé. Je sens que quelque chose va mal, qu'il y a un grand courant, beaucoup de remous, un tas de barques disparates, des amarres usées, rouillées, qu'on ne renouvelle pas assez souvent, que tout ça danse dans les vagues, se choque, prend l'eau ; et je tremble. Je tremble que quelqu'un ne se détache et ne s'en aille à la dérive. J'y pense sans cesse depuis

ma permission, et avec une angoisse énervée, énervée par ce sentiment présomptueux que tout ça se passe loin de moi, loin de mes yeux, loin de mes possibilités d'action, d'intervention; que je n'y peux rien; et que, pourtant, si j'étais, moi aussi, jeté avec vous dans le courant, et ballotté par les mêmes remous, j'y pourrais peut-être quelque chose, si peu que ce soit... Il y a, dans vos amitiés, «à vous autres», un terrible élément de détérioration : une politesse, une courtoisie, une bonne éducation (et une délicatesse de cœur), une crainte de heurter, un respect des personnalités voisines. Tout ça, c'est très joli, c'est de la meilleure société. Je ne demande pas une camaraderie de brasserie, des bourrades dans le dos et des brusqueries de rapin. Mais je suis persuadé que c'est *un danger* que d'être trop courtois, parce que cela ne va pas sans une certaine hypocrisie (l'hypocrisie mondaine) derrière laquelle on ne sent pas au juste ce qui se passe. Entre amis, vindieu! il faut qu'on sente le sol ferme; qu'on n'ait pas à chercher ce que l'autre pense, ressent, souffre ou désapprouve. Cette crudité dans les rapports, que je préconise et que je mets obstinément en pratique, peut enlever beaucoup de grâce aux réunions; mais elle a bien des chances d'éviter les malentendus, parce qu'elle les dénonce dès qu'ils ont velléité de se former. La franchise, fût-elle brutale, c'est une convention à établir, comme la courtoisie; une fois établie on sait à quoi s'en tenir. Et quand on sait à quoi s'en tenir, il n'arrive pas que deux amis, comme j'en connais, profondément attachés l'un à l'autre, non seulement par une grande tendresse, mais par mille liens effectifs, de goûts, d'espérances, de souvenirs, de communauté de travail, se trouvent, un beau jour, détournés de la direction vers laquelle ils marchaient ensemble, chacun attribuant à l'autre des pensées personnelles, des défauts, des incompréhensions qu'il n'a pas; vraiment, quand je songe qu'une semblable amitié, une semblable collaboration, si rare en ce monde, peut courir des risques, par simple mésentente superficielle, quasi verbale, et cela, faute d'explications – non pas une, mais dix, vingt explications franches, complètement franches, où chacun vide une bonne fois tout son sac – je me prends la tête des deux mains, et je vais dans ma cabane comme un fou dans son cabanon, avec l'envie de courir à eux, de les prendre au collet, de les confronter jusqu'à ce que le malentendu crève, et de leur crier après : «Eh bien, malheureux, regardez où vous alliez; regardez la belle besogne que chacun de vous était en train de faire en son for; regardez un peu ce qui allait se passer, si on vous avait laissé faire, avec vos sourires courtois, vos approbations, *vos indulgences* l'un pour l'autre, qui cachent les racines mêmes du mal, la source même du poison d'hypocrisie qui ronge votre passé et fait avorter l'avenir!» Oui. Je me fais un mauvais sang du diable. J'ai senti la fêlure, nettement. Ce n'est rien, et pourtant, partis comme vous l'êtes maintenant, l'un et l'autre, cela risque fort de s'aggraver, de prendre corps. C'est abominable. Et c'est stupide. Vous êtes fautifs, tous les deux. Et toi surtout, en ceci : que j'attribue presque tout le mal au manque de franchise, *à l'indulgence silencieuse;* et que, sur ce chapitre, je te crois plus coupable que l'autre. Je sais pertinemment, de part et d'autre, que le fond d'affection est intact, que rien de grave n'est encore arrivé; qu'une grande explication remettrait tout au point; et peut-être pour toujours. Alors mon impuissance à agir pour vous m'étrangle, et je ne puis y penser sans des bouffées d'impatience qui me soulèvent et me boule-versent. [...]

Arrivant à Paris, au début de cet été 1918, Gallimard voit main-tenant les amis. Il a de nouveau avec Hélène Martin du Gard des conversations désenchantées *qu'elle rapportera à son mari et qui lui* «laisseront au cœur une sourde inquiétude et une pro-fonde tristesse [12]».

Roger Martin du Gard notera, dans son Journal [13] :
Il jugeait Copeau comme un arriviste, comme un cabot vaniteux, un organisateur incapable. Pendant ce temps, Copeau, ne voulant pas revenir en France avec les cinquante mille francs gagnés, pour continuer ses expériences et pour préserver ses comédiens de la guerre, a obtenu un second traité pour la saison 1919, et a emmené toute la troupe à Morristown. Là, il espérait les ressaisir. Il avait organisé un emploi du temps, tout en travail et en jeux. Mais ça a été pire. On le fuyait comme un pion. On courait à la ville, manger des glaces, voir le Ciné.

C'était l'époque, *racontera plus tard Jean Sarment [14]*, où, un peu étourdi de ces «pictures», [...] Charles Dullin rêvait d'être

William Hart! [...] William Hart [15] et Tom Mix furent l'un comme l'autre d'étonnants acrobates, de magnifiques cavaliers. [...]

Charles Dullin, qui était alors un remarquable cavalier, fut tenté de commencer un entraînement spécial en vue du *Far-West*. Il avait, comme nous, peu de loisirs. Mais le dimanche matin nous le voyions faire son apparition à la grille du parc, courir les allées, dévaler les prairies monté sur la bête que lui louait un manège qui devait être au-dessous de ses affaires. [...] C'était un cheval blanc, tel celui de Tom Mix [...]

Oui, Charles Dullin, ce grand et taciturne animateur de nos scènes, qui ne s'est jamais menti à lui-même, a failli quelque jour manquer à sa destinée.

Par la faute de William Hart, quelque jour, il fut tenté.

Dans la grande salle de bal de Cedar Court, les répétitions se multiplient, alternant avec des lectures, des explications de scènes, entre autres de Macbeth *qui ne fait pourtant pas partie du répertoire. Des exercices de diction, exercices physiques, jeux variés, actions muettes, grimaces ont lieu tous les jours.*

Il fait très chaud, 28° – cependant que dans les Flandres la pluie ininterrompue transforme les tranchées en bourbiers. Le 29 mai Soissons tombe. Le 31 mai la Marne est atteinte par les Allemands.

30 mai :
Première répétition *Mariage de Figaro*.
Lectures de textes *Médecin malgré lui – Macbeth*.

1er juin, Copeau écrit à Jacques Rivière :
Ta dernière lettre, celle du 22 février, me disait « à bientôt ». Tu m'y faisais plus fortement sentir, en me parlant de ton besoin de me revoir, celui que j'ai de toi. [...]

Je t'écris, par un soir torride, auprès d'un bouquet de roses, mes deux fenêtres ouvertes laissant venir à moi l'appel des grenouilles de l'étang, des grenouilles grosses comme des chats, qui braillent comme des ânes... Mon ami, quel aura été, quand tu recevras cette lettre, la fortune de la bataille qui se déroule en ce moment? Malgré l'angoisse qui nous suffoque, on ne peut pas renoncer à l'espoir. Mais le chagrin, la colère d'être loin, d'être inutile, de ne pas se battre, est indicible. Tu me comprends.

[...] De quoi j'ai souffert? De tout. Mais particulièrement de n'avoir pas d'ami, personne sur qui me reposer, auprès de qui me renouveler. Je te le dis à toi, parce que tu es celui qui me manque le plus. [...]

Lire une lettre de toi. Ta chère écriture bien rangée, tu ne peux pas savoir quel bien cela me fait, mon cher Jacques. Écris-moi plus souvent. Mes amis, sauf Jean, ne m'écrivent pour ainsi dire pas. Et je les sens si loin de moi! Mais toi, je te sens tout près de moi. Ce sera beau quand nous nous reverrons. J'ai confiance en toi. J'aime les hommes fermes, comme dit Ivan à Aliocha [...].

Il me semble que nous nous parlerons bien quand nous nous retrouverons. Tu seras tout à fait un homme, je pourrai tout te dire. Je me montrerai tel que je suis jusqu'au fond. Je tâche chaque jour de devenir meilleur, ou moins indigne de ce qu'il y a de meilleur en moi... Je voudrais pouvoir dire ce que j'ai à dire. Toujours trop dispersé, toujours en retard.

[...] Ah! cher vieux, j'ai cent mille choses dans la tête. Est-ce qu'elles en sortiront jamais?

J'espérais mieux t'écrire. Je t'écris bien mal. Parler du sort de la Revue. Dis-moi ce que tu en penses, comment tu vois l'avenir. J'ai quantité de sujets d'études et d'articles, de romans, de pièces. C'en est ridicule. Et la nécessité me tient à la gorge. Ai-je gâché ma vie? Ne suis-je qu'un commenceur? J'aurai bientôt quarante ans. Je n'ai rien fait encore qui puisse demeurer après moi. Je me suis trop donné. Je n'ai fait que me donner.

Depuis qu'Agnès Copeau a gagné Morristown pour y accueillir la troupe, veiller à son installation et aux soins du ménage, les enfants sont restés à Bremestead. Pour clore l'année scolaire, un bal va être donné. Six jeunes sous-officiers et soldats en permission y sont invités.

Ce matin-là les douches sont prises d'assaut, les shampooings coulent à flots, on repasse des jupons, des rubans, des dentelles, on échange des robes.

À l'heure dite, toutes les filles sont aux fenêtres... Ils arrivent, les voici dans leurs beaux uniformes. Ils sont gauches et charmants. Les grandes portes vitrées sont ouvertes. Les hannetons bourdonnent autour des lanternes, l'orchestre attaque les fox-trot, les tangos. Un peu étourdies, un peu essoufflées, les filles viennent prendre l'air sur la terrasse qui donne sur le lac : elles écoutent, dans la nuit chaude, six jeunes hommes – ô pas de grands guerriers mais presque des enfants – ils chantent :

> *Take me over the sea*
> *Where the Huns can't get at me*
> *Oh my! I'm too young to die*
> *I want to go home *.*

Le 31 mai les Allemands atteignent la Marne. Le 2 juin Château-Thierry tombe. Paris n'est plus qu'à soixante kilomètres des lignes ennemies.

Seuls au bord du Lake George, les enfants Copeau pleurent. Ils voudraient eux aussi rentrer chez eux. Pour les consoler et les égayer un peu on va les ramener en bateau, descendant l'Hudson au clair de lune, jusqu'à New York.

Ils vont arriver à Cedar Court pour le repas du soir et prendre leur place à la grande table, parmi les comédiens.

Arrivant de Bremestead où, par patriotisme, hygiène et économie, on appliquait à la lettre les **Hoover-regulations** [16]*, ils sont émerveillés de trouver ici pain blanc, beurre et confiture à discrétion. Comparé à la tasse de cacao et aux larges tartines de* **peanut-butter** *qu'on savourait gaiement à Bremestead, après en avoir rendu grâces au Seigneur, le menu leur paraît gastronomique. Aussi sont-ils très étonnés et même choqués par certains propos qu'ils surprennent ici.*

Valentine Tessier, lorsque plus tard il lui sera demandé d'évoquer ses souvenirs, dira [17] *:*

[...] Bien qu'à l'école de Copeau nous ayons appris les vertus de l'ascétisme et de la frugalité, nous périssions littéralement de faim. Les amis qui nous écrivaient de France en nous demandant si nous désirions des livres recevaient avec surprise du pays de l'abondance des missives qui leur disaient : « Non. Envoyez plutôt jambons et cassoulets en boîtes. »

---

*   Qu'on m'emporte au-delà de la mer
     Où les Huns ne pourront m'attraper
     Bon sang! j'suis trop jeune pour mourir
     J'veux rentrer chez nous!

Et d'autres reprennent ces propos en les amplifiant.

En France : la ration de pain est de trois cents grammes ; le ticket de pain dans les restaurants est obligatoire ; deux jours sans viande, les boucheries fermées le lundi et le mardi.

Dimanche 2 juin, jour de repos. Waldo Frank et sa femme rendent visite à Cedar Court.

3 juin, Waldo Frank :

Mon cher ami et Maître,

Quoique je fusse heureux d'être hier avec vous, je m'en suis allé avec un lourd sentiment de ma propre insuffisance. Vous souffriez : je venais au jour où la bataille en France devait rendre votre souffrance terriblement aiguë. Et il me semble qu'en maintes choses, j'aurais dû être plus conscient de vous, plus soulageant peut-être.

[...] Je suis fier de votre confiance en moi. Et de toute force je tâcherai dans ma vie et dans mon art de vous en justifier. Vous êtes une île haute et pure dans la mer courroucée de la vie. Je m'y réfugie.

4 juin. Copeau lui répond :

Que je suis touché par votre exquise lettre ! Votre cœur est un peu fou, mais je le sens bien près du mien.

Que votre visite m'ait fait le plus grand bien vous n'en douterez pas quand je vous aurai dit que depuis hier j'ai retrouvé mon assiette et travaille comme je n'avais pas travaillé depuis longtemps. La température est délicieuse, nous avons eu quelques répétitions excellentes, et les nouvelles de France sont un peu moins atroces... Cher Waldo, chaque fois que je vous vois je vous aime un peu plus. Faut-il demander rien de plus ? Aimez-moi bien. Je sais toutes mes faiblesses et mes insuffisances. Mais je n'ai volonté que de beau. Et si ce monde, comme nous le disions ensemble, n'est pas fait pour nous, s'il ne veut pas de nous, je mourrai du moins sans l'avoir accepté. Il y a des jours où je voudrais parler à toute la terre, – d'autres jours, meilleurs, où la présence d'un ami me satisfait tout entier.

Pour étudier plus à fond les grimaces et les expressions poussées des jeux de physionomie, Copeau demande à Waldo Frank de lui

*rechercher des ouvrages sur l'anatomie du visage avec ses muscles
et ses nerfs.*

*Le travail semble bien installé. Pendant la première semaine de
juin, en plus du travail d'entraînement régulier, deux ou trois
répétitions par jour du* Mariage de Figaro *et du* Médecin malgré
lui.

6 juin : Lecture de *Rosmersholm.*

7 juin : Entraînement, exercices. Répétition du *Mariage de
Figaro.*

Entretien sur l'art théâtral, par Jacques Copeau.

Jean Sarment tient son Journal [18] *:*

8 juin : M. Copeau a inauguré hier une série de causeries.
Leur but est de faire naître ou de fortifier entre sa troupe
actuelle et lui une mutuelle confiance, et de faire pénétrer
plus directement dans l'esprit de son œuvre ceux qui, à des
titres et avec des mérites différents, sont mêlés à sa réalisation.

Peut-être si le temps trop mesuré, les circonstances, les
difficultés du départ avaient permis à M. Copeau d'avoir avec
les nouveaux venus ces entretiens qu'il eut sûrement avec ses
premiers collaborateurs – il n'eût éprouvé tels mécomptes –
celui par exemple d'être à la tête d'une troupe dont chaque
membre a pu lui donner l'impression de tirer de son côté et
de répugner au groupement. Ils se sont trouvés immédiatement en face des faits – soumis à la marche nécessairement
administrative d'un théâtre. Parce qu'ils n'ont pas bien compris
quelle part « de ce qui se fait habituellement » M. Copeau
veut laisser de côté – animés surtout d'un esprit de comparaison – ils se sont de bonne foi étonnés. Je crois qu'ils n'ont
pas donné à cette première saison un sens d'acheminement,
ils se sont bornés à penser que tels habituels procédés auraient
conduit à un résultat connu d'avance plus facile et plus immédiat.

De là certainement le malentendu qui a pu faire regretter
à M. Copeau le manque d'une volonté collective. [...]

Une conversation à cœur ouvert, faisant ressortir les grandes
lignes, et le but du travail commun et l'idée directrice de
M. Copeau : extraire le comédien du milieu, et des habitudes,
du monde artificiel qui est le sien et d'où lui apparaît déformée
la vie qu'il a à rendre. C'est pourtant un point où il rencon-
trerait une approbation générale (exception faite pour ceux

qui ont des idées préconçues fortement établies – et y tiennent de tout leur désir de n'avoir point d'effort à faire).

Malheureusement M. Copeau aura bien des difficultés à les combattre, me semble-t-il. Il est dans l'obligation de s'adresser à des acteurs de profession. La plupart du temps ceux qu'il rencontrera seront entrés dans le théâtre comme dans un vêtement tout fait; y étant à l'aise, ils demanderont à n'en pas changer. Les autres éprouveront peut-être ce sentiment de bonne volonté incrédule, qu'il cherche en ce moment à faire disparaître chez quelques-uns de cette troupe-ci. Beaucoup n'auront que faire de l'indépendance de leur vie et tendront à rentrer dans la routine comme dans un élément naturel. D'autres craindront la collectivité avec ce qu'elle comporte de discipline.

J'avoue, pour l'avoir éprouvée, que cette crainte a été à la base non point de l'hostilité, mais peut-être de l'inertie que M. Copeau a pu rencontrer cette saison. [...] D'où l'on va naturellement par choix, on tend à s'écarter, quand on se croit la carte forcée. J'ai compris que la communauté telle que la conçoit M. Copeau ne demande point la suppression du choix ni de l'indépendance d'esprit la plus parfaite, mais consiste à vouloir bien marcher, de bonne foi, dans un même sens, en utilisant des ressources différentes et personnelles.

Le malentendu s'est trouvé renforcé par ce fait auquel M. Copeau faisait allusion : il semblait qu'autour de lui s'était formé un petit cercle d'où les autres étaient écartés, et l'on avait prononcé le mot dont M. Copeau s'affligeait certainement de petite chapelle.

La semaine suivante : tous les jours. Répétition du *Mariage de Figaro*.

Distributions affichées : *Blanchette, La Femme de Claude, La Nuit des rois, Les Frères Karamazov, Rosmersholm, Le Misanthrope, Le Voile du bonheur.*

13 juin, les Américains chassent l'ennemi du bois Belleau.
13 juin, Les potins de Paris :

L'assassin de Jaurès est un amateur de théâtre. Il s'inquiète de leurs programmes et hoche tristement la tête en apprenant que bon nombre d'établissements ont fermé leurs portes.

Il rappelle volontiers qu'il était un assidu du théâtre du

Vieux Colombier et que la veille du jour où il accomplit son crime il y assista à une représentation [19]. On trouva d'ailleurs le coupon dans sa poche en l'arrêtant. Villain dit à ses gardiens : « C'était parfait au point de vue esthétique, le Vieux Colombier, on n'a pas assez encouragé cet effort-là. »

15 juin. Billet de Service :
Après la gymnastique : 9 h 45 *Blanchette.* Première répétition sous la direction de Charles Dullin.

Les Exercices d'entraînement sont poursuivis presque tous les jours.

16 juin, Journal de Jacques Copeau :
Exercices : Observation des animaux.
Succession des attitudes. *Tenir* chacune des attitudes séparément. En faire des croquis. Analyser par le cinéma.
Exercice gymnastique complet du corps. Analogie avec le traitement du masque (muscles du visage). Exemple de la marionnette. Dans les genres extrêmes, dans la tragédie et dans la farce (je le sais surtout de la farce) l'attitude, l'expression physionomique et corporelle doivent toujours être poussées à l'extrême. Aucune ne doit être indifférente. Et le *temps* entre chaque attitude bien observé. (Le temps musculaire comme dans le pur exercice acrobatique.) Retour à l'attitude précédente après chaque expression de mouvement. C'est ce que les clowns et les excentriques font si bien. (Observation d'un *robin* *, sur le gazon de Cedar Court.)
Dans la Comédie Nouvelle, rapprochement de certains types, par le caractère, à certaines formes animales.
Étude des *Fables de La Fontaine.*
Je recopie, pour l'histoire que j'écrirai plus tard, ces notes hâtives de mon petit carnet noir, incompréhensibles pour tout autre que moi :

17 juin :
Grande transformation intérieure. Je comprends mon rôle autrement. Moins mêlé au travail quotidien. Commander de plus loin. Nécessité de collaborateurs à toute épreuve et de

---

* Très gros rouge-gorge.

confiance en eux. Leur laisser du jeu pour le développement individuel. Les ordres précis, mûris, et assurer l'exécution des ordres.

18 juin :
Conversation avec Jouvet qui vient me trouver dans ma chambre, m'expose ses craintes exagérées mais sensées au sujet de la saison prochaine.

C'est probablement à cette époque que Jouvet, prenant conscience de l'énormité de la tâche que représente la préparation technique des vingt-neuf pièces à monter pour la saison prochaine, se met à rédiger son « Rapport sur le travail de scène » basé sur une étude des conditions dans lesquelles on a travaillé pendant la saison 1917-1918, comparées à celles dans lesquelles on devra travailler en 1918-1919 : Le travail étant plus que jamais imposé sans collaboration et sans tenir compte aucunement de sa difficulté, pour défendre ce travail des critiques qu'on pourra lui adresser lors de sa réalisation la saison prochaine, j'ai cru devoir mettre par écrit les considérations suivantes *.

Copeau à sa mère :
Je me défends. Je reprends vie. Dullin et Jouvet m'aident beaucoup. Toute notre saison d'hiver sera sérieusement préparée pendant l'été, de sorte que nous aurons beaucoup moins de mal...

Mais l'atmosphère de la communauté demeure trouble.

19 juin :
Trois répétitions de *Blanchette,* mise en scène de Ch. Dullin.

Carnet noir de Jacques Copeau :
Conversation avec Jouvet et Dullin. Ce dernier silencieux éclate tout à coup en récriminations sèches. Ils m'assaillent. Dullin fait, sur nulle donnée, mon procès comme acteur. Je ne réponds pas.
Dans la soirée : entretien avec la Compagnie sur *L'Art dramatique,* par Copeau.

* Voir l'essentiel de ce rapport, appendice M, p. 546.

Le 21 juillet, trois répétitions de *Gringoire* sous la direction de Dullin.

Carnet noir de Jacques Copeau :
Au plus bas. Résolution de quitter, de ne point mourir à cette tâche. Mais, le soir, grande conversation avec Suzanne qui me remet debout. Admirable de lucidité et de foi.

Le travail continue, commençant tous les jours à 7 heures par des exercices physiques.
Mais le doute, l'inquiétude et ce que Roger Martin du Gard appellera plus tard « un empoisonnement collectif » règnent dans la troupe...
Le drame commence à se nouer dont Copeau portera la blessure jusqu'à sa mort.
Plus tard, Valentine Tessier, *interrogée sur cette* crise de l'été 1918 à Morristown, *répondra* [20] :

Le Patron ne réussissait peut-être pas toujours ses mises en scène et alors les critiques pleuvaient. Dullin souhaitait prendre la place du Patron [...].

Les comédiens de l'ancienne troupe, qui n'avaient pu partir et étaient restés en France, sont loin de se douter de ce qui se passe. Ils écrivent :

19 juin, Bourin, aux Armées :
En France la guerre devient plus meurtrière sans qu'on puisse conclure qu'elle arrive à son tournant décisif. Mon frère tué l'année dernière est devenu prisonnier des Boches qui tiennent le cimetière d'Œuilly. Les deux survivants sont au front de combat, quelque part où il ne fait pas bon. Il y aura bientôt quatre ans que ça dure! Êtes-vous découragés? Non! [...].
La conviction que vous avez de la fidélité et de l'attachement des absents est pour vous comme une force supplémentaire.

21 juin, Blanche Albane :
Quand j'ai reçu votre lettre, Georges était en convalescence auprès de moi, nous l'avons lue ensemble et nous avons été

heureux de sentir avec quel courage vous avez surmonté et vaincu les obstacles et avec quelle foi vous envisagiez l'avenir. Mon Dieu, si vous saviez comme on a besoin de penser que les efforts d'autrefois n'ont pas été perdus par ces quatre années de néant! J'étais heureuse aussi de savoir qu'on vous retenait là-bas une année de plus, j'étais heureuse et pourtant c'était la certitude que la vie ne recommencerait pas avant un an. Encore une année!!

Quand je pense que vous travaillez tous en ce moment, comme nous avons travaillé au Limon, je me demande ce que je fais ici et cela me fait mal. Pourtant, n'est-ce pas, je devais rester et mon gros bébé si beau, si bien portant n'a qu'à me regarder de son petit air si malin pour me rassurer. Et puis, non, non, je ne veux pas me laisser aller au découragement. N'est-ce pas que je me rattraperai, que ces années-là ne seront pas entièrement perdues? [...] J'imagine la joie de Dullin de se retrouver parmi vous. Ça a dû être pour lui un beau jour. Embrassez-le pour moi ainsi que tous les nôtres. (J'entends aussi les nouveaux qui sont devenus nôtres.)

On répète maintenant La Femme de Claude *et* Chatterton.

25 juin, carnet noir :
Calme, parce que je crois avoir compris ce qu'il faut faire. Je comprends Jouvet en comparant ce que j'appelle sa crise à la crise correspondante de ma propre existence.

Pendant la dernière semaine de juin Copeau *et* Dullin *assurent alternativement la direction des répétitions de* Chatterton *et du* Gendre de M. Poirier.

28 juin :
Nouvel entretien de Jacques Copeau sur *L'Art Théâtral*.

1er juillet, carnet noir :
Jouvet croyait tout purgé. Il est honnête. Il redevient comme un enfant.
Lucienne Bogaert : « Vous n'êtes plus le même. »
Faillite des exercices. Mais vue de l'avenir. Maïène travaille à côté de moi. Suzanne et Maïène font des masques.

Les horaires du travail quotidien continuent à être scrupuleusement observés. La plupart des répétitions sont dirigées par Dullin.

5 juillet :
17 h : Causerie de M. Copeau sur la mise en scène.

6 juillet :
Répétitions du *Gendre de M. Poirier :* Dullin une fois, Copeau une fois.

Waldo Frank et sa femme sont revenus plusieurs fois à Cedar Court espérant y trouver leur ami « assez libre pour être votre joyeux et entier vous-même... ».
Mais le 17 juillet Copeau écrit à Waldo Frank :

[...] Après quelques semaines de renouvellement, voici que je ressens plus fort ma fatigue qui ressemble à de l'usure. Cela m'inquiète d'autant plus que je la vois venir depuis des années. Il faut donc que je me soigne. Je pars demain et passerai quinze jours dans un sanatorium, tout à fait séparé du monde. C'est cela surtout qu'il me faut. Je suis à vif, la présence d'un être humain, quel qu'il soit, me fait du mal. Il n'y a qu'un spectacle au monde que je puisse supporter, c'est le jeu de mes enfants. Et je me dis que mon plus grand tort envers le monde, c'est d'avoir gardé un cœur innocent. Vous me comprendrez, vous le seul écho que j'aie trouvé sur cette terre-ci. Mais ne vous inquiétez pas pour moi. Je me sens fort au fond. Mais ma force a été trop éprouvée par la crise la plus rude et la plus difficile que j'aie jamais traversée. Je vous raconterai cela plus tard. L'important c'est que je sais que je sauverai mon œuvre et me sauverai moi-même.
Au revoir. [...] Vous viendrez me voir un jour, chez nous en France, et nous causerons dans mon jardin.

Dimanche 7 juillet, carnet noir :
Conversation avec Jouvet qui m'oppose toujours l'impossibilité.

Il est probable que ces impossibilités exposées par Jouvet sont semblables à celles qu'il est en train de consigner dans son « Rapport sur le travail de scène » *où il remarque :*

En prenant la saison dernière comme point de départ pour une estimation financière et pour une appréciation du travail de scène, on peut dire que la nouvelle exploitation l'année prochaine sera deux fois plus coûteuse et plus difficile. Et il conclut : Si la saison prochaine doit être deux fois plus difficile pour le travail et deux fois plus coûteuse, il semble inutile de dire que l'exploitation n'est pas possible *.

Copeau quitte Morristown pour New York, d'où il partira pour un lieu de repos.

8 juillet, Journal de Copeau :
Matin de mon départ pour Lakewood [21]. Seul. Maître de mes pensées. Soulevé dans mon rêve. Je retrouve ma liberté et une fraîcheur inattendue vis-à-vis des choses.
Hoboken [22], huit transports chargés de troupes.

À Cedar Court Dullin fait répéter Le Gendre de M. Poirier *et les distributions sont affichées pour* La Veine, Les Uns et les Autres, La Coupe enchantée, Boubouroche *et* Georgette Lemeunier.

9 juillet, Copeau à Agnès :
[...] Je crois que je vais me remettre vite, si je puis échapper un peu à mes idées fixes. Et je ferai tout pour cela. Déjà hier dès le train et sur le ferry en passant l'Hudson seul, ma pensée se ressaisissait et je me sentais soulevé par la force de rêve où nous plonge une vraie contemplation du monde. J'ai fait, depuis dix mois, de dures, de terribles expériences, mais je suis content de les avoir faites et nullement découragé, je te jure. Tant que je vous aurai toi et nos beaux petits, je serai heureux et fort. Tu vois bien que vous êtes ma seule certitude au monde.

11 juillet, Agnès :
[...] Ton mot de New York te montrait en si bonne disposition, ta vigoureuse nature prenant déjà le dessus, que j'en avais le cœur tout gonflé d'espoir et de confiance... Ici, tout va bien. On travaille consciencieusement et demande de tes

* Voir l'essentiel de ce rapport, appendice M, p. 546.

nouvelles très affectueusement. Plusieurs m'ont parlé du vide que ton départ a laissé. Je les crois pleins de bonne volonté. Reviens calme, confiant et bien portant... et tu feras du bon travail... J'ai eu une très longue et bonne conversation avec Jouvet, provoquée par lui. Il souffre du malentendu entre vous et ne demande qu'à le voir finir et un travail fécond, une entente parfaite lui succéder.

13 juillet, Journal de Copeau :
Lakewood Farm Inn. Ici, depuis mardi 9, le soir. Pour un repos absolu de quinze jours, que m'a ordonné le docteur [...].
En proie à des idées fixes, voilà où j'en étais, et deux mois de Morristown n'avaient fait qu'empirer mon état.
Est-ce signe de force ou de faiblesse cette excitation de l'esprit que je retrouve ici, aussi forte que je ne l'avais connue qu'à Florence. D'abord, j'ai voulu ne rien faire du tout. La mobilité, le désordre de mes pensées m'effrayaient. Alors je me suis mis à lire. Je ne trouvais dans la lecture ni apaisement ni nourriture. J'ai essayé de marcher, ce qui me fatiguait, de causer avec M. Toussaint, marchand de chevaux, ce qui me tuait. J'ai acheté ce cahier de ten cents pour me délivrer de mes pensées, les mettre en ordre, purger enfin cette crise où je me débats depuis près de six mois, et de plus en plus affreusement. Mais, au moment de le faire, j'ai eu la terreur de plonger au fond de cet abîme, sans savoir si j'aurais la force de remonter à la surface. J'ai compris qu'il me fallait, avant tout, redevenir moi-même, c'est-à-dire m'affirmer devant moi-même, entrer dans un autre monde, mettre quelque chose entre hier et demain, enfin créer quelque chose et ne rentrer là-bas qu'avec une œuvre.
C'est pourquoi je me suis mis, en ménageant mes forces, à travailler à une farce : *Le Roi, son vizir et son médecin* [23] [...] Aujourd'hui aussi j'ai eu la vision d'un théâtre nouveau, la construction de cette scène fixe que je cherche, irréalisable encore, mais qui me laissera désormais le sentiment plus fort de ce que signifie une rupture complète avec les habitudes actuelles de la scène. [...]

15 juillet à Agnès :
Ne me crois pas malheureux, abattu. Non, non du tout. Il fait beau. Je sens que je vais mieux, que je me repose. Mais

il faut bien avouer que dans une pareille solitude l'esprit est très actif. Je ne crois pas que cela me fasse du mal. Il faut croire que je n'étais pas si bas que cela, car tout de suite ma pensée a trouvé des routes fraîches. Et j'ai des moments de grande jubilation intérieure. Je me suis retrempé en moi-même. J'ai retrouvé ma confiance *en moi-même* une nuit que je ne pouvais pas dormir, tout est soudain devenu clair pour moi et je me suis dressé sur mon séant en disant : je comprends! Ce qui m'irritait jusqu'alors était de ne pas comprendre. J'avais mis en eux une foi qui m'aveuglait et j'avais perdu foi en moi-même plutôt que de perdre foi en eux... Mais maintenant je sens que j'ai raison et que je suis fort. Je vois l'avenir, pourvu que notre pays renaisse. Je ne puis lire les journaux ces jours-ci sans pleurer comme une bête.

Offensive allemande de Château-Thierry à l'Argonne sur un front de 80 km.

[...] Je rentrerai vers le 24... Je voudrais savoir que le poids que je te laisse porter n'est pas trop lourd, ma chérie courageuse. Va, nous aurons encore de beaux jours ensemble.

18 juillet, Agnès :
[...] Quelle profonde joie si je devais te voir revenir calme, sûr de toi... Ton arrivée coïncidera avec celle de Gallimard et de Bouquet. Les lits sont arrivés et j'aurai tout préparé... Tout va bien ici... J'ai l'impression qu'ils travaillent bien tous. Le 14 juillet, Suzanne avait acheté des lampions... on a eu un bon dîner avec vins... et café... Casa a chanté et on a fini par danser... Ils sont de grands enfants tous mais ils t'aiment bien je t'assure, mais tu leur fais peut-être un peu peur... Tu ne ris pas beaucoup non plus et tu rêves aussi à rendre les âmes plus nobles, mais souvent elles aiment mieux la médiocrité. C'est tellement plus facile. Oui mon Jacques, de nouveau le cœur est plein d'angoisse... Pourvu qu'ils n'arrivent pas à endommager notre merveilleux Paris... Ah, le jour du retour. Dieu veuille qu'il soit beau. Je t'aime, mon Jacques, et nous serons toujours ensemble.

De grands enfants... Peut-être... Mais tous souffrent de l'exil, du mal du pays. La plupart, parisiens, sont aussi dans l'angoisse. Paris est toujours sous le feu de la grosse Bertha — les bombardements se font plus fréquents et plus violents.

Le jeune Jean Sarment a toujours nourri pour Charles Dullin une grande admiration [24] :

[...] devant la petite porte voûtée — sortie des artistes du Vieux Colombier — j'attendais... pour voir de près celui qui m'avait frappé de loin, *racontera-t-il plus tard.*

Et une chose m'étonna. C'est que cette lassitude physique, de près, avait quelque chose d'extrêmement alerte. On sentait, dans l'homme qui passait de l'ombre du couloir à la lumière de la rue, une robustesse, une alacrité, une verdeur allante et joyeuse.

Sous un curieux chapeau rond et plat, vêtu en gentleman-farmer qui se soucierait peu de sa mise, il cambrait la taille et s'avançait guilleret de son pas court, un peu saccadé, en faisant des moulinets avec sa canne...

Il souriait tout seul, à je ne sais quoi.

À présent, Jean Sarment se réfugie auprès de Dullin et il n'oubliera jamais la petite chambre nue, d'où, des fenêtres sans rideau on plongeait sur les hauts arbres de Cedar Court, à Morristown — un jour de grand été, dans le New Jersey...

Il me faisait dire du Villon, et m'en disait lui-même.

M'est toujours resté dans la tête et près du cœur le pathétique si humain, si tangible, si parlant qu'il restituait à tels passages, au hasard, du *Petit* et du *Grand Testament* avec la même aisance familière qu'il eût feuilleté les lettres d'un jeune frère, mort depuis longtemps.

Rien ne semblait, en lui, indiquer l'art du *savoir dire*... mais il me tenait sous un de ces enchantements qui vous gonflent le cœur.

C'était : ... *La belle qui fut heaulmière.*

C'était : *Dame du ciel, Régente terrienne...*

Au hasard de la gouaille ou du retour amer sur soi-même, c'étaient ces soupirs, ou ces sarcasmes :

> *Hé Dieu, si j'eusse estudié*
> *Du temps de ma jeunesse folle...*
> ....
> *Où sont les gracieux gallans*

> *Que je suivaye au temps jadis?...*
> ....
> *Item je lègue à mon barbier*
> *La rognure de mes cheveux...*
> ....
> *Mes jours sont allés errant*
> *Comme, dit Job, d'une tenaille*
> *Vont les filets se grémenant...*

Dans la grande chambre laissée vide par Copeau, sa fille Maïène est seule. Penchée sur la table à tréteaux toute neuve qu'il lui a installée près de lui, elle dessine des paysages et des gens de Seine-et-Marne; les petits villages avec leurs clochers, les bords de la Marne, les femmes au lavoir, les peupliers de la route de Château-Thierry — elle rêve à la France, au retour. Elle écrit à son papa :

[...] Je suis assise à *ma* table et ça m'ennuie beaucoup de ne pas sentir la bonne odeur de ta pipe — est-ce que tu peux fumer là où tu es? Tâche de voir des drôles de choses. Je suis sûre qu'il y a des drôles de gens à Lakewood.

... Ici il y a des orages qui bourdonnent un peu et puis s'en vont, aussi je passe mon temps à aller couvrir et découvrir les salades — en vain.

Oui, les orages bourdonnent à Cedar Court, et çà et là les comédiens grognent.

Dullin note ses griefs :
Après la Saison nous sommes allés dans la propriété d'Otto Kahn à Morristown, où nous touchions cinq dollars par semaine et où nous étions nourris et blanchis. La nourriture y était *insuffisante* et *de mauvaise qualité.* Au bout de deux mois les gens de la troupe étaient tellement anémiés qu'on ne pouvait plus leur demander un effort sérieux.

Copeau lui-même était anémié à tel point qu'il dut aller passer un mois dans une maison de santé pour se remettre. Nous avions peur qu'il ne devienne tout à fait *gâteux.*

Pourtant on va travailler pendant l'absence de Copeau et les horaires seront respectés.
Les journées commencent toujours à :

7 h : Gymnastique hommes, 7 h 30 : Gymnastique femmes.
Plusieurs fois par semaine : Rythmique, danse, jeux et improvisations.

22 juillet. Notes de Copeau (rédigées en anglais) :
Quitte Lakewood demain. Ainsi que je le voulais je me suis reposé, ai fait de belles marches, des promenades le long des torrents et des berges de la rivière Delaware, ramé sur le lac (un matin glorieux sur le lac Tennawat), joué au tennis. Déterminé ce qui est à faire pour le Vieux Colombier.

Entièrement écrit 3 actes du *Roi, son vizir et son médecin* et une petite pièce en un acte. Quantité de notes sur le théâtre, mise en scène et organisation futures. J'ai eu quelques réelles visions du futur et élargi ma connaissance du passé. Mes matinées au lit furent des fêtes pour mon esprit, toutes choses présentes à mes yeux et à mon cœur dans le passé et le futur. J'ai lu entièrement le premier volume du *Medieval Stage* de Chambers [25].

Je pars demain matin à 10 h 26 de Roscoe, je me demande : quelle sera la situation à Morristown? Je me sens un autre homme, cependant, et je sais que si à un moment quelconque je me sens surmené je dois immédiatement prendre du repos à la campagne, absolument seul.

Ces jours ont été heureux, surtout cette dernière semaine où chaque matin les splendides nouvelles de l'offensive de Foch sur le front de Champagne revigorent notre espoir.

19 juillet :
Foch lance ses troupes contre l'aile droite allemande.
Les troupes françaises, aidées par les Américains, avancent sur un front de 50 km et parviennent jusqu'à 1 km 1/2 de Soissons.
Les troupes allemandes repoussées au-delà de la Marne.

21 juillet :
Château-Thierry est reconquis.

23 juillet :
Vague de chaleur sur New York et la région.
Copeau rentre à Cedar Court. Il note :
De retour à Morristown le 23. Une nouvelle phase. À l'aise

dans le travail et plus fort. Je sais que je suis guéri mais je n'ai pas encore reconquis leurs cœurs. Je sais que je suis dans le vrai. Je sais que Suzanne est bien. Nous avons émergé.

25 juillet :
Toute une journée de conversation avec Jouvet. Tout ce qu'il dit je le sais, et au-delà. À force de presser sur l'abcès le mal sort. Nous nous rapprochons. Il a souffert ; et sur plus d'un point il a raison. Je lui rends justice. Même contre moi il a raison *selon moi*.

Lorsque, dans son « Rapport sur le travail de scène », Jouvet étudie les possibilités de transformation de la loggia *en vue des scènes d'intérieur dans les pièces modernes du répertoire et en énumère les avantages,* supérieurs parce qu'elle va directement dans le sens de notre décoration, *c'est encore,* « selon Copeau », *qu'il a raison.*

... De l'exploitation ingénieuse du dispositif avec ses ouvertures, borders, praticables et escaliers sortira le décor, *conclut-il.* S'il n'est pas possible de réaliser ces décors ainsi c'est que nous ne sommes pas mûrs pour ce dispositif *.

Et Copeau poursuit son Journal : Je comprends maintenant clairement de quelle manière j'ai pu le blesser. J'espère ne plus le faire. Travail terrible en perspective.

26 juillet. Billet de Service :
Une répétition de *La Femme de Claude* dirigée par Dullin.
Une deuxième répétition dirigée par Copeau.
Notes de Copeau. Répétitions de *La Femme de Claude* avec Van Doren.
Je trouve le travail fait par Dullin insuffisant. Rien d'une mise en scène. Tout est à changer et à améliorer.

Alors Dullin va se cabrer, il note :
Pendant son absence je mis en scène la plupart des pièces que j'ai jouées et : *La Coupe enchantée* de La Fontaine, *Boubouroche, La Folle Journée,* etc.

---

* Appendice M, p. 546.

Quand il revint, systématiquement, pour affirmer son autorité il démolissait mon travail, et après quelques répétitions perdues, il revenait généralement à ce que j'avais fait.

C'est à cette époque que j'eus avec Copeau une première explication. J'appartenais encore à ce moment *absolument* au Vieux Colombier, et c'est en qualité de fondateur et d'ouvrier de la première heure que je lui reprochais ses errements et le danger de son *absolutisme*. Je lui reprochais de vouloir jouer des rôles qui n'étaient pas faits pour lui, ce qui diminuait son autorité auprès des comédiens et faisait le plus grand tort à la troupe.

C'est ce que Copeau dans sa vanité ne devait jamais me pardonner.

Dimanche 28 :
Pas de repos. Copeau fait répéter *La Femme de Claude*.

Lundi 29 :
Deux répétitions de *Georgette Lemeunier* : dirigées par Dullin.
Communiqué officiel. 1 458e jour de guerre.
Front français. 29 juillet – soir.
La journée a été marquée par des combats très violents engagés sur tout le front au nord de la Marne.

Mardi 30 :
Deux répétitions de *Georgette Lemeunier* : dirigées par Dullin.
Une répétition de *Rosmersholm* : Copeau.
Jouvet, malade, ne répète pas.

3 août 1918 :
Retraite précipitée de l'ennemi.
Soissons repris.

4 août, Dullin écrit à sa sœur [26] *:*
[...] Je viens de répéter *Rosmersholm*. J'ai gardé pour Ibsen une admiration qui fait que je retrouve toute ma sensibilité devant ses œuvres et que je puis le jouer comme si jamais je n'avais joué la comédie. Ça me va aux entrailles. C'est peut-être l'auteur qui m'atteint le plus directement. Et puis c'est en réalité après les grands tragiques, le seul grand dramaturge. Te souviens-tu quand je te jouais *Peer Gynt* et que nous

marchions ensemble comme si c'était pour de vrai. Tu te souviens de la petite maison du *Théou*. À mesure que j'avance dans la vie, vois-tu et que je me rends compte de tout ce qu'il y a de frelaté, de littéraire chez les meilleurs, je vois aussi tout ce qu'il y avait de beau en nous, de follement sincère et de vivant. Ce n'était ni le fruit d'une éducation littéraire – nous ne savions à vrai dire rien – ni une pose, mais bien quelque chose qui chantait en nous, quelque chose de plus fort que notre vie. Il faut toujours te dire, mon Paulin, que je pense souvent à ce passé qui nous lie si étroitement et que tout peut s'effacer dans ma vie sauf ça. Jamais tu ne peux cesser d'être dans mon cœur *Pauline*. Tant que je vivrai, il y aura une Pauline dans ma vie.

Je me retrouve peu à peu bien changé, bien différent de celui que j'étais. Ce n'est pas toujours à mon avantage, je le sais. Je ne puis plus supporter les contraintes, je sais que je suis devenu violent, pessimiste, que je suis destiné à vivre comme un sauvage, à l'écart mais aussi je me sens courage et volonté pour assumer les terribles conséquences de cet état. Je suis seul, assez dégoûté de l'amitié, des boniments et des histoires. J'ai réalisé de cruelles vérités. J'ai été jusqu'à ce jour exploité, victime de ma générosité et de l'amour de mon métier. Cela ne sera plus dans l'avenir, je te le promets, car il me pousse chaque jour des défenses terribles... D'ailleurs tu me trouveras toujours tel que tu m'as laissé, car toi c'est le coin de ma vie qui n'a jamais bougé. Toi, le Châtelard, nos souvenirs communs, c'est ce qui me console de la laideur du reste. Je voudrais bien avoir une photo du papa... Je pense souvent à lui. Je le comprends. Je sens toute la qualité forte de sa race. Je voudrais lui ressembler. J'espère que je n'aurai pas trop mal employé les qualités qu'il m'a laissées et que je pourrais à l'heure actuelle le revoir sans rougir.

31 juillet :
Une répétition de *Georgette Lemeunier :* dirigée par Dullin.
Deux répétitions de *Georgette Lemeunier :* dirigées par Copeau.

Notes de Copeau :
Trop de travail urgent, et les événements trop précipités, trop serrés pour pouvoir noter au jour le jour. Retour d'angoisse. Mais peu à peu la situation s'éclaire entre Jouvet et

moi. Sa crise – crise de croissance – À mesure qu'il s'affermit, je le trouve en tout mon élève. Nous sommes d'accord. Nous le serons de plus en plus. Le sol craque. Ce sont les racines qui poussent. Si le rapport étroit se rétablit avec lui, la sève circulera dans l'arbre entier. Faire tomber les parasites et détacher les parties mortes.

2 août :
Visite de Otto Kahn [27].
Jouvet, Jessmin, Tessier vont à New York pour accueillir les Bouquet, Mᵐᵉ Jouvet et ses enfants et Gaston Gallimard au bateau arrivant de France.

3 août, ils arrivent à Cedar Court :
Gaston revenu. Excellentes conversations. Je tâche de le persuader de l'appui qu'il faut se prêter l'hiver prochain. Il semble bien d'accord avec moi et travaille de son mieux pour me soulager. Le tout est de savoir s'il *tiendra*.
Dullin sans qu'on puisse savoir pourquoi fait invariablement la gueule. Et il pose. Gallimard le juge très sévèrement. Jouvet n'en dit rien. Mais je crois qu'il est en train de s'isoler complètement.
Les Jacob Hians sont comme éperdus, rejetés qu'ils sont par presque tout le monde. Ce sera dur de les détacher. Mais il le faut.

Jacob Hians avait été engagé pour seconder Jouvet dans la préparation technique des spectacles. Décorateur, il n'avait nullement assimilé les exigences de Copeau et de Jouvet concernant une certaine unité de conception pour la décoration des pièces, même les plus diverses, découlant de l'utilisation de la « loggia ». Jacob Hians est aussi bien loin de posséder les connaissances techniques de Jouvet et la formation d'architecte de la scène que celui-ci a su se donner lui-même tout au long des dernières années. La réprobation et les critiques acerbes de Jouvet concernant les projets de décors de *Jacob Hians sont faciles à discerner dans son* Rapport sur le travail de scène **.*
Cette collaboration entre Jouvet et Jacob Hians va donc s'avérer

---

* Voir l'essentiel de ce rapport en appendice M, p. 546.

des plus difficiles et envenimera encore l'atmosphère du travail à Cedar Court.

Suite du Journal. Je n'ai plus de véritable inquiétude, parce que maintenant je *vois* toutes choses. Et je sais que je suis dans le vrai de la pensée et du commandement, sauf quand ma brusque fatigue, comme une lame noire, vient me détacher de moi-même. Jouvet fait de son mieux pour travailler d'accord avec moi.

[...] Il y a sans doute à réaliser une meilleure utilisation de la troupe. Je comprends ce que Jouvet dit : que je leur donne l'impression de ne pas avoir confiance en eux. Je me laisse trop aller, à leur égard, au découragement.

Il y a eu une bonne quinzaine, du 26 juillet au 11 août, pendant le séjour ici de Van Doren qui a répété admirablement *Georgette Lemeunier*, *La Femme de Claude* et *Rosmersholm*. Le travail de *Rosmersholm* m'a rendu le goût du travail. Van Doren pendant quinze jours a été pour tous *un exemple*.

J'ai noté sur un feuillet, durant mon séjour à Lakewood : Ils m'avaient fait douter de moi-même. Ma confiance en eux m'aveuglait. J'ai perdu ma confiance en moi-même, plutôt que de douter d'eux. Mais maintenant je sais que j'ai raison.

Pendant ces mois d'été des journalistes vont visiter Cedar Court [28] :

La Compagnie des « Vieux Colombier Players » est en villégiature dans la villa de Otto Kahn où ils répètent Molière, Shakespeare sur les terrains de golf, et vivent la vie bucolique de rois et de princesses, *quite at home*, oui mon cher ! [...] Jamais on ne vit plus heureuse famille !

L'un de ces journalistes, se faisant reconduire à la gare en taxi, est interrogé par son chauffeur noir :

— Qui c'est-y que tous ces gens dans la maison de Mistah Kahn ?

— Des acteurs, répond-il.

— Hu-um, dit l'autre lentement, je me disais aussi qu'ils avaient un drôle d'air.

Dimanche 4 août :
Pas de repos. On répète *Gringoire*.

5 août :
Une répétition de *Gringoire.*
Deux répétitions de *Rosmersholm*
Distribution affichée pour *L'Énigme.*
Observation : La gymnastique rythmique du soir est supprimée à cause de la chaleur.
La vague de chaleur qui sévit sur la région ne s'est pas apaisée. Au soir tombant, dans les vergers, les lucioles tracent leurs circuits, et la nuit, dans les étangs, la grenouille-taureau fait entendre son éternel beuglement [29].

Le 6 août : Copeau, sous la lampe, écrit à Gide :
Vous ne m'écrivez donc plus jamais. Vous ne savez donc pas ce qu'une lettre de vous peut me rendre de courage? Je vous l'ai dit pourtant. Avez-vous pensé à ce qu'a pu être notre angoisse, ici, au moment de l'offensive de la Marne? On se soutient en travaillant, mais on s'use aussi. J'ai bien failli succomber à la fatigue et à des soucis qu'il serait trop long de vous raconter. Mais quinze jours de régime à la montagne, dans une solitude absolue, m'ont à peu près remis sur pied. J'ai repris le travail et prépare vingt-cinq spectacles pour la saison prochaine. Nous resterons ici jusqu'à fin septembre. Il fait en ce moment de 40 à 45°. J'aime ça.
Écrivez-moi. Dites-moi ce que vous faites. Rendez-moi compte de ce qui se passe.
Vous aurez une longue lettre quand vous m'aurez écrit. Nous sommes en bonne santé.

Mais Gide est en Angleterre. Le 2 août il écrivait à Jean Schlumberger [30] *:*

Je me suis perdu de vue. Je ne comprends plus rien aux états que je traverse – de ternes insomnies... et il faut jouer devant les autres cette comédie de faire semblant de vivre avec eux. Avec toi je pourrais parler sans doute. Si je te retrouvais aujourd'hui ce serait comme un marin perdu et tu commencerais par me donner à boire et je resterais d'abord longtemps sans parler [...]

6 août, Copeau lance aussi un appel à son vieil ami Henri Ghéon :
J'ai eu de vos nouvelles par Gaston. Mais pas un mot de vous depuis que j'ai quitté la France. Ne vous représentez-

vous donc pas ce qu'est pour moi l'exil? Je ne peux pas écrire parce que je suis surmené de travail et souvent aussi de soucis. J'ai fait ici un effort qui m'a vieilli. Ceci n'est qu'un petit mot pour que vous sortiez de votre silence, pour que vous me disiez comment va le pays dont je ne reçois pour ainsi dire aucune nouvelle directe. J'ai passé des moments atroces pendant la dernière offensive. Mais tout espoir renaît, et le formidable effort américain dont je suis témoin, l'entretient et le gonfle.

Pensez à votre vieil ami, cher Ghéon, qui pense bien à vous et vous aime d'un cœur bien jeune. Femme et enfants vont bien. Ils vous envoient leur amitié.

7 août :
Veille de l'offensive alliée sur tous les fronts. Foch reçoit le bâton de maréchal. Ludendorff fait retraite derrière la ligne Hindenburg.

Cedar Court : trois répétitions de Rosmersholm.
La gymnastique rythmique reprend et au cours de ces derniers jours les distributions ont été affichées pour : Scapin, Poil de carotte, L'Enchantement, L'Avare, L'Annonce faite à Marie.
Plusieurs répétitions auront lieu pour intégrer les nouveaux venus : Bouquet, Bouquette *dans les distributions.*

13 août, Copeau à Jean Schlumberger :
C'est toi qui mérites une longue lettre puisque tu es le seul de tous mes amis qui m'écrives assez copieusement, et avec le désir de soulager en moi un sentiment d'isolement, d'exil qui souvent vient s'ajouter à la fatigue avec un poids à peine tolérable.
[...] Ce n'est pas sans mélancolie que je pense parfois à cette distance qui nous sépare, à tout ce temps qui s'est écoulé sans que nous ayons vraiment communiqué ensemble. Et je me dis que quand tu me parles du Vieux Colombier tu ne sais pas très exactement de quelle réalité tu parles, ce que cela est devenu, ni quel est son avenir. Tant de pensées, de réflexions, d'expériences, tant d'acquisitions et de rêves depuis quatre ans! Comment rendre compte de cela? Dans six mois, dans un an vais-je me retrouver devant vous, mes amis, comme je me suis retrouvé au milieu de ma troupe, leur parlant un langage qu'ils ne comprenaient pas? [...]

J'ai été pendant des mois comme un capitaine sur le pont d'un navire en perdition. [...]

Mais je me suis complètement ressaisi. Il y a maintenant redépart vers l'avenir avec des ambitions illimitées. Ambitions et traverses, je vous dirai tout à Paris, quand nous serons réunis.

Aie confiance en moi. Jouvet et Suzanne se sont montrés non seulement égaux mais supérieurs à eux-mêmes. Ils se sont beaucoup développés. Ceux-là sont à toute épreuve. Ma femme m'a constamment aidé avec une abnégation admirable. Mes trois enfants me font voir l'avenir.

Ah! cher Jean, que je voudrais t'avoir là, près de moi, pour te parler de cela intarissablement. Surtout en cet instant où les nouvelles de la France donnent au courage une intrépidité nouvelle.

Ce que sera l'avenir, je n'en sais rien et n'y veux trop penser. Je sais que je suis dans ma voie, je sais ce que je veux faire. Nous verrons si ça sera possible.

Mon second c'est Jouvet, à qui il faudra faire une belle situation, et qui la mérite maintenant. Nous ne sommes pas toujours d'accord, mais je reconnais sa valeur. Il est de premier ordre dans son métier. Il n'y a peut-être pas *un seul* régisseur comme lui en France. Il s'est prodigieusement développé dans ma ligne. Il sait travailler avec moi, ce qui est inappréciable. La question de collaborateurs nouveaux sera toujours très délicate en fonction des anciens.

[...] L'avenir, c'est l'école, une génération toute fraîche, toute nouvelle, qui ne ressemblera en rien à la précédente. Ce qu'il y a de bien, je crois, c'est que j'ai su, ici, dans cet enfer, maintenir tous mes points de vue envers et contre tout. Je sais ce que sera ma réforme, si j'ai le temps, la force et les moyens. Nous ne ressemblerons à personne. Nous créerons une scène nouvelle, un acteur nouveau, un drame nouveau. Chaque jour est une expérience nouvelle. Le moment venu *je m'expliquerai.* Aujourd'hui se reliera à hier et demain à aujourd'hui. Je crois que personne ne peut nous faire la pige. Ah! la revoyure, j'y pense souvent.

Le 21 septembre, Schlumberger répondra à cette lettre :
Oui, tu as raison, je vais me retrouver parmi vous comme un pauvre banni de 48 rentrant parmi les siens sous la pré-

sidence de Mac-Mahon. Je vous ferai l'effet d'un revenant un peu comique. Mais je ne pense pas qu'il faille beaucoup plus de huit jours pour nous remettre au même diapason.

15 août, Copeau à André Suarès [31] *:*

[...] J'ai passé ici des jours terribles, mon cher Suarès. Quand nous nous retrouverons, un soir, au coin de votre feu, rue Cassette, je vous conterai tout cela qui est la vie même... Je vous dis seulement aujourd'hui que j'ai peiné, peiné, peiné, et qu'envers et contre tout, j'ai maintenu mon esprit intact et que ma volonté s'est encore purifiée.

C'est vraiment ici l'enfer de l'artiste. J'entrevois un morceau de pré français, deux arbres et de l'ombre à terre, et tout le bonheur y tient. [...]

Le 11 septembre, André Suarès répondra :

[...] Gallimard ne m'avait pas dit que vous eussiez eu tant de peine, mon cher Cop., à vaincre et même à vivre. Vous avez le mal du pays. L'horizon natal nous aide à porter l'ennui qui nous vient des hommes. Deux heures au Limon vous consolaient de vingt auteurs et de trois cents journalistes. Pour moi, les bords de la Seine m'ont souvent fait oublier la plupart de ceux qui les habitent; et la vue de Notre-Dame purifie l'esprit de la colère et des males pensées. Les gargouilles humaines prennent rang parmi les autres; et laquelle nous offense, quand elle est à sa place dans l'ensemble?

Le public est, par malheur, une façade où toutes les lignes disparaissent sous les gargouilles. Je ne suis pas étonné que vous soyez las du vôtre. Le meilleur ne vaut rien. Mais il est vrai qu'on peut aisément en former un à Paris. Ce peuple est si spirituel, si fin, si voluptueux pour tout dire. On ne pourra jamais séparer l'art de la volupté. Il faut se plaire au plaisir pour se plaire à la beauté. Les Barbares ne sauront jamais le comprendre, et ils s'en font gloire. Ils ont la morgue de leur roideur; et au lieu d'envier notre souplesse ils feignent de la mépriser. Ils sont bien ennuyeux : il faut tout leur apprendre.

Je me demande si le caractère unique du peuple de Paris ne vient pas de ce qu'il se moque de la morale. Sans croire à la vertu, il est capable de toutes les vertus. Vous serez de retour, l'an prochain, j'espère, et ces Athéniens, cent fois plus sensibles sinon plus aimables, vous seront rendus.

Mais pour l'heure il s'agit de se préparer à affronter le public de New York pendant vingt-cinq semaines, à partir du 14 octobre.

Les répétitions se succèdent : Les Caprices de Marianne, Le Voile du bonheur, L'Énigme, Le Fardeau de la liberté...

En France, l'offensive victorieuse se poursuit.

Journal de Copeau :
Le 19 et le 20, lecture de *L'Annonce faite à Marie* avec une réelle et continue émotion. Émotion que décuple celle que je lis sur le visage de Maïène.

Bien longtemps après — un samedi saint, Copeau écrira d'Assise à Paul Claudel [32] :

[...] A-t-on jamais dit combien votre poésie est humaine? Nul n'a fixé comme vous, du ton de la grande poésie, certaines choses ordinaires d'expérience quotidienne, certains gestes, certains objets et certaines vérités du cœur. Je me rappelle qu'un soir, il y a quelque douze ans, quelque part en Amérique, je lisais *L'Annonce* à mes enfants. Et quand Vercors, vous vous souvenez? parle de cette petite feuille qui s'agite au sommet du peuplier, mes trois enfants se mirent ensemble à sangloter.

> [...] *Et le soir est proche où celui qui passe*
> *Sous les peupliers*
> *Entend la dernière feuille tout en haut!*

21 août, Journal :
Deuxième bataille d'Arras. Les Français reprennent Bapaume. — Lecture de *L'Annonce faite à Marie* et du *Misanthrope.*
Toutes les notions de métier en lutte contre l'esprit nouveau. Toujours, au nom de la tradition, contre ce qui la retrouve et la recrée.

23 août :
Pas de répétitions — distributions affichées : *Pelléas et Mélisande, La Veine, Crainquebille.*

Note de service :
Il n'y aura pas de répétitions aujourd'hui vendredi et demain samedi.

La semaine prochaine sera consacrée à *l'étude du texte* des pièces suivantes.

Le soir à 8 h 30.
L'Enchantement, La Veine, Pelléas et Mélisande, Le Misanthrope, L'Annonce faite à Marie.
En outre on répétera pour la mémoire les pièces suivantes.
Dans la journée :
Blanchette, Le Médecin malgré lui, Gringoire, Boubouroche, Chatterton, Les Uns et les Autres, La Coupe enchantée, Le Voile du bonheur, Le Fardeau de la liberté, Le Gendre de M. Poirier.
Re-mise en scène de *L'Avare.*
MM. les artistes sont prévenus que les répétitions « au souffleur » ne doivent pas servir à leur faire apprendre leur texte. Il leur est demandé de préparer soigneusement pour la mémoire ces répétitions (qui seront affichées tous les jours), dans un ordre qui ne suivra pas celui du tableau ci-dessus.

25 août, Journal :
Maïène souffrante d'une grosse fièvre depuis quatre jours. Le médecin nous donne à craindre une typhoïde. Il s'agit de se raidir.

Ce jour-là Raymond O'Neil, jeune directeur du Play House Cº de Cleveland, vient voir Copeau à Cedar Court. Il lui dit : Je ne souhaite pas que vous restiez ici. Bien sûr votre présence est pour nous d'une inestimable valeur. [...] Mais vous allez vous exténuer à nous éduquer et nous ne sommes pas prêts à recevoir une telle éducation. Ne restez pas ici. Nous allons briser votre cœur, nous allons vous tuer.

Journal. Une lettre de Madeleine Gide nous apprend la mort de Michel Desjardins, tué à l'ennemi. Desjardins l'a appris à Drouin par cette lettre du 29 juillet [33] :
[...] Quand nous avons déjeuné ensemble l'autre samedi, Michel n'était plus vivant. Il a été tué le matin du jeudi 18 juillet, d'une balle au front, comme il entraînait sa section à l'assaut.

[...] C'était un matin de victoire, et il le pressentait. Je voudrais qu'on pût avertir notre cher Copeau.

Aussitôt averti, aujourd'hui 25 août, Copeau a dû écrire à son ami Paul Desjardins, qui lui répondra le 15 septembre [34] :

[...] Je vous sens solide et proche, mon cher Copeau. Vous êtes un appui. La douleur m'éprouve autrement que je ne m'y attendais. Je m'y attendais, certes ; mais comme à une chute. Au lieu d'y tomber, je me redresse, je fais front, je ne cède pas. Sans doute la privation a des morsures aiguës alors je m'écarte pour souffrir seul. Mais enfin, comme la mort consentie de Michel est un acte, le deuil de cette mort doit en être un. – Pour sa mère, les servitudes incessantes de l'hôpital la soutiennent ; il n'y a que ses nuits qui soient accablées.

Paul Desjardins s'occupe d'organiser l'action universitaire française hors de France. Il demande à Copeau sa collaboration.

Vous permettrez bien que pour l'art dramatique je mette un seul nom : *M. Jacques Copeau, fondateur directeur du théâtre du Vieux Colombier.* Voilà, par ce seul nom, marquée l'orientation de notre théâtre, à la fois neuve et traditionnelle. [...] Ne me refusez pas, cher Copeau, cette douceur de votre coopération. J'aime à manifester : 1) que le théâtre est partie intégrante de notre enseignement national, 2) que votre façon de le comprendre est saine et doit prévaloir, 3) que nous sommes amis.

27 août, Journal de Copeau :
Maïène atteinte de typhoïde. Je la transporte à l'hôpital de Morristown, ainsi que Mme Jouvet atteinte probablement aussi, et ses deux enfants.

J'ai fait vacciner tout le monde y compris moi-même, de sorte que toute épidémie est désormais conjurée.

Naturellement le travail n'a pas dû arrêter un seul jour :
Passé la journée à désinfecter la chambre. Le soir, répète *Le Misanthrope.*

Jouvet vient de New York, où il a commencé à travailler sur la scène, pour voir sa femme et ses enfants. En sortant de l'hôpital, je lui fais boire deux cocktails pour le remonter. Alors il se dit *plus tranquille* et il me parle de sa femme avec liberté.

28 août :

Le Dr Neesen du Board of Health de New York vient, en qualité de *détective médical* pour dépister les causes de ces cas de fièvre typhoïde. Cela se traduit par une journée à cent dollars. Les serviteurs se refusent aux analyses demandées.

Gaston Gallimard m'est d'une grande aide.

Copeau à sa mère :

Tout cela coûte cher, et j'étais un peu inquiet, ayant eu déjà d'énormes frais cet été. Mais heureusement un banquier de Morristown [35] m'a généreusement offert de prendre sur lui les frais de cette maladie. Telle est la charmante solidarité entre Américains et Français.

29 août, Journal :

Edi atteinte à son tour. Agnès est très courageuse. *Elle conduit sa petite fille à l'hôpital. Elle se hâte de regagner Cedar Court pour l'heure du dîner où elle a la responsabilité d'une tablée de trente personnes.*

Dans les couloirs de l'hôpital elle croise une civière : on emporte une jeune fille noire qui vient de mourir. Elle s'informe auprès des brancardiers : «De quoi est-elle morte?» — «Typhoïde», dit l'un d'eux. Et ils passent.

À Cedar Court, ce jour-là :

Deux répétitions de *Blanchette* au souffleur.

Lecture du *Misanthrope* par Jacques Copeau.

30 août :

Deux répétitions du *Misanthrope*.

31 août, Journal :

La maladie suit son cours régulièrement, sans complication en perspective. Un travail énorme. Par moments accablé de fatigue. Ils ne comprennent rien, je crois, ni les uns ni les autres. Gallimard comprend, mais il me semble que ce ne soit que pour quelques instants.

Dîné ce soir à Morristown, avec Agnès et Pascal. Ramené par un nègre qui perd sa route au milieu de l'orage.

Dimanche 1ᵉʳ septembre :
Repos. Jouvet rentre de New York où il met en état le Garrick.

3 septembre :
MM. les artistes sont priés de consulter attentivement l'ordre définitif du programme de la saison prochaine, afin d'être absolument sûrs de leurs rôles et d'être tout à fait prêts au moment où les pièces seront répétées à New York.

J. C.

L'ordre et les dates des spectacles de la prochaine saison à New York sont affichés aujourd'hui.
Pendant le mois de septembre Copeau et surtout Jouvet feront de fréquents voyages à New York pour préparer la réouverture du théâtre.

4 septembre, de Cedar Court Copeau écrit à Jouvet :
Je t'écris cette lettre parce que je la crois nécessaire pour marquer une date dans notre existence commune, dans notre travail commun. J'ai un profond besoin de savoir, d'être certain que cette longue crise dont nous avons beaucoup souffert l'un et l'autre est définitivement close, close du moins *entre toi et moi*. Au plus profond de moi, il n'en reste rien, que les nombreux enseignements qu'il y avait à en tirer, et que j'en ai tirés, je crois.

Je ne reviens pas sur des incidents, des malentendus ou des torts, qui sont élucidés, expliqués, conjurés, du moins sur l'essentiel. Je l'ai senti l'autre soir à la façon dont tu m'as embrassé. Je l'ai senti chaque jour, depuis, dans le son de ta voix que j'avais perdu depuis si longtemps et que j'ai retrouvé.

Jamais, je crois, je ne t'ai mieux aimé et compris. Jamais je n'ai eu en toi une plus entière et plus enthousiaste confiance que maintenant. Le plus grand tort et chagrin que tu m'aies faits, c'est de douter de cette confiance, de me prêter des sentiments équivoques ou mesquins. Je l'ai ressenti comme une injure. Je te l'ai dit. Maintenant c'est oublié. Non seulement je n'ai jamais douté de toi, mais j'avais en toi une telle confiance que, plutôt que de la perdre, je m'étais mis à douter de moi-même. Et c'est cela qui était *mortel*. Mes quinze jours de solitude à Lakewood m'ont complètement guéri. Aujourd'hui je vois plus clair que jamais en moi-même et autour de moi. C'est de cela que tu dois être convaincu et dont tu ne devras jamais plus douter. Je sais ce que je veux. Il faut le vouloir avec moi et comme moi. Je t'écouterai toujours comme un ami et comme un égal. C'est ainsi que je te considère. Mais quand une décision est prise, un jugement prononcé, tu dois les appuyer de toutes tes forces et sans une arrière-pensée. Je n'en ai jamais eu et je n'en aurai jamais à ton égard.

Lors de notre dernière discussion un peu vive, je t'ai dit une chose que tu m'as paru comprendre bien. Je te la répète en guise de conclusion. C'est qu'il n'y a plus lieu d'entrer dans des explications sans fin ni de rechercher indéfiniment des responsabilités de sentiment ou de fait. Au fond de tout cela, il y a une vérité essentielle, vitale : c'est que tout repose sur notre estime, sur notre entente, sur notre accord profonds et réciproques, à toi et à moi. Quand tu es avec moi tu es dans le vrai, notre œuvre est vivante et prospère, tout se tient et tout marche. Dès que tu n'es plus avec moi, tu es dans le faux, notre œuvre dépérit, rien ne va plus. Parce que je suis le chef, parce que je porte tout en moi, que tout repose sur moi. Sur moi, en tant que je suis accepté, reconnu, aidé et secondé par mes collaborateurs, par toi au premier rang, — reconnu et secondé *aveuglément*. Quand je dis aveuglément, je n'entends pas du tout parler de servitude, ni d'amoindrissement des personnalités qui m'entourent. Je demande, j'appelle un développement libre dans la communauté, dans la communion. Mais vous ne pouvez communier *qu'en moi*, « au sein du Père ». Ne souris pas de ces expressions mystiques. Rappelle-toi combien tu reprochais à Bourrin d'en sourire. Et tu n'en souriras jamais si vraiment tu comprends avec quelle sombre passion, j'appartiens à mon idéal, avec quelle vraie modestie, quel esprit de sacrifice, y compris celui de la vie. Rappelle-toi que celui qui te parle ainsi n'est pas un jeune garçon, mais un homme resté fidèle à lui-même, qui connaît la vie, qui a beaucoup lutté, qui a subi et surmonté beaucoup de difficultés et de déceptions. Et je suis maintenant à l'âge où l'œuvre à accomplir compte avant tout.

Toi, bien que tu ne sois plus *un enfant* comme tu dis, tu es un très jeune homme, neuf sur bien des points, qui as pris trop tôt peut-être dans la vie – comme je l'ai fait moi-même – de très lourdes et implacables responsabilités. Et peut-être que s'ouvre maintenant devant toi une ère de passions et de troubles. Quoi qu'il arrive, considère-moi comme un ami en qui tu peux avoir une confiance absolue. Je ne te ferai jamais défaut. Jamais je ne me suis repris à un engagement, ni même, j'ose le dire, dérobé à un devoir. Les questions de ta vie intime sont aujourd'hui liées étroitement aux questions de ta vie de travail, c'est-à-dire de notre collaboration. Là aussi, je puis t'aider.

Laisse-moi te dire enfin – parce que c'est à mes yeux une question essentielle – que tu aurais tort de jamais donner à des devoirs de *camaraderie* le pas sur les devoirs envers l'amitié qui doit nous lier et qui doit être intraitable aux yeux de tous. Je n'insinue pas que tu aies jamais trahi ces devoirs. Mais je reste convaincu que si quelque désordre s'est glissé dans la communauté, c'est principalement à la faveur d'une lacune dans nos rapports. Un mot que tu m'as dit un jour m'en a fourni la preuve. Nous en reparlerons.

Il faut que tu sois avec moi corps et âme. Parce qu'il n'y a que moi qui sois à toute épreuve. À toute épreuve tu dois l'être pour moi comme je le suis pour toi. C'est avec moi que tu dois être *inséparable*. Ta nature, tes aspirations, ta valeur t'y appellent. Ce ne sont que de vieilles habitudes, une certaine nonchalance de mœurs qui te retiennent dans une camaraderie où je ne vois rien que de médiocre et de futile...

Ne m'accuse pas trop vite d'orgueil. J'en ai pour toi, sachant où est ton développement. Ne t'étonne pas non plus de me voir hostile à la camaraderie. Je ne vois pas dans ce qu'ils nomment ainsi de vraie camaraderie. Leur camaraderie n'est ni communauté ni communion, elle n'est que complicité et esprit de troupeau. Je l'observe chaque fois...

Et avant tout, vois-tu, avant même qu'il ne soit question de vraie communauté, il faut que le *noyau* en soit formé, absolument pur, solide, imbrisable... En cette cinquième année de notre existence, je ne vois auprès de moi que toi et Suzanne. Pour les autres, l'indulgence ne me manque pas, j'en ai peut-être trop – et Dieu sait si je suis prêt à l'accueil! – mais dur à l'élection.

Quand tu auras lu cette lettre, penses-y assez longuement

avant que d'y répondre ou de m'en parler. Je sens trop fortement que je suis dans le vrai.

Travaille bien. Sois calme. Mon optimisme invétéré m'incline à penser qu'il est bon que nous ayons passé par ces épreuves et que nous en sortons plus forts.

À toi,

Jacques Copeau.

Mais ces épreuves sont loin d'être terminées. Les discordes, les mécontentements qu'on espérait apaisés couvent toujours. Il semble que l'arrivée de Marcelle Jeanniot, le 4 septembre, n'ait pas été propre à apaiser Dullin qui est, en outre, atteint de pleurésie.

8 septembre, Journal de Copeau :
Edi fait toujours grosse fièvre. Nos domestiques nous ont quittés. Agnès se partage entre la maison et l'hôpital.

9 septembre :
Edi a passé de mauvais jours. Je l'ai vue un soir tout égarée de fièvre. *Et il écrira à Jacques Rivière* [36]. Edi a été si malade qu'on ne l'entendait plus parler. Elle a eu 32 bains glacés. J'ai cru la perdre. Ça a été affreux.

Jouvet est à New York où Copeau le rejoint.
Pendant leur absence, le régisseur Casa fait répéter les textes du Menteur, *la musique du* Mariage de Figaro, *le texte de* La Nuit des rois.

Copeau rentre de New York le 13.

Les répétitions se déroulent régulièrement tous les jours : jusqu'au 18 on répète La Veine, L'Enchantement, Le Secret.

18 septembre, Journal de Copeau :
Maiène semble hors de cause. Edi va mieux depuis quelques jours. Avant-hier elle a ri.

Mme Jouvet et Anne-Marie rentrent aujourd'hui de l'hôpital. Bart y a été transporté.

Les 19 et 20 septembre :
Répétitions de *Pelléas et Mélisande.*

Dullin est guéri. Mais il a reçu de mauvaises nouvelles de sa sœur Pauline. Copeau écrit aussitôt à sa chère vieille amie.

20 septembre :
Charles m'apprend ton malheur... je suis loin, je ne puis t'être d'un grand secours. Mais je sens ton chagrin comme si j'étais à ton côté et je veux te dire au moins ce que je sens. Ce qui est arrivé est horriblement douloureux, mais n'est pas irréparable [37]. Le péché d'amour, de quoi qu'il s'accompagne, est le plus pardonnable de tous. Il me semble qu'avant tout tu dois faire tout ce que tu pourras pour ne pas blesser cette enfant ni l'éloigner de toi davantage encore en lui donnant l'impression qu'il y a quelque chose d'irréparable, de désespéré dans sa faute. Je crains que la démarche que tu as faite auprès d'un avoué ne soit déjà de nature à la blesser. Sais-tu où elle est? Tâche de communiquer avec elle. Tout est là... Il faut qu'elle sache que le retour vers toi ne lui est pas interdit, que tu la comprends et la pardonnes... Tu es si humaine, Pauline, et capable de tant d'amour intelligent... Il me paraît impossible que ton enfant soit inaccessible aux paroles que tu pourras lui dire.

[...] Je viens d'avoir mes deux filles malades de la typhoïde assez gravement. Elles semblent aujourd'hui hors de danger. Mais j'ai été bien inquiet. Tant que nous pouvons voir le visage de ceux que nous aimons, que nous pouvons leur parler, notre cœur doit se refuser au désespoir.

Au revoir mon petit Paulin. Je sais que nous nous reverrons.

Par des notes de Copeau, relevées dans « un petit carnet noir » et rédigées en style télégraphique entre le 22 et le 25 septembre, on découvre à nouveau la « crise » à un paroxysme : dissensions, disputes, inimitiés, ragots : des calomnies concernant Copeau et cent mille francs qu'il aurait mis « de côté » circulent de nouveau de bouche à oreille. Il est même question d'une bataille dans les couloirs. Empoisonnement dès le début, par introduction d'éléments nouveaux dans la troupe, note encore Copeau.

Lundi 23 septembre, Journal :
Renvoi de Paul Jacob Hians.

Jouvet prépare le déménagement de Cedar Court; il se rend de nouveau au Garrick.

C'est alors qu'arrive pour Copeau un télégramme d'Eleonora Duse [38]. *Cette solidarité profonde d'Eleonora Duse s'est manifestée depuis les premiers jours du Vieux Colombier.* On eût dit qu'un lien mystérieux s'était établi dès lors entre nous, *écrira Copeau plus tard* [39], car souvent, en particulier pendant la guerre, à des moments précis où la force en moi fléchissait, il arrivait que Duse m'écrivait une lettre ou me lançait un télégramme pour me rendre le courage, m'exciter à la confiance.

Muni de ce viatique, Copeau regagne New York.

Le soir même il écrit à sa femme :
Je vais bien, ma chérie... un peu de fatigue et beaucoup de tristesse au fond du cœur à cause de tant de petitesse et de sottise... Je pense à toi, aux enfants, au parc de Morristown et à mon pays.

25 septembre, mercredi matin, Agnès :
[...] Ma pensée ne te quitte pas et mon cœur est bien tumultueux. Je voudrais être comme toi mais je n'ai pas ton cœur de saint, le mien est plein de colère et d'indignation. La solitude me rendra meilleure et c'est avec une joie amère que je vois les préparatifs du départ s'achever. Le calme semble renaître; je vois bien par-ci par-là de petits groupes qui se taisent à mon approche, mais les repas sont gais et ils ont tous l'air de se réjouir de reprendre le travail au théâtre. Gaston a pu, me dit-il, causer avec eux tous séparément et remettre les choses au point. Pour eux... car pour toi comment remettre au point des choses aussi monstrueuses. [...] Combien je partage ton chagrin et suis profondément touchée aussi... Ma grande, mon unique préoccupation c'est ta santé... la chose importante c'est de savoir si tu te sens la force d'aller jusqu'au bout sans succomber. Si oui, je vois derrière la dure épreuve de cet hiver une si grande promesse... J'accepte d'avance les conditions de vie les plus humbles. Il faut rentrer en France avec un peu d'argent : [...] Je connais l'admirable ressort de ta nature vigoureuse; toutes les dures expériences de ces deux années tu en feras ton profit [...]

Deuxième saison du Vieux Colombier
à New York
1918-1919

La grippe espagnole. La Victoire. L'Armistice : le sentiment de l'exil devient insupportable. Recettes insuffisantes. Difficultés financières insurmontables. Kahn assure la fin de la saison. Copeau se sépare de Dullin. Vingt-cinq pièces jouées. L'Impromptu des Adieux. Les Amis du Vieux Colombier d'Amérique. Retour de la troupe en France.

Le 26 septembre, la troupe à son tour quitte Cedar Court.
Le 30, reprise des répétitions au Garrick. Jusqu'à la réouverture du théâtre, le 14 octobre, on répète Le Secret de Bernstein.

26 septembre-15 octobre : Les Allemands se replient sur la ligne Hindenburg.
Mangin attaque au Chemin des Dames; Pershing attaque à Saint-Mihiel. Partout l'ennemi recule.
Sur le front d'Orient : offensive Franchet d'Esperey [1] contre les Bulgares. Fin septembre : Armistice et abdication du tsar Ferdinand.

L'épidémie de grippe espagnole, *qui fait des ravages en Europe, s'installe maintenant aux U.S.A. et Maïène, après avoir donné à son père de bonnes nouvelles du* Morristown Memorial Hospital :

Edi va très bien, maintenant elle est assise toute la journée dans son lit et chaque jour elle fait de nouvelles prouesses.

lui écrit quelques jours après : dimanche :

Bonjour, c'est le matin. Mardi ça fera six semaines que je suis dans cet hôpital, il me semble que j'y ai été la moitié de ma vie. Il y a des masses de pneumonies en ce moment; c'est quand on ne fait pas attention, et qu'on a cette sorte de grippe, ça devient tout de suite une pneumonie, et alors tous ceux qui ont ça on les a mis ensemble juste au-dessous de nous, et ils toussent terriblement, et quand ils ne toussent pas ils gémissent sans s'arrêter, pauvres.

Et enfin, le lundi 3 octobre :

Grande nouvelle!!! Peut-être allons-nous rentrer cet après-midi!! On tâche de faire partir les gens qui vont bien aussi vite que possible à cause des pneumonies qui sont très attrapables. [...] Quel bonheur de quitter enfin cet hôpital. Tu ne peux pas t'imaginer comme c'est morne ici quand on va bien.

En France, l'offensive victorieuse se poursuit :

Saint-Quentin tombe aux mains des Anglais le 1er octobre.

Copeau reprend courage. Le 7 octobre il écrit à sa femme :

Téléphoné à Maïène. C'était une joie presque trop forte d'entendre sa voix...

Tu pourrais venir un jour ce voir qui manque au nouvel appartement [2]. Tu aurais pu faire coïncider ta venue avec l'ouverture du théâtre, le 14.

Espère aller à Morristown jeudi. Ne le dis pas aux enfants... Courage, ma chérie, nous sortirons de tout cela et je te promets, dans l'avenir, de ne plus jamais m'engager au-delà de mes forces.

Pourtant Agnès est inquiète :

Si vous voyiez Jacques vous le trouveriez bien changé, *écrit-elle le 2 octobre à Hélène Martin du Gard* [3]. Il a vieilli de dix ans et souvent je me demande avec angoisse si jamais il se remettra entièrement des rudes épreuves qu'il a subies ici. Je ne peux rien vous dire, vous saurez sans doute plus tard l'amertume de ce séjour que vous tous, les amis, avez plus ou moins considéré comme une partie de plaisir. Jacques est atteint profondément au cœur même de son œuvre. Dites à Roger, chère amie, qu'il lui écrive, qu'il sente son amitié et sa confiance toujours active et vivace. Jamais, vous ne pourrez vous imaginer les heures noires, désolées par lesquelles il a passé. À la fin de la saison il était extrêmement surmené et je crains que l'été ici, quoique dans des conditions exceptionnellement heureuses, n'ait pas donné le calme et la satisfaction qu'il en espérait. Mais je ne puis toucher à tout cela, c'est si compliqué et si triste, sans doute plus tard, au retour, Jacques dira tout à Roger. Ma vie a été assez difficile et ingrate, mais ayant accepté de diriger la maison j'y ai mis mon cœur et mon énergie. [...]

Elle raconte alors les jours angoissés de la typhoïde et toutes les complications qui s'y ajoutèrent :

[...] Jugez de l'ironie de votre lettre arrivée juste à ce moment parlant de « la vie de château », au moment affreux où parfois je doutais de ramener en France mes trois enfants.

Je vous assure, chère Hélène, que seules les glorieuses nouvelles de France ont pu me soutenir, et loin d'oublier les souffrances et les misères de notre pays, la pensée de l'universelle souffrance a réduit la mienne à de bien petites proportions. Vous ne savez pas combien l'exil ajoute à l'angoisse de la guerre.

L'exil et aussi le silence des amis.

Enfin arrivent quelques réponses aux appels lancés par Copeau au mois d'août :

1ᵉʳ octobre, Ghéon :
Mon bon vieux, est-ce bien possible ? Allons-nous d'ici peu reprendre ce contact amical, cet échange joyeux, cette camaraderie dans le combat pour les bonnes lettres françaises – et plus clairvoyants que jamais ! Au jour du grand retour quelle embrassade ! – Oui, ça va ! Que n'étiez-vous là, auprès des combattants, tout le long de l'été splendide qui a commencé dans le deuil – mais non dans le doute – et qui nous emporte soudain vers d'inconcevables victoires !

Étapes sur étapes, des péripéties de tous les instants, la joie du succès, l'horreur du ravage – cueillant des prisonniers, laissant des morts, les villages sautant maison par maison derrière nous, mangeant froid, couchant à la belle étoile, nous attaquions tous les matins! Du train où nous allons la fin ne tardera plus guère. Patientons pourtant, nous, les optimistes de toutes les heures. Songeons surtout à l'après-guerre, préparons-la. Comme il faudra que la France soit grande et belle pour mériter dans l'avenir, tant de jeune sang répandu hier, tant d'héroïsme et de miracles!

Mais parlons de vous, mon bon vieux. Parlons de vous...

Le style du Vieux Colombier est-il demeuré sauf au sein d'un américanisme qui matériellement nous sauve, mais que nous nous devons ensuite et par un juste retour, de « franciser »!

Quant à André, silence; il est à Oxford ou Cambridge, ou bien il y était, je ne sais trop. A-t-il coupé les ponts pour protéger ses fugues? a-t-il honte en face de moi de son cher tourment? ou bien craint-il de me distraire? ou bien enfin, décidément, ne parlons-nous plus le même langage. Depuis février, il m'ignore... Je commence à croire que je fus pour lui un compagnon de dissipation rien de plus.

Vu les Théo, les mêmes; il travaille. Visité Griffin [4] en Touraine, flatté que l'on songe à *Phocas* (ivre de gloire américaine, et dictant ses mémoires à sa femme inlassablement, entre deux causeries avec le maître-maçon qu'il occupe). Quant à moi, un bel équilibre. Je voudrais vous savoir aussi d'aplomb que moi. Je compte sur un petit mot qui me rassure...

Également le 1ᵉʳ octobre, Gide :

De retour en France et à Cuverville depuis hier, vais-je enfin savoir vous écrire? J'attendais ce moment.

Non, aucune lettre de moi ne s'est égarée... Vous n'avez rien reçu parce que je ne vous ai rien écrit; et je ne cherche pas à m'excuser, parce que je suis inexcusable. Au commencement de l'été, j'ai reçu de vous une lettre bouleversante [5] – tendre, amicale, exquise... Comment n'y ai-je pas aussitôt répondu? Oh! sans doute parce que je voulais trop bien y répondre et que de jour en jour, puis de semaine en semaine, j'attendais un repos de cœur et d'esprit, que j'espère retrouver ici, enfin! Les trois mois que je viens de passer en Angleterre ont passé d'une manière si étrange qu'à peine si je parvenais à me convaincre qu'ils étaient pris à même ma vie; sans doute je rêvais et le temps ne comptait pas plus pour vous que pour moi-même – et j'avais cette lâcheté de trop compter sur votre amitié, de sentir trop que je vous retrouverais tout de même, sachant bien que moi je ne vous avais pas quitté. Mais je ne pensais plus à vous sans tristesse, vous sentant fatigué, triste, — et que vous attendiez après moi — et que je n'avais rien fait pour vous, ne faisais rien... Et je sais bien que je n'écrivais pas plus aux autres qu'à vous-même — mais envers aucun mon silence ne me causait plus de remords qu'envers vous [...]

Quelles splendides nouvelles du front! de tous les fronts tout l'horizon tremble et vacille. Ah! que de choses à faire à votre retour.

Je suis votre vieux permanent.   André Gide.

Quand il apprend, le 18 octobre, la maladie de Maïène et d'Edi Gide écrit de nouveau, le 19 octobre :

J'ai le cœur affreusement serré par les nouvelles que contient la dernière lettre d'Agnès (du 28 septembre et que nous recevons hier, somme toute assez rapidement). Je vous écrivais à cette même date, mais vous aurais écrit tout différemment si j'avais connu vos angoisses... Elles ont plongé tout Cuverville dans une sorte de consternation, et Madeleine qui nous lisait la lettre d'Agnès a dû plus d'une fois interrompre sa lecture. Je sais bien que cela est déjà loin et je veux croire que Maïène et Edy ont repris des forces; mais de les imaginer dans cet état de faiblesse extrême où les dépeint leur mère, d'imaginer Agnès épuisée de fatigue et d'angoisses, et vous mon pauvre ami... et moi si loin de vous! Ah! comprenez du moins... Mais non : vous n'avez pas mal interprété mon silence; il me devient insupportable lorsque je vous sais malheureux. Et je sens bien que la maladie des enfants n'a pas été la seule épreuve. Je sais que si j'étais près de vous, vous me parleriez et que dans ma sympathie vous puiseriez quelque courage. Mais que puis-je vous dire à présent? sinon que cette sympathie reste aussi vive, qu'elle est plus vive encore qu'aux meilleurs jours. Je souffre de ne pouvoir vous aider davantage...

Et malgré tout je reste à votre endroit plein d'assurance : il en sera de vous comme du sort de la France. Étions-nous assez accablés, au moment de l'avance allemande? — Et vous voyez maintenant! Quelle leçon de foi! de persévérance, de courage... Pour le grand réveil de demain, il faut que vous soyez au poste. Le vrai secret, c'est, au moment de la détresse, de ne point croire trop uniquement dans la minute présente. C'est demain qui sera glorieux.

Et puis ne confondez point fatigue et vieillesse, comme je faisais si maladroitement à votre âge; car si je me sens aujourd'hui plus jeune qu'hier je songe que vous êtes tout de même sensiblement plus jeune que moi. Rien n'est plus ardu, plus éreintant que de nager contre le courant : mais ceux-là qui se laissent porter par le courant sont sans valeur.

Excusez-moi de faire ainsi le Sénèque avec vous. Si j'en savais plus long sur les causes de votre tristesse d'hier, je parlerais d'une manière moins sentencieuse; mais l'important c'est que vous me sentiez bien votre ami.

Pour la première fois depuis bien longtemps, le ciel est splendide -- de nouveau. Ah! je vous veux compagnon de tous mes espoirs.

Des nouvelles du Vieux Colombier de Paris arrivent aussi.
Du Mont-Dore, Jane Bathori écrit le 22 août :

Nous n'avons pas encore l'argent de notre commandite et je commence à me faire du souci... Nous avons de grands projets, mais je ne pense pas que nous puissions les réaliser cette année...

Nous aurons vingt et une semaines de spectacles *. Nous aurions voulu donner beaucoup de modernes; il nous faudra les mélanger avec pas mal de classiques parce que les *modernes* ne seront pas tous prêts. Mais c'est l'œuvre amorcée pour plus tard et je puis dire que le résultat sera intéressant pour tous...

[...] Que devez-vous penser de moi qui ne vous ai pas remercié pour la belle photo reçue il y a presque quinze jours? Merci, et excusez-moi d'avoir tant tardé. J'ai tant de lettres à écrire et quelles lettres!! demander de l'argent, connaissez-vous rien de plus odieux? surtout quand les gens répondent non la plupart du temps. Mais je ne perds pas courage une minute... on marchera avec ce que l'on aura, voilà tout [...]

Soyez gentil et bon – écrivez-moi quelques mots pour me rassurer et me dire que tout va bien – que vous êtes plein d'espoir.

---

* Voir Appendice L, p. 543.

Oui, Copeau reprend espoir. Il a revu ses enfants à Morristown. Ils vont mieux.

Les nouvelles de l'avance foudroyante des Alliés remplissent les journaux :

10 octobre :

Libération de Reims, le 13, La Fère-en-Tardenois et Laon délivrés, le 17, Lille est reprise, le 18, Roubaix et Tourcoing.

Le prince Max de Bade [6], chancelier depuis le 3 octobre, demande la paix à Wilson sur la base des quatorze points.

Cette nouvelle sera confirmée le 19 octobre par une lettre de Jean Schlumberger :

[...] Je te griffonne ce mot avant le départ du courrier. Qu'on a le cœur débordant de joie! Nous avons eu bien peur quand le président [7] s'est mis à converser avec le boche, mais la seconde note a remis l'entretien sur un bon pied. Les gens de Paris ont un peu perdu la tête et croient que ce sera fini pour Noël [...]

Le même jour, Roger Martin du Gard écrit à son ami Maurice Ray [8] :

Cette fois, mon vieux, je ne crois pas être fou en te disant : à bientôt. J'ai le ferme espoir de porter un canotier au printemps. Ah! je défaille...

Et le 14 octobre Jacques Rivière à Jean Schlumberger [9] :

... Les événements vont d'un tel train et ils sont si ahurissants, si bienfaisants aussi qu'on commence à se demander si la paix ne va pas nous surprendre d'un moment à l'autre...

En attendant, au Garrick, on travaille avec acharnement. Le théâtre annonce l'ouverture de sa deuxième saison :

Dans la brève période de quatre mois, du 27 novembre 1917 au 9 avril 1918, le Théâtre Français du Vieux Colombier s'est solidement établi en Amérique. Le succès qu'il a remporté en présentant la production dramatique française au public américain constitue l'un des événements artistiques les plus notables.

Nous sommes excessivement reconnaissants à nos abonnés de leur soutien et de leurs encouragements, au public américain et à la presse de leurs louanges et de leur coopération, ainsi que de leur prompte approbation de nos premiers efforts et du grand idéal qui les inspirait.

Pour notre seconde saison, qui commencera lundi, 14 octobre, nous sommes heureux d'offrir un répertoire * qui révélera une gamme plus importante des créations de la scène française. Ce sont des œuvres importantes et largement représentatives de périodes différentes.

Cette saison durera vingt-cinq semaines, chaque semaine étant consacrée à une seule œuvre ou à un double programme, qui se jouera régulièrement du lundi au samedi inclus.

Ceci constitue une orientation nouvelle par rapport à la saison dernière où plusieurs pièces en alternance étaient représentées par semaine.

En perspective de cette saison, que nous souhaitons brillante, le Théâtre Français du Vieux Colombier qui se consacre entièrement à la présentation en Amérique des œuvres les plus remarquables de la scène française, apporte à sa préparation les soins les plus minutieux.

J. C. [10]

Mais au même moment une note alarmante paraît dans la presse :
L'épidémie de grippe ferme beaucoup de théâtres.
Plus sévère dans l'Est, elle s'étend sur la côte Ouest. On annonce déjà cinquante-cinq mille morts.
Les théâtres de New York restent ouverts pour le moment.

Le programme éclectique annoncé par Copeau répond aux vœux d'une partie du public et aux critiques formulées par la majorité de la presse pendant la première saison. Il est aussitôt favorablement commenté :

8 octobre :
The Boston Evening Transcript : M. Copeau apprend la sagesse. Apparemment, le directeur du Vieux Colombier a compris que, pour attirer et garder un public new-yorkais, il devait lui offrir les pièces qu'avant la guerre on avait l'habitude d'aller chercher à Paris...

---

* Appendice N, p. 554.

11 octobre :
The Philadelphia Press : French Drama in America. — Cette année New York est assurée d'être la ville la plus cosmopolite du monde au moment où le Théâtre Français va entamer sa seconde et heureuse saison. C'est le seul théâtre au monde, en dehors de la France et du Canada, où l'on parle français exclusivement et où l'on présente un répertoire de vingt-neuf pièces, dont plusieurs jouées pour la première fois aux États-Unis. L'entreprise est assurée du succès [11]...

Au même moment un article de Jacques Copeau, écrit pour les Éditeurs du Bookman [12] *:* « Le Théâtre Français devant le public américain », *fait le point sur les difficultés rencontrées par le Vieux Colombier pendant la première saison, analyse les raisons de ces difficultés et rend hommage aux amis qui constituent maintenant son vrai public. Il termine par cet appel :* Ce qu'il y a d'admirable dans la culture française, c'est son unité, sa continuité. Chez nous, tout se tient. Il n'y a pas d'interruption ni de vide... C'est un théâtre de cette nature et de cette portée que j'ai essayé de créer à New York. Je sais que notre peine n'a pas été complètement perdue... Mais pour poursuivre une telle œuvre il faut vivre... C'est au public américain de donner sa réponse, et de faire savoir s'il n'entend goûter dans notre art dramatique qu'un divertissement futile et passager, ou s'il veut que notre théâtre acclimate ici, dans toute sa pureté, sa force et sa vertu civilisatrice, le goût équilibré et la mesure souriante de l'esprit français.

Au début de cette saison paraît aussi un petit livre de Waldo Frank, édité par La Nouvelle Revue Française, The art of the Vieux Colombier — a contribution of France to the contemporary stage [13], *par lequel il tente de faire connaître aux Américains les racines du Vieux Colombier et son apport à la culture moderne :* Nous avons, *dit-il,* appliqué à nos visiteurs français la coutume polie de notre pays : les accueillir et ne pas leur poser de questions. Mais, dans ce cas particulier, nous aurions gagné, nos amis et nous-mêmes, à montrer une plus profonde curiosité... Le théâtre du Vieux Colombier est vraiment plus qu'un théâtre. C'est l'expression d'une vie fondamentale en France et en Europe : le symbole d'un groupe dont l'esprit est la voix de la génération nouvelle... Sa présence parmi nous donne à l'Amérique sa première chance d'examiner de toute urgence un de ces mouvements cohérents qui, à travers les siècles, ont fait des Français les véritables protagonistes de la culture moderne.

Ainsi présentée, la nouvelle saison commence.

Ouverture : *lundi 14 octobre 1918* :
PREMIER SPECTACLE DE LA SAISON * :
Le Secret, de Henry Bernstein,
monté en vingt-deux répétitions,
dont neuf à Morristown [14].

Le 21 août 1918, au télégramme de Jacques Copeau : Câblez si acceptez ouvrir saison 14 octobre avec Secret, Henry Bernstein *a répondu :* Accepte avec plaisir [15].

Le 15, Le Courrier des États-Unis *donne le ton général de la presse :*
... La représentation d'hier, qui fut un succès complet, augure bien de la nouvelle saison.

Womens's Wear Daily :
Pour le petit Théâtre Français, que M. Copeau s'efforce de rendre de plus en plus intéressant, c'est un choix heureux que ce type de pièce française auquel le public américain prend le plus vif plaisir, une pièce d'une sensibilité moderne...

John Corbin :
La compagnie de M. Copeau donne une représentation parfaite et d'un ensemble admirable. Le repos et le travail de cette compagnie pendant ses vacances d'été ont porté amplement leurs fruits.
Le choix de cette pièce d'ouverture peut sans doute être considéré comme une indication du désir de la direction de s'approcher à mi-chemin du public [...] À plusieurs reprises la représentation fut interrompue par des explosions d'applaudissements.

Pendant un entracte, $ 10 000 ont été souscrits au Liberty Loan.

* Voir Appendice N, p. 554.

Louis De Foe :

À plusieurs égards la Compagnie française de Jacques Copeau améliore la politique à laquelle elle semblait être enchaînée pendant sa première saison. Quoi qu'on puisse dire encore de l'impressionnisme excessif de M. Copeau, il a cette fois commencé sa nouvelle saison, non par le bric-à-brac anti-dramatique du théâtre littéraire français, mais avec une pièce qui est vivante d'un bout à l'autre.

À cette approbation chaleureuse du nouveau programme se mêlent quelques critiques. L'opportunité du choix de la pièce est mise en doute par Clayton Hamilton :

Il y a cinq ans, *Le Secret* avait été joué en anglais par David Belasco et avait remporté un notable succès. C'est sans doute la raison pour laquelle cette pièce a été choisie par M. Copeau, qui a pensé que les spectateurs qui ne sont pas familiarisés avec le français préféreraient entendre une pièce qu'ils connaissent déjà. Sans quoi il est difficile de comprendre ce choix, car *Le Secret* n'est ni un grand drame, ni un ouvrage important de la littérature, mais seulement un exploit technique d'une adresse peu commune.

Enfin, tout en comprenant les raisons impératives qui ont guidé ce choix, comme l'exprime ici Arthur Hornblow :

La tendance à la modernité tentée par le Vieux Colombier à la fin de sa première saison pour attirer au théâtre une clientèle payante est, de toute évidence, renouvelée cette année. Des pièces récentes sont maintenant représentées et personne ne peut avoir le cœur de blâmer le plus idéaliste des directeurs, de tendre à demi l'oreille vers la voix du « box-office ».

Tous ceux qui, dès la première saison, ont compris et soutenu l'esprit et le travail du Vieux Colombier désapprouvent ce changement.

Louis Sherwin :

L'année dernière, la direction prise par M. Copeau a donné à son public l'espoir de pièces hors du commun, riches de contenu dramatique qui, avec sa manière personnelle et créative de les mettre en scène, ferait naître pour nous le modèle parfait de l'art dramatique.

C'est pourquoi l'ouverture du Vieux Colombier hier soir était attendue avec l'intérêt suscité par une telle promesse. Il est donc inexplicable pour nous que la première pièce qui nous est présentée soit *Le Secret* de Henry Bernstein, qui appartient à un style démodé. Cette pièce est fondamentalement inintéressante.

Et Laurence Reamer :

[...] Henry Bernstein perche malaisément dans ce vieux colombier. Il nous est impossible de croire qu'il s'y sente chez lui et qu'il s'y croie le bienvenu. On l'y tolère seulement.

Tolérance bien dure à accepter par celui qui, en 1907, parlant de Bernstein, écrivait dans La Grande Revue [16] :

Moins éprises de sentiment dramatique que d'action théâtrale, tout à fait dédaigneuses des nuances – grâce à de merveilleux interprètes et par un prestige scénique assez analogue au prestige dialectique d'un Dumas – ces pièces rapides, sommaires, bousculent et conquièrent le public. L'approbation de celui-ci, jointe aux louanges de la critique, pousse l'auteur à exagérer sa sécheresse et à réaliser de jour en jour plus fidèlement cette image de soi-même que lui façonne la vogue. Pour cela, dans les milieux les plus surchauffés de l'existence parisienne, il choisit, devant les simplifier encore, les types les moins complexes, les moins conscients, les plus brutaux, les mieux adaptables à sa conception, à ses facultés dramatiques... Dans ce choix il n'est guidé ni par le culte du beau, ni par l'appétit du vrai, ni par l'amour du tragique, mais – le mot est de lui – par le goût du *pittoresque* – c'est-à-dire de ce qu'il y a de plus trivial en art.

À Léon Chancerel *qui, dans une de ses* Causeries à la Radio [17], *s'indignait de cette « concession » :*

« Va, lui dit Jouvet, tu ne sauras jamais ce que furent ces longs mois passés loin de notre Paname, tu ne sauras jamais le courage qu'il nous a fallu pour tenir, pour lutter jusqu'au bout. »

Courage qui parfois défaille. Découragement et mutisme du Patron. Sourde rancune des comédiens qui acceptent avec peine de jouer ce qu'ils ont appris à haïr. Le box-office ne fera que confirmer ce malaise. Copeau écrit à Agnès :

Les recettes sont extrêmement basses et je ne sais où nous allons [18].

Mais le spectacle suivant va ranimer pour un temps le courage de tous.

Billet de service :
À partir du *mardi 15 octobre,* on répète *Le Mariage de Figaro* chaque après-midi, sauf le jeudi et le samedi à cause des représentations en matinée.

Lundi 21 octobre 1918 :
DEUXIÈME SPECTACLE :
Le Mariage de Figaro de Beaumarchais,
cinquante répétitions,
dont trente et une à Morristown, six décors [19].

Copeau note dans son carnet :
Figaro. Jeunesse, ardeur, plaisir sur la scène et dans la salle, comparable à *La Nuit des rois* à Paris.

La critique dans son ensemble reflète cette joie.

The New York Globe :
[...] Après tout Beaumarchais est plus jeune que Bernstein [...] *Figaro* est une occasion merveilleuse pour révéler encore les multiples beautés du dispositif scénique. Les acteurs ont montré leur perfection habituelle [...] Cependant ils n'ont pas encore vaincu leur habitude de crier [...] La principale et la plus séduisante caractéristique de la représentation est la beauté des décors et des costumes [...] Les décors ne cherchent pas une quelconque vérité historique et se trouvent en complète harmonie aussi bien avec l'esprit de la pièce qu'avec l'esprit du théâtre lui-même. Rien jamais ne gêne les acteurs et n'entrave le libre et rapide mouvement de la comédie... Et jamais n'a mieux été suggérée une allée de marronniers!
Mais naturellement, une fois de plus, De Foe n'est pas d'accord :

La Compagnie du Vieux Colombier qui, avec la représentation du *Secret* de Bernstein, avait montré la semaine dernière des signes encourageants de réveil s'est de nouveau endormie hier soir avec la résurrection du *Mariage de Figaro* de Beaumarchais. Cette comédie est directement dans la ligne de prédilection de M. Copeau pour le bric-à-brac littéraire du théâtre français. Le public, qui n'était pas très nombreux, ne s'est pas particulièrement intéressé à cette intrigue laborieuse d'une vieille pièce [...]

Jouvet évoquera plus tard le travail pénible du régisseur dont il assumait alors toutes les corvées, encombré d'un nombre extravagant d'accessoires pour ce Mariage de Figaro [20] :

Ces souvenirs sont malgré tout éclairés pour moi des feux de bengale de cet esprit léger qui nous faisait vivre dans une atmosphère de comédie italienne. Pendant les représentations (je jouais le personnage de Brid'oison) une sorte de pétillement amoureux débordait de la scène jusque dans les coulisses, laissant le théâtre dans une atmosphère de gaieté et de bal masqué.

Agnès, venue le 24 de Morristown pour assister à une représentation du Mariage, *écrit le lendemain :*
Ravie du ravissant spectacle. Lorsque je ne vois que ta fatigue, tes chagrins, ton désenchantement, je suis tentée de te conseiller de tout abandonner, de renoncer à ce dur métier. Mais lorsque je me trouve devant une chose admirable comme le spectacle d'hier, si unique, et qui est ton œuvre, et que personne d'autre ne pourrait faire, je vois clairement qu'il faut que tu continues, que tu luttes et que tu triomphes. J'ai devant les yeux toute cette gaieté, toute cette jeunesse, ces jolies couleurs, tout ça danse et rit et chante. C'était vraiment délicieux.

26 octobre. Jacques répond :
Merci ma chère femme, mon amie, pour ta petite lettre de ce matin si réconfortante. Oui, il faut lutter mais il faut avant tout *me conserver intact...* Je crois que je pourrai faire de grandes choses mais à condition de les faire de tout cœur. Voici 100 dollars. Est-ce assez ? Je n'ai pas touché un cent depuis la

réouverture. Il me reste très peu... Je vais voir Kahn ces jours-ci et lui exposer la situation. Hier soir, maigre recette mais, comme toujours, *salle enthousiaste.*

Vendredi 25. Billet de service :
Sixième représentation du *Mariage de Figaro.* Le rideau se lève vingt-huit minutes en retard, Mme Bogaert s'étant trouvée mal à 20 h 10 et ayant eu besoin d'un médecin.

M. Copeau manque l'entrée de la scène X, ce qui coupe les scènes X et XI, et qui fait que l'acte ne dure que vingt-neuf minutes.

Dès le mardi 22, Blanchette *et* Crainquebille *sont entrés en répétitions, tous les jours de 12 h à 17 h 30, sauf le jeudi et le samedi où* Le Mariage de Figaro *est joué en matinée.*

La grippe espagnole poursuit ses ravages en Europe comme aux États-Unis :
— Les morts se comptent par milliers à travers la France : un mort par heure à l'hôpital de Joigny. À Paris, deux cent dix par jour.
— On apprend que la grippe sévit aussi à Berlin.

Mais les nouvelles de la guerre sont excellentes :
Les Allemands évacuent Ostende, Zeebrugge.
Les Américains marchent sur Mons.
Sur le front d'Orient, la défaite des Empires centraux s'accentue.

Jeudi 17 octobre. Roger Martin du Gard [21] :
Cher Vieux. Ces événements heureux me rapprochent soudain de toi. À mesure que l'horizon s'éclaire, que le jour paraît au bout du tunnel, mes pensées s'élancent vers la lumière, vers le grand jour, qui vient. Et dans mes pensées d'avenir, je te heurte à chaque pas. Plus encore qu'un vague remords, aggravé chaque mois, c'est le sentiment de libération prochaine, imminente, qui me fait rompre le silence. Cette guerre nous aura terriblement séparés, – un instant. Nous n'avions plus les mêmes yeux ni la même langue. Mais c'est fini. Notre fraternité essentielle renaît avec la délivrance, et

quand je pressens l'avenir, j'aperçois nos routes parallèles, si souvent confondues.

Cela domine tout.

Tu vas revenir, enrichi de mille manières. Moi aussi, j'ai fait quelques acquisitions. Une vie nouvelle, insoupçonnée, se prépare. C'est un immense sentiment de confiance, pour moi, que de te sentir là, pour l'aborder, pour y collaborer chacun selon nos forces. Ne laissons pas se distendre ces liens. Je mets en cette vie nouvelle des espérances démesurées; on sent, nettement, ici, qu'il y a du nouveau. La guerre aura avancé l'humanité de plusieurs générations. Nous aurons ce privilège inouï et sans précédent d'avoir vécu l'un après l'autre deux siècles différents. Tu verras. Ceux qui reviennent de la guerre avec l'humble désir de renouer, de reprendre le fil rompu, et de continuer leur petite tâche, sont foutus. Il faudra renaître, s'offrir au souffle nouveau, refaire sa vie, être sensible à tous les frémissements inédits, participer à cet élan prodigieux, être jeune. Je compte sur toi pour m'aider à secouer les vieilles frusques. Il s'agit de ne pas passer à côté de ce qui vient [...]

29 octobre. Le Matin de Paris :
La capitulation est inévitable, estime l'opinion allemande.

Mais à New York la situation financière du Garrick est alarmante. Jacques Copeau va de nouveau être contraint de se tourner vers Otto Kahn. Il lui écrit une longue lettre qui fournit un compte exact de la situation à la fin du premier mois de la seconde saison. Mais Copeau ne se résoudra pas à envoyer cette lettre [22].

Dimanche 27 octobre. Billet de service :
20 h 30 : Dernière répétition de *Blanchette* en scène.

Lundi 28 octobre 1918 :
TROISIÈME SPECTACLE :
Blanchette de Eugène Brieux,
montée en vingt-trois répétitions,
dont quatorze à Morristown. Un décor.

La presse salue la rentrée, pour cette saison, du grand acteur Charles Dullin, et loue la qualité du jeu de tous les acteurs qui rend intelligible aux spectateurs une langue qui leur est étrangère. Cependant, si The New York World *estime que* cette charmante histoire est le plus heureux des choix *et que* The New York Tribune *félicite M. Copeau* pour la qualité des pièces de la nouvelle saison, The New York Globe *déclare :* On devrait conseiller à M. Copeau de ne pas gaspiller son talent et son temps avec des dramaturges de second ordre comme Brieux et Bernstein.

M. Copeau serait le premier à souscrire à ce jugement, lui qui écrivit en 1909, dans la Grande Revue [23] :

[...] Obéissant d'instinct aux exigences d'une génération nouvelle, M. Brieux a substitué, dans la foule d'aujourd'hui, au culte du mélodrame d'intrigue celui du mélodrame d'idées. Il possède, en effet, une remarquable aptitude à entrer, et à faire entrer avec lui les disciples qu'il prêche, dans des problèmes de peu d'éléments. Ces problèmes, il ne les crée pas, du fait de sa personnalité : il adopte ceux qui sont dans l'air, à la portée de tous. Il n'aborde aucune question qui ne soit d'avance résolue par le sentiment du public [...]

Mardi 29 :
14 h : Répétition de *Georgette Lemeunier.*

Venant d'Europe, les bonnes et les mauvaises nouvelles s'entre-croisent :
Des troubles commencent à éclater en Allemagne.

3 novembre :
Les marins se mutinent à Kiel.

Mais, tandis qu'aux États-Unis l'épidémie de grippe espagnole commence à décroître, ayant heureusement épargné la compagnie, où aucune doublure n'avait pu être prévue, Roger Martin du Gard note dans son Journal, le 27 octobre [24] :

La grippe prend des proportions formidables. On apprend de nouvelles morts tous les jours. Pierre (Margaritis) vient d'être hospitalisé à Buffon, où il a failli mourir. Cette terrible menace vient assombrir de nouvelles inquiétudes la délivrance prochaine.

Jeudi 31 octobre :
Mort de Pierre Margaritis.

4 novembre :

L'Autriche-Hongrie dépose les armes et la dynastie des Habsbourg s'effondre.

Lundi 4 novembre 1918 :
QUATRIÈME SPECTACLE :
Georgette Lemeunier, de Maurice Donnay,
montée en dix-sept répétitions,
dont cinq à Morristown. Trois décors.

L'hommage de la presse va à Van Doren, qui joue le rôle principal :

Elle a eu, *dit Le Courrier des États-Unis,* un très vif succès personnel. Cette artiste, qui joua longtemps chez Antoine, possède un très beau talent, et nous croyons être l'interprète du public en félicitant chaudement M. Copeau de l'avoir engagée. – Vive Mme Van Doren, *dit The New York Evening Sun.* Il y a encore des Réjane sur la scène française. *Et The New York Telegram se réjouit de ce qu'*indéniablement M. Copeau apprend vite sa leçon quant au goût du New York cosmopolite, au point de vue du répertoire comme à celui de la décoration scénique.

Le 5 novembre, Jacques Copeau reçoit de M. Ernest Guy, attaché à la direction des Missions artistiques auprès du Haut Commissariat de Washington, cette lettre [25] :

J'ai vu Otto Kahn dimanche soir. Il m'a dit qu'il devait vous voir un de ces jours. [...] Il m'a donné l'impression qu'il vous demanderait de modifier vos programmes de manière à les rendre plus accessibles au « profanum vulgus ». Je ne veux pas même effleurer cette question, qui vous regarde entièrement ; laissez-moi vous dire seulement que votre conscience artistique n'a pas de plus fervent admirateur que moi et je serai le dernier à vous inviter à déchoir.

Je tiens à borner mon rôle aux questions d'ordre purement matériel, ma seule ambition est de trouver à votre théâtre une base financière solide. J'en ai dit deux mots à Kahn et je lui ai indiqué qu'il nous fallait trouver $ 50 000 pour être à l'aise et qu'il devait nous autoriser à trouver des concours nous dispensant de toujours faire appel à lui. Il entrera volontiers dans la combinaison, à mon avis, à condition qu'on lui laisse le patronage moral de votre théâtre.

Je crois donc que le moment est venu pour vous de lui demander s'il peut vous avancer partie ou totalité de la somme nécessaire. Il me serait utile d'avoir sa réponse samedi, car je compte arriver à New York ce jour-là et j'ai un rendez-vous avec lui pour discuter plus avant la question.

Je vous signale que j'ai rencontré chez nos amis Rosen un banquier du nom de King, très intéressé par votre théâtre, et qui m'a paru susceptible de faire partie du Comité qui avancerait le fonds de garantie.

Le 7 novembre, Copeau note dans son carnet noir :

Visite Kahn. « Soyez un artiste mais faites le plus de concessions possibles. » Il ne fera pas la somme. On pourra la trouver mais avec peine parce que les Américains n'aiment pas soutenir ce qui ne réussit pas. « Votre place n'est pas ici et ne le sera jamais. » Regard au plafond. Il ne reste plus *rien*.

En revenant vers Broadway, j'entends un Beffroi. Je suis comme ce carillon.

Annonce :

Peace has been declared and signed.

Je ne puis le supporter.

Au théâtre, les femmes qui pleurent ; les rues, les cris.

8 novembre 1918, Le Courrier des États-Unis :

Hier matin, peu avant midi, *United Press* a adressé à tous les journaux qu'elle dessert la dépêche suivante :

Paris, 7 novembre :

Les Alliés et l'Allemagne ont signé un armistice à 11 heures ce matin. Les hostilités ont cessé à 2 heures de l'après-midi.

Les Américains ont pris Sedan avant la mise en vigueur de l'armistice.

Cette nouvelle, publiée par tous les journaux, a porté la joie dans tous les cœurs et a produit dans toute l'Amérique des manifestations délirantes.

Dès la réception du télégramme de *United Press,* annonçant la signature d'un armistice entre l'Allemagne et les Alliés, tous les sifflets, toutes les sirènes, toutes les cloches, en un mot tous les instruments susceptibles de faire du bruit, ont commencé à fonctionner pour annoncer à la population cette nouvelle si longtemps attendue que l'horrible cauchemar qui, depuis plus de quatre ans, torture l'humanité, venait de prendre fin.

Le premier instant de stupeur passé, la joie délirante a commencé à se manifester. Un grand nombre de maisons de commerce, d'établissements publics, ont renvoyé immédiatement leur personnel pour leur permettre de fêter le retour de la paix.

Toutes les rues du bas de la ville sont bondées de monde. C'est un plaisir de contempler sur toutes les figures un sourire de satisfaction que rien ne peut effacer. Faute de confettis, ce sont des guirlandes de papier, des morceaux de papier que l'on jette de toutes les fenêtres et qui, en quelques minutes, jonchent les rues.

Des parades improvisées parcourent les rues, célébrant la victoire du droit sur la force.

La Bourse, les banques, tout est fermé. Les plus vieux habitants de New York déclarent qu'ils n'ont jamais rien vu de pareil.

Mais au plus fort de cette joie la nouvelle est démentie :
Immédiatement le Département d'État et l'*Associated Press* ont démenti la nouvelle, disant que rien n'était encore signé, bien qu'en toute probabilité la signature de l'armistice serait inévitable.

L'ARMISTICE N'EST PAS ENCORE SIGNÉ
LA NOUVELLE EST PRÉMATURÉE,
MAIS ELLE SE VÉRIFIERA.

Ce n'est plus qu'une affaire de jours. Mais l'anxiété est grande pour ceux qui sont loin de leur pays, de leurs parents et de leurs amis.

9 novembre, mort d'Apollinaire, victime lui aussi de la grippe espagnole.

10 novembre :
Guillaume II se réfugie en Hollande.
Depuis deux jours les plénipotentiaires allemands, conduits par Ersberger, sont à Rethondes où Foch leur dicte ses conditions.

Les termes de l'armistice dictés par Foch sont acceptés le 11 novembre à cinq heures du matin.

À onze heures, *le cessez-le-feu* est proclamé sur l'ensemble du front, tandis que dans toute la France, jusque dans le moindre village, les cloches sonnent à toute volée.

Éditions spéciales des journaux de New York :
  « GERMANY HAS SURRENDERED
  WORLD WAR ENDED AT 6 A.M. »

et à Paris :
  C'est signé! Officiel. L'Armistice a été signé lundi matin à cinq heures quarante.
  Clemenceau, acclamé, a porté l'heureuse nouvelle à la Chambre qui a levé sa séance au chant de *la Marseillaise.*
  Jour de célébration unique! *écrit Copeau dans son carnet.* Le monde respire. Liberté du monde.

Nous avons appris la nouvelle de l'armistice en rentrant de Morristown en auto, *écrit Agnès qui revient enfin à New York avec les trois enfants. Ce billet les attend à l'arrivée :*
  Je vous embrasse tous les quatre, mes enfants chéris. Je vous verrai demain matin. Vous me reverrez avec la paix du monde. C'est une joie effrayante et trop forte. Mais qu'y a-t-il dans l'avenir!
  À demain

Lundi 11 novembre 1918 :
  CINQUIÈME SPECTACLE :
  Crainquebille de Anatole France,
  dix répétitions dont une à Morristown, deux décors.
  Le Voile du bonheur, de Georges Clemenceau,
  quinze répétitions, dont cinq à Morristown, un décor [26].

C'est pure coïncidence si Le Voile du bonheur *de Georges Clemenceau, dont Gaston Gallimard a obtenu les droits pendant son séjour d'été à Paris* [27] *est joué ce 11 novembre, jour de la victoire.* Cette représentation, *dit* Le Courrier des États-Unis, fournissait naturellement l'occasion d'une manifestation patriotique. Clemenceau fut acclamé ce soir-là par le public du

Vieux Colombier quand Copeau vint à l'entracte lui parler de l'illustre homme d'État français. Dans une allocution courte mais éloquente, il rappela que celui que les Français appellent maintenant « Le Père la Victoire » fut l'un de ceux qui ont le plus aidé la cause du Théâtre Français en Amérique en appuyant chaudement l'idée de sa fondation à New York, lui qui, passionné de Molière, était, avant la guerre, un spectateur assidu du Vieux Colombier. M. Copeau commence son allocution en disant qu'il apportait ce soir-là au public le salut de la France victorieuse, comme il avait apporté, un an plus tôt, aux Américains, le salut d'une France laborieuse, combattante et éprouvée. Ces paroles sont chaleureusement applaudies. La salle regorge de monde, *dit* The New York World. Si Jacques Copeau n'avait rien fait d'autre pour la France qu'un tel commentaire, on devrait porter à son crédit ce coup de maître qui nous a révélé la philosophie de l'événement que nous célébrions.

New York Times :
   Il est indubitable que le succès du *Voile du bonheur* est dû en grande partie à l'excellente interpétation de Charles Dullin. La mise en scène est d'un caractère oriental. C'est une combinaison de couleur et de splendeur simple qui atteint à l'harmonie [...] Mlle Suzanne Bing a joué son meilleur rôle de la saison, avec sa coiffure bringuebalante et sa grâce minaudière.

   Suzanne Bing, qui a joué des rôles importants dans chaque spectacle depuis le début de la saison, a été presque unanimement louée par une presse enthousiaste, partageant la faveur du public avec Louis Jouvet et Jacques Copeau.

   Ces jours de fête n'interrompent pas le travail :

Mardi 12 novembre et tous les jours à 14 h :
   Répétition : *La Femme de Claude.*

Le 12, Jacques Copeau écrit à sa sœur :
   J'aurais voulu t'écrire le jour de la victoire. Mais ça a été pour moi, cette ville triomphante, comme un coup de massue. Je ne pouvais plus parler, à peine lire les journaux et la joie bruyante des rues ici me déchirait le cœur. Je ne me consolerai

jamais de n'avoir pas été chez nous le jour de la victoire. Mes yeux maintenant sont fixés sur le retour.

Ici, la joie est délirante, *ajoute Agnès,* une joie un peu bruyante : que n'aurions-nous pas donné pour être à Paris!

Voici cette guerre finie, mais que sera l'avenir? Notre vieux monde semble bien agité...

Cette joie et cette inquiétude mêlées se retrouvent dans les lettres qui, venant de France, arriveront au cours de ce mois de novembre.

La mort d'Apollinaire a, pour ses admirateurs et ses amis,
« Des amis en toute saison
Sans lesquels je ne peux pas vivre »,
endeuillé ces jours de fête. André Salmon l'évoque [28] : « Si pâle sur l'oreiller blanc, dominé par le képi neuf de lieutenant, rouge, noir et or comme un coq français. Guillaume livide avec la tache rose-rouge de la double blessure à ton front. » *Dès le 11 novembre, Léautaud a traversé la foule en délire pour saluer* « celui qu'il adorait comme homme et comme écrivain [29] ». *Le 13, à travers Paris pavoisé, le cercueil du poète passe sous les arcs de triomphe et les guirlandes de lampions pour gagner Saint-Thomas-d'Aquin, puis le cimetière du Père-Lachaise.*

Martin du Gard, profondément atteint par la mort de Margaritis, « cet ami qui lui écrivait tous les jours » *dont* « il voyait se développer les dons du grand artiste qu'il deviendrait » *et qu'il associait à tous ses projets,* « ne peut être tout à la joie de la délivrance ». Donc, voilà que c'est fini, *écrit-il à Gaston Gallimard* [30]. Demain, après-demain, au plus tard, tout ce qui reste d'hommes à tuer dans le monde, seront sauvés. Nous vivons ces instants formidables, et nous les vivons mal conscients, nous les vivons petitement, comme ont toujours fait les contemporains des grandes journées de l'Histoire.

Tu sais ce que je puis penser de tout cela.

Je n'ai jamais cru que cela finirait ainsi. *Et j'avais raison.* Ceux qui ont cru, sans défaillir, à cette victoire-là, totale, écrasante, humiliante, ont joué à pile ou face. Ils ont gagné. Cela ne prouve rien.

Une vague d'impérialisme soulève tous ces vainqueurs. Wilson sera submergé. Du chef d'État au dernier des cantonniers, ce ferment subtil qui est dans le succès atteint tout le monde, et lève. On a raison de dire que la souffrance, l'épreuve, améliorent. Le triomphe, la victoire sont pour les peuples ce que la gloire et l'argent sont pour l'individu. Un poison sans remède, à de rares exceptions près. Tu me comprends. Le monde est ivre.

Nous aurons encore à souffrir d'un tas de choses.

Et le 13, à son ami Jean Fernet [31] :
Cette sombre connerie a donc pris fin...

Ce scepticisme rejoint à travers l'océan celui de Gaston Gallimard, qui répond le 29 à Martin du Gard [32] :
Mon ami, cette lettre si triste m'a cependant fait du bien, j'attendais tout ce que tu m'écris. Tu ne sauras jamais combien je pense comme toi et combien cela me réconforte de le reconnaître chaque fois. [...] Tu as raison : ceux qui ont gagné ont tout de même tort. Je ne sens plus aucun intérêt pour toutes ces questions qui m'ont si souvent passionné...

En tout cas, j'ai horreur des victoires et des vainqueurs : ici, cela a fait que des tas de gens ont fait beaucoup de bruit avec des casseroles, et qu'on a jeté de toutes les fenêtres beaucoup de petits papiers [...] Il y avait une férocité inquiétante dans cette joie froide et turbulente [...]

Copeau a le bonheur d'avoir un nationalisme intellectuel qui lui a fourni immédiatement une joie toute faite et un regret spécial de n'être pas en France ce jour-là.

Mais la joie populaire est plus forte que ce pessimisme intellectuel et prophétique. Elle déferle dans les journaux qui viennent de France :

– [...] La surprise était d'abord si forte, la joie si violente et si grande l'allégresse, que les mots manquaient pour exprimer les sentiments qui faisaient tressaillir tous les cœurs. On était comme étourdi, on éprouvait une sorte de vertige.

– Les passants s'abordaient pour se communiquer la grande nouvelle : « Ça y est ! c'est fait ! » Ils ne trouvaient pas d'autres mots.

– À mesure que la nouvelle de la signature était connue, on pouvait voir des hommes et des femmes pleurer de joie, se serrer les mains avec effusion...

– Journée inoubliable où l'enthousiasme populaire s'éleva jusqu'au délire, où toute la nation unie dans la même joie débordante communia dans la même ferveur patriotique! Jamais on n'avait vu une foule aussi compacte, aussi joyeuse, aussi bruyante. Jamais nos cœurs ne battirent d'une joie aussi forte.

– [...] Aux balcons, aux fenêtres apparaissaient des drapeaux; Paris est rapidement pavoisé aux couleurs françaises et aux couleurs des nations alliées...

Des guirlandes de fleurs, des tentures, des rubans rehaussent le pavoisement des immeubles. Et les maisons ne sont pas seules ornées aux couleurs qui triomphent aujourd'hui : tramways, autobus, automobiles, chevaux sont décorés; c'est une joie immense, indicible qui emplit tout Paris, et la nature elle-même semble participer à la fête des cœurs, tant cette matinée d'automne est belle et lumineuse [...]

Maria van Rysselberghe [33] :

Mon bon, mon cher ami Copeau, je vous embrasse de tout mon cœur, en pleurant, en riant! L'Agnès et les petits! puis on recommence! Ça ne me paraît pas du tout dans l'ordre d'être si loin les uns des autres au moment de la Victoire, nous qui étions réunis aux plus mauvaises heures! Est-ce que tous les vieux amis du Laugier ne devraient pas être réunis à danser une ronde quelque part? On aurait besoin de se tâter, de se regarder, de s'entendre!

... Je suis un peu mortifiée de vivre ces heures inouïes à l'échelle de Saint-Clair. Dites à Agnès que le petit train a fait de son mieux, il avait en queue de poule un énorme drapeau qui balayait la voie – les lettres d'Élisabeth qui décrivent la joie de Londres ont un accent si frénétique que cela nous maintient un peu au diapason. Je suis navrée d'avoir quitté Paris si vite. Tout de même j'ai vu l'inoubliable aspect de la place de la Concorde et le peuple de Paris faisait fourgon avec les canons boches! C'est avec vous, cher, que j'aurais aimé me promener là-dedans!

Nous avons si vraiment, si chèrement pensé à vous tous dans le premier élan de joie, nous voulions vous envoyer un télégramme délirant – puis à force de tourner autour, l'urgence s'en est évanouie et il me reste le regret de ne pas l'avoir fait – ceci va arriver si longtemps après! un peu bêtement – cher ami. Je n'aime pas penser que vous avez eu des temps durs et que ça n'est pas fini et qu'au moment où tout le monde songe à se détendre, vous êtes encore là à votre poste pour des mois, fatigué, crispé par l'effort. Ah! qu'au moins tout cela ne soit pas en vain et que les déceptions n'aient pas atteint trop profondément cette foi et ce courage que nous aimions tant.

Foi et courage sont bien ébranlés, Copeau écrit à Michel :

Il faudra que ceux que j'aime bien me redonnent foi dans l'homme, [...] Plus que jamais j'ai besoin de compter sur toi, sur des êtres jeunes et absolument dévoués.

Michel, qui a pris part, les premiers jours de novembre, aux derniers combats, est sain et sauf :

Eh bien, mon vieil oncle, rien d'irréparable n'est survenu et je suis prêt pour le travail... Je sais bien que tu dois souffrir beaucoup de l'éloignement en un pareil moment. Non que le spectacle, l'exubérance de la victoire, l'enthousiasme facile de tous ceux qui n'ont pas travaillé soient bien enivrants. Mais le moment est beau, l'heure est grande à vivre. Il y a un grand courant qui emporte, des émotions auxquelles il faut bien se livrer [...]

Ce qu'il fallait voir surtout, c'était le jour de l'armistice au front. Quand on y pensait il y a longtemps, on se disait : « On deviendra fou de joie. » Et ça a été le grand silence : chacun reprenait possession lentement de sa personne : la vieille obsession, gravée, restée dans les nuits, pesait toujours, ou bien l'avenir apparaissait, en toute sécurité. Et chacun reparlait de son métier. Et puis, après l'effort, on retombait : on causait des camarades récemment tombés, avec rage. Là était la vérité – on logeait dans un pays où il n'y avait plus même une cave intacte. Pas d'excitation. C'était un jour qui passait apportant la fin de la guerre. Mais c'était le lendemain d'un jour où on s'était tué encore. Trouble, déséquilibre. Pour moi, deux ans, pour d'autres quatre ans avec cette idée : être prêt à mourir. Pas moyen de changer en un instant. Au premier pays civilisé où nous sommes arrivés, quatre ou cinq types se sont saoulés : pas plus. On n'en est pas revenu encore. Et il faudra du temps [...]

Les comédiens aussi souffrent de l'éloignement. Ils auraient aimé vivre en France ces heures si longtemps attendues. Mais la saison ne sera terminée qu'en avril et il faut tenir jusqu'au bout. Les répétitions et les représentations se succèdent sans joie.

Samedi 16 novembre :
Crainquebille et *Le Voile du bonheur.*

Copeau note dans son carnet :
Sold out. Mais quoi? il ne reste rien. Jouvet recommence à ne plus parler, et je m'écarte de plus en plus.
Agnès lève vers moi de pauvres yeux suppliants.

Et il écrit à Pauline :
Charles est complètement changé. Je crois qu'il ne m'aime plus du tout. En tout cas il m'a complètement fermé son cœur.

Mais, le 11 novembre, Martin du Gard lui a écrit [34] *:*
Cher vieux,
Je me réfugie plus que jamais dans ton affection... Je ne sais pas du tout où tu en es. Je ne sais pas si tu as eu des déceptions, des déboires, si tu as des inquiétudes pour l'avenir, ou si ta certitude est toujours intacte. Mais *compte sur moi.* Je suis là, je t'attends, fidèle, et solide. Si je ne puis te promettre une collaboration matérielle de tous les instants (à tort ou à raison, j'estime que ma fonction est autre) tu as le meilleur de moi, l'appui total de ma pensée et de mon cœur. J'ai vécu ces cinq années les yeux fixés sur cet avenir, où tu occupes, toi, Vieux Colombier, la grande place. C'est vers toi que je vais, auprès de toi que je m'installe. Mon changement de local est un symbole. Nous venons à vous, moi, Hélène, et Christiane. Vous êtes notre famille, notre centre. Tu me trouveras comme tu m'as laissé; tu me retrouveras, les mains tendues, les yeux rayonnants de la tâche à accomplir ensemble; tu retrouveras mon affection chaude et égale; et tout ce que j'ai de meilleur est pour vous.

Tu es le seul à m'avoir fait du bien, depuis la guerre, *lui répondra Copeau le 12 décembre* [35]. J'ai confiance en toi. Je t'aime bien. Tu me fais croire à l'*homme...* Tu me dis : compte sur moi... J'avais besoin de l'entendre ce mot...

Et le travail continue.

Lundi 18 novembre 1918 :
SIXIÈME SPECTACLE :
La Femme de Claude d'Alexandre Dumas fils,
montée en vingt et une répétitions
dont dix à Morristown, un décor.

C'est un nouveau succès pour Van Doren, louée par toute la presse en général et par Le Courrier des États-Unis *en particulier :*

Elle est bien la jolie bête féline et câline, sans cœur et sans cerveau, mais qui a des dents aiguës, des sens exigeants et des griffes prenantes [...] Le rôle de Claude a été superbement interprété par M. Charles Dullin. Cet acteur peut être considéré, avec M. Copeau, comme le meilleur de la troupe...

Mais dans d'autres journaux une certaine ironie accueille ce French Spy Drama :
Il y a surabondance d'émotions dans *La Femme de Claude.*

Et certains qualifient la pièce de Dumas Military Play.
Dès le lendemain on répète Le Médecin malgré lui.

Gaston Gallimard, qui souffre de la vie américaine, écrit à Roger Martin du Gard [36] :

23 novembre :
Ici je ne suis pas expansif... on ne parle que pour « les besoins de service ». Ce n'est la faute de personne : c'est l'Amérique, le téléphone, la rapidité de la vie et du travail... Je comprends que Copeau soit dégoûté. Car il n'y a que rarement une chose de réussie [...] *Il termine pourtant sa lettre en disant :* Mais cette semaine il a monté *Le Médecin malgré lui* et c'est assurément une des meilleures mises en scène depuis la fondation du théâtre.

Le dimanche 24, deux répétitions du Médecin malgré lui *et de* Gringoire *qui complète l'affiche.*

Lundi 25 novembre 1918 :
SEPTIÈME SPECTACLE :
Gringoire, de Théodore de Banville,
monté en quatorze répétitions
dont cinq à Morristown, un décor.
Le Médecin malgré lui, de Molière,
monté en vingt et une répétitions
dont quinze à Morristown [37].

Le public s'amuse et la presse est cette fois unanime à louer le spectacle :
– [...] la représentation est excellente... la pièce de Molière est sans doute mieux faite que *Gringoire* pour mettre en lumière la qualité spéciale de la très remarquable Compagnie de M. Copeau. Mais c'est une affaire d'opinion. Charles Dullin est de premier ordre dans *Gringoire.* Louis Jouvet s'est taillé un nouveau succès dans le *Médecin.*

[...] les décors des deux pièces sont aussi rares et surprenants que tout ce que fait M. Copeau. Pourquoi nos célébrités de Broadway ne viennent-elles pas étudier le travail de cette Compagnie ? Bientôt elle repartira pour la France et ceux qui n'auront pas profité de son séjour parmi nous auront manqué l'occasion de découvrir l'un des aspects les plus significatifs du théâtre moderne.

The New York Evening Post :
[...] la compagnie a joué *Le Médecin malgré lui* dans des costumes d'une riche variété devant un décor simple mais suffisamment artistique. L'esprit est celui de la farce pure [...] La surprise est irrésistible quand on voit le dandy de la pièce, M. Robert (Millet), cheminant sur la scène en respirant une rose, trébucher sur les marches du tréteau [...] Le personnage d'un bout à l'autre est excellent...

De Foe lui-même cesse de traiter Molière de bric-à-brac plays *à la Copeau :*
Les acteurs français de Jacques Copeau ont, hier soir, ranimé deux pièces intéressantes de la littérature dramatique française.

Le 30 novembre, Copeau est dans la salle, il note :
Dernière du *Médecin,* déréglé.

Le mardi 26, les répétitions de **Rosmersholm** *de Henrik Ibsen ont commencé. La pièce a déjà été travaillée, avec un soin tout particulier, à Morristown. Jacques Copeau a toujours eu pour Ibsen une profonde admiration.*

L'étude d'Ibsen, *a-t-il dit* [38], dévoile à tous ceux qui l'ont faite avec intelligence, les profondeurs de la vie dramatique. *Et, tout en déplorant que certains ne l'aient imité que* du dehors, *il ajoute :* Mais ceux qui ont fait de l'œuvre du maître une étude approfondie y ont surtout appris à douer d'une vie secrète, profonde, multiple et d'une individualité précise les caractères dramatiques. Ils y ont appris aussi, comment il est possible de mettre de l'action, et la plus vivante, la plus variée, dans une pièce sans événements. Et s'ils ont complété leur étude de l'œuvre même par celle des papiers posthumes d'Ibsen... ils auront aussi saisi le grand dramaturge dans le fait même de la création, et se seront persuadés que les procédés d'Ibsen ne différaient pas beaucoup, dans leur tendance à l'unité, à l'équilibre et à *l'économie,* cette vertu suprême du grand dramaturge, de ceux des anciens Grecs et des classiques français.

Copeau avait inscrit **Rosmersholm** *à son répertoire dès 1913, dans la traduction nouvelle d'Agnès Thomsen. Mais Lugné-Poe a le premier, dès 1892, fait connaître Ibsen en France et en possède les droits exclusifs. C'est donc en Amérique que la compagnie du Vieux Colombier joue* **Rosmersholm** *pour la première fois. Et c'est Van Doren qui interprétera le rôle de* **Rebecca West,** *comme Copeau l'avait souhaité des années auparavant, quand elle fut l'inoubliable* Katharina *des* **Frères Karamazov** *au Théâtre des Arts.* On souhaite pour elle, *disait-il alors* [39], les grandes incarnations qui lui permettraient de donner sa mesure. Je songe notamment à Hedda Gabler et à Rebecca West de *Rosmersholm.*

Lundi 2 décembre :
HUITIÈME SPECTACLE :
Rosmersholm, de Henrik Ibsen,
monté en trente-deux répétitions
dont vingt-quatre à Morristown, deux décors.

La critique est partagée :
  Brooklyn Daily Eagle : Rosmersholm, où l'on trouve le meilleur et le pire Ibsen, montre la Compagnie du Théâtre Français

au sommet de sa perfection. L'attention profonde, la fascination même que la pièce a exercée sur une grande partie du public hier soir prouvent l'art et la variété déployés par les acteurs de Copeau.

Mais la plupart des journaux trouvent un son étrange à cette pièce nordique jouée par des acteurs français qui, à leurs yeux, tendent à la dénaturer :

Rosmersholm devient entre les mains des acteurs français un drame de caractères plutôt qu'un drame psychologique, dont le côté superficiel ne peut que déplaire à ceux qui tiennent Ibsen pour un auteur profond.
— *The New York Globe* : Le poêle, monumental et blanc, était authentique et familier, hier soir, au Théâtre Français [...] Les rôles secondaires, interprétés par Suzanne Bing et Louis Jouvet, étaient des havres délicieux dans cette quelque peu monotone et interminable conversation à trois. Suzanne Bing surtout, en vieille servante, était aussi authentique que le poêle.

D'autres encore ironisent :
— *The New York Evening Mail*. Il est fort probable que la scène du Vieux Colombier de New York n'avait jamais vu tant de souffrances en une seule soirée, ni vu tant de souffrances subies avec une si complète satisfaction.
— *Le Courrier des États-Unis* s'ennuie : Avouons-le franchement, *Rosmersholm*, en dépit de ses fortes qualités, est ennuyeuse, fatigante. Pendant quatre longs actes (la représentation finit à minuit), il n'y a que de rares moments où l'on soit secoué de la torpeur qui nous envahit dès les premières scènes. Ces réveils nous les devons au jeu des interprètes qui est véritablement remarquable.

Ce qui n'est pas l'avis du *Christian Science Monitor* :
Ni M. Dullin ni Mme Van Doren n'ont pénétré les profondeurs intellectuelles de la pièce, mais ils ont tiré pleinement parti des possibilités que donnaient à des comédiens ses situations variées. Intellectuellement la pièce était mieux servie par les acteurs des rôles secondaires.

Jugement qui peut être comparé à celui de Copeau dans son Journal du 7 décembre :

Ces représentations n'ont pas été bonnes. Dullin absolument inexistant. Jouvet a fait des efforts de représentation en représentation. Mais il devenait de plus en plus Jouvet et de moins en moins Brendel. Van Doren, sensible à la froideur du public et aux réserves des journaux, s'est raccrochée aux parties du rôle où pouvait se fourvoyer sa conception première du personnage, toute romantique et presque mélodramatique. Et puis elle manque de force naturelle. Elle fait des efforts de voix à la de Max, à la Sarah. Toutes ses recherches sont de l'ordre extérieur. Bouquet consciencieux, soigneux, bien maquillé, mais pas l'homme du rôle et monotone. Suzanne joue Mme Helseth avec l'intelligence de la pièce. Elle fait partie de l'atmosphère. Kroll est, je crois, ce que j'ai le mieux joué, depuis le commencement de la saison. Quoi qu'il en soit, nous n'avons pu retrouver, en sept ou huit répétitions, le bénéfice du travail assez approfondi que nous avions fait à Morristown. Il n'a pu revenir à la surface.

Dullin m'étonne. Il ne travaille pas. Il ne sait même pas son texte. Je ne lui trouve plus aucun sens du mouvement dramatique, ni des places et distances à tenir. Sa négligence est-elle un effet de sa prétention croissante ?

Jouvet au contraire s'est beaucoup développé comme acteur, bien qu'il affecte de ne point faire cas des succès constants qu'il remporte.

Extrême vanité. Je vois maintenant quel pernicieux ferment a pu être la vanité de Jessmin, son esprit critique tourné à la manie, par oisiveté, et parce qu'elle n'a trouvé aucune occasion de réalisation. Déracinée, désorientée, désespérée, sans point d'attache. Elle n'aime rien. Elle se renseigne. Elle assiste, en amateur. Elle vient cligner de l'œil devant quelque chose, puis va plus loin, compare, feuillette ailleurs une revue, convie quelques personnes à un thé, etc. Citoyenne de Genève peut-être. Et cultivant partout sa différence, faute de pouvoir s'associer.

Ces jugements sévères trahissent la tristesse et l'amertume de Copeau devant un travail inhumain et qui n'est plus soutenu par la foi de ceux qui y participent :

Impossible, *écrit-il à sa mère le 11 décembre*, de retirer la moindre satisfaction artistique de ce travail atroce qui m'est imposé par le changement hebdomadaire. Et maintenant, *ajoute-t-il*, l'exil est devenu encore plus intolérable. N'avoir pas vu Paris en fête à l'annonce de la victoire!

Et n'être pas en France quand la vie reprend, quand les amis vont être démobilisés et que les grandes décisions pour l'avenir doivent être prises.

8 décembre, Jean Schlumberger à Copeau :

[...] Nous ne pouvons rien décider, même d'approximatif, tant que vous ne serez pas rentrés, toi, Gaston et Rivière. Personnellement je ne puis faire de plans avant de savoir dans quelles conditions le Vieux Colombier va rentrer, comment se présentera la reprise du travail à Paris et quand elle aura lieu. De toute l'œuvre que nous avions assumée, c'est au Vieux Colombier que je suis le plus attaché. Le reste, c'est-à-dire la Revue, me trouve beaucoup moins disposé à y sacrifier de mon temps. Je suis résolu à ne plus viser qu'à ce qui est essentiel.

Ne pense pas cependant que je cherche à me dégager. Toute dispersion dans notre groupe, tout émiettement de notre œuvre me paraîtraient un échec personnel. Je ne puis m'imaginer en dehors de notre travail commun et, à vrai dire, je n'y puis plus trouver de plaisir s'il cesse d'être un travail en commun. À combien nous retrouverons-nous? et quelle sera la force du lien qui nous retiendra à la même tâche? Nous ne le saurons pas avant plusieurs mois, mais quand j'aurai revu chacun de vous, fût-ce un quart d'heure, j'aurai du moins quelque sentiment d'une réalité que, par goût et par volonté, j'imagine le plus proche possible du passé.

J'ai assisté à une représentation biscornue qu'un nommé Paul Méral a donnée au Vieux Colombier [40] : récitation puérile autant que prétentieuse, coupée de danses à signification philosophique. Ça faisait mal au cœur de penser que des amateurs se livraient chez nous à ces manifestations pitoyables, alors que l'armistice nous permettrait bientôt de faire du bon travail, et que, si vous étiez libres, vous pourriez encore préparer votre rentrée pour ce printemps. – Mais ici encore, je ne puis émettre aucun vœu, ne sachant pas quels sont vos engagements à New York ni si l'armistice peut vous fournir un prétexte pour rentrer en France prématurément.

[...] J'ai eu le bonheur d'entrer en Alsace en même temps que nos troupes ou même avant elles, et j'y ai connu des émotions inoubliables.

Tous les amis de Jean Schlumberger ont partagé sa joie au moment où l'Alsace a été libérée [41]. *Le 25 novembre, Jacques Rivière lui écrit :*

Je pense que tu n'as pas attendu que je te l'exprime pour deviner la grande, l'immense joie que j'éprouve en face des prodigieux événements de ces derniers jours, et la part que je prends à ta jubilation. Je suis avec toi en pensée à chacun de tes pas sur cette terre d'Alsace où je me doute bien que tu auras été un des premiers à entrer. Je voudrais te voir, je voudrais t'entendre. Je voudrais mesurer de près l'intensité de ton émotion. Quelles heures invraisemblables nous vivons!

Le 6 décembre, Jean Schlumberger lui répond [42] :
Depuis l'armistice, chaque journée nous a apporté de nouvelles émotions : d'abord l'arrivée des prisonniers échappés d'Allemagne, alors que nous ne pouvions encore pénétrer sur le sol alsacien, les appels des gens du pays qui nous suppliaient d'avancer plus vite; puis une première course à bicyclette jusque chez moi avant l'arrivée de nos troupes; et enfin les folles entrées de nos soldats à Guebwiller, Mulhouse, Strasbourg. [...] Nous avons vécu aussi près des larmes que des cris de joie, parmi des gens qui sursautaient encore chaque fois qu'ils entendaient les cloches – sonnées seulement pour les victoires allemandes depuis quatre ans – des gens qui chantaient et pleuraient au seul bonheur de respirer pour la première fois de leur vie [...]

Michel, provisoirement à Paris pour rendre les honneurs aux grands de la guerre, *s'inquiète de voir son oncle retenu en Amérique pour de longs mois encore.*

Neuilly, 10 décembre :
[...] Je sens qu'il est besoin de toi ici [...], que tu es indispensable. Depuis la guerre je suis allé beaucoup à la Revue, au théâtre. Les lieux n'ont plus cet aspect mystérieux que je leur connaissais auparavant... Je me rappelle votre union. Je

me rappelle tout le tourbillon qu'il y avait autour de toi...
L'endroit me semble désert actuellement.

[...] Voilà pourquoi je m'attriste de te savoir là-bas malheureux. Tu ne reviendras pas avec cette ardeur, je crains. Oh, je ne doute pas de toi. Je connais la puissance de ta jeunesse, tout le ressort de ta volonté. Mais j'ai peur qu'il ne reste de tes épreuves un poids sur toi.

Encore une fois, si tu peux y trouver un réconfort, dis-toi que je suis là, devant ma vie, t'attendant comme ma nourriture, décidé au travail. Je t'attends pour prendre mon élan. Ma pensée ne te quitte pas.

Michel.

Depuis le 3 décembre on répète Le Gendre de M. Poirier, *qui doit passer le lundi 9 décembre, ainsi que* Le Fardeau de la liberté. *Le mercredi 4 et le samedi 7, répétitions des* Caprices de Marianne, *spectacle prévu pour le lundi 16.*

Lundi 9 décembre :
NEUVIÈME SPECTACLE :
Le Gendre de M. Poirier,
d'Émile Augier et Jules Sandeau,
monté en vingt et une répétitions
dont quatorze à Morristown, un décor.

Billet de service :
Observations : M. et Mme Bogaert partent à Montréal par le train de 19 h 45. M. Jouvet joue le rôle de Vatel dans *Poirier* en l'absence de M. Bogaert.

Grande satisfaction d'une partie de la presse qui retrouve avec délectation cette pièce jouée en 1915, au Théâtre Français de Lucien Bonheur. Le ton général est celui du Brooklyn Daily Eagle :

La représentation donnée par la Compagnie de M. Copeau est délicieuse. [...] Si M. Copeau nous donnait plus de pièces de ce genre, il n'aurait plus à se plaindre de la surdité de New York à l'égard de sa Compagnie, *ajoute l'*Evening Sun. *Et le public se réjouit de retrouver en la charmante Yvonne Garrick* [43] *l'Antoinette de 1915.*

Lundi 10 et mardi 11 :
Répétitions des *Caprices de Marianne* sans Mme Bogaert.

Lundi 16 décembre 1918 :
DIXIÈME SPECTACLE :
Les Caprices de Marianne, d'Alfred de Musset,
montés en dix-huit répétitions,
dont neuf à Morristown, un décor [44].
Le Fardeau de la liberté, de Tristan Bernard,
monté en sept répétitions, dont une à Morristown, un décor.

Journal de Copeau :
Première des *Caprices de Marianne* sur une scène simultanée.
Assez réussie dans son dessein, dans son intention. Mais point
de réalisation.

La presse cependant loue l'interprétation à la fois des Caprices
et du Fardeau de la liberté.

The New York Herald :
Deux pièces françaises admirablement jouées.
[...] La mince histoire du *Fardeau de la liberté* est saluée par
les continuels éclats de rire du public. Romain Bouquet, héros
infortuné, que l'on pourrait décrire comme un Charlie Chaplin plein d'imagination, nous donne une interprétation délicieusement moelleuse.

Et si The New York Times *déplore l'usage de la scène simultanée :*
[...] la pièce, hier soir, souffrit malheureusement de ce que
ses nombreuses scènes furent jouées sur ce que les étudiants
du drame médiéval appellent une scène multiple : elles se
passaient partout et nulle part [...]

*une partie de la presse estime qu'elle rompt l'habituelle monotonie
de la scène fixe, par l'usage qui est fait de la loggia :*

L'extraordinaire réussite de la représentation est encore
accrue par la scène multiple et l'éclairage particulièrement
artistique. La scène s'assombrit par moments et, dans sa partie
supérieure, on tire un rideau, révélant ainsi une scène supplémentaire sur laquelle l'action continue qui, soudain, est
reprise au niveau de la scène principale [...]

Le 28 décembre, dans The Nation :

Une critique faite souvent de nos jours au théâtre est que les acteurs ne jouent pas leurs rôles, ils ne font que dire leurs textes... Les acteurs du Vieux Colombier, eux, qu'ils parlent ou restent silencieux, sont toujours des êtres humains qui pensent et qui écoutent. L'art d'écouter est en danger chez les acteurs américains. Peut-être le *Star system* est-il à blâmer.

Mercredi 18 décembre :

Soirée au bénéfice des dames auxiliaires du French Hospital, *dont la tâche se trouve grandement accrue du fait de la guerre :*

    20 h 30 : *Les Caprices de Marianne.*

    22 h 10 : Intermèdes.

        La Marseillaise par Miss Rosedale.

Copeau note dans son Journal :

Un télégramme de Camille Teillon : « Nano décédée. Maman désespérée. »

Nano était la fille aînée de Pauline et s'était sauvée avec un homme pendant la maladie de sa mère. Elle s'est peut-être suicidée.

Le 20 décembre, bouleversé, Copeau écrit à Pauline :

Ma pauvre petite Pauline, c'est moi qui ai reçu la dépêche de Camille annonçant la mort de Nano. Il n'y a pas de mots pour exprimer comment je prends part à ton abominable chagrin. Ta lettre du 15 septembre te montrait déjà si affreusement désespérée. Mais qu'est-ce qui est arrivé, ma pauvre petite? Je me perds en conjectures. Je me suis porté à des suppositions extrêmes. Mais comme tu me disais qu'elle devait accoucher en décembre, je suppose qu'elle est morte en couches, la pauvre enfant. Que la vie est atroce! Je la revois cette petite, telle qu'elle était quand je suis passé à Lyon; pleine de gaieté, de vie, d'amour pour toi. Il me semble que c'était hier. Et depuis ce temps-là elle a passé par tous les cercles de l'humaine détresse : la tentation, le désir, la volupté, la souffrance et la mort. Ce frais petit corps n'est plus. Ma pauvre Pauline, ma pauvre Pauline, comme je te plains et t'aime dans ton martyre.

Mon pauvre petit Paulin, il me semble si dérisoire et si bête de te dire : courage, à toi qui en as tant eu dans ta vie. Tâche de vivre encore, mon amie. Pauvre petit Nano! Je la pleure avec toi. Je ne sais rien te dire d'autre. Je sais trop bien que si pareil malheur m'était arrivé je n'endurerais point qu'on m'en veuille consoler. Au revoir. Je te prends dans mes bras, la tête sur mon cœur et je t'embrasse tendrement, longuement, ma chérie.

C'est moi, *ajoute-t-il*, qui ai annoncé ce grand malheur à Charles. Je pense qu'il a eu du chagrin. Mais maintenant, il faut bien l'avouer, je ne sais plus lire dans ses yeux... C'est un des grands chagrins que j'ai eus depuis que je suis ici : Charles est complètement changé.

Mardi 17, Journal de Copeau :

Déjeuné avec Sherwood Anderson [45], qui repart pour Chicago, par la ligne la plus longue, pour voir le plus de pays possible. Sa figure, son rire vous conquièrent, comme trois lignes d'un récit de sa plume. Waldo auprès de lui paraît bien mince, et tout tremblant d'amour-propre.

Mercredi soir :

Impossible de rien faire avec goût, avec amour, passion. Tout est insipide.

Trouverai-je jamais en ce monde la petite poignée d'hommes, ne fût-ce que quinze ou vingt, mais entièrement dévoués non seulement à leur tâche mais à leur idéal, pour qui rien d'autre n'existerait que la réalisation de la beauté, ces quinze ou vingt hommes sans vanité qui feraient du théâtre autre chose qu'un lieu de banales convoitises...

Hélas! quand je regarde autour de moi, quelle dérision! Et maintenant je ne leur parle même plus parce que je sais qu'ils ne veulent pas comprendre, qu'ils refusent de comprendre, qu'ils détestent d'avance celui qui leur apporte quelque chose. Et je les vois, jour après jour, s'épaissir de banalité, comme des bêtes qui engraissent. Sur ce terrain que j'avais commencé de sarcler, où il n'y avait de vivant que la trace et le dessin de mon racloir, je vois toutes les mauvaises petites herbes reprendre et porter graines.

Ce que j'ai inventé pour eux, avec eux, de nouveau, de jeune, de vivant, ils s'y encroûtent déjà, en ayant fait leur propriété.

Je me réveille en y pensant, la nuit. Ainsi mon chagrin n'a pas de cesse.

Qu'on me foute la paix de tout le jour et que j'appartienne à mes pensées!

Vendredi 20 :

Je me suis aperçu aujourd'hui que Jouvet avait demandé avec vivacité à Gallimard que son nom fût inscrit en tête du programme comme *General Stage Director.* Casa a suivi en demandant l'inscription du sien comme *stage manager.* Tout cela s'est fait derrière mon dos. Ainsi tout se corrompt de jour en jour. Cela est grotesque et lugubre. Mon crime est d'avoir *laissé faire* beaucoup de choses, étant trop affaibli par mon chagrin. Et maintenant il me faudra tout rejeter de ce que j'avais attiré sur mon cœur avec tant de confiance.

Tout nourrit le tourment de Copeau : incompréhension mutuelle, sourde animosité, insatisfaction profonde d'un travail forcené. La lettre qu'il écrivait à Martin du Gard le 12 décembre [46] *confesse un véritable désespoir. Après l'avoir remercié de sa confiance, de ce* « compte sur moi » *qu'il avait besoin d'entendre :* Je n'ai jamais douté de toi, *lui dit-il,* même à des moments où je ne comptais plus sur personne. Car j'ai été abandonné, trahi, sapé dans ma force, dans mon existence même. Et tu sais pourtant quelle était ma force, ma ressource, ma vitalité, ma confiance en moi-même et dans l'avenir. Tout s'est déroulé, au milieu de quels combats intérieurs! Il n'y avait plus rien. Tout a failli périr. Je n'ai jamais souffert autant. Tu parles d'expériences nouvelles. C'est un *martyre* que j'ai enduré. Et les amis, de loin, se disaient comme toujours « oui, ça ne va pas tout seul, mais il est solide ». Et, s'y fiant, à cette fameuse solidité, ils ne venaient pas à mon secours. Ils n'écrivaient même pas. Pendant ce temps-là, je *crevais,* de chagrin, de fatigue, de dégoût. *Garde ça pour toi.* Pour le moment, je ne peux rien raconter, expliquer. Ça serait trop long et trop difficile. Même après avoir ruminé et retourné tout cela, pendant des nuits et des nuits, je ne comprends pas encore très bien ce qui s'est passé. Quand je serai de retour, un jour je réunirai dans ma chambre deux ou trois amis, peut-être un seul, et je raconterai mon histoire, telle qu'elle me reviendra (j'ai seulement noté des dates sur un bout de papier).

Ce n'est pas encore fini. J'aurai encore du mal. Mais l'important c'est que je m'en suis tiré moralement et que je sais que je n'en mourrai pas, que je n'y resterai pas, moi et ce que je porte en moi.

C'était certainement un secret instinct qui me faisait tant insister pour que tu viennes avec moi, et te dire que tu me serais indispensable. Je crois que toi seul aurais pu m'aider. Quoi qu'il en soit, je désire que tu saches que si je n'ai pas coulé à fond, si j'ai pu me reprendre et rallumer une espérance plus belle que le monde, c'est à Suzanne Bing que je le dois. Cette frêle petite femme, qui souffrait, qui se minait à côté de moi, du même mal, a surnagé seule dans ce grand naufrage. Elle a été d'une fidélité, d'une clairvoyance, d'une force et d'un dévouement admirables. Elle est à jamais digne de *notre* reconnaissance. Elle est de la race de ceux qui donnent leur vie pour une foi, pour un idéal.

Certes, mon cher Roger, ce que j'appelle mon idéal, non seulement a survécu, mais s'est purifié, fortifié, exalté, dans l'adversité. Adversité est le mot. Seul, contre toutes les forces adverses. Tout ce que j'avais conçu, découvert, affirmé ou seulement ébauché durant trois années de solitude et de méditation, s'est précisé, démontré, illuminé. Je sais où je vais, je vois ce qu'il faut faire et comment il faut le faire. *Tout le problème* du théâtre, comme un tout, comme un bloc, est là devant mes yeux. Et la façon dont je l'envisage donne, je crois, au Vieux Colombier, une place unique dans le monde. Je t'assure que nous sommes loin des tâtonnements distingués de 1913-1914. Et je ne fais que commencer [...]

Dès maintenant on peut dire que toute la réussite matérielle qui semblait s'annoncer pour moi aux États-Unis s'est transformée en une véritable faillite. Une fois de plus j'aurai passé à côté des avantages qui m'étaient offerts. C'est-à-dire que je les ai refusés. J'espérais rentrer en France avec quelque argent. J'y reviendrai aussi pauvre qu'avant. Durant la saison dernière, avec les charges que j'ai, je n'ai épargné que 5 000 dollars environ. De ces 5 000 dollars j'ai dépensé plus de 4 000 durant l'été pour entretenir la troupe sans rien gagner moi-même. Je ne les reverrai sans doute jamais. Cette année, les conditions qui me sont faites sont telles et la situation financière du théâtre est si précaire que, depuis la réouverture du théâtre, je n'ai *rien* touché. Je suis en train de chercher une nouvelle combinaison financière qui n'a pas encore abouti. Je n'ai guère le temps, d'ailleurs, de m'occuper de cela, écrasé que je suis par le travail quotidien.

Otto Kahn, comme il l'a dit à Copeau, « ne peut faire la somme », il cherche cependant à trouver l'argent nécessaire. Il écrit à James S. Alexander, Président de la National Bank of Commerce *:*

19 décembre :
Les autorités gouvernementales et la Haute Commission française s'intéressent vivement au succès du Théâtre Français et à la poursuite de son travail à New York. Malheureusement l'affluence du public ne répond pas à l'attente que l'excellence des représentations et l'intérêt porté aux affaires françaises sembleraient justifier. On a suggéré l'idée que nos principales banques et certains trusts pourraient trouver intéressant et avantageux de donner à quelques-uns de leurs employés la possibilité de se familiariser avec la langue française en mettant à leur disposition des billets pour le Théâtre Français, ceci servant le double projet d'aider le théâtre et de donner la facilité aux employés de se perfectionner en français.

Mr. Vanderlip au profit de la National City Bank et Mr. Willard King pour la Columbia Trust Company ont déjà accepté de prendre un certain nombre de billets chaque semaine (la dernière pour un total de $ 1 000, la première pour un montant non encore déterminé), et Mr. Ernest Guy, chef de la Mission artistique de la Haute Commission, m'a demandé de m'enquérir auprès de vous si vous étiez disposé à faire de même, geste qui serait vivement apprécié par la Haute Commission. Si cette suggestion éveille en principe votre intérêt, M. Guy serait heureux de vous rencontrer personnellement pour en discuter avec vous, si vous le souhaitez.

21 décembre, réponse de J. S. Alexander :
Je reçois à l'instant votre lettre du 19 courant.
Nous aurions aimé prendre une part active à la réussite du Théâtre Français de New York, d'autant plus que les autorités gouvernementales et la Haute Commission française s'intéressent à son succès et à sa continuation, mais les administrateurs d'une banque nationale ne peuvent se permettre

d'utiliser les fonds de la banque pour aucun autre but que leur propre intérêt, avec la seule exception des contributions à la Croix-Rouge.

Je regrette que nous n'ayons pas plus de liberté dans ces matières, et d'autant plus en ce qui concerne celle-ci, la suggestion venant de vous.

À partir du mardi 17 décembre, répétitions des **Romanesques** *inscrites récemment au répertoire, sans doute en hommage à Edmond Rostand, mort à Paris le 2 décembre.*

Le programme sera complété par une reprise de La Jalousie du Barbouillé.

Lundi 23 décembre 1918 :
ONZIÈME SPECTACLE :
Les Romanesques, d'Edmond Rostand,
huit répétitions.
La Jalousie du Barbouillé, de Molière.
Reprise de la première saison, cinq répétitions.

Comme à la première saison, **La Jalousie du Barbouillé** *fait la joie des spectateurs et des critiques :*
Les maquillages pleins de fantaisie et les costumes si plaisamment colorés rehaussent l'effet déjà obtenu par le jeu des acteurs, dont la verve comique est proche du burlesque [...]

L'accueil est plus nuancé pour Les Romanesques *:*
La délicate héroïne, *dit* The Brooklyn Daily Eagle, est jouée d'une façon charmante par Renée Bouquet, et nous devons faire beaucoup de compliments à Robert Casa. Il nous semble cependant regrettable que la direction ait choisi une femme pour le rôle du jeune amoureux. Ceci ne met pas en cause le talent de Suzanne Bing, mais une femme dans ce rôle enlève de la crédibilité à l'ensemble. Romain Bouquet était délicieusement drôle en Straforel [...]

Mêmes remarques dans The New York Times *tandis que* Le Courrier des États-Unis *se réjouit de ce que Copeau ait respecté l'indication de Rostand :* « La scène se situe n'importe où pourvu que les costumes soient jolis. » Les costumes sont magnifiques.

Lundi 23 décembre. Journal de Copeau :
Première des *Romanesques* [47]!
Le soir conversation avec Suzanne qui tâche de m'expliquer le malaise du comédien devant une mise en scène trop arrêtée dont il croit savoir à l'avance qu'elle ne lui permet rien, qu'elle n'attend rien de lui. « Que peut-il y avoir, dit-elle, de meilleur pour un maître que de constater que l'élève est capable à son tour d'une juste création? » Ce qui me frappe surtout c'est qu'elle croit qu'aujourd'hui je n'obtiendrais plus la spontanéité qui a fait à Paris le petit miracle de *La Nuit des rois*. Et elle parle de tout au passé. Je les ai donc gâchés? Je suis toujours prêt à leur donner raison contre moi... Il faudrait retrouver et écrire toute cette conversation avec Suzanne dont l'équilibre m'étonne. Un dépositaire fidèle. Voilà ce qu'elle est. Écrire un dialogue du metteur en scène et de l'interprète, du maître et de l'élève.
Quand cette roue s'arrêtera-t-elle où je suis attaché?

Mardi 24 décembre :
13 h : Répétition de *Boubouroche*, en scène.
16 h : Répétition de *L'Énigme*, en scène.

Mardi 24. Journal de Copeau :
Nuit de Noël, où je remâche mes amertumes, mon chagrin abominable.
Le théâtre est à deux doigts de la faillite. Je n'ai moi-même plus un sou. Il faut trouver tout de suite de l'argent. Nous ne pouvons plus marcher qu'une semaine.
Les enfants ce soir étaient merveilleux, découvrant leurs petits cadeaux de Noël. Tandis qu'Agnès lisait à haute voix une lettre de sa vieille mère, arrivée ce soir, j'avais fermé les yeux et je sentais mes larmes couler. Puis je me suis endormi en pleurant et quand, au réveil, mes paupières se sont soulevées, les larmes qu'elles retenaient se sont remises à couler.

Mercredi 25 décembre. Billet de service :
10 h 30 à 12 h : Répétition de *Boubouroche* en scène.
14 h 30 à 16 h30 : Répétition de *L'Énigme* en scène.
Soirée : *Romanesques* et *Barbouillé*.

Mercredi 25. Journal de Copeau :

Conversation avec Guy qui doit s'employer à trouver environ 38 000 dollars.

C'est sur l'indigence du texte et des caractères que se développe, s'exagère ou se fane la *technique* de l'acteur. Ou alors que l'acteur soit *tout*. Distinguons bien : ou le chef-d'œuvre écrit ou le chef-d'œuvre improvisé.

Jeudi 16 :

Hier soir repris un peu d'espoir. Ambition de reprendre du terrain, de me redresser, de tirer de ces efforts de deux années les profits qu'ils comportent. Mais mon métier, tel que je suis obligé de le faire, me dégoûte.

Vendredi 27 :

Ce soir Jouvet m'aborde avec un « je voudrais savoir ce que vous pensez de moi en ce moment ». Rien de bien nouveau dans cet entretien d'une heure. Il me redit par cœur certaines phrases de la dernière lettre [48], que je lui écrivis et dont j'ai vu l'autre jour dépasser les feuillets du carnet qu'il porte toujours sur lui. Et je crois le sentir privé de moi. Je note quelques phrases pour m'en souvenir : « Vous me dites que je suis votre ami, et ce sera toujours ma fierté. Mais vous me dites que je suis votre égal. Et cela n'est pas. Cela ne peut pas être. Je suis dans le rang. Je recevrai ce que vous me donnerez. Je n'irai pas le chercher. » Et ceci : « Il n'y a qu'un raisonnement que je fais, auquel je me cramponne, c'est que vous n'avez jamais changé, que vous êtes toujours resté tel que je vous ai d'abord connu » et : « Vous ne vous rendez pas assez compte de l'influence que vous avez sur les autres, sur vos comédiens, combien vous êtes leur chef, à quel point vous pouvez les entraîner. » Et je me rappelle aussi le ton dont il me demanda : « Continuerez-vous ? »

Rédemption (le Cadavre vivant) de Tolstoï, monté par Arthur Hopkins et Robert Edmond Jones [49].

C'est un événement ici, et on peut admirer avec raison que ces principes de simplicité, de recherche, de discipline aient pu prévaloir sur une scène et parmi des acteurs américains. Mais c'est une tromperie. C'est une imitation. Après Stanislavski et Reinhardt cela est *facile*. Aucune authenticité profonde. Ni spontanéité ni flamme. Délibération intellectuelle, élaboration du goût, affectation.

Barrymore est un acteur habile mais prétentieux, un cabotin en somme. Un seul comédien vraiment remarquable : Russ Whytal. Les autres sont au-dessous du médiocre.

Quelques jours après j'ai rencontré « Bobby » Jones, un soir et nous avons longuement causé dans la salle de lecture du Harvard Club. Je lui ai dit franchement : « Tout cela c'est toujours la même chose, et des hommes de talent comme vous pourront, pendant vingt ans, réussir cent mises en scène comme celle-là. Le théâtre n'en sera pas pour cela changé. Il n'aura pas avancé d'un pas. » Alors il m'a confessé qu'il comprenait maintenant ce que je vais répétant, depuis trois ou quatre ans, à savoir que c'est un mensonge, en effet, et un leurre que de jeter de pompeux vêtements sur le corps desséché du théâtre. C'est un cabotinisme comme un autre, celui du metteur en scène artiste. Ce qu'il faut c'est une œuvre, ce sont des artistes, c'est créer une scène. – Je lui ai dit que le titre du livre que je veux écrire en rentrant en Europe sera probablement *la recherche d'une scène*.

C'est une date importante, celle où quelqu'un du théâtre, fourvoyé dans le mouvement sans issue du *nouveau théâtre*, vient à ma conception. Réussir dans les dessins de scène, la mise en scène, le cabotinage de la mise en scène, cela n'avance pas le théâtre d'un pas. « Je suis toujours si heureux quand je vois votre tréteau », me dit R. E. Jones. « Votre *Twelfth Night* avait fait la scène. On l'a compris »...

Le même jour, Copeau commence une lettre à Jacques Rivière. Il lui confie ses épreuves, ses déceptions, et son désir de s'expliquer au retour avec ses amis, ce que confirme cette note de son Journal :

Next Year : « Série de causeries, durant quatre ou cinq jours, à la campagne, pour mes principaux amis, afin de leur montrer où nous en sommes, ce que j'ai fait, ce que je vois. Mais, *ajoute-t-il,* il me vient toujours à l'esprit une même question quand je pense à l'avenir : dans quel monde allons-nous nous retrouver? Et quelle suite allons-nous pouvoir donner à nous-mêmes? Si nous sommes encore capables de collaborer ensemble, notre œuvre pourra être grande. Ce qu'il me faut, en effet, ce sont des collaborateurs. Certains d'entre eux je croyais les avoir trouvés. J'ai eu ici de cruelles désillusions. Des liens que je croyais indissolubles se sont brisés. J'ai cru pouvoir les réparer. J'ai échoué. Tout est faussé dans l'organisme dont je me vantais d'être le cœur. Il n'y a pas un mouvement, pas une réaction de cet organisme qui ne me fasse souffrir.

27 décembre. Jacques Rivière à Jean Schlumberger [50] :

[...] Pour ce qui me concerne, je porte dans ma tête, avec une impatience qui par moments touche à la rage, mille projets de plus en plus précis et que je voudrais pouvoir réaliser tout de suite. Le retour de Copeau et de Gaston me semble déplorablement éloigné. Je vais leur écrire pour les engager à plaquer le plus tôt possible leur affaire mal partie et à nous revenir par le premier paquebot. C'est ici maintenant qu'il y a du travail... et du travail pressé.

Nous sommes maintenant aux derniers jours de cette année 1918.
27 décembre. Copeau écrit à Waldo Frank :

Je vous embrasse tous les deux, au seuil de cette nouvelle année. Puisse la paix revenir parmi les hommes de bonne volonté. Puisse un peu d'amour souffler sur cette terre en cendres. Puissions-nous être simples, vrais, forts, et nous délivrer de toute vanité. Puissions-nous être bons à quelque chose.

Quand je n'entends rien de vous, j'espère que vous travaillez. Moi je ne puis dire que je travaille. Je me débats.

À bientôt?

30 décembre. Mrs. Lotte Richardson à Jacques Copeau :

Une heureuse nouvelle année pour vous et les vôtres, et pour votre théâtre. J'ai été triste, la dernière fois que je vous ai vu, de vous trouver si déprimé et découragé alors que j'espérais que tout allait bien. Quel chagrin vous obsède? L'unique, la seule critique que je peux faire est que votre théâtre est *too good for New York.*

30 décembre. Journal :

Guy me téléphone que Kahn assure la fin de la saison d'environ $ 40 000.

Lundi 30 décembre 1918 :
DOUZIÈME SPECTACLE :
L'Énigme, de Paul Hervieu,
monté en douze répétitions
dont cinq à Morristown, un décor.
Boubouroche, de Georges Courteline,
monté en treize répétitions
dont sept à Morristown, deux décors.

Le spectacle est très bien accueilli par le public : cinq ou six rappels à chaque représentation. Mais si Boubouroche *est unanimement loué par la presse :* une des pièces les plus divertissantes de la Compagnie, nous avons tous ri sans retenue, L'Énigme *appréciée pour sa présentation et le jeu des acteurs, et particulièrement celui de Valentine Tessier qui, pour* The New York Herald, *ne peut être une autre Bartet* [51], *mais qui est une gracieuse et élégante jeune femme française,* L'Énigme *apparaît à certains journalistes comme inhumainement artificielle :* « Comparée à la fraîcheur et à l'humour de *Boubouroche,* L'Énigme de M. Hervieu s'effondre. Cela est plus artificiel que des fleurs artificielles. En voici la preuve : quand les deux maris en colère se précipitent dans l'escalier pour surprendre l'infidélité de leurs femmes, le public, au lieu de retenir son souffle, éclate de rire » (*The New York Globe*).

Ce reproche rejoint celui dont Jacques Copeau accablait Hervieu lorsqu'il écrivit en 1909 dans La Grande Revue [52] : La vie le trouble, le déconcerte et l'irrite; elle déborde sa compréhension, gêne son caractère, entrave sa fonction qui est de juger. Il la maîtrise en la déformant, il en altère les traits de vérité éparse au profit d'une vraisemblance théorique, il en mutile les complexités vivantes pour les réduire en laconiques arguments, il la couvre, enfin, de son autorité responsable, pour n'en restituer dans ses drames (microcosmes fermés et stables d'où le devenir est exclu) que telle apparence arbitraire douée d'une couleur factice et d'un mouvement emprunté.

Néanmoins, *ajoutait Littell, le critique de* The New Republic, « je suis heureux que Jacques Copeau ait choisi de monter *L'Énigme* au Vieux Colombier. Sa production est absolument loyale. Elle révèle les bons et les mauvais côtés de la pièce. Elle nous permet d'accéder au véritable *Hervieu*...

Le 17 janvier. Copeau écrira dans son Journal :

Un article de Littell [53] dans *The New Republic* dit, très simplement, des choses très importantes : que je laisse la pièce se défendre elle-même, sans en camoufler les défauts. Toute la nouveauté est là. C'est le contraire de l'esprit habituel du théâtre. Corbin [54], sans s'en rendre compte, disait la même chose quand il reconnaissait que je ne mettais mon art qu'au service d'ouvrages dignes à mes yeux d'être exaltés par la représentation scénique.

Le 31 décembre, on répète L'Avare :

Season 1918-1919

French Theatre du Vieux Colombier

Directeur Général, JACQUES COPEAU

21 Rue du Vieux Colombier
PARIS
Administrateur, Gaston Gallimard

65 West Thirty-fifth Street
NEW YORK
Manager, Richard G. Herndon

Telephone, Greeley 1522

January 1,
1919.

La Compagnie du Vieux Colombier a l'honneur d'adresser à M. Otto Kahn l'assurance de ses sentiments dévoués et tous ses voeux pour la nouvelle année.

À la Compagnie du Théâtre Français du Vieux Colombier :
4 janvier – Ladies and Gentlemen,
Je vous remercie infiniment pour vos bons souhaits. Je suis fier d'avoir eu ma part dans cette opportunité qui a permis au public de New York de faire connaissance avec vous, avec votre art et avec votre esprit.

Je vous souhaite à tous une très bonne Nouvelle Année et vous félicite cordialement pour le triomphe glorieux qu'a remporté votre héroïque et bien-aimé pays. Puisse la camaraderie des armes entre nos deux nations être suivie par une intime, cordiale et durable amitié dans la paix.

Otto H. Kahn

À Jacques Copeau :

4 janvier 1919

Cher Monsieur et Ami,
Je suis très touché, très flatté de l'honneur que la Compagnie du Vieux Colombier m'a fait en m'envoyant une lettre avec leurs autographes à l'occasion de nouvelle année. J'en suis fier et je garderai cette lettre parmi mes plus beaux trésors.

Je vous prie de les remercier et de leur souhaiter tout le succès dans leur profession qu'ils ont pleinement mérité...

Je veux les féliciter et vous aussi cher Monsieur de notre chère France si glorieuse. J'ose dire *notre* parce que la France a toujours été la deuxième patrie de tous les Américains.
Votre ami et l'ami du Vieux Colombier
Robertson Trowbridge

1ᵉʳ janvier 1919. Journal de Copeau :
Longue conversation avec Otto Kahn. Quand je suis avec lui il semble approuver toutes mes propositions. Pour le moment il a promis de nous soutenir jusqu'au bout, avec l'aide de quelques nouveaux souscripteurs.

Danger mortel d'appuyer sa politique et de conformer son gouvernement sur des *on dit*, de se souvenir et de vouloir toujours faire état de ce qui a été dit. Inutilité de s'expliquer sur des propos tenus. Ce qu'un homme a dit, même le plus réfléchi, à un certain moment, n'a qu'une importance relative et jamais celle qu'on lui attribue. C'est se déserter soi-même que de prêter l'oreille aux racontars. Au Vieux Colombier depuis deux ans ils se sont tous compromis par leurs propos et leurs rapports de propos. Je reste le plus fort et le dernier mot m'appartient parce que, malgré tout, je suis resté en dehors et au-dessus d'eux.

3 janvier. Journal :

Résilié Jessmin [55], Revyl et Jeanniot. Allégrement. Pourquoi ne l'avoir pas fait plus tôt. À l'avenir je dois savoir que tout ce qui est décidé dans mon esprit doit recevoir une solution pratique immédiate.

Conférence en anglais au *Women's Club* de *New Rochelle* [56].

Je m'étais perdu de vue. Non point renoncé. Mais perdu de vue, à force de regarder *les autres*, de croire aux autres, de croire à ceux qu'un instant, à ma ressemblance, j'avais illuminés, de croire à eux plus qu'à moi-même... Et les voilà maintenant qui s'éteignent, qui se fanent, qui s'éloignent.

Sunday 5th :

Soirée au *Lamb's Club* [57]. Trois ou quatre cents professionnels du théâtre assistent au *Gambol*. La représentation est médiocre. De gros garçons jouent les rôles de filles et parviennent à n'y être pas trop ridicules. Le programme se termine par *Nothing but Cuts* de William Collier, demi-improvisation très réussie des mœurs théâtrales de Broadway. Tous les acteurs sont excellents, y compris quelques forts gaillards maquillés en chorus girls. William Collier lui-même joue avec beaucoup d'entrain son propre personnage de metteur en scène. Tout cela est plein de fraîcheur, de mouvement, de vie. Leon Errol, en pochard, est admirable.

Lundi 6 janvier 1919 :

TREIZIÈME SPECTACLE DE LA SAISON :

L'Avare, de Molière.

Reprise de la première saison, six répétitions,
dont deux à Morristown.

John Corbin exprime l'opinion à peu près générale :

Une des meilleures représentations données l'an dernier par le Théâtre Français du Vieux Colombier, et reprise avec un égal succès hier soir, avec Charles Dullin, l'acteur le plus souple de la Compagnie et, de loin, le principal attrait de cette soirée [...] Entre les mains de M. Dullin, cet avare, qui est dans le texte si sordide qu'il semble irréel, devient un irrésistible petit vieillard de chair et de sang, s'adoucissant parfois jusqu'à devenir presque plaisamment humain.

C'est peut-être, *dit* The New York World, l'exemple le plus clair de ses théories et de ses méthodes que M. Copeau nous ait donné depuis qu'il a transporté son théâtre de Paris à New York...

Mais Copeau n'est pas satisfait.

Mercredi 8. Journal :
Le lundi 6 nous avons repris *L'Avare*. L'ensemble est déréglé. Déjà ils jouent comme des acteurs à tradition, qui exécutent sans les comprendre des mouvements réglés. Dullin se défait, s'éparpille, se noie dans le détail et l'agitation, lâche le texte, *fait du texte* pour les besoins de son jeu, et joue seul. J'ai perdu le goût de lui faire des remarques, non qu'il y regimbe, mais on sent désormais que toute graine jetée rebondit sur du macadam. Voilà où nous en sommes. Dullin et Jouvet seraient bien surpris si on leur disait qu'ils portent en eux la perversion du Vieux Colombier.

Noter ceci pour le moment où je courrais risque d'oublier et de me laisser encore aveugler : l'autre jour, Jouvet à qui je fais descendre par Suzanne deux notes de service, s'en offense et cite Figaro : « N'humilions pas l'homme qui nous sert bien. »

Conférence à Greenwich.

Jeudi 9 :
Pour la première fois Maiène nous quitte, toute seule, se rendant à l'école du Lake George[58].

Mardi 7 janvier. Billet de service :
14 h 30 à 17 h 30 : Répétition de *Chatterton*, en scène.
Soirée : *L'Avare*.

Mercredi 8 :
10 h 45 à 12 h 00 : *Chatterton*, décor, en scène.
14 h : Essayage des costumes.
15 h 30 à 17 h 30 : *Chatterton*, rehearsal room.
Soirée : *L'Avare*.

Jeudi 9 :
   10 h 30 à 12 h : répétition de *Karamazov* pour texte, rehearsal room.
   Matinée et soirée : *L'Avare*.

Ce jeudi soir, au théâtre, un petit mot au crayon de Charles Dullin :
   Je suis extrêmement fatigué et enroué. Je ne peux réellement pas répéter le matin, l'après-midi et jouer *L'Avare* le soir. Je regrette de ne pas t'avoir vu et de n'avoir pas pu te dire cela de vive voix. Cordialement.

Vendredi 10 janvier. Billet de service :
   10 h 35 : *Karamazov* pour le texte.
   14 h : *Chatterton*.

Vendredi 10. Journal :
   Suzanne, ce soir, en m'accompagnant, me fait remarquer que les acteurs, dans *L'Avare*, au fur et à mesure des représentations, lâchent la mise en scène. Je le sais bien. Je sais bien que tout se désagrège et s'en va. Et je me déteste de n'avoir pas eu assez de force pour empêcher cette décomposition. Car de quoi serviront la vision, le talent, le génie, si la force fait défaut... Il est vrai que j'ai lutté beaucoup, longtemps. Et que je me suis usé dans la lutte.
   Aujourd'hui c'est affreux de ne pouvoir répondre à Suzanne que : « Que veux-tu que j'y fasse? »
   Il n'y a plus aucune flamme dans le travail. Il n'y a plus rien. Parce que je me retire. Parce que tout était fait de ma présence. Je le vois. Et, au milieu d'eux tous, Suzanne reste la seule fidèle, la seule sincère, comme un combattant parmi ces déserteurs. Un combattant que moi aussi j'abandonne. Parce que je n'en puis plus, et que je souffre trop.

   Ce découragement n'empêche pas Copeau d'être tous les soirs au Garrick et pas un instant sa pensée ne se détourne du travail actuel ni de la nécessité de reprendre tout en main pour préserver l'avenir.

Samedi 11. Organisation :
   Monographies sur chacun des acteurs qui ont passé par le théâtre, avec photographies dans leurs rôles et au naturel. Leur correspondance, leurs écrits.

Dossier de chaque pièce, avec les reprises, le programme de chaque reprise, les photographies et dessins, maquettes de costumes, coupures de presse, correspondance, plans et élévations de décors, nomenclatures d'accessoires, etc.

Journal de bord. Les faits mis à jour par le secrétaire. Observations par le Directeur.

Exposition permanente dans le vestibule, relative au théâtre. Reproduction d'œuvres d'art anciennes et modernes. Portraits, souvenirs, reliques.

Pour l'acteur :

Que nous n'obtiendrons jamais rien de notre travail commun tant qu'il se conduira comme un écolier fustigé, futile ou révolté et qui, hors de la présence du maître, ne fait rien que de délictueux.

Qu'il ne doit pas croire que ce que je lui apporte est quelque chose que je lui retire.

En réalité nous ne travaillons jamais l'un sans l'autre. Je ne suis rien sans lui et il n'est rien sans moi.

C'est moi qui suis à sa disposition beaucoup plus qu'il n'est à la mienne.

Son talent ne m'appartient pas, mais le mien lui appartient. Je le double et le seconde en tout.

C'est en moi que la conscience de l'ensemble se débat, s'élucide.

Des différentes sortes de vérité. La vérité poétique. La vérité réaliste. La vérité dans la tragédie ou la comédie.

Le ton du personnage et le ton de l'œuvre.

Ce n'est que par moi, à cause de moi qu'ils peuvent jouer ensemble. Si vous dites à l'acteur : pense à ton voisin. Cela est faux. Ne pense qu'à toi. Je sais par expérience que pour bien jouer la comédie il faut s'enfoncer dans la personnalité du caractère qu'on représente. Je suis là pour les rapports entre les individus. Être seulement disposé à exécuter tout ce que j'invente pour eux, pour nous. Un cerveau pensant et dirigeant. Tous les autres mettant en valeur cette méditation méthodique, la faisant fructifier par l'action, prendre racine dans la vie et faisant d'elle un usage fervent et discipliné.

Dimanche 12 :

Visite de Raymond O'Neil de Cleveland à la répétition de *Chatterton*. Je le retiens à dîner et il me parle ingénument de la représentation de *L'Avare* qu'il a vue il y a deux jours. Je suis frappé que tout de même à travers un spectacle que la négligence ou l'insensibilité des acteurs et ma propre fatigue ont laissé si peu au point, la pensée, l'intention créatrice puissent se laisser encore sentir si vivement. O'Neil fait une comparaison avec la musique de Mozart. Sa louange est rendue plus précieuse par certaines critiques intelligentes. Et je lui parle de l'avenir, de mes projets. Il est modeste. Il parle avec retenue et sensibilité de ses propres essais avec des amateurs, et quand je prononce le mot *improvisation* son visage rosit.

Il affirme que je ne puis savoir quelles semences j'ai déjà répandues ici, que je ne m'en rendrai compte que dans six ou sept ans et que, dans de lointains districts, des hommes isolés restent frappés de ce qu'ils ont vu à New York et qu'ils n'avaient jamais vu jusque-là. « J'ai trouvé *L'Avare* si beau — me dit-il — que je ne pouvais plus m'endormir. »

À son avis Arthur Hopkins est déjà très influencé par le Vieux Colombier.

Le 10 janvier, The New York Herald *avait conclu en ces termes un article à la louange du travail remarquable de cette saison :*

...Le théâtre du Vieux Colombier est plus qu'une association d'acteurs intelligents, sous la direction d'un homme intelligent, venue ici pour présenter des pièces françaises à une élite, sevrée momentanément de ses habituelles visites à Paris. C'est plus même qu'un théâtre. C'est l'expression même de la vie organique et de l'âme de la France, la voix d'un grand peuple parlant à un autre grand peuple. Négliger un tel moyen de connaître la culture d'un des peuples les plus artistes du monde, condamner avec mollesse leur réussite par de trop faibles louanges, ou peut-être, pis encore, *les louer avec de vagues condamnations,* ce serait faire tort à la vie culturelle et artistique de New York en même temps qu'à une remarquable compagnie d'artistes [59].

Lundi 13 janvier 1919 :
QUATORZIÈME SPECTACLE
Chatterton, d'Alfred de Vigny,
monté en vingt-trois répétitions,
dont onze à Morristown. Deux décors.

Les enfants de Kitty Bell ont attendri tous les cœurs; on reconnaît que, dans le rôle difficile de Chatterton, Henri Dhurtal fait de son mieux. Certains journaux le trouvent excellent, mais The New York Globe *lui reproche de n'être « que de loin un poète affamé ». Et* The New York Evening Telegram *pense que* l'excellente troupe du Vieux Colombier ne possède pas les qualités nécessaires pour interpréter une œuvre de l'école romantique.

Journal de Copeau :
Première de *Chatterton*.
À mon avis l'ensemble de la troupe diminue de jour en jour. Mais on continue de la louer, comme on en a pris l'habitude. Je n'ai plus guère la force de lutter, ni le temps, de semaine en semaine, de rien redresser. L'an dernier je luttais encore. Et malgré les insuffisances, la pauvreté, etc., il y avait trace de cette lutte, qui donnait au spectacle certaine beauté. Maintenant nous allons de plus en plus vers la médiocrité et l'anarchie. C'est de mon fait, je l'avoue. Mais simplement parce que j'ai été blessé au cœur.

Jeudi 16 :
J'ai accepté de jouer un fragment de MacKaye : *George Washington*.
Suzanne va aussi souvent qu'elle le peut à l'École des enfants de Mrs. Frank. Elle me fait de charmants récits de ses relations avec les enfants.
Écrire, en rentrant, *un règlement* du Vieux Colombier, à l'usage des acteurs.

Vendredi 17 :
Déjeuné avec O'Neil. Il a assisté à *Rédemption* qui le révolte. Ce n'est que mensonge, dit-il, insincérité, recherche de l'effet. Il a raison. [...] J'apporte cependant cette juste atténuation qu'il faut tenir compte des éléments que le metteur en scène a en main. Une intention toute naturelle et spontanée du

metteur en scène est traduite avec affectation, gaucherie, sans sincérité et sans âme par les acteurs. L'intention devient visible à cause de la résistance du médium. C'est pourquoi nous ne ferons rien tant que nous n'aurons pas formé, éduqué des acteurs. *L'éducation* générale, préalable, c'est tout. Si l'acteur est *forcé*, cela se voit. Il est en somme absurde de lui demander des choses qu'il ne veut ni ne peut faire.

O'Neil me parle des chants et danses nègres et indiens. Il me donne un livre de poésies indiennes. En me quittant il me dit que son désir est maintenant de rentrer vite chez lui pour relire toutes les pièces qu'il connaît déjà et auxquelles ce qu'il a vu ici a donné une nouvelle vie... Il a de beaux yeux bleus.

17 janvier, Copeau à Waldo Frank :

Cher Waldo, vous êtes un enfant! un charmant enfant plein de tendresse, de jalousie, de suspicions. Plus d'une fois j'ai vu se lever vers moi votre œil chargé de noir... Comment pouvez-vous me demander si je ne vous aime plus? Quoi! parce que je ne puis vous voir, parce que quand je vous vois je ne suis plus moi-même? Je crois que vous n'avez jamais réalisé tout à fait quelle est ma vie. Non seulement le labeur écrasant, mais cette souffrance qui ne me quitte plus, et que je ne puis partager... Ne savez-vous pas que mon chagrin est fait, aussi bien, de cette impossibilité où je suis de *vivre* ici, dans ce pays que je voudrais connaître, parmi les quelques-uns dont je voudrais recevoir, à qui je voudrais donner quelque chose. Et vous êtes le premier de ceux-là, cher Waldo. Ne vous fatiguez pas de notre amitié malheureuse. Si j'avais eu seulement un soir libre je vous l'aurais fait savoir. Mais je suis toujours trop fatigué pour même souhaiter le repos d'une causerie ou d'une promenade.

Voulez-vous le lundi 20 me prendre au théâtre à 12 h 30?

Vendredi 17. Journal :

Causé un instant avec Valentine qui me dit qu'elle ne peut plus tenir au milieu des *camarades* qui ne cessent de critiquer, de déblatérer. Là est la peste.

Tâcher de favoriser une association des meilleurs d'entre eux.

Chaque fois que je m'approche de Jouvet penché sur ses plans, vibrant de bonne volonté et d'admiration pour lui-même, mais sincèrement, passionnément épris de son travail, – une tendresse me ressaisit.

Danger de cela. Il faut sacrifier les mouvements du cœur. Il y a trop de cœur dans tout ce que je fais.

Mon docteur me dit aujourd'hui qu'il me faudra, au retour en France, trois ou quatre mois de repos complet *and forget every thing about America* *. Et il ajoute : *I have been here twenty four years and am still a stranger* **.

Jacques Copeau à Jean Schlumberger :
Ce soir me sentant un peu moins fatigué et peut-être moins triste que de coutume, j'ai relu tes trois dernières lettres, 21 septembre, 19 octobre, 8 décembre, et je viens causer un peu avec toi. Que ta fidèle amitié m'est bonne, mon cher Jean. Agnès et moi nous nous rappelons souvent, avec des larmes dans les yeux, tous les traits de votre bonté exquise, durant ces dernières années surtout. Le jour du revoir sera un grand jour [...]
Gaston va rentrer en France dans le courant de février. Je crois que c'est nécessaire. Mais sans doute à son habitude ne racontera-t-il pas grand-chose. Il faudra être bien pour lui. Lui aussi il a eu à souffrir ici, à se soumettre à bien des besognes ingrates. Je le vois un peu triste. La réorganisation générale devra lui donner parmi nous une situation dont il ait lieu d'être satisfait. Sa place est à la tête de la maison d'éditions, comme chef unique et responsable.
Je désire naturellement qu'aucune décision ne soit prise relativement à la réorganisation générale avant que je ne sois rentré.
Ma saison ici, selon mes engagements, se terminera dans les premiers jours d'avril.
Après la saison je devrai rester ici encore pendant deux mois je pense : 1) pour faire une tournée qui me permette de rapporter en France un peu d'argent. 2) Pour *profiter* un peu de l'Amérique dont je n'ai presque rien vu, ayant vécu comme

---

* Et oubliez tout de l'Amérique.
** J'ai vécu ici vingt-quatre ans et j'y suis toujours un étranger.

un esclave à la roue. 3) Nouer ou consolider certaines relations, voir le Middle West et peut-être l'Ouest.

Je ne serai donc pas en France avant *juin* au plus tôt.

J'avais espéré rapporter de grosses sommes d'argent qui eussent assuré la libre existence du théâtre. À moins d'un miracle d'ici à quatre mois, je rentrerai sans rien. Il faut donc que vous autres, là-bas, vous vous préoccupiez dès maintenant de trouver de l'argent tout en restant absolument *libres*.

Copeau met alors Schlumberger au courant de sa désastreuse situation financière personnelle, déjà décrite le 12 décembre 1918 à Roger Martin du Gard. Il vit maintenant au jour le jour avec 500 dollars devant lui.

[...] Pour ce qui est de l'avenir immédiat du Vieux Colombier de graves problèmes se poseront. Certains d'entre eux touchent au degré d'évolution que mes idées ont atteint, à mes projets, à mille questions de technique et de visées que j'aurai à vous exposer en détail et longuement. J'ai une lourde expérience sur les épaules, plus d'enthousiasme et de foi que jamais, mais de la sagesse, de la connaissance. Il faudra m'écouter et ne pas comprendre *tout de suite* ce que j'ai élucidé en quatre ans. Au moment où nous nous retrouverons, vous serez tout frais et impatients. Moi je sortirai du bagne, ou plutôt de la bataille, avec beaucoup de blessures. C'est cela qu'il faut bien envisager. Rien ne sera plus *en l'état*. Et nous aurons non seulement à faire un nouveau départ, mais un départ *définitif*. Je ne devrai plus, je ne pourrai plus m'engager dans une entreprise qui me coûte chaque jour une pinte de mon sang. J'en ai trop perdu déjà [...] Je ne me maintiens depuis le mois d'octobre que grâce à ma piqûre hebdomadaire. Aujourd'hui même mon docteur m'a dit qu'à mon retour en France je devrai prendre un repos *complet* d'au moins quatre mois. Avant même de vous parler j'aurai besoin de me recueillir.

Et puis il me faudra du temps pour établir une organisation solide *et choisir mes collaborateurs*. Là est la grande question. Enfin je te parlerai de mon projet d'un groupement d'enfants, qui est peut-être la chose à quoi je tiens le plus, et qui est l'œuvre d'avenir, le fondement de tout, faute de quoi nous n'aurons rien édifié. Nous discuterons posément tout ce qui est discutable. Sur certains points je vous demanderai de me croire.

La vie du Vieux Colombier en Amérique n'a pas été un interrègne, une parenthèse. Elle n'a sans doute été rendue si difficile que précisément parce qu'elle n'a pas cessé d'être vivante, ardente, virulente. Certaines choses se sont gâtées ou détruites. Qu'importe. L'essentiel s'est extraordinairement confirmé, accru, développé. Et il me semble que nous avons désormais une place unique dans le monde. J'ai été ici depuis deux ans la source d'inspiration de ceux qui sont jeunes, qui aspirent, qui pensent. Après cela il est ridicule de poser la question : succès ou insuccès ? quand c'est de vie intérieure qu'il s'agit et de création incessante. Je suis si fatigué que parfois mes mains croient ne plus remuer que de la cendre, mais il suffit d'un rayon de soleil pour faire briller dans ce tas incolore d'innombrables parcelles d'or, et souvent la nuit je m'éveille avec un tel sentiment de plénitude intérieure et de ravissement que je suis obligé de comprimer mon cœur ou de me lever pour chercher un soulagement dans une lecture, ou en écrivant une page. Le tout, cher Jean, est de trouver le moyen de *réaliser*.

Ah! sans doute quand j'aurai touché le sol du pays, quand je me retrouverai parmi vous, mes amis, je n'aurai que trop de peine à modérer ma joie, mon élan, à m'empêcher d'agir. Il faudra que vous soyez plus sages que moi [...]

Mais que nous réserve l'avenir? Je n'ose me réjouir de tout ce qui semble acquis, quand l'univers est tout tremblant de sa métamorphose, et quoi bâtir sur cette lave en fusion? Nous n'avons jamais été moins sûrs du lendemain.

Écris-moi encore si tu le peux. Parle-moi davantage de ton camarade Baty. Tu sais combien de mon naturel je suis accueillant. Mais j'ai tant de fois offert la moitié de mon manteau que je commence à sentir un peu le frais. Et j'ai appris surtout à me défier de ceux qui croient *en être*. Ceux à qui j'ai donné le plus m'ont fait les plus cruelles blessures. Tu donnes la moitié de ton manteau et, quelques mois après, le mendiant réchauffé t'apostrophe disant : « Passez-moi donc cette moitié de *mon* manteau que vous avez sur l'épaule! » Et ce n'est plus la charité ni le besoin d'être bon qui te fait abandonner encore ce qui t'appartient, mais quelque triste malignité, *pour voir* ce que l'autre aura bien encore le culot de demander, jusqu'où pourra bien aller le mendiant.

Au revoir, mon ami. Ton vieux n'a pas changé. C'est là ce que lui reprochent, je crois, ceux qui ne sont que changement, ceux qui fatigueraient tous les coqs de l'Écriture à donner le signal du reniement perpétuel [...]

Enfin, au revoir, vieux. Je t'aime bien. Pense à moi. Prépare le terrain là-bas, comme on dit. Songe à la galette. Explique, quand tu en as l'occasion, que nous avons fait ici *du travail*. Je t'assure que les Américains ne considèrent pas *director Copeau* comme un pètezouille. Les auteurs d'ici m'envoient leurs pièces. Et quand j'entre dans la salle à manger du Player's Club les gens se lèvent. Quel orgueilleux, hein? Non, éperdument modeste, je te jure. Mais le Vieux Colombier est quelque chose à quoi on doit tirer son chapeau.

Lundi 20. Journal :

Lettre de Jean Schlumberger qui s'est croisée avec la mienne. Tout affairé, il m'invite à revenir le plus tôt possible, à remettre le Vieux Colombier à flot dès mon retour, à faire une saison d'un mois, en mai, à Strasbourg. Il en est resté et croit que nous pourrons reprendre exactement au point où nous en étions en mai 1914. Pourrai-je leur faire comprendre quelle longue convalescence m'est nécessaire?

Non, les amis ne comprennent pas. Ils ne peuvent pas comprendre. Jean Schlumberger plus tard saura en convenir [60] *:*

Quand nous le retrouvâmes, cinq ans plus tard, retour d'Amérique, grand fut notre étonnement de voir qu'il ne considérait nullement sa précédente réussite, comme un point d'arrivée. L'exploitation d'un petit théâtre dit d'avant-garde, quelle qu'en fût la qualité, n'était à ses yeux qu'un premier acheminement vers les vastes réformes qu'il envisageait.

Les amis aussi ont changé. Les années de guerre et leurs expériences personnelles les ont profondément marqués. Ils reviennent pensant tous comme Jean Schlumberger, qui écrit à Jacques Rivière le 4 janvier [61] *:* Je suis à l'âge où il n'est plus permis de s'en tenir aux promesses, il faut donner sa mesure. *Et ils sont tous pressés de la donner, d'autant plus que, comme l'écrit le 14 janvier Roger Martin du Gard à Gaston Gallimard* [62] *:* Les affaires, la vie, reprennent à Paris depuis l'armistice avec une intensité accélérée. Il importe que tout le monde soit le plus vite possible à sa place.

4 janvier 1919, Jacques Rivière à Jacques Copeau :
J'ai réfléchi à ce que tu m'écrivais dans ta dernière lettre. C'est vrai que nous ne communiquons pas, que nous ne pouvons pas communiquer jusqu'à nouvel ordre. La distance entre nous, entre nos occupations, entre nos soucis, entre nos expériences est trop grande. Trop grand aussi ce temps où nous avons été séparés; trop ancien notre passé commun; il nous manque d'avoir partagé ces quatre si lourdes dernières années. [...] Je continue à n'avoir sur le Vieux Colombier et sur la marche de ses affaires que des renseignements indirects, auxquels je refuse de me fier complètement. Il me semble bien cependant que l'expérience est dès maintenant accomplie. Tu sais à quoi t'en tenir, et qu'il ne peut y avoir pour toi, là-bas, de véritable, de décisive victoire. Pourquoi prolonger plus longtemps l'expérience? – Tu vois, je me découvre, je laisse paraître mon idée de derrière la tête. Je l'avoue franchement : je voudrais te voir revenir le plus tôt possible, tout de suite même, si tu n'as pas d'engagements formels. Ce n'est pas seulement l'amitié en moi qui s'impatiente, c'est l'intérêt aussi; c'est le besoin que j'ai de toi.

Il faut que nous reprenions notre œuvre; et cela tout de suite. Je ne sais pas si tu peux sentir de là-bas le vent magnifique qui souffle ici en ce moment, et dont nos voiles frémissent. Moi je le sens. Depuis l'armistice, je suis dans un état d'enthousiasme, d'entrain et de clairvoyance inouïs. Je sens que je peux faire quelque chose, et que ce quelque chose sera bien. Mon esprit se développe tous les jours, s'étend, se précise, en un mot demande la porte, veut sortir et produire.

Je suis en train d'élaborer pour la revue un programme extrêmement détaillé et qui répond, je crois, aux aspirations les meilleures de l'époque où nous entrons.

Mais, j'y reviens, j'ai besoin de toi. Il a toujours été entendu dans mon esprit que tu avais été pendant la guerre le dépositaire principal, le vrai gardien de notre œuvre et, si j'ose dire, de notre tradition. Tes conseils, tes idées sont donc indispensables au moment de ranimer l'une et l'autre. Apporte-nous-les le plus vite possible.

J'ajoute que, bien que ce soit d'une tout autre façon, la présence de Gaston dans le plus bref délai possible nous serait presque aussi nécessaire que la tienne. L'administration de nos éditions est à l'heure actuelle dans un état assez pitoyable. [...]

Et je veux aussi savoir s'il approuve l'esprit que je rêve d'infuser à la *Nouvelle Revue Française*. Je ne veux pas du tout marcher dans une direction que je sentirais lui déplaire, où il ne m'accompagnerait qu'à contrecœur.

Si je ne craignais qu'il te soit indispensable, je te le réclamerais tout de suite. [...]

Déjà il pourrait nous apporter et nous redire de vive voix tes aspirations, tes conseils. [...] Mais viens, viens, viens! Je te le dis avec toute l'insistance et tout l'entêtement d'un enfant qui tire sa bonne par la main.

Sois avec nous pour le lever du rideau.

Je t'embrasse avec impatience.

Le 15 janvier Martin du Gard [63] se joint à tous ceux qui réclament à Paris la réouverture du Vieux Colombier et s'inquiètent de le voir s'éterniser en Amérique. S'il montre plus de discrétion et de compréhension dans son appel, celui-ci n'en reste pas moins pressant :

[...] Je suis bien d'avis qu'il faut agir posément, et d'abord te reposer. Aussi suis-je tout prêt à reconnaître que tu as raison. Mais je crois qu'il faut à tout prix que le théâtre fonctionne en janvier prochain. Sauf impossibilité absolue.

J'ai été déçu de lire « Dans six mois on se retrouvera ». Je vous attendais plus tôt. Il aurait fallu revenir en avril, se reposer quatre mois, travailler septembre, octobre, novembre et décembre, et pouvoir rouvrir en janvier. Cela est-il impossible? Tu me dis que tu es loin *des tâtonnements distingués* de 1914. Tant mieux. Moi aussi, en mon for. Mais n'importe-t-il pas avant tout de renouer la chaîne? Pour moi je crois plus dangereux d'attendre dans une inaction apparente (qui, pour le public, se traduit en oubli) de pouvoir réaliser la presque totalité de tes nouveaux projets, que de reprendre l'expérience là où elle s'est si brusquement arrêtée, de rassembler à nouveau ce noyau fidèle de collaborateurs et d'amis, et de mener tout cela, par étapes progressives, jusqu'à une réalisation de plus grande envergure. Il faut compter avec la vie, et ne pas être si intransigeant [...]

Mais je m'arrête, paralysé par l'inquiétude de créer ou d'accentuer un malentendu de mots.

L'important c'est l'accord de fond; l'affection; le dévouement. De ce côté-là, ça tient bon. Revenez vite.

Je serai libéré en mars. Un mois pour m'installer. Un mois à la campagne pour me laver l'esprit de toute trace de la guerre (cette guerre que tu as vue plus belle qu'elle n'a jamais été...). Après, je serai d'attaque, et si tu es malade, *je te soignerai*. Et ça ne traînera pas.

Et le 22 janvier, André Gide :

L'excellente lettre d'Agnès à ma femme me remet un peu le cœur en place. J'étais affreusement inquiet après vous et je souhaitais sans cesse votre retour autant à cause de ce qu'ici je sentais que vous pourriez et devriez faire, qu'à cause de ce que je vous imaginais souffrir là-bas.

Savoir que tout va mieux, que tout va bien, et que le succès vous récompense va nous aider à supporter plus longtemps votre absence; mais que ce temps me paraît long, cher vieux. Tout se reforme et se reconstitue avec une rapidité qui fait mal du moment qu'on ne peut la suivre. Pourtant voici Rivière rentré d'hier, Jean Schlumberger qui va rentrer demain; Ghéon à demi démobilisé déjà... Ruyters rentre à la fin du mois. Nous allons tâcher de nous regrouper, de nous réemboîter et de donner une impulsion nouvelle à notre machine. Chacun de nous se retrouve admirablement gonflé de courage, de projets et d'espoirs. Je peste de ne pouvoir habiter à Paris, mais le calorifère est claqué, la villa inchauffable – force est d'attendre le printemps – d'ici là je fais des apparitions (j'y retourne demain), mais ces fugues successives disloquent le travail, et sont éreintantes. Pourtant, je vais bien et me sens d'assez bon rendement, si j'ose dire [...]

Vais-je vous envoyer cette misérable feuille où les pauvres nouvelles que je vous donne ont l'air de naufragés, maigres, affamés, en détresse sur un radeau. Et j'aurais tant à vous dire. – Au revoir cher vieux. Mathilde Roberty [64] est près de nous pour quelques jours, qui lit avec Madeleine la lettre de New York. On resonge à la première année de la guerre; on ne se réveillera du cauchemar, tout à fait, que lorsque vous serez tous de retour près de nous.

> Je suis votre vieux
>
> **André Gide.**

A New York il s'agit avant tout d'achever la tâche entreprise.

Jeudi 16 janvier :
    10 h 40 : Répétition *Menteur* rehearsal room.

Samedi 18 :
    10 h 30 : Répétition *Menteur*.
    Mᵐᵉ Bogaert, malade, n'assiste pas à la répétition.

Dimanche 19 :
    Répétition, toute la journée, des *Frères Karamazov*.

Lundi 20 janvier 1919 :
QUINZIÈME SPECTACLE :
Les Frères Karamazov.
Reprise en huit répétitions.

Journal :
    Quatrième reprise des *Karamazov*, la troisième par le Vieux Colombier. La pièce galvanise la Compagnie.
    C'est chaque fois quelque chose où chacun s'efforce à faire de son mieux. Jouvet s'affirme dans son personnage. Valentine joue son deuxième acte mieux qu'elle ne l'a jamais fait. Dullin retrouve quelques instants mais il n'a plus sa sincérité.

Le public et la presse retrouvent avec enthousiasme cette pièce qui, entre toutes les pièces représentées la saison dernière, a sans doute été celle qui a obtenu instantanément la faveur de tous. Non seulement, dit The New York Globe, *un des meilleurs spectacles du Vieux Colombier, mais aussi l'un des drames les plus saisissants de la scène moderne. Ceux qui ne l'ont pas encore vu doivent le voir maintenant, et ceux qui l'ont déjà vu désireront le revoir.*
    Les louanges sont unanimes pour tous les acteurs et particulièrement pour Dullin qui interprète, pour la deuxième fois à New York, le rôle de Smerdiakov. De l'avis général : Il y est admirable. Les acteurs français, dit Eliz. Remington, dans une distribution parfaitement choisie, m'ont produit une impression que

je n'avais jamais ressentie depuis que les acteurs chinois ont quitté ce pays. Il n'est pas nécessaire de comprendre les mots.

Certains spectateurs, qui n'ont pu avoir de places, demandent que soient prolongées les représentations de cette pièce.

Waldo Frank :
Pourquoi ne venez-vous pas un soir dîner chez nous, même si vous avez à partir après? Il faut même à vous, dîner qué-qu'part. Et *bring Suzanne along.* SOON.
Votre pièce est solide, belle, pleine de profondeur et de largeur.
JE VOUS SOMME d'en écrire des autres.

Billet de service :
Lundi 21 : 14 h : *Le Menteur* en scène.
Mardi 22 : 16 h 30 : *L'Ami Fritz,* rehearsal room.

Journal :
Répétition du *Menteur.* Ce sang regonfle un instant les veines les plus molles. Il faut des muscles pour lutter avec cette jeunesse d'acier.
Lettre de Sam Hume [65] m'invitant à faire une saison de conférences (juin-août) à *l'Université de Californie,* et à monter *Le Médecin malgré lui* en anglais, avec des amateurs locaux.
Réunion du *Theatre Guild* qui doit prendre notre succession au Garrick [66].

Lundi 27 janvier 1919 :
SEIZIÈME SPECTACLE :
Le Menteur, de Pierre Corneille,
monté en quinze répétitions
dont six à Morristown, deux décors [67].

Le Courrier des États-Unis regrette que ce soit au Corneille comique qu'ait fait appel M. Copeau et suggère que Cyrano de Bergerac, *avec M. Copeau dans le rôle du héros, serait le bienvenu auprès des spectateurs américains.*

John Corbin :
Intelligemment produite et jouée, cette pièce a suscité d'un bout à l'autre l'intérêt des spectateurs, et, quoique aucune de

ses parties n'ait porté à rire, elle était largement et abondamment amusante... Le jeu d'Henri Dhurtal dans le rôle principal est plus remarquable par sa vitalité physique et l'abondance de ses gestes que par sa psychologie. Il remplit l'œil, mais éclaire rarement l'esprit. Le sens comique de Romain Bouquet est d'une bien plus grande qualité. *Et cet éloge de Romain Bouquet et de la finesse de son comique est unanime dans toute la presse.*

Dans The New Republic, Q.K. *avoue avoir été effrayé à l'avance par le côté historique de la pièce.* Cette crainte était sans fondement. La scène claire et brillante avait un air de fête. Les costumes étaient une joie pour les yeux. Les charmants personnages vivaient et se mouvaient et parlaient avec une parfaite aisance [...]

L'illusion, *dit* The Christian Science Monitor, est créée par les moyens les plus simples. Les rues et les jardins du vieux Paris sont subtilement indiqués par une simple grille en fer forgé, placée du haut en bas de la scène, avec de temps en temps quelques changements de bancs et d'accessoires [...]

Ne jouant pas dans Le Menteur, *Copeau en profite pour mettre à jour son courrier :*

29 janvier, J. Copeau à Jean Schlumberger :
Mon cher Jean,
Ta lettre du 6 janvier s'est évidemment croisée avec la dernière que je t'ai écrite. Rien ne pouvait mieux me prouver à quel point nous sommes séparés, combien nous avons besoin de nous revoir et de nous expliquer ensemble. [...] Il serait en effet désastreux que vous preniez en notre absence des décisions engageant l'avenir de nos entreprises. En ce qui concerne le théâtre, vous n'en devez, vous n'en pouvez prendre aucune. C'est de ma chair et de mon sang qu'il s'agit. Je vous en supplie : ne vous hâtez pas, ne vous laissez pas séduire et entraîner à faire un faux départ qui compromettrait tout l'avenir. Il ne s'agit pas de recettes, il ne s'agit pas de *place à prendre*, ni d'une émulation dangereuse vis-à-vis des autres (Gémier, etc.). Tous ceux qui m'écrivent sur ce chapitre me font mal aux oreilles. Il s'agit encore aujourd'hui d'établir des fondations. Jusqu'à ce jour une seule chose existe au Vieux Colombier, qui soit réelle, sérieuse, solide,

à toute épreuve, c'est *mon expérience,* ma douloureuse et enthousiaste expérience.

Saison en mai à Strasbourg? *Impossible.*

Réouverture immédiate à Paris? *Archi-impossible.*

Je refuse toute combinaison qui me remettrait le col sous le joug du jour au lendemain, [...]

Quand aux « filiales » de Strasbourg, Bruxelles, Londres, je n'en envisage le projet que sous les plus extrêmes réserves. Je ne me sens de goût que pour l'approfondissement de notre œuvre, non pour son extension. Nous ne sommes pas du tout encore assez forts pour essaimer. Il faut concentrer des efforts et des ressources encore plus grands sur une entreprise encore plus réduite. Enfin je te supplie de ne pas m'engager vis-à-vis de personnes que je ne connais pas. J'ignore tout de Baty. Je me défie instinctivement de Delacre. [...] Je suis payé pour redouter ces parasites qui grouillent instantanément là où il y a de la vie. Et enfin je suis décidé, si j'ai toujours votre confiance à vous, mes amis, à mener la barque avec un despotisme absolu. En un mot je ne veux plus de sous-ordre, de contremaîtres, de collaborateurs même, mais des gens qui obéissent. Je sais maintenant que l'autorité dégénère, au sein même de la maison, dès qu'elle est tant soit peu partagée.

[...] Pour ne parler que d'un problème, il y a celui de la *scène.* J'ai travaillé depuis deux ans. J'ai créé. Ma scène s'est développée, modifiée. C'est un organisme vivant qui évoluera vers quelque chose, vers un avenir. Quand je vais me retrouver rue du Vieux-Colombier, j'en aurai pour quelque temps à savoir ce que je vais faire.

29 janvier. Journal :

Discipline – means : pas de réplique. Ne pas déranger la pensée du chef. Vous pouvez lui faire une objection qui lui paraîtra juste en elle-même et obscurcira momentanément sa vision. L'objection peut valoir par rapport à l'ordre sans valoir par rapport à l'intention. Vous devez aider la volonté du chef. Alors vous avez part au commandement.

La discussion, à loisir, au repos. Augmentation par la discussion, l'explication, l'interpénétration. Mais dans l'action point de critique, de chicane, point de réplique.

Il ne faut pas déranger l'homme qui pense et qui développe son projet. Tâche de voir ce qu'il voit. Mais ne l'interroge même pas. L'homme à la barre, de Conrad : *pour Dieu je peux tenir encore, mais ne me parlez pas.*

Détruire cette race de parlementaires, dont pas un n'a l'expérience du commandement. Leur donner occasionnellement des expériences du commandement.

Pas de collaborateurs, ou conseillers. Des aides.

Ce durcissement de Jacques Copeau, envers ses amis comme envers ses collaborateurs, qui le porte à reprendre tout en main et à renforcer une discipline qui n'est plus librement consentie, est engendré par la souffrance de ces trop dures saisons d'Amérique. Cette sévérité ne peut qu'accentuer l'éloignement de ses compagnons qui ont souffert eux aussi et qui se jugent injustement méconnus. De plus en plus l'espoir de Copeau se fixe sur l'avenir et sur les jeunes dont la confiance lui est acquise.

Ce même jour il écrit à sa mère :

Pour Michel, mes intentions n'ont pas varié : je compte le prendre avec moi comme secrétaire et lui faire une situation... Pour Suzanne [68], si elle en a le goût, je pourrai très probablement la prendre avec moi [...] Mon grand désir est de n'être entouré autant que possible que de collaborateurs qui me soient liés par le cœur et qui soient tout entiers dévoués aux intérêts de ma maison dont la prospérité fera plus tard la leur... Si ma proposition intéresse Suzanne, qu'elle se mette de suite à la sténodactylographie de façon à être prête à m'aider dès mon retour. C'est indispensable. J'aurai des montagnes de travail... Dis-lui bien qu'elle sera ma *secrétaire particulière*, faisant toute ma correspondance, mes copies de manuscrits, ayant charge de mes dossiers, de ma bibliothèque, etc. [...]

Michel de son côté se prépare à assumer le rôle que lui réserve son oncle :

... Je ne serai sans doute pas, au début surtout, absolument celui que tu désires. Il faudra le temps que je m'adapte. Mais je t'apporterai ma jeunesse, une foi aveugle en toi, le dévouement nécessaire à la grande œuvre entreprise, la conviction chaque jour accentuée de la nécessité de cette œuvre...

Copeau lui écrit :

Mon cher enfant... aujourd'hui j'ai lu la lettre que tu as écrite à Suzanne Bing. Tu as bien fait de lui écrire. Elle mérite ta confiance et ta gratitude. Sa présence auprès de moi est de celles qui fortifient. C'est une âme qui ne se marchande pas, un être qui est capable de donner sa vie. J'espère que, dans un avenir pas trop lointain, je n'aurai autour de moi, pour la grande œuvre que je me propose et qui est à peine ébauchée, que des êtres selon mon cœur, formés par moi et qui se dévoueront en toute connaissance de cause. [...] Je sais maintenant bien des choses que je ne savais pas ou que je voulais ignorer. Mais il ne faut pas trop se souvenir, remâcher. Il faut toujours être neuf et prêt. J'aurai quarante ans dans cinq jours. Je me sens encore jeune, et qui veut répondre à mon amour ne sera pas déçu. Vous, les jeunes, vous me récompenserez [...]

Mardi 28 janvier. Billet de service :

14 h : Répétition de *L'Ami Fritz*, rehearsal room.

Jeudi 30. Journal :

Catherine Breshkovskaya [69], the « little grand mother of the Revolution » or « Babushka », est arrivée hier ici venant de Chicago.

Le 30 janvier, Jacques Copeau rédige dans son Journal la mise en scène de Pelléas et Mélisande *dont la représentation est prévue pour le 10 février. Dès le 27 septembre 1916, en prévision de la première tournée en Amérique, qui ne se réalisera pas, il avait demandé et obtenu l'accord de Maeterlinck* [70] *:* Je serai très heureux de voir inscrire *Pelléas et Mélisande* au répertoire du théâtre du Vieux Colombier pour la tournée en Amérique (et au Canada) [...] Il va sans dire que le seul texte jouable est celui du tome II de l'édition en trois volumes de Lacomble, le livret de l'opéra ne donnant qu'une version mutilée pour permettre à la musique d'y épanouir ses bruits superflus. Je me permets de vous conseiller de supprimer la scène I du V...

Parlant dans une conférence [71] *des* Auteurs dramatiques nouveaux *dont l'influence avait attiré au théâtre les écrivains de la* Nouvelle Revue Française, *Copeau disait :*

[...] À la vérité, le drame de Maeterlinck nous semblait approfondir la peinture de l'homme sur le théâtre. Il nous relevait de la tyrannie de la volonté toujours en action. Il nous délivrait de l'éloquence, du tumulte des mots et de cet esprit de conversation et de controverse qui faisait dire déjà à un vieil auteur que la scène française est *un vrai parloir!* Un silence plein de signification ne laissait percer jusqu'à nous que des mots essentiels. Non plus la parole directe, mais l'allusion, l'analogie poétique grâce auxquelles un sentiment s'exprimait par la nuance de l'heure, la qualité de l'atmosphère ou par son rapport mal élucidé avec un incident naturel : un oiseau qui passe, l'heure qui sonne, une chevelure qui se dénoue, un fruit mûr qui tombe au fond du jardin... quelque chose de subtil et d'étoffé comme la symphonie venait approfondir, enrichir la technique dramatique.

31 janvier. Journal :

Visite de Charlotte Porter, de Boston, éditeur de Shakespeare [72]. Elle me présente une maquette de sa scène présumée de Shakespeare, qui est laide mais basée sur les principes les plus sains. Miss Porter est la seule personne qui m'ait exprimé la conviction, toute pareille à la mienne, que les auteurs produisent en vertu de la scène qui leur est offerte et qu'un renouvellement du drame moderne suivra le renouvellement de la scène moderne.

Mais nous avons à réagir, à critiquer, à purifier...

La nuit, je ne puis dormir, réglant la situation vis-à-vis de D. et de J., organisant dans ma tête le théâtre tel que je le veux désormais. Et cependant je répète *L'Ami Fritz!*

Dimanche 2 février 1919. Billet de service :

14 h-15 h : Répétition de *L'Ami Fritz.*
15 h 15 : Répétition de *L'Ami Fritz*, musique et chœurs.

Journal :

J'ai écrit aujourd'hui la lettre de résiliation de Dullin.
Je l'annonce à Suzanne qui me dit : C'était un ennemi.

3 février 1919 :

Mon cher Dullin,
Ni dans le passé ni dans le présent je ne puis rien trouver

qui motive ou légitime l'éloignement que tu me témoignes, que tu témoignes au théâtre, et qui est devenu systématique.

Écrasé comme je le suis de travail et de fatigue, le temps et la force me manquent pour te rappeler tout ce qui semblait au contraire devoir t'attacher pour toujours au Vieux Colombier et à moi personnellement.

Du moment où ce qui fut notre foi commune n'a plus pour toi de signification, du moment où tu ne montres plus ni goût ni considération pour notre travail commun, du moment où tu ne me montres même plus les égards d'un pensionnaire envers un directeur quelconque, il vaut mieux que nous nous séparions. C'est avec chagrin que je te le dis, mais je ne puis supporter plus longtemps ce que je considère comme une injustice dans le présent et comme un outrage envers des souvenirs qui me sont restés chers.

À dater du 15 février tu pourras te considérer comme libre.

Je te serre la main.   Jacques Copeau.

Lundi 3. Journal :
Dullin est venu me voir. Rien dans cet entretien ne lui est venu du cœur. Rien qui ne fût attitude. Besoin de supériorité. Calme affecté sous la rage. Désir de rendre la blessure reçue. Et cela se comprend. Son argument est que je l'ai déçu. Il est entièrement aveuglé. Je le lui ai dit. Je l'ai averti qu'il était sur la mauvaise voie. Il a soulevé des réclamations d'argent, et a ajouté l'insulte à son ingratitude.

Jouvet est venu le soir dans ma loge, me dire qu'il était très affecté de ce départ, que tout cela n'était qu'enfantillage, etc.

Léon Chancerel [73] :
C'est à New York que Copeau connut une des plus grandes et douloureuses déceptions de sa vie. C'est à New York qu'il estima devoir se séparer de Charles Dullin qu'il aimait tendrement et en qui il avait mis de grands espoirs.

Une si profonde douleur impose le silence.
À Pauline qui, le 15 janvier lui avait écrit : Depuis son départ pour l'Amérique, Charles ne me parle plus de toi. Dans ma dernière lettre, je lui ai même dit : Qu'as-tu ? Je te sens inquiet, rebelle, méchant. Es-tu malade encore ? Dis-moi. Et il reste muet [...]

Jacques Copeau ne répondra que huit mois plus tard, le 15 juillet : Eh bien oui, *dès son arrivée* cela a commencé. Il était déjà changé en arrivant. Mais je ne l'ai pas vu, ou pas compris, ou pas voulu comprendre. Jusqu'à la dernière minute je me suis refusé à le comprendre... D'ailleurs ce qui s'est passé dans la tête et le cœur de Charles, à vrai dire je ne le sais pas encore positivement, je ne le comprends pas, je n'y vois pas clair. C'est cela qui m'a tant fait et me fait encore tant souffrir. Je ne voyais plus en lui depuis longtemps. Il me refusait. Il m'échappait... Le jour où nous nous sommes séparés, je ne l'ai pas retrouvé davantage... Il affectait une attitude de sang-froid, de hauteur et de supériorité. Il cherchait à me blesser. J'ai essayé de lui parler. Il m'a arrêté avec un « oh! oui tu *parles* bien... » si outrageant que j'ai dû briser là. Tout ce qu'il a trouvé à me dire c'est que je l'avais déçu, que je n'avais pas donné ce qu'il attendait de moi! Que répondre à cela? L'avenir décidera s'il a eu raison dans son jugement. Il est simplement affreux d'être ainsi méconnu par quelqu'un qu'on aime, à qui on avait donné sa confiance aveuglément [...]

Confiance réciproque. Amitié qui semblait à toute épreuve. Dullin écrivait à Copeau, deux ans plus tôt, le 15 février 1916 : [...] Je sais que rien ne pourra jamais altérer notre amitié. Je me fâcherai avec tout le monde mais jamais avec toi. Je t'aime profondément pour mille raisons. Je serai jusqu'au bout et plus que jamais l'homme de ta cause. Je t'aime plus qu'un frère. Je suis prêt à tous les sacrifices pour toi... Il se pourrait que je ne revienne pas et j'ai besoin de croire que tu resteras toujours convaincu que jamais je ne me serais séparé de toi et du Vieux Colombier. En moi-même je suis persuadé que j'en reviendrai et que *je ne te quitterai jamais.* C'est bien entendu? Tu me crois? S'il faut ajouter à notre amitié des raisons que je crois très fortes : tu sais que j'ai pour toi une admiration profonde; il me semble que lorsque nous sommes ensemble, j'ai toujours l'air du disciple, que je t'écoute, que je *te crois.* Je suis fier du Vieux Colombier, d'avoir été un des premiers et tous mes projets sont inséparables de tous ceux que tu peux faire. Voilà donc une question nettement posée et il me semble bien éclaircie. *Il faut compter sur moi jusqu'à la mort.*

Malentendu, mésentente, *dira Sarment, témoin qui se veut*

impartial [74]. Le vieux Charles avait une personnalité dès alors affirmée, une *vérité à lui*. Il n'avait pas besoin d'un mors, mais de prendre sa libre allure. Tout ce qui, sur la scène comme dans la vie où il voulait respirer large, lui semblait ankylose, sclérose d'émotion volontairement décidées, le gênait, le hérissait, le révoltait comme un affront personnel.

Malentendus, vexations d'amour-propre grossies par l'immédiat souci, ou la déception de la veille. Charles Dullin et Copeau se séparaient.

Mais quand Sarment, un quart de siècle plus tard, souhaita connaître les raisons profondes de la brutale et douloureuse désunion des deux compagnons qui s'étaient voulus liés pour la vie, Dullin répondit : Je ne sais plus. C'est sans importance. Je ne veux me rappeler qu'une chose : dans le travail d'un texte, je ne fus jamais en désaccord avec Copeau. J'ai plus appris à son contact en un an que je n'avais appris depuis le début de ma carrière.

Copeau souffre trop profondément pour oublier. Il reste miné par cette peine qui, à jamais, ébranle sa confiance envers ses camarades. Mais peu de temps avant de quitter l'Amérique, il écrit sur une feuille détachée de son Journal : Je jure que je suis obligé de faire effort pour me souvenir de ce que j'ai fait pour eux. L'effort n'est pas moins grand pour retrouver dans ma mémoire le mal qu'ils m'ont fait. Si j'avais de la rancune personnelle, je ne serais pas l'homme que je suis, je n'aurais pas l'orgueil que j'ai, cet orgueil qui est pour moi la flamme et l'épée, une arme et une lumière, et qui est inséparable de ma foi dans l'œuvre future, de mon respect pour mon art.

Lundi 3 février 1919 :
DIX-SEPTIÈME SPECTACLE :
L'Ami Fritz, d'Erckmann-Chatrian,
monté en neuf répétitions, deux décors.

Jouvet a préparé ce spectacle. Le 23 janvier, il écrivait à Clément Rueff, l'antiquaire que nous retrouvons toujours aussi fidèle : Je vous envoie de la part du patron, la formidable liste de meubles et d'accessoires nécessaires pour rendre alsacien notre bon *Ami Fritz*. Il est inutile je crois de vous donner des précisions à l'égard du mobilier. Vous en connaissez le style mieux que personne. Je me contente donc de vous faire toutes mes amitiés bien cordiales et bien chaudes.

Toutes les jeunes filles de la ville s'envoleront cette semaine vers le Théâtre Français pour voir *L'Ami Fritz*. C'est leur pièce, *déclare* The New York Globe. *Et* The New York Evening Mail : ... Nous attendons de M. Copeau des œuvres meilleures et plus distinguées. Ni la pièce, ni les acteurs, ni la représentation ne rendaient *L'Ami Fritz* digne des traditions du Vieux Colombier. *La presse en général rend hommage à la grâce de Renée Bouquet dans le rôle de Suzel : une Mary Pickford française!*

Mardi 4 février. Journal :
Aujourd'hui j'ai quarante ans.

La souveraine difficulté : travailler à loisir, enfanter dans la solitude, et garder le contact avec le théâtre, – demeurer le maître de l'organisation du théâtre, et demeurer le maître de *sa* propre création.

C'est une chose si difficile que d'*arriver* à la vérité. Il faut être si humble et si sévère en même temps.

Mercredi 5 et vendredi 7. Billet de service :
14 h à 18 h : *Pelléas* en scène, décor[75].
Ce « décor » est obtenu par ce que Jouvet, dans son rapport*, a appelé l'utilisation directe de la loggia. Ce n'est plus seulement une adjonction d'éléments ayant pour but de modifier les proportions et l'aspect du dispositif.
À cette utilisation directe du dispositif pour Pelléas et Mélisande, *Jouvet travaille depuis les premiers jours du mois de juillet 1918 sur un projet initial de Copeau, avec croquis et nomenclature qui, abandonné, sera suivi de quatre ou cinq projets dont témoignent les dessins de Jouvet jusqu'au plan définitif.*

Journal – Durant une répétition de *Pelléas*, Sarment tombe du deuxième praticable sur le plancher de la petite scène qu'il brise. Il a montré là sa qualité un peu revêche mais résistante.

* Pour l'essentiel de ce rapport, voir Appendice M, p. 546.

Dimanche 9. Billet de service :
13 h : *Pelléas.*
21 h 30 - 24 h 15 : *Pelléas* généralement sauf scènes d'Yniold.

Journal :

Tout à fait bien travaillé avec Jouvet malgré la hâte extrême.
Nous avons cru ne jamais arriver à préparer l'éclairage avant le lever du rideau.
En fait nous n'avons pas été prêts. L'électricien était malade et j'ai souffert mille morts toute la soirée.

Notes hâtives de Jouvet pour l'éclairage (complexe) :
1) La porte du château : suggestion de jour qui se lève.
2) Une forêt – lumière verte – peu – obscurité après leur sortie.
3) Salle éclair fond – Arkel projection.
Devant château : sous le praticable 1 – 1 éclair – Lumière entre les rideaux cour – jour d'après-midi allant à la nuit.
Fontaine – lumière dans la fontaine – plein jour sous-bois, etc.

Journal :

Et pourtant *Pelléas* reste, sinon l'un des plus achevés, du moins l'un des plus intéressants et significatifs spectacles que nous ayons donnés.
Cela me donne à moi-même une surprise, un saisissement. Deux ou trois choses sont parmi les plus belles que j'aie jamais vues au théâtre. Et ce sont toutes des choses de mouvement (les servantes, la poursuite, la mort).
La disposition scénique de *Pelléas* marque une date dans l'histoire du développement du Vieux Colombier et de cette recherche d'une scène que je poursuis depuis plusieurs années *dans le même sens.* Ces praticables articulés les uns sur les autres dans le sens du mouvement, c'est un embryon de la scène moderne telle que je la rêve, telle qu'il m'est permis d'espérer que je la créerai. Je ne me lasse pas de gravir et parcourir ses escaliers et terrasses.

En août 1917, Copeau avait demandé à Duncan Grant les maquettes de costumes pour Pelléas et Mélisande. *Grant répondit aussitôt :*

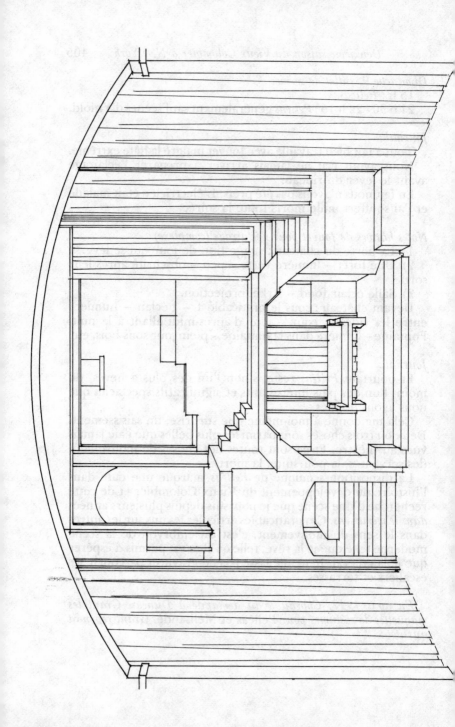

[...] Pour *Pelléas*, je voudrai bien faire des maquettes pour les costumes. Je suggère que je vous envoie les maquettes aussitôt que possible, en trois semaines ou plus tôt, et si les maquettes vous plairont que je fais faire les étoffes ici. Je veux les peindre avec des teintures moi-même pour la plupart. Si ça vous convient je pourrais les faire sur une étoffe de très bon marché et je crois avec beaucoup plus d'effet pour le théâtre qu'une étoffe imprimée. Je pourrai si vous voulez avoir les costumes coupés et légèrement cousus à Londres si vous m'envoyez les mesures des personnages. En tout cas je vous enverrai les maquettes aussitôt que possible en attendant votre réponse...

Le 29 août, il écrivait :
Avez-vous reçu les maquettes pour *Pelléas*, je les ai envoyées il y a une semaine... En tout cas je suppose qu'il faut peindre les étoffes pour *Pelléas*. Il y a ici en ce moment une jeune femme qui pourrait les peindre sous mes directions... *et au début de septembre.* Merci pour votre lettre avec les mesures. Je ferai couper les étoffes très large ainsi que vous pouvez faire les costumes sur les personnages à New York [...]
Je vous renvoie la maquette pour les servantes et une autre pour le docteur de *Pelléas.* Je crois que vous pouvez acheter les étoffes pour les servantes à Paris. Le coton bleu des ouvriers français, et le noir étoffe comme en portent les domestiques.

Dès qu'il a les mesures et l'approbation du Patron, Duncan Grant se procure des mètres de cotonnade, des teintures et se met à l'ouvrage avec Vanessa Bell et la jeune femme, Mrs. Bagenal, qui les aidera et racontera plus tard : La folie du moment était la « marbrure »; nous avions des portes, des fenêtres, des chaises « marbrées ». Nous mélangions les teintures puis en éclaboussions largement la grande table de la cuisine : deux d'entre nous tenions le tissu à deux mains au-dessus de la table et l'y posions à plusieurs reprises jusqu'à ce que le tissu fût « marbré ». Chaque robe était marbrée de couleurs différentes. Nous fîmes aussi un magnifique « patchwork » pour la robe du roi et Duncan y ajouta des ailes qu'il peignit lui-même. Et je fis une perruque avec des écheveaux de laine jaune pour Mélisande. Notre procédé de peinture n'était pas très professionnel : nous étions couverts de teinture et entièrement « marbrés » des cheveux jusqu'aux pieds.

Les tissus séchés, ils coupent les costumes, les bâtissent et les envoient à New York où ils seront retaillés à la mesure des acteurs.

Lundi 10 février 1919 :

DIX-HUITIÈME SPECTACLE :

Pelléas et Mélisande, de Maurice Maeterlinck,
monté en neuf répétitions dont trois à Morristown.

Journal de Copeau :

Le public du premier soir, indifférent ou ricaneur.

On donne en ce moment le *Pelléas* de Debussy au Metropolitan, et le *Betrothal* au Booth Winthrop Ames[76].

Pascal a débuté sur la scène en faisant Yniold. Très bien. Surtout la scène de la friche avec Golaud. Très simple, sans qu'il fût nécessaire de lui donner une seule intonation.

Pour *Le Courrier des États-Unis*, l'interprétation de la pièce a été bonne dans son ensemble et le jeu des principaux acteurs, surtout celui de Sarment, mérite les plus chaleureux compliments. *Mais parmi ces louanges insipides se glisse une prophétique vérité :* La pièce de Maeterlinck ne sera probablement pas un gros succès populaire, mais elle charmera les dilettantes.

Les articles, par leur diversité, confirment cette opinion. The New York Times *commence son article en déplorant le départ du brillant et multiple Charles Dullin et décrète que* la représentation d'hier soir était nettement décevante. En premier lieu, le décor brillait par son absence : les personnages clamaient leur texte, perdus dans des forêts sombres et enchevêtrées – (mais il n'y avait pas un arbre en vue, sauf un pendrillon plié); ils se dirigeaient au travers de brouillards inexistants et chancelaient en aveugles à travers l'étouffante atmosphère de sombres passages souterrains, invisibles à nos yeux, et qui se trouvaient précisément au coin de la scène figurant quelques instants plus tôt un étang ensoleillé dans le parc du château. Le petit Théâtre Français avait fait infiniment mieux parfois en matière de mise en scène. Il n'avait jamais fait pire! *Suit la description, qui se retrouvera dans presque tous les articles, de la chevelure de Mélisande :* La surprenante longue tresse dorée qui, selon Maeterlinck, orne la tête de la « belle petite mère », et à laquelle Pelléas envoie si ardemment ses messages d'amour, n'était hier soir que le plus effarant assortiment de chanvre blanc et brillant, jaune au clair de lune, duquel un écheveau voluptueux et emmêlé dégringola du rebord de la fenêtre de Mélisande sur l'amant éperdu au milieu des rires de tous les spectateurs. *Ce malheureux incident discrédite pour beaucoup l'interprétation de Suzanne Bing tandis que celle de Sarment en Pelléas semble un tantinet monotone.* Par chance, le jeu le plus séduisant de la soirée fut celui du petit enfant, désigné sous le nom de Pascal, qui, dans le rôle d'Yniold, fils de Golaud et beau-fils de Mélisande, fut généreusement applaudi pour son interprétation remarquable. *Louange qui se retrouve dans tous les articles bons ou mauvais.*

Si quelques critiques parlent de la déception des spectateurs, The New York Evening Mail : Il y a une invention intéressante dans la construction de cette scène unique qui consiste en une série d'escaliers, de passages, de plates-formes et d'arcs-boutants qui symbolise le vieux château, à demi en ruine, dans lequel Pelléas et Mélisande vivent leur amour.

Et le New York Globe : Une grande partie du succès doit être attribuée à cette plantation unique. Un tréteau dans le milieu de la scène représente un petit intérieur, qui peut être fermé par des paravents. D'un côté, un portail bas, conduisant à un long et sinueux passage voûté. Au-dessus, d'autres voûtes projettent de célestes clartés. De hautes tapisseries donnent une impression de grande élévation. Des escaliers montent dans toutes les directions avec des paliers et, en haut, sur la plus haute terrasse le petit carré de la fenêtre où Mélisande peigne sa chevelure et où Golaud conduit son petit garçon pour espionner son oncle et « petite mère ».

The New York Tribune :

La sombre poésie de Maeterlinck, le jeu retenu et passionné des acteurs, la réalisation du ténébreux château d'Arkel – suggéré plutôt que matérialisé – comme dans un rêve obscur resurgi dans la mémoire, tout se fond dans une symphonie scénique à la fois forte et délicate. Rien n'est perdu du drame poétique de Maeterlinck [...] L'enfant Yniold est joué avec une délicieuse candeur par un petit gars nommé Pascal, lui aussi intégré d'une façon charmante au cadre et à la poésie de la pièce.

Agnès soigne Pascal comme un enfant prodige. Elle écrit à Maïène :
Je viens d'habiller Pascal dans son costume du petit Yniold :
culottes d'un vert bleu pâle – tunique jaune paille, jambes
nues et bottillons gris. Il vient de descendre et va jouer, ce
qui l'amuse beaucoup. Il s'en tire bien, est gentil et naturel
comme un enfant, et a naturellement un *tremendous success*.
Quand j'entends de bruyants applaudissements je sais que
c'est la fin de la scène avec Golaud.

Pelléas et Mélisande est très très beau... mais cela passe naturellement par-dessus la tête des New-Yorkais, comme tu as
pu le voir par la sotte critique du *Times*. Mais tous les artistes
et ceux qui ressentent la Beauté, sont enthousiasmés.

11 février, télégramme du critique musical, Paul Rosenfeld :
Je viens juste de lire la critique du *Times* et je me hâte de
vous dire ce que je n'ai pu vous dire hier soir. *Pelléas* est sans
doute l'œuvre dramatique la plus importante que j'aie jamais
vue. Vous avez le même sens de la scène qu'un grand chef a
de son orchestre. J'espère que vous vous rendez compte que
ce que vous avez réalisé est extraordinairement beau.

Agnès :
Ça y est : on applaudit : Pascal a fini. Un, deux, trois, on
se rhabille, retour en bus et la tête la première au lit !

Et maintenant Pascal se souvient :
J'ai conservé un souvenir assez présent des deux semaines
où j'ai joué le rôle d'Yniold dans *Pelléas et Mélisande*. Il se
peut d'ailleurs que ce souvenir ait été déformé par le temps.
J'aimais les tonnerres d'applaudissements. Je savais très bien
qu'ils saluaient *ma* performance de comédien. Une fois une
foule de vieilles dames aux cheveux violets frisottés m'entoura
à la sortie. J'aimais cela et il n'aurait pas fallu me pousser
beaucoup pour donner des autographes. Ensuite maman me
faisait sortir par une porte dérobée et je me sentais vaguement
frustré.

J'ai appris mon rôle pendant l'été à Morristown. Mon père
m'avait-il parlé avant de me distribuer ou tout simplement
affiché au billet de service ? Je ne sais plus. Mais je pencherai
plutôt pour la deuxième hypothèse, c'était dans le genre du

patron et cela n'avait pas d'importance puisque de toute manière j'étais très bon. Le travail se faisait sur la terrasse avec Suzanne Bing. Je n'aimais pas Suzanne Bing – un mystérieux instinct expliquant cette prévention. Pour la faire enrager je prétendais mieux savoir qu'elle comment dire mon texte et je lui opposais volontiers « c'est pas ce que m'a dit papa ». Papa m'avait-il vraiment dit quelque chose ? Ce n'est nullement certain.

Sur la scène mon comportement était tout à fait contraire aux principes du *Paradoxe* de Diderot. Je laissais Pascal en coulisse. Je n'étais qu'Yniold. J'entrais côté jardin, je traversais toute la grande scène pour aller m'asseoir à même le sol, côté cour où il y avait un banc occupé par deux ou trois femmes. Comme j'étais censé ne pas écouter ce que disaient ces femmes, j'avais inventé de jouer entre mes jambes et pour cela j'avais un petit écrou qui était toujours dans la poche de ma culotte de velours. Puis mon père Golaud venait me chercher apparaissant sur le praticable au-dessus du banc. Il me hissait jusqu'à lui et c'était la longue montée jusqu'à la Tour tout en haut du dispositif scénique. Ce n'était pas une des moindres hardiesses de la mise en scène de Jacques Copeau que ce long silence. Golaud m'élevait alors à bout de bras jusqu'à la fenêtre pour espionner Pelléas et Mélisande. Le petit garçon n'aimait pas cela du tout et il suppliait et se débattait : *Petit père, laissez-moi descendre, laissez-moi descendre.* Je versais de vraies larmes.

Je pense que c'est de ce temps que date chez moi une certaine distanciation vis-à-vis du théâtre et plus précisément des comédiens. Je sais exactement quand cela a commencé qui dure encore.

Pendant le grand silence de la montée de la Tour, Golaud un jour me murmura (ou plutôt murmura à Yniold) « dommage qu'on ne puisse pas se moucher ». Ce fut pour moi comme si on réveillait un somnambule et j'eus beaucoup de mal à finir de jouer la scène. Celle-ci se jouait d'ailleurs au souffleur qui se trouvait tout près de nous derrière un portant. Ce qui n'empêchait pas Golaud d'interpoler des répliques et c'est moi qui avec astuce le ramenais en jouant aussi avec mon texte. À vrai dire je tirais peut-être quelque satisfaction d'un sentiment de responsabilité accrue.

Mardi 11, Journal :

Naturellement ma représentation de *Pelléas* est insultée dans les journaux.

Dîné avec Frank et Rosenfeld qui s'indignent amicalement, mais sans comprendre tout à fait.

Travaillé jusqu'à 4 heures du matin avec MacKaye pour traduire ses deux inductions de *Washington*.

Quoi qu'en dise Copeau, exaspéré par de mauvaises critiques, comme celle du New York Times, *certains journalistes comprennent : Bobby Edwards dans* The Quill : Il n'y a rien à New York qui puisse, tout bien considéré, être comparé à la Compagnie du Vieux Colombier. Elle sort un nouveau spectacle chaque semaine, et chacun est mieux mis en scène, joué et dirigé que la majorité des pièces de Broadway, qui ont été répétées pendant plusieurs semaines. Ceci est dû en partie à cette rare disposition de la scène qui permet une grande variété de compositions avec un minimum de travail et de dépenses, en partie au génie de Jacques Copeau comme directeur et, en partie aussi, à la Compagnie qu'il a réunie. En premier lieu ces acteurs ont l'énorme avantage d'être français et d'avoir derrière eux une longue et belle tradition de jeu. L'inspiration mise à part, ils connaissent leurs « jobs ». Cela permet à presque chacun d'entre eux de jouer n'importe quoi après une courte préparation. Un autre facteur de succès : l'héroïne d'un soir peut se transformer en servante le lendemain. Il n'y a pas de stars.

Et déjà le 1ᵉʳ février Clayton Hamilton, dans Vogue, *s'était efforcé d'expliquer le malentendu entre Jacques Copeau et une partie de la presse américaine :* Nous avons en abondance des critiques professionnels du théâtre. D'où vient qu'il n'y ait pas d'art de la critique ? La réponse est immédiate et plutôt affligeante. La raison principale de cette actuelle disette en Amérique est que notre théâtre en a fort rarement besoin. Cette saison pour la première fois depuis un nombre considérable d'années, New York avait besoin d'une vraie critique dramatique. Au cours d'une saison de vingt-cinq semaines, le théâtre du Vieux Colombier présente un programme qui ne compte pas moins de trente-deux pièces, toutes dignes d'être vues et retenues, parce que toutes ces pièces, sans une seule exception, ont été écrites par des auteurs remarquables d'une façon

ou d'une autre. Et chacune de ces pièces est admirablement
jouée et représentée d'une manière enchanteresse. Mais ce
phénomène est si surprenant à New York qu'il a dépassé les
possibilités de nos commentateurs. Ils ont en effet perdu la
souplesse d'esprit nécessaire pour rendre compte chaque
semaine d'une pièce valable. Le Vieux Colombier a pris une
allure que pas un de nos journaux ni de nos magazines n'a
pu soutenir. Confrontés trop vite à trop de choses à dire, ils
ont été frappés de mutisme.

*Le samedi 8, Gaston Gallimard cédant aux instances de ses amis
de la* Nouvelle Revue Française, *de plus en plus impatients de
se remettre au travail, s'embarque pour la France.*

10 février, lettre d'Ernest Guy :
    Mon cher ami, j'ai envoyé, il y a quelques jours, un chèque
de $10 000 à M. Gallimard. Je suis, d'autre part, moralement
certain de pouvoir tenir encore à votre disposition une somme
d'environ $13 500, d'ici la fermeture du Théâtre Français.
Je n'ai malheureusement pas l'espoir de trouver davantage.
Il ne vous faut donc pas tabler sur des sommes supérieures à
celles que je viens de vous indiquer pour boucler votre budget.
    Il serait prudent, à mon avis, de faire un compte très exact
de vos ressources, ce compte pouvant avoir une influence sur
la durée de votre saison. Il devra comprendre, d'autre part,
les frais occasionnés par le retour de la troupe en France [...]

Mercredi 12, Journal :
    Un peu malade. Fièvre. Départ pour Cleveland.
    Dormi sans repos.
    Je faisais ma conférence en anglais [77].

*C'est en anglais aussi que sont rédigées dans le Journal les notes
pour cette conférence promise à Raymond O'Neil, lorsqu'il est venu
à Morristown.*
    *Copeau, dans sa conférence, rappelle la première visite de ce
jeune inconnu :* Je le guettais de ma fenêtre, et je le vis à travers
les jardins, coiffé d'un chapeau de paille, quelques livres sous
le bras, et nous nous assîmes sur l'herbe, pendant deux heures
environ, et nous parlâmes à bâtons rompus. Je parlai bien sûr
de mon travail, de mes difficultés à New York. Comme je

parlais, j'observais en même temps les yeux de ce jeune homme et j'éprouvais une profonde sympathie pour l'honnêteté de ses yeux et pour l'amour de la beauté qu'ils exprimaient, et, quand il me demanda de venir à Cleveland je ne pouvais refuser.

Quand en janvier O'Neil vient à New York, assiste à une représentation de L'Avare, déjeune avec Copeau, cette sympathie s'accroît. Il a de beaux yeux, *note Copeau dans son Journal.* Chaque chose dont il désirait parler était celle que je nourrissais dans mon cœur. Il mettait toujours le doigt sur les vraies questions.

Ce sont de ces vraies questions que Copeau veut entretenir ces jeunes gens intéressés par le théâtre, par ce qu'il y a de meilleur dans le théâtre, et qui veulent faire quelque chose de réel, d'honnête et de vrai. Je vous dirai donc tout ce que je sais du théâtre, de ce que j'y ai fait moi-même et j'espère que vous ne me trouverez pas trop orgueilleux si je parle beaucoup de moi, de mes idées, de mes expériences, de mon propre travail.

Après avoir raconté l'histoire du Vieux Colombier, de sa fondation, de ses luttes, de son succès interrompu par la guerre, de son travail personnel interrompu à son tour par la demande du Gouvernement français d'aller en Amérique, Jacques Copeau parle de l'enthousiasme de son premier voyage, de sa joie à la pensée de reprendre le travail avec ses camarades arrachés à la guerre, des déceptions de la première saison et de la nécessité de réunir un public réellement intéressé par le travail et l'esprit du Vieux Colombier :

Et maintenant je vous dirai, ce que furent mes expériences valables... Les vraies questions ce sont celles de la scène et celles de l'acteur. *Questions qui se posent quand les grands créateurs comme Eschyle, comme Shakespeare ou Molière font défaut.* Quelle sera la scène moderne? Nous ne savons ni ce qu'elle est ni ce qu'elle peut être... Nous savons seulement que nous avons beaucoup d'exigences, beaucoup de goûts différents et que nous ne pouvons pas souhaiter une scène qui réponde à tous les différents types de pièces que nous voulons y jouer. Nous avons besoin d'un théâtre qui par sa construction, par son architecture rende possible la représentation de toutes ces sortes de pièces... Je pense que le jour où nous aurons une vraie scène... quelque chose de vraiment beau... une place où les acteurs aiment vivre, qu'ils connaissent, où ils savent marcher, qui vieillisse en leur compagnie, et dont le bois et tous les éléments se polissent sous leurs mains, quand la scène sera quelque chose de vivant, alors je pense que le drame viendra. Dire que la scène précédera le drame, c'est prendre une curieuse position... mais pour beaucoup de raisons – trop longues à exposer ici – je pense que c'est le chemin que nous devons suivre et que pour le moment nous avons à revenir en arrière. Nous devons faire quelque chose de très simple, de très nu et dire aux acteurs : « Bien. Maintenant venez et montrez-nous ce que vous savez faire... » C'est ce que j'ai essayé de faire, vous voyez, et quand je regarde vers les années passées, malgré toutes les difficultés dont je vous ai parlé, je suis heureux parce que, pendant ces deux années d'Amérique, nous n'avons pas cessé une minute de poursuivre notre idéal et ce que je n'avais pu faire sur ma petite scène de Paris, j'ai pu le faire sur votre scène, qui était plus grande et parce que j'avais un peu d'argent... La chose se développe par sa propre vie et c'est ce que nous essayons de faire. Nous avons bâti dans la 35e Rue de New York une certaine chose, que je ne sais pas comment nommer... C'est une sorte de scène, mais différente de l'ancienne scène et nous avons pu jouer dessus plus de vingt pièces différentes, dans le même cadre, vous voyez, et tout à fait réussies. C'est une expérience, mais je ne peux l'expliquer avec des mots. Il faudrait que je vous emmène dans mon théâtre et que je vous montre comment les choses se développent. Mon érudition – comment dites-vous? – ma connaissance vient après mon expérience. Et quand je suis physiquement empêché, vous comprenez, mon esprit est tout à fait libre [...]

Pour ce qui est des acteurs, j'ai travaillé avec eux depuis des années. Je les ai pris aussi jeunes qu'il était possible. Je leur ai donné tout ce que je pouvais. J'ai essayé de les cultiver – et, à l'exception de deux ou trois, j'ai échoué... Ils considèrent toujours les choses avec le point de vue de l'acteur, ce qui est absolument contraire à la beauté du théâtre. Quand vous voulez leur faire faire quelque chose de vraiment sincère, de réellement beau, ils ne comprennent pas ce que vous voulez dire. Oui, j'ai tout essayé et, si vous venez à notre théâtre, vous verrez qu'il n'y a pas de *star*, pas de vedettes. C'est un résultat, bien sûr. C'est quelque chose. Ce n'est pas suffisant.

Je peux dire qu'ils sont formés, mais aussitôt que vous lâchez les rênes, toutes les mauvaises habitudes reprennent le dessus. Pour moi, je pense qu'aussi longtemps qu'il ne sera pas possible de faire autrement, nous devons former des acteurs, les surveiller attentivement, éliminer les mauvais éléments de la Compagnie, mais je pense – peut-être que je me trompe une fois de plus – que le seul espoir que nous ayons pour l'avenir du théâtre, c'est d'élever, de développer, d'entraîner des enfants pour le théâtre. On me dit que c'est très difficile, parce que le don de l'acteur n'est pas une affaire d'éducation, et quand vous instruisez des enfants vous ne savez pas s'ils deviendront des acteurs. Bien. Mais je pense que pour cette sorte de théâtre dont nous rêvons, ce théâtre qui sera entièrement voué au poète – et qui n'aura aucune ressemblance avec ce que nous voyons maintenant sur la scène – je pense que le don ne sera pas la chose principale. Je pense que l'éducation sera beaucoup plus importante. Je pense que le développement moral de l'enfant, dans le but d'en faire un artiste du théâtre est beaucoup plus important que ce qu'on appelle la vocation de l'acteur. Vous savez ce qu'est cette vocation ? Je parle de mon expérience en France. J'ai vu beaucoup de garçons désirant être acteurs, qui, à quatorze, quinze ou seize ans disent : « Bien, je serai un acteur. » Et ils ne font rien que dire des vers, ou déclamer, ou des choses de ce genre. Ils ne travaillent pas. Ils ne font rien. Ils ne sont pas cultivés. Ils sont acteurs. C'est tout.

Bien, j'ai eu l'expérience de ce que de plus jeunes peuvent faire. J'ai vu des enfants se développant par eux-mêmes. Je ne parle pas de l'école, je parle de l'environnement, je parle d'enfants libres dans un certain environnement artistique. Je parle du don naturel des enfants pour la création artistique, un don considérable, beaucoup plus important que le nôtre. Quand ils jouent, ils inventent tout. Quand ils sont bien menés et qu'ils sont heureux, ils savent tout faire par eux-mêmes. Ils peuvent tout faire avec leurs mains, et si vous ne vous en mêlez pas, mais si vous vous intéressez à ce qu'ils font, s'ils comprennent que vous considérez ce qu'ils font comme un vrai travail, si vous leur donnez l'occasion de faire de mieux en mieux, je suis sûr que vous obtiendrez les résultats que vous souhaitez. Vous n'avez rien d'autre à faire. Il vous suffit d'être intelligent, d'aimer les enfants, de les comprendre, de les aider d'une certaine manière, de les conserver purs et de former leurs goûts... Si vous leur enseignez tout ce qui touche à l'art du théâtre, et pas seulement à jouer la comédie, mais à danser, chanter, faire les costumes et tout ce qui regarde le théâtre, vous arriverez à trouver ce que vous souhaitez... Le théâtre n'est pas une affaire de chance. Nous avons à construire quelque chose depuis les fondations, très lentement, très soigneusement, très modestement et si je me permets de vous engager dans cette voie, c'est que je regrette d'être engagé dans une entreprise aussi importante que la mienne, et que j'aimerais revenir en arrière et travailler dans un atelier, trois ou quatre ou cinq personnes, et travailler très lentement. Aussi je pense que si vous voulez faire quelque chose, il faut le faire avec une grande abnégation et une grande patience, une grande honnêteté et ne rien faire que vous ne soyez capable de faire. Faites des choses authentiques. N'essayez pas de faire du Japonais, mais de l'Américain. C'est la grande chose : être toujours sincère, toujours plein de votre propre sujet.

J'espère que ce que je vous ai dit – et qui n'est peut-être pas très clair, mais que je vous ai dit avec tout mon cœur – saura vous inspirer et ce sera un grand privilège pour moi si je puis penser que je vous ai aidés dans votre entreprise, dans votre travail.

Jeudi 13 février. Journal :
Cleveland. Souffrant. Reçu par O'Neil. Déjeuner au Club. Businessmen, avocats, *artistes.* Ils se posent et me posent le problème américain. Visite à l'atelier d'un peintre. Visite au Playhouse. Influence allemande. Dîner avec les dames à lorgnons.

Discours au Playhouse. Improvisation en anglais.

En me présentant, O'Neil dont le regard bleu derrière ses lunettes m'attendrit de plus en plus (mais dont je sens de plus en plus la faiblesse foncière) dit : « M. Copeau has brought to the theatre something like Christianity. »

10 mars. Raymond O'Neil écrira :
Les mots si beaux que vous nous avez si généreusement donnés retentissent encore de toutes parts dans The Play-House. Mais mieux encore ils ont pénétré profondément dans

nos cœurs et nos esprits. Et s'ils ne devaient pas croître et fleurir dans ce qu'il y a de meilleur dans cette ville, ce ne serait pas parce que la semence est pauvre mais parce que le sol est définitivement stérile...

13 février. Suite du Journal :

Semaines très dures. *Washington* de Percy MacKaye. Une épreuve. Aidé par R. E. Jones et par Pichel [78], de Detroit, un beau jeune garçon. Il me dit : « Je ferai un théâtre avec ma femme et mes enfants. »

Jouvet alerte, jeune, gai, docile, allant au-devant de mes désirs. Alors tout va bien, tout est facile et presque joyeux. Lui-même semble heureux. Mais je ne puis me laisser aller à la confiance comme je le faisais jadis. Quelque chose me retient. Quelque chose qu'il faudra bien du temps pour guérir et effacer.

Jouvet une fois m'entreprend au sujet de Dullin, comme s'il pensait ménager un retour, me disant que celui-ci ne pèche que par enfantillage, qu'il est dans la mauvaise voie, sur le point de faire du cinéma, qu'il s'endette, etc.

Lundi 17 février 1919 :

DIX-NEUVIÈME SPECTACLE :
Washington, de Percy MacKaye.
La Coupe enchantée, de Jean de La Fontaine,
montée en onze répétitions dont cinq à Morristown,
un décor pour chaque pièce [79].

En l'honneur de l'anniversaire de George Washington, le Vieux Colombier, durant cette semaine, présente un programme franco-américain.

La première partie de ce spectacle se compose d'une Introduction *de Percy MacKaye, traduite par Jacques Copeau, qui se passe à Château-Thierry, et qui est suivie de* La Coupe enchantée. *Après l'entracte, la seconde partie commence par un* Prologue to Washington *« The Man who made us », suivi par la pièce dont le principal rôle est joué par Jacques Copeau* [80].

Commentaire de Percy MacKaye : Mon but est de montrer Washington dans la force de l'âge et de mettre en évidence que les hommes d'aujourd'hui (et spécialement les jeunes Américains qui se battent actuellement pour les mêmes raisons que Washington s'est autrefois battu) doivent ressentir une affection plus profonde pour l'homme qui nous a fait et pour la cause toujours vivante qu'il a épousée : la défense du genre humain.

La presse en général estime que : Les honneurs de la soirée doivent être rendus à M. Jacques Copeau pour son interprétation remarquablement humaine et cependant pleine de dignité... Son maquillage exceptionnellement réussi, montre une étude sérieuse des portraits de Washington. *Mais* The Evening Post *:* l'admirable acteur qu'est M. Copeau ne peut cependant cacher qu'il est exclusivement français... *Et* G. Hamilton *:...* Il fera plus pour l'entente cordiale entre la France et l'Amérique en s'en tenant strictement au répertoire français.

La pièce est, par contre, assez malmenée et elle a eu à souffrir de la comparaison avec La Coupe enchantée *qui a rallié tous les suffrages.*

Cette semaine est consacrée l'après-midi à la préparation de la reprise de La Nuit des rois *et, le matin, aux répétitions de* La Veine, *annoncée pour le 3 mars.*

Le jeudi 20 février, Agnès conduit à Bremestead Edi et Pascal. Annonçant leur arrivée à Maiène elle ajoute :

...Papa est très fatigué mais maintenant, grâce à Dieu, c'est bientôt fini. La tournée n'est pas encore décidée...

Lundi 24 février 1919 :

VINGTIÈME SPECTACLE :
La Nuit des rois de William Shakespeare.
Reprise montée en neuf répétitions
dont quatre à Morristown.

Romain Bouquet, Tobie Belch, et Jacques Copeau, Malvolio, reprennent les rôles qu'ils ont créés en 1914.

John Corbin :

C'est un plaisir de constater à nouveau combien une pièce gagne à être représentée dans les conditions les plus proches possibles de celles pour lesquelles elle fut écrite. Ce n'est pas seulement parce que l'action est plus rapide et se suit mieux, parce que l'intérêt de l'histoire et le développement des caractères sont plus soutenus, c'est parce qu'un grand nombre de valeurs et de contrastes sont perdus quand le texte est coupé et l'action hachée pour faire place aux changements de la scène moderne [...] C'est comme si nous voyions ce chef-d'œuvre de Shakespeare pour la première fois... La représentation dans son ensemble a une authenticité, une intégrité telles que nous ne les avons jamais trouvées, sauf dans les représentations des compagnies anglaises. *La Presse est enthousiaste, mais déplore le public clairsemé des premières représentations.* Si soir après soir durant ces deux derniers hivers, *dit Henri Mac Bride,* nous, Américains, avions eu le moindre désir d'être entraînés vers une vie intellectuelle, nous n'aurions pas été cent, mais mille à nous presser dans ce théâtre... Il est tragique de constater aujourd'hui que nos artistes ont si mal profité de cette présence stimulante *et Arthur Hornblow :* J'étais fou d'enthousiasme la saison dernière pour cette production. Je le suis à nouveau et je déclare énergiquement que c'est une pierre précieuse égarée dans la production dramatique. Elle est d'essence purement illyrienne.

Comme pour chacune des pièces qu'il reprend Copeau remet tout en question, cherche à améliorer sa mise en scène, et note dans son Journal :

Scène de Malvolio en prison : Jouvet entre. Tobie, Maria, Feste. Ils mangent des fruits. Le Bouffon se roule au soleil. Toute la pièce dans moins de lumière.
Fenêtres en transparence, pour les scènes simultanées.

Le 28 février :
Deux traditions, le même soir. Scène des buveurs. Ma chandelle s'éteint en traversant la loggia. Je la pose sur le cube de droite en entrant. Lory, d'elle-même, la rallume et me la tend. Puis elle la souffle, comme réglé. Je la rallume à la réplique suivante et la tend vers Jouvet qui ne voit pas mon jeu, alors vers Weber, qui comprend, et la souffle.
Scène finale : *Je me vengerai de toute votre bande.* Je me retourne et voit le petit page contre la colonne. Je lui allonge une furieuse gifle. Il veut l'éviter et s'écroule. Tous les acteurs en scène sont pris d'un tel fou rire qu'ils ne peuvent plus parler et le rideau tombe sur le rire commun des acteurs et du public.

L'enthousiasme et la gaieté du public inspirent ces inventions. Le premier soir, personne : 80 dollars de recette. Le public augmente de jour en jour. Il manifeste. Il commande. Au défilé, il nous interpelle. État d'hilarité générale dans la maison, que seule cette pièce provoque. Le door-keeper en coulisse, s'épanouit. Tous les acteurs, quand ils ne sont pas en scène, assistent, par les ouvertures de côté, se divertissent avec un étonnement toujours nouveau, rient, applaudissent, gambadent.

Weber mou. Bouquet mauvais, monotone. Dhurtal archimou. Jouvet en fait un peu trop. Casa n'y comprend rien et, se croyant emboîté se vexe. Suzanne toujours en progrès.

Cette pièce et l'état d'esprit qu'elle engendre, montre l'avenir et explique la scène future.

Pas un mot mort.

De Paris, les nouvelles sont rares. Les amis sont, eux aussi, plongés dans leur travail personnel et dans les grandes discussions dont sortira bientôt la forme nouvelle de La Nouvelle Revue Française.

20 février, de Saint-Clair, Jean Schlumberger :
Me voici enfin au port, définitivement démobilisé, rendu à mon travail.

J'ai trouvé une petite cellule blanche dans une bicoque à trois cents mètres de la maison. Je m'y enferme du matin au soir et je goûte des heures merveilleuses.

J'ai reçu tes deux lettres, du 17 et du 29 janvier, à Paris où j'ai passé quinze jours. Elles m'ont fait prendre une vue plus exacte de la situation et partager un peu de tes soucis. Tu as bien fait de me parler avec cette franchise. J'ai le cœur serré en songeant à ta fatigue et à ce qu'il a fallu d'angoisses pour te surmener ainsi. Ne crains rien : nous saurons modérer notre impatience et te contraindre au repos le temps qu'il faudra. Nous tâcherons avec Gaston de parer au plus pressé [...]

Mais plus nous devrons différer la reprise du théâtre plus il est urgent que nos autres entreprises reprennent de la vie et sortent de leur délabrement. Déjà, encouragés par notre silence, nos rivaux ont commencé la danse du scalp. Les éditeurs cherchent à nous souffler nos meilleurs auteurs en travaillant à perte.

Mais il y a une considération plus décisive encore. Le désarroi des esprits est grand. De tous côtés on réclame une direction que nous sommes seuls à pouvoir donner. Le déséquilibre intellectuel et moral de la jeunesse est incroyable. Partout cubisme et bolchevisme. La pornographie a pris une audace qu'on ne lui connaissait pas encore. Nulle part une critique tant soit peu sincère ne met le public en garde. Nous ne pouvons plus tarder à reprendre notre travail [...]

Le même jour, Jean Schlumberger écrit à Maria Van Rysselberghe [81].
[...] Il fallait à tout prix préparer la reprise de la revue. C'est fait. J'espère que le premier numéro sera prêt le 1er mai. Gide prend la direction à lui seul, avec Rivière comme secrétaire. Avant de nous arrêter à ce parti, nous avons examiné toutes les solutions possibles. Celle-ci nous a semblé la plus riche de promesses, la plus franche, celle qui met chacun à son rang. Gallimard sera maître des éditions et Copeau du théâtre. Ces délimitations donneront à chacun plus de liberté; les responsabilités seront plus nettes. Gide et Rivière qui, séparément, donneraient à la revue une couleur trop particulière, se complètent merveilleusement et nous assureront des collaborateurs dans des milieux très différents. Vous pensez bien que notre Bipède [82] n'a pas accepté tout rondement et qu'il a eu pour ce projet tous les désirs et toutes les haines de la passion naissante; les désirs l'ont emporté et la raison aussi. Il lui arrivera d'avoir des impatiences; il risque de se livrer à des expériences un peu trop fréquentes pour le rapide accroissement des abonnements, et de ne pas se refuser de temps en temps une bonne rigolade. Mais après la belle période de production, qu'il vient de traverser [83], ce travail lui apportera une détente et un stimulant et le groupement qui se raffermira autour de lui peut lui donner un sentiment de plénitude nouvelle...

Paris, 27 février, le Marquis de Polignac :
Ma femme et moi nous parlons très souvent de vous et de votre théâtre de New York, véritable oasis intellectuelle dans le désert. J'ai maintes fois regretté pour ma part mon départ des États-Unis qui m'a empêché de continuer à collaborer avec vous. Une de mes grandes joies à New York était de vous voir et d'essayer de vous être utile. Je souhaitais tant en

vous quittant l'an passé, que vous réussissiez au-delà de toute
espérance! Je vois hélas que vous avez eu beaucoup d'ennuis
et que, pour des raisons diverses vos efforts n'ont pas eu le
résultat matériel auquel vous étiez en droit de prétendre.

Que voulez-vous, cher ami, votre sort est celui de tous les
précurseurs. D'autres récolteront ce que vous avez semé [...]

*Rentrée de Bremestead les derniers jours de février, Agnès cherche
et trouve un petit appartement situé entre Broadway et West End
Avenue.*

Journal :

Installation avec Agnès dans une chambre meublée au
269 West 73rd Street, tout près de *Riverside,* avec kitchenette
et salle de bains, où nous camperons jusqu'au départ. Elle me
soigne et me dit : Je t'aime comme un enfant.

*Elle écrit à ses autres enfants des lettres pleines de gaieté où il
est question des personnages imaginaires, de leurs jeux habituels :*
Papa est très fatigué, *leur dit-elle,* mais maintenant, grâce à
Dieu, c'est bientôt fini... *Elle leur parle d'un feu de bois, du
repas qui cuit sur le réchaud à gaz et de quelques repas* excellents
*pris au restaurant chinois pour 45 cents. Elle n'oublie pas de glisser
à la fin de sa lettre un petit couplet de* morale : « N'oubliez pas
que tous les gens parmi lesquels vous vivez jugent les Français
d'après l'impression que vous leur ferez. Car il en va ainsi du
jugement des hommes; ils jugent une nation d'après un seul
individu... »

Lundi 3 mars 1919 :
VINGT ET UNIÈME SPECTACLE :
La Veine, d'Alfred Capus,
monté en douze répétitions
dont quatre à Morristown, trois décors [84].

Journal :

La Veine de Capus pour quinze jours. Ce soir on peut respirer, se dire que la saison est virtuellement finie, qu'on en
sortira. Nous avons 15 jours pour préparer *Le Misanthrope.*

Les trois enfants sont au Lake George. Leurs lettres res-
pirent le bonheur et l'amour...

Agnès à ses enfants :

Je crois que *La Veine* sera un succès. C'est très amusant, spirituel et parisien, quelque chose qui ne dérange pas la digestion – tout à fait pour les Américains. Cela a été un terrible travail pour Papa, pour être prêt à temps. Il apprenait son rôle la nuit en rentrant après avoir joué Malvolio. Il me réveillait et nous travaillions jusqu'à deux heures. Malgré cela il ne savait pas son rôle et je n'ai pas osé assister à la première. Il m'a raconté en riant, lorsqu'il est rentré, qu'il s'était arrêté deux fois sans la moindre idée de ce qu'il pourrait dire. Si j'avais été là, je me serais à nouveau enfermée dans les toilettes jusqu'à ce que le danger soit passé.

Hier, tout a marché admirablement. Papa était excellent, Bouquet aussi et les autres, Tessier, Bogaert, etc. aussi. Le premier acte se passe dans une boutique de fleuriste; claire et ensoleillée, avec un store à rayures baissé devant la porte... tout à fait l'été à Paris.

Le Courrier des États-Unis, *enfin ravi :*

La première représentation de la jolie pièce d'Alfred Capus obtient un vif succès. *Ému par l'élégance des costumes et le charme de Valentine Tessier et de Lucienne Bogaert,* The Women's Wear Daily *confirme* que dès le premier soir *La Veine* est reçue avec enthousiasme. The New York Evening Telegram *s'étonne pourtant* que M. Copeau ait choisi cette pièce qui ne semblait pas convenir particulièrement au public américain et que les acteurs semblaient jouer sans enthousiasme. M. Copeau lui-même...

M. Copeau, en effet, n'avait jamais témoigné une sympathie particulière pour les œuvres d'Alfred Capus, dont il écrivait en 1908, dans la Grande Revue [85], *au sujet de la représentation de* L'Oiseau blessé :

[...] M. Capus est un auteur léger qui joue avec les sentiments les plus graves. Il ne nie pas le drame, mais il lui refuse son consentement. Il le trouve laid et bête. Il en a horreur. Ce sont des *antidrames* qu'il écrit. De là découle une conception psychologique assez particulière. Loin de chercher à opposer entre eux des caractères, il se plaît à imaginer par quel endroit ils peuvent s'accorder et se concilier. Et, chose curieuse, c'est presque toujours dans les égoïsmes réciproques, source ordinaire des conflits, qu'il découvre ce point de contact et ce terrain de transaction. Sa psychologie est une invitation constante à l'indulgence, ou à la lâcheté. Ce sont des *antica-ractères* qu'il décrit.

Mardi 4 mars, Billet de service :
  Pas de répétition.
  Pendant le deuxième entr'acte de *La Veine*, M. Copeau fait une allocution au public.

Mercredi 5 :
  Répétition du *Misanthrope*.

Dimanche 9 :
  REPOS : pour la première fois de cette saison.

  Le mardi 4, Jacques Copeau a annoncé au public la prochaine fermeture du Théâtre Français et son retour en France. Certains spectateurs craignent la mauvaise opinion que pourraient emporter de l'Amérique ces artistes étrangers.

Le 10 mars, une spectatrice :
  [...] Pendant ces deux dernières années, j'ai surveillé votre programme et j'ai essayé de comprendre et de m'expliquer ce fait que votre auditoire et votre succès n'aient pas été plus importants, car il y a en Amérique un très considérable éveil artistique. En poésie, économie, éducation et, je pense aussi en peinture et en sculpture, nous sommes par bien des signes les plus proches de vous. J'étais très étonnée le soir où j'ai assisté à *Pelléas* d'entendre autour de moi beaucoup de rica-nements pendant les scènes d'amour. Cela me semblait inex-plicable – un public américain a l'habitude de scène beaucoup plus réalistes que celle du dernier acte. Quand les lumières se rallumèrent, tout le monde autour de moi parlait français, non un français distingué, mais plutôt celui des maîtres d'hô-tel, des voyageurs de commerce, non des intellectuels. Je me suis alors demandé si la faute n'avait pas été que votre public était un public trop français, du plus mauvais type? Il l'était certainement ce soir-là.
  Enfin! Je vous écris tout ceci à la seule fin de défendre mon

propre pays et parce que j'aimerais que vous reveniez vers nous et nous fassiez collaborer à la santé de votre art et de vos expériences de création.

Le 11 mars, Mr. Montagu Sterling, secrétaire et trésorier de la maison de tapis, Fourgera & Cº :

C'est avec regret que j'ai appris par l'allocution que vous avez faite à une représentation de *La Veine* que votre excellente Compagnie ne serait plus à New York la saison prochaine.

Il me semble malheureux que notre grande cité, dont les habitants aiment la France et tout ce qui vient de France, ne puisse faire vivre d'une manière convenable un théâtre français et je me demande si la question a été posée, d'une façon concrète, à une assez large partie du public. Pour ma part je sais que ma Corporation, qui s'est longtemps occupée de l'importation et de la vente de marchandises françaises, n'a jamais été sollicitée d'offrir un appui d'aucune sorte au Théâtre Français, ce qu'elle aurait fait avec plaisir. Beaucoup pensent comme nous que ce théâtre doit continuer, quand ça ne serait qu'aux fins de propagande. Il devrait spécialement continuer pour les quelques milliers de nos garçons qui reviennent d'Europe avec une légère connaissance du français, connaissance qu'ils désirent accroître en fréquentant un théâtre où la langue française est parlée si admirablement.

Et Mr. Sterling demande quelle somme il faudrait pour maintenir à New York le théâtre du Vieux Colombier, dont il a pu apprécier la valeur bien que connaissant mal le français.

Mercredi 12, Journal :

Hier soir après le spectacle long entretien, au long du River Side, avec Jouvet qui me parle de Dullin, qu'il voudrait excuser, dont il regrette le départ « pour l'histoire » dit-il. Nous ressassons les mêmes choses. Il dit : « Moi, vous me renverriez, je ne partirais pas. » Il semble extrêmement allègre et dispos, plein de prévenances. Ayant moins à travailler, étant moins fatigué, il relève la tête, lit, pense.

J'ai rêvé, cette nuit, que je rencontrais à ma porte, rue du Dragon, Antoine vieilli, très pâle, l'aspect minable. Il me reconnaissait à peine et me disait : « Eh bien vous avez tenu quatre ans!» Je le trouvais un peu distant et le prenant avec tendresse par le bras je lui disais : «Tout ce que vous avez pu souffrir, je l'ai souffert moi-même. »

Jeudi 13 :

Déjeuné avec Bertaux [86] qui vient d'arriver. Il est charmant d'avoir en face de soi ce Français en redingote, un peu gauche, discret, qui craint de faire de la dépense, et qui se penche vers moi disant à mi-voix : «Vous savez, la France c'est un beau pays. »

Vendredi 14, Billet de service :

14 h : en scène, essayage des costumes du *Misanthrope.*
16 h : Répétition du *Misanthrope,* en scène.

En soirée, quatorzième représentation de *La Veine.* Le spectacle commence quelques minutes en retard à cause d'une indisposition de Mme Bogaert.

Dimanche 16 :

14 h et 21 h : répétitions du *Misanthrope,* en scène.

Lundi 17 mars 1919 :
VINGT-DEUXIÈME SPECTACLE :
Le Misanthrope, de Molière,
monté en vingt répétitions dont douze à Morristown.
Costumes de Maxime Dethomas, un décor [87].

Waldo Frank à Jacques Copeau :

Cher, cher Jacques,

Enrhumé, je n'ai pu venir ce soir.

J'espère que vous me reverrez vraiment avant trop longtemps.

Je vous aime toujours, et quand même, et *crescendo...* comme toute chose qui vit vraiment.

Je vous verrai comme Alceste. Mais j'ai envie à la fin de vous voir comme Jacques Copeau et d'entendre vos propres cris et gémissements.

Tout ayant été dit, le théâtre du Vieux Colombier a seul rendu possible la vie de New York de la saison passée. Que ferons-nous, demain, sans vous?

L'amour et la nostalgie sont les parents de l'art.
À la besogne!
Votre fidèle et nostalgique

Waldo.

John Corbin :
Le répertoire du Vieux Colombier de Jacques Copeau, qui
arrive à la fin de sa saison, a brillé hier soir d'un nouvel éclat.
M. Copeau donne une interprétation bien étudiée et en accord
profond avec ce rôle particulièrement difficile. Mlle Bogaert,
dans celui de Célimène se montre – presque à égalité – excellente. – *The Brooklyn Daily :* la mise en scène de la pièce était
de toute beauté et Jacques Copeau mettait excellemment en
relief les humeurs de son personnage, passant de l'extrême
irritation à une tendresse profonde et à la plus amère des
désillusions. – La représentation, *dit The N.Y. Tribune,* est
digne de la pièce. Le décor et les costumes sont d'une grande
beauté. M. Copeau et Mlle Bogaert sont les figures saillantes
de la distribution, mais les rôles de moindre importance ne
peuvent non plus être mieux joués. – *Certains estiment même
que les petits rôles sont mieux tenus que les grands, que les
acteurs semblent endimanchés et que, devant le beau et digne
décor de tapisseries et de sculptures, tant de rubans et de
falbalas donnent une impression de mascarade. – Un autre
déplore un excès de style dans l'interprétation.* Style! beaucoup de
style, mais plutôt vide d'expression. *Mais Clayton Hamilton et
Arthur Hornblow* sont également enthousiastes pour l'extraordinaire beauté de la présentation et le style parfait de l'interprétation.

Une spectatrice écrira le 25 mars :
Le théâtre du Vieux Colombier nous a donné tant de plaisir,
ces deux derniers hivers, que je sens que je dois vous en
remercier.

Vous avez su préserver votre idéal avec si peu d'encouragement et de sympathie de la part du public.

Vous avez été un directeur intelligent et votre Compagnie
a travaillé dur et beaucoup accompli. Je me suis particulièrement réjouie de votre jeu dans le rôle du *Misanthrope,* et je
l'ai apprécié. La décoration de votre scène, si simple et si
belle, m'a enchantée.

Ce sera une grande perte pour New York de ne plus voir le Théâtre Français, tel que vous nous l'avez donné.

J'éprouve depuis quelque temps le désir de vous exprimer mes remerciements et mon admiration, et Mr. Trowbridge, que j'ai rencontré un soir au théâtre, m'a engagée à vous écrire.

Annonce dans le programme du Misanthrope
Next two weeks : *Le Mariage de Figaro* by Beaumarchais

Mardi 18 mars. Billet de service :
15 h à 17 h : Répétition de *Figaro* en scène.
Soirée *Misanthrope* – entre les actes I et II, allocution de M. Bouy.

Le texte de cette allocution n'a pas été retrouvé. Il nous est cependant permis de supposer qu'elle annonçait la prochaine fondation des « Amis du Vieux Colombier d'Amérique », sous la présidence d'Edouard de Billy et d'Otto Kahn et dont Jules Bouy sera le secrétaire.

19 mars, Ernest Guy à Jacques Copeau :
Mon cher ami,
Je crois devoir vous informer qu'il me reste en tout et pour tout $ 2500. Il n'est pas à prévoir que je puisse trouver un cent de plus ; une démarche, que je viens de faire pour trouver encore quelque argent, n'a pas donné de résultat, et je suis maintenant au bout de mes efforts.

D'autre part, je ne compte pas dans la somme de $ 2500 ci-dessus $ 1500, qui seront employés aux frais de voyage de votre troupe.

P.S. Monsieur de Billy serait heureux que la représentation que vous comptez donner au bénéfice du Vieux Colombier de Paris ait lieu le 5 ou le 7 avril. Je vous serais obligé de me faire savoir quelle date vous choisissez.

Samedi 22 mars :
Matinée et soirée *Le Misanthrope*.
M. Copeau annonce au public la soirée d'adieu qui aura lieu le 7 avril.
Cette annonce suscite les commentaires de la presse.

New York to lose French Players at close of season, after two successful years.

The Nation [88] *fait le bilan de l'action* stimulante *du Vieux Colombier :* Une semaine encore et les acteurs français qui ont donné le meilleur de leur travail à New York, pendant deux saisons, auront terminé leur labeur et vogueront vers des rivages plus hospitaliers. Pour eux, l'aventure américaine aura été une expérience intéressante, quoique souvent pénible. Pour notre pays elle a été un don de Dieu. L'existence d'une telle confrérie au sein de cette profession doit avoir stimulé le courage de nos meilleurs acteurs américains et fait entrevoir un but nouveau aux débutants. Les *managers* ont sûrement pesé le choix, couronné de succès, de ce groupe d'acteurs qui produit ses chefs-d'œuvre sans avoir besoin d'un *manager*, et les auteurs ont pu voir des œuvres qui ne dépendent pas du *star system.* Le public, lui, a bénéficié plus encore de ce rafraîchissant enseignement, et ce public ainsi formé exigera que nos théâtres se détournent de la chasse aux dollars pour consacrer leur force à la recherche d'une vie dramatique simple et vraie. L'audience a été sans doute restreinte en nombre – ce qui peut s'expliquer par la barrière de la langue – mais elle a, par contre, été riche en comparaisons, ce qui est humiliant pour ceux qui croient encore que l'Amérique est une nation hautement cultivée... Le Vieux Colombier a non seulement donné à New York un régal continuellement varié et rafraîchissant, mais il nous a fourni un type de travail nouveau et positif par lequel l'art dramatique américain doit être mis à l'épreuve. Ses acteurs ne sont pas des géants à la stature desquels on ne pourrait avoir l'espoir d'accéder. Ce sont des hommes et des femmes de notre taille, mais possédant un idéal plus élevé. À cet idéal ils ont volontairement sacrifié le confort et les plaisirs apparemment indispensables aux Américains. Il serait oiseux d'attribuer leur succès artistique au *tempérament français* quand il est dû d'abord au travail français. Un tel travail sans répit pourrait accomplir des miracles même avec un simple tempérament américain. Ce sont des artistes du type ancien : pauvres, travaillant ferme, chauffés par l'enthousiasme et, par-dessus tout, intelligents. Tout l'été ces acteurs ont vécu et travaillé ensemble, passant journellement quelques heures en répétitions. Le reste de leur temps était employé à des exercices physiques, à la musique, à la danse rythmique, au chant, et à l'entraînement de leurs voix par la récitation de poèmes ainsi que par des exercices d'improvisation. Ceci non en vue d'un spectacle déterminé mais pour l'accroissement de leur vitalité. Ces acteurs ne travaillent pas – faut-il le rappeler? – pour acquérir des places ou des honneurs personnels; l'héroïne d'un soir peut être le lendemain une paysanne perdue dans la foule... Mais le résultat de ces efforts de l'été fut une riche moisson pour l'hiver. Par de tels moyens les acteurs ont été capables de jouer une nouvelle pièce chaque semaine et de donner chaque lundi un nouveau spectacle parfaitement au point...

En nous remémorant le répertoire de cette saison, nous sentons décidément que le XVIIᵉ siècle est sans conteste le patrimoine du Vieux Colombier. Molière n'a probablement jamais été joué avec tant d'exactitude, de vitalité et de gaieté spontanée. *La Coupe enchantée* de La Fontaine fut un savoureux délice parmi les pièces anciennes, mais la plus joyeuse de toutes fut *La Nuit des rois* dont il serait difficile d'égaler la pure beauté, l'éclat, et cette joie, légère comme une bulle.

Parmi les pièces modernes certaines furent une concession au goût américain. En l'honneur de l'amitié franco-américaine, M. Copeau nous a gracieusement offert une traduction de *Washington* de Percy MacKaye, en incarnant avec une ressemblance frappante le « père de notre pays », et Jean Sarment fut un La Fayette idéal. Une ou deux pièces qui avaient la saveur du boulevard parisien remplirent l'orchestre mais vidèrent le balcon. Les tragédies à retenir furent *Rosmersholm*, sinistrement vrai, *Pelléas et Mélisande* qui fut une révélation par sa beauté scénique, son rythme et son atmosphère; et la propre adaptation de M. Copeau des terrifiants *Frères Karamazov* [...]

On hésite à insister sur le travail individuel d'acteurs dont le but est de tendre à la perfection de l'ensemble. Mais il est bon de se souvenir de Jacques Copeau à la fois comme d'un gai Figaro, d'un sombre Ivan Karamazov, ou du naïf Fritz d'Erckmann-Chatrian, du sentencieux Malvolio et de l'incomparable Proviseur Kroll de *Rosmersholm*. Dans *Blanchette*, il y eut trois merveilleux vieillards, le père Rousset joué par Dullin, Morillon par Romain Bouquet et le pathétique cheminot de Louis Jouvet. Dullin était extraordinairement fin dans *Gringoire* comme dans le poète aveugle du *Voile du bonheur* de

Clemenceau, mais son meilleur rôle, le plus fort, reste sans aucun doute le Smerdiakov des *Karamazov*. Louis Jouvet était intéressant en Ulrik Brendel, touchant en *Crainquebille*, amusant dans Sganarelle aux longues jambes facétieuses et absolument inimitable en André Aguecheek. Il doit partager les honneurs shakespeariens avec le Toby Belch de Romain Bouquet, avec Lucien Weber, charmant et mélodieux comme toujours, Marcel Millet en Fabien et Jane Lory en Maria. Jean Sarment était plein de poésie en Pelléas et naïvement captivant en Lélio de *La Coupe enchantée*. Suzanne Bing semble être la flamme inspirée de cette Compagnie. Sa Mélisande fut exquise et attirante. Il est des spectateurs qui viennent au théâtre pour la voir, dans tous les spectacles où elle joue, même un petit rôle. Mais peut-être aucune de ses créations ne fut plus délicate et plus sensible que celle de Si-Tchun du *Voile du Bonheur*. Certains autres visages brillent dans la mémoire à la manière des nuances exquises qui composent un vitrail, tandis que le tableau dans son ensemble est le trésor pour lequel nous devons être longtemps reconnaissants du trop bref séjour du Vieux Colombier en Amérique.

Lundi 24 mars :
    14 h 30 : Répétition *Figaro* en scène.

Lundi 24 mars 1919 :
VINGT-TROISIÈME SPECTACLE :
Le Mariage de Figaro, de Beaumarchais (reprise).

La presse est à peu près unanime :

Mieux encore que la première fois. Tous les acteurs étaient pleins de fougue, comme s'ils étaient résolus à laisser une bonne impression derrière eux. Ils la laisseront sûrement. L'étendard brandi par Director Jacques Copeau a été splendidement honoré par toutes ses productions.
    Seul Le Courrier des États-Unis est, comme toujours, réticent :
L'interprétation a été généralement bonne, à part certains flottements...

26 mars :
Plus de cent mille personnes... pour fêter le retour des 27 000 héros du général O'Ryan...
La 27e Division acclamée à New York. Une manifestation sans précédent.
Jamais New York n'avait vu pareille foule.

28 mars :
14 h 30 : Répétition de *Blanchette* toute la pièce avec la distribution de la tournée.

Agnès à ses enfants :
La tournée du Vieux Colombier est décidée. Elle ne commencera que le 21 avril.
Mais on apprend le 30 mars que cette tournée n'aura pas lieu. Jacques Copeau fera, seul, une tournée de conférences.
Dimanche 30 : REPOS.

Dimanche soir, Jacques Copeau écrit à ses enfants :
Mes enfants bien-aimés, je n'ai pas le temps d'écrire, vous savez, je suis fatigué et je suis aussi un peu paresseux. [...] Mais je pense à vous de tout mon cœur et vos lettres font ma joie. Oui le temps passe. Bientôt nous serons réunis, nous ne nous quitterons plus. Nous retournerons dans notre pays et nous nous mettrons à travailler tous ensemble pour faire de belles choses. J'arrange tout cela dans ma tête le soir avant de m'endormir et je nous imagine une belle vie pour l'avenir... Je vais assez bien, je sais maintenant que j'irai jusqu'au bout. Je vois la fin de la saison comme on voit le jour au bout d'un tunnel. J'ai déjà emballé mes livres et bientôt on couchera dans une caisse le buste de Molière...

La saison pratiquement terminée, on emballe, mais Copeau pense déjà au travail futur, aux améliorations, à la marche en avant.

Journal :
Disponibilités : Il faut que des artistes étrangers, comme Grant, puissent venir travailler chez nous plusieurs mois et être payés.
Programmes : Demander aux artistes leurs dessins, leurs projets, à exposer au théâtre.

Il ne s'agit pas de génie, ni même d'invention ou de ressources techniques approfondies, mais simplement de discipline, de subordination, d'harmonie – et avant tout d'honnêteté.

Nous ne sommes pas dans une époque où tout cela se manifeste naturellement. Il faut une rééducation.

La pure configuration des chefs-d'œuvre.

À Paris, les amis, silencieux depuis un mois, ont enfin surmonté désaccords et difficultés qui s'opposaient à la reprise de La Nouvelle Revue Française, *tous ensemble donnent de leurs nouvelles.*

27 mars, Gaston Gallimard :

J'ai maintenant, après un mois de projets, de contre-projets et de conversations, d'assez bonnes nouvelles à te donner. À peine arrivé, j'ai eu à me débattre au milieu de toutes sortes de difficultés, dont les difficultés d'argent n'étaient pas les moindres. En outre j'ai trouvé à la Revue une situation assez fausse, et cela un peu par la faute de Jean. Celui-ci avait convaincu Jacques Rivière, que son désaccord avec Gide étant sans issue il convenait dans nos projets d'avenir de séparer les Éditions de la Revue, me laissant tous pouvoirs pour les unes, et déjà on annonçait que Gide devenait Directeur de La *Nouvelle Revue Française.* C'était absurde pratiquement et moralement – pour nous – pour notre public – pour nos auteurs. C'était encore un compromis et partir du mauvais pied. J'ai eu avec Gide un grand entretien – je crois bien le premier de ma vie. Je me suis souvenu dans tout ce que je lui ai dit que tu m'avais demandé de ne jamais oublier l'affection que tu avais pour lui. Nous nous sommes parlé très franchement et je ne le regrette pas. Je dois dire que, malgré ce qui m'irrite parfois en lui, quand je l'ai entendu, je me suis trouvé plus près de lui que de n'importe quel autre, sauf toi. J'avais devant moi, toutes les raisons et tous les sentiments qui m'avaient amené à vous. J'ai nettement exposé à Gide comment je concevais l'organisation de notre maison. La nécessité de lui donner des bases commerciales plus larges. Nous sommes entièrement d'accord. Il renonce à diriger la *Revue.* C'est Jacques qui sera directeur en titre. J'ai décidé Maney et Raymond [89] à constituer un capital. J'ai vu Verbeke [90] et hier j'ai téléphoné à son conseil d'administration que nous étions prêts à acheter son imprimerie. Devant le mouvement considérable de la librairie et la création, chaque semaine, de nouvelles revues, il est impossible de différer la reprise de *La Nouvelle Revue Française*. Le premier numéro va donc reparaître en juin. J'aurais préféré octobre, mais, après réflexion, je crois qu'il en est mieux ainsi. J'ai revu à peu près tous nos amis : Jean, qui est retourné à Saint-Clair où il va rester tout l'été. Ghéon qui vient d'achever un mystère intitulé *Sainte-Cécile* [91], Vildrac, Duhamel qui attend un nouvel enfant. Proust avec lequel tout est bien réglé maintenant [92]. Roger est toujours impatient de te revoir.

J'ai vu Bathori. Je lui ai fait part de nos appréhensions. J'ai lu les coupures de presse de la saison. J'ai interrogé plusieurs personnes qui l'avaient suivie, notamment Ricardo Vinès. Quoi qu'en puisse penser Roger ou Jean, je ne crois pas que cela ait été si fâcheux qu'ils le disent. La presse a été bonne. Les programmes m'ont paru excellents : elle a repris le *Jeu de Robin et Marion*. Elle a monté *La Servante Maîtresse* de Pergolèse et une *Éducation manquée* de Chabrier, ce qui est très bien. *La Pastorale de Noël*, de Reynaldo Hahn devait être une chose très sage. Il reste *Le Dit des Jeux du Monde* qui a été discuté. De l'avis de tous les musiciens, la partition d'Arthur Honegger est très bonne. En ce qui concerne le poème Bathori hésitait; c'est sur le conseil de Gide qu'elle s'est décidée. Les costumes étaient de Fauconnet et paraît-il assez jolis; Jacques Doucet va plus loin, il prétend que cela dépasse les Ballets russes, en beauté et en nouveauté!

Mais au point de vue financier la saison a été désastreuse. Elle n'a encore rien versé à Saint-Père [93], mais elle va le faire. J'ai eu un premier entretien avec Saint-Père. Il semble disposé à accepter le paiement des loyers moyennant une augmentation du loyer annuel.

Avec Jean et Pacquement [94] nous avons eu une réunion en conseil d'administration. Nous avons rédigé plusieurs procès-verbaux afin de régulariser tout ce qui avait été fait depuis août 1914. Pacquement m'a paru toujours très bien disposé et même assez pressé de voir le théâtre se rouvrir. Mais à tous j'ai dit qu'avant tout il fallait que tu te reposes, et qu'il fallait que tu sois entièrement libre de décider.

Voilà, mon cher Jacques, quelques nouvelles. Il me reste à

te dire que quels qu'aient été nos soucis, je suis parti avec bien du regret. J'aurais aimé rester près de toi jusqu'à la fin de la saison. Je n'ai pas besoin de te dire que j'ai plus confiance en toi et dans ton œuvre que dans le reste, et qu'au fond aujourd'hui le Vieux Colombier m'attache davantage que la *Revue*. Il y a certes dans ce sentiment la profonde préférence que j'ai pour toi et le goût que j'ai de travailler pour toi et près de toi. Aussi, en me souvenant de ces deux années à New York, je regrette d'avoir pu te paraître parfois froid et moins affectueux que je ne l'étais : c'est que souvent j'étais malheureux de la mauvaise marche de nos finances ou d'autre chose et que je ne voulais pas t'en importuner. Je voudrais qu'aujourd'hui tu ne te souviennes que de mon dévouement qui était sincère et que tu y trouves un engagement total pour l'avenir.

Je suis ton ami,

Gaston Gallimard.

Embrasse pour moi Suzanne et surtout Valentine.

Une lettre de Pierre Bertin, fin mars, confirme le jugement de Gallimard sur la saison Bathori :

Je veux vous donner quelques nouvelles de votre cher théâtre et du fameux *Dit des Jeux du Monde*, curieux spectacle dont on a dû vous parler longuement. L'idée en est d'abord toute philosophique – c'est en somme une vaste *revue* des principaux actes, passions, traditions, usages humains, revue dans laquelle le compère et la commère sont représentés sous la forme d'une diction simultanée et martelée. Costumes synthétiques composés par le cubiste Fauconnet dont le succès a été de beaucoup le plus grand. Spectacle qui a attiré peu à peu le public du quartier par sa surprenante nouveauté en cette calme rue et en ce calme quartier. J'ai assisté à une des dernières représentations où la salle entière hurlait plus fort que le chœur.

Spectacle curieux, qui doit beaucoup au *Sacre du Printemps*, à *Sumurum*, aux *Ballets Russes*, et dont la meilleure innovation dramatique, est l'emploi du masque tragique pour tous les personnages, idée vraiment très heureuse dans cette réalisation très picturale [...]

Il m'est difficile de critiquer, même à vous, une direction

toute différente de celle de l'an dernier qui se bornait à des concerts et spectacles de musique [...]

Pour ma part personnelle, je regrette les concerts et les simples séances de musique – on touche au théâtre, en somme, même sous le manteau *opéra-comique*, et vous n'êtes pas là!

31 mars, Jean Schlumberger, Saint-Clair :

Je n'ai quitté Paris qu'une fois la situation bien débrouillée. Les communications sont établies entre Gide et Gaston. Ce dernier ne se rendait pas compte à quel point la bonne entente était compromise, et André a été tout étonné de voir se dissiper ses préventions dans un élan affectueux. Tout est à la confiance et, du coup, certains règlements qui s'annonçaient fort épineux sont devenus faciles. Bref tout va très bien. Dans ces conditions, il n'y avait pas lieu de s'obstiner à créer pour Gide une citadelle, et il a été plutôt soulagé à l'idée de ne pas assumer lui-même la direction de la revue. C'est donc décidément Jacques qui en sera chargé. Il te l'a peut-être déjà écrit.

J'ai eu de la joie à trouver un Gaston calme, solide, qui a pris de l'autorité et du sang-froid. Ça marchera, mon vieux, et rondement [...]

Et le 1er avril, Jacques Rivière :

[...] Gaston a dû t'écrire ces jours derniers que ma nomination comme directeur de la revue était une chose faite.

Je ne te cacherai pas que la confiance qui m'est faite me donne une très grande joie. Je n'oublie pas, sois-en sûr, mon cher vieux, tout ce que tu as fait pour préparer cette décision et je me rends très bien compte qu'elle reste due presque entièrement à ton influence. Aussi sont-ce des flots de reconnaissance qui partent de mon cœur vers toi en ce moment.

Nous allons tâcher de reparaître le 1er juin. J'espère beaucoup que cette résolution ne te chagrinera pas. Si tu étais ici, tu te rendrais compte combien le moment est propice et quelle folie ce serait de le laisser échapper.

Le mouvement des idées est en ce moment si vertigineux que, si l'on y veut participer, il ne faut pas trop longtemps retourner les choses dans sa tête.

Je ne peux pas dans une simple lettre t'expliquer en détail mon programme. Je voudrais beaucoup qu'il te plût, et à vrai dire, quand je considère mentalement mes projets, un grand espoir me prend qu'ils auront ton assentiment. Je me sens extrêmement fort en ce moment; je dispose de tous mes moyens et je vois ce que je veux dire et ce que je veux faire avec une clarté parfaite.

Il me tarde infiniment, mon cher vieux, de te voir revenir [...] Il me semble que je sens en moi une chaleur dont le rayonnement te fera du bien.

À bientôt, mon vieux. Quelle joie!

2 avril, Billet de service :

15 h : Matinée au bénéfice des institutrices du camp de Springfield [95].

15 h 15 à 16 h 30 : Intermède par M. Robert Casa dans ses Chansons parisiennes.

16 h 47 à 17 h 03 : *La Jalousie du Barbouillé.*

4 avril :

14 h 30 : Répétition de *La Coupe enchantée.*

16 h 30 : Explication de *L'Impromptu* qui sera donné le lundi 7 avril pour la représentation d'adieux.

Samedi 5 avril :

Pas de répétition.

Matinée et soirée *Le Mariage de Figaro.*

Aux entr'actes de ces deux dernières représentations du *Mariage de Figaro,* allocution de M. Copeau.

Le 8 avril, Le Courrier des États-Unis :

Les Adieux du Vieux Colombier.

On nous communique ce qui suit :

Les *Amis du Vieux Colombier,* groupe fondé récemment dans le but de servir de lien entre le théâtre du Vieux Colombier de Paris et ses amis des États-Unis, ont décidé d'offrir une représentation d'adieu à la Compagnie de M. Jacques Copeau, en témoignage de reconnaissance de l'œuvre magnifique qu'ils ont accomplie à New York, et du grand plaisir qu'ils ont causé à tous les amis de l'art.

Pendant deux ans, New York intellectuel, New York aimant les arts et les belles choses, a vu le théâtre à l'œuvre, il en a joui et profité, et les *Amis du Vieux Colombier* estiment que nous avons contracté une dette qui n'a pas été acquittée par le simple achat de nos fauteuils.

Agnès écrit à ses enfants :

Hier dernière représentation (à l'exception de la représentation au bénéfice du Vieux Colombier demain soir). Vous pouvez croire que vous nous avez manqué. Presque aussi magnifique qu'à Paris. La salle était comble. Un tas de gens sur des chaises le long des murs. Des rappels enthousiastes sans fin. Papa était très ému et fit un petit discours. Les Américains, souvent si mornes, criaient, hurlaient *Bravo*, agitaient mouchoirs et chapeaux. On se serait presque cru à Paris.

Lundi 7 avril 1919 :
        Soirée d'Adieux du Vieux Colombier.
20 h 40 : Le spectacle commence par *La Coupe Enchantée* de La Fontaine : M. Chifoliau a répété le rôle d'Anselme, tenu par Robert Bogaert qui s'est refusé avec Lucienne Bogaert à participer à l'*Impromptu des Adieux*.

21 h 30 : Allocution de M. de Billy : *Ayant évoqué les débuts du Vieux Colombier à Paris, il remercie Otto Kahn*, grâce à qui Jacques Copeau et sa Compagnie sont venus à New York et qui, pendant deux ans, n'a cessé de les soutenir financièrement et moralement. *Il remercie ensuite* le vaillant chef et sa Compagnie qui ont fait connaître et applaudir en Amérique l'art dramatique français fait de justesse et de mesure... et par-dessus tout d'humanité.

21 h 40 : Allocution de M. Otto Kahn : *après avoir rappelé les circonstances dans lesquelles il a rencontré Jacques Copeau pour la première fois*, durant les années angoissantes des assauts de Verdun, *et les raisons qui l'ont poussé à lui proposer la direction du Théâtre Français de New York, il conclut :*

Il faut avoir quelque expérience des formidables difficultés, étant donné les conditions dominantes à New York, pour apprécier à sa juste valeur une telle somme d'énergie, de détermination, de devoir et de foi.

Jacques Copeau a rétabli la dignité du théâtre français en Amérique. Il a fait du Vieux Colombier, artistiquement, le premier théâtre de New York. Il laisse ici un souvenir, une inspiration et un grand nom.

Je lui ai dit l'autre jour que quand il aurait quitté notre rivage il deviendrait une figure légendaire pour l'Amérique. Les gens parleront et écriront pendant des années — même ceux qui n'ont jamais ou rarement mis les pieds dans ce théâtre — de la perfection, unique en son genre, de l'inspiration, de la leçon du Vieux Colombier. Je suis convaincu que ma prédiction se réalisera [...]

M. Copeau et ses camarades emportent avec eux notre gratitude, notre admiration et nos souhaits cordiaux...

21 h 55 : Au nom des Amis du Vieux Colombier, M. Jules Bouy remet à M. Otto Kahn un volume ancien avec dédicace de M. Jacques Copeau et portant la signature de tous les artistes du Vieux Colombier.

Agnès à ses enfants :

La représentation de lundi, au profit du Vieux Colombier — 5 dollars par place — a été magnifique. Grand enthousiasme. Après les discours de M. de Billy et de M. Kahn, l'*Impromptu des Adieux* [96]. Quand le rideau se lève, on voit le directeur assis tout seul sur la scène parmi les caisses et les panières marquées à l'emblème du Colombier.

Monologue du Directeur :

Je me souviens quand nous sommes entrés ici pour la première fois, au milieu des matériaux et des échafaudages. Les charpentiers, les peintres, les machinistes allaient, venaient, prenaient des ordres, se penchaient, se redressaient, se reculaient pour examiner à distance leur ouvrage.

Les jeunes hommes, les jeunes femmes de la troupe accouraient du dehors, se répandant dans la salle, montant à la galerie, prenant possession de leur nouvelle maison... Tout naissait. Tout n'était qu'attente et promesse...

Je me souviens, quand le rideau s'est levé pour la première fois, avant qu'il ne se levât, quelle ferveur, quel espoir, quelle fièvre de créer s'abritait derrière lui...

Il vient de se lever pour la dernière fois. Ce n'est pas encore tout à fait fini. Il y a encore les lumières. Il y a encore cette caverne d'ombre, devant moi, étoilée de regards... Il y a encore le rire de La Fontaine qui flotte ici, clair et léger comme l'eau de la Marne et les feuillages de l'Ile de France. Il y a aussi votre présence à vous, qui nous étiez naguère des inconnus et que nous nommons aujourd'hui nos amis...

Mais il ne s'agit plus d'espoirs ni de promesses. La parole est aux souvenirs.

Elle est morte pour un temps la fièvre de créer, de produire, d'inventer. Pourquoi ne pas le dire? Nous sommes tous las d'avoir tant lutté, épuisés d'avoir été tour à tour tant de personnages différents, chacun avec son âme et sa figure différents. Le tréteau de Scapin ne résonne plus sous de jeunes gambades. C'est le temps de redevenir soi-même, de reparaître à la surface de la vie... Ce soir, on rejette les masques. On montre sa figure. On cherche dans la foule les cœurs qu'on a conquis... Ce n'est pas encore fini. Mais c'est presque fini.

Tout à l'heure les lumières vont s'éteindre. Nous ne verrons plus vos visages qui se tourneront vers la rue. La salle n'aura plus cette belle symétrie des regards alignés et tendus par l'attention et la sympathie... Et alors les machinistes débarrasseront la scène, l'électricien plantera au milieu du plateau sa lampe de nuit, tout sur le théâtre prendra cet air blafard et désaffecté que nous lui connaissons après chaque spectacle... Et cette scène elle-même que nous avons bâtie de nos mains, honnêtement, selon l'exigence du drame, avec d'honnêtes matériaux, sans faux-semblant, ni faux prestige, ni mensonge, elle périra à son tour. Les matériaux dont elle est faite, qui, à force d'être connus de nous ne nous semblaient plus inanimés mais participaient à l'esprit dont ils se sont peu à peu imprégnés, ces planches, ces colonnes, ce pauvre temple éphémère ennobli par la présence réelle d'un Dieu, je les vois retourner aux chantiers anonymes et souffrir de n'avoir plus à servir la beauté.

C'est ainsi que la création de l'artiste s'évanouit sans cesse, et sans cesse veut être à nouveau évoquée du néant. C'est ainsi que passe et s'efface la forme tangible de tout ce que nous faisons. Ce miroir du monde ne retient aucune des images qu'il a reflétées. Comme la vie même qu'il représente, le drame flamboie puis s'éteint. Avant lui, l'ombre et le silence. Après lui, le silence et l'ombre. Le chef-d'œuvre parlé, aussitôt que l'acteur se tait, retourne à la léthargie du livre. Il n'existe vraiment, il ne vit sa vraie vie qui est action, mouvement, frémissement, murmure, parole et silence que sur la scène et par l'acteur qui lui sacrifie sa personne, son identité, son âme et sa force.

Honorez cet acteur qui s'absorbe et se perd dans sa propre création et ne laisse derrière lui qu'un souvenir, celui de la beauté dont il fut l'interprète [...]

Ce soir, j'aurais voulu tenir la baguette d'un magicien qui m'eût permis de rappeler à la vie tous les personnages des cinquante pièces environ que nous avons représentées devant vous durant ces deux saisons. Mais cette foule ne saurait être contenue entre les quatre murs du théâtre. Du moins aurais-je souhaité que la Compagnie au complet vous présentât ses adieux. Il me faut malheureusement constater plus d'une absence qui signifient pour nous regret, chagrin ou deuil. Mais ceux qui restent vont paraître tour à tour devant vous, chacun sous une apparence de son choix, et tous ensemble nous improviserons l'*Impromptu des Adieux* auquel chacun collabore selon sa fantaisie, son caractère et son humeur. Sans prétention.

Petit à petit les comédiens entrent, chacun portant le costume de son meilleur rôle : Jouvet en Sganarelle du Médecin malgré lui, *Tessier en Grouchenka, Bing en Viola. Et après que chacun a improvisé, joué une scène ou chanté, Le Directeur :*

Et de cette poignée de comédiens dont il n'est pas un seul qui n'ait tenu le plus modeste emploi, pas un seul qui n'ait figuré, et pas un seul qui n'ait eu son tour de jouer l'un des rôles principaux de la pièce, savez-vous combien de personnages sont sortis?

Combien?	Millet :	557
En avant la statistique [97]!		
Pour combien de représentations	Weber :	345
En combien de jours?	Valentine :	283
Dans combien de pièces?	Sarment :	47
Combien d'actes?	Bouquet :	130
Dans combien de décors?	Jouvet :	82

Et combien de fois le rideau s'est-il
levé et baissé?   Casa   :   4 826
Et combien de coups de brigadier?   Jouvet   :   14 484
          Voilà, Mesdames et Messieurs.

*Copeau remercie alors Otto Kahn, tous les abonnés, tout le fidèle
public et les Amis... Le rideau ne tombe pas.*
   L'entrée de la scène est libre, *dit-il.* Voici le chemin. Il n'y
a plus de secrets entre nous. La barrière de la rampe est
abolie...

   C'était sans apparat et plein de charme, *écrit Agnès.* Grand
chagrin et regrets pour tous ceux qui ont fidèlement suivi les
spectacles. Il y a eu beaucoup de grands articles reconnaissants
et déplorant que New York n'ait pas su apprécier le grand
art et la qualité de ce qui leur était offert.
   *En effet, dès le lendemain, dans tous les journaux fleurissent des
éditoriaux à la louange du Vieux Colombier et tous semblent incon-
solables de son départ :* Le haut idéal de la Compagnie de
M. Copeau, *dit le* New York Times, a été maintenu tout le
long de ces deux saisons et la même conscience dans la réalisation souligne la fin de la course comme elle en a marqué
le début.
   The New York Tribune : Jamais notre scène n'a connu une
pareille dévotion à l'art, une plus sincère loyauté envers ce
qui est le plus beau et le plus rare... M. Copeau est un novateur. Mais il n'est pas que cela : il cherche la beauté non dans
une étroite formule, ni par une théorie livresque. La mise en
scène, l'interprétation, tout est mis chez lui au service de
l'auteur, devient le corps réel de la pièce : tout est là pour
exprimer, jamais pour envelopper ou détourner l'attention.
À chaque pièce son propre esprit... Maintenant que la visite
de M. Copeau touche à sa fin, il nous reste le regret que notre
ville n'ait pas plus largement partagé la fête qui lui était
offerte...
   Partout mêmes louanges et mêmes regrets. Les journaux de New
York, *ironise Henri Parker,* élèvent la voix et pleurent – ces
chers et délicieux journaux qui n'avaient trouvé à écrire qu'une
demi-douzaine de lignes sans conviction et pratiquement igno-
rantes sur les représentations du Vieux Colombier! Maintenant ils ne peuvent se consoler du départ du Théâtre Français

et ils élèvent jusqu'aux cieux les mérites de pièces et de représentations auxquelles ils ont à peine fait attention quand il était possible de les voir, quand seulement une poignée de spectateurs y assistait. *Même remarque dans* The New York Evening Post, *comme dans* La Tribune, *tandis que, fidèle à sa mauvaise humeur, Louis V. de Foe titre :* Deux saisons de théâtre impressionniste et ses douteux résultats, *tout en concédant* qu'il se pourrait, comme l'a dit Otto Kahn, que le Théâtre Français soit devenu le meilleur théâtre de New York. Mais il est loin de tenir, comme il l'affirmait, une place importante en intérêt et en influence.

Pourtant The Nation *voit le théâtre américain transformé grâce à l'exemple du Vieux Colombier :* Le public éduqué demandera dorénavant que nos théâtres se détournent de la chasse aux dollars pour rejoindre les Français dans leur quête de vitalité dramatique, de simplicité et de vérité.

Et Sheldon Cheney conclut : Bien sûr il y a dans l'exploit de Copeau plus d'un enseignement pour l'Amérique : son système de répertoire, l'étendue et le souffle de ce répertoire, sa connaissance profonde du métier. Personne ne s'est jamais attelé à la tâche de connaître à fond ses outils, et de les utiliser honnêtement, joyeusement, avec autant d'art et d'amour que cet acteur-poète-metteur en scène.

Plus de cinq cents spectateurs inscrivent leurs noms et leurs adresses pour faire partie des Amis du Vieux Colombier de New York. *Certains y ajoutent un cordial message en français ou en anglais :*

— Souvent j'ai passé quelques minutes françaises au Colombier de New York. J'espère de les avoir à Paris un jour.

— Souvenir de la charmante soirée du 7 avril 1919. Au revoir et merci.

— A friend who has seen every play this winter and hopes to visit the Vieux Colombier often in Paris.

— Avec mes très humbles, mes très profonds et sincères hommages à M. Copeau et aux dames et messieurs les artistes de son inoubliable théâtre, etc.

D'autres écrivent :

9 avril 1919, Scarborough-on-Hudson :
Votre théâtre nous a donné un si pur plaisir que je souhaite vous exprimer tous mes remerciements, à la fois pour moi-

même et pour ma sœur, Mrs Vanderlip, et vous dire combien nous manquera chaque semaine l'enchantement stimulant de vos pièces.

Vous avez ouvert de nouvelles portes et donné un intérêt accru à l'art de la scène, et ceci pour les si réels bénéfice et enrichissement de nos vies, que je veux vous en remercier.

Quand vous parlez si cordialement de l'espoir de poursuivre l'amitié commencée à New York et de garder le contact avec votre public, je suis obligée de m'enrôler pour être des vôtres et vous envoyer nos noms et adresses.

Avec mes bons souhaits pour l'avenir : Mrs Philip W. Henry et Mrs Frank A. Vanderlip.

— La séparation est un chagrin, mais je me console en pensant que nous nous reverrons bientôt à Paris.

Que vous n'ayez pas été heureux et satisfait à New York après de si prodigues efforts et une si belle réussite est cruel et impardonnable. Car vous avez apporté à ce public de grands avantages et de rares opportunités à la fois dans le domaine de l'enseignement et dans celui du divertissement. Que vous n'ayez pas reçu la reconnaissance que vous méritiez me blesse excessivement. Mais, malgré tout, le grand artiste que vous êtes a été l'honneur et le crédit de la France et si New York ne l'a pas compris et apprécié, tant pis pour New York.

Lotte Richardson

À tous ses amis du public et de la presse, Copeau adresse un dernier SALUT ET ADIEU [98] :

Ce sera pour toujours un honneur pour le Vieux Colombier d'avoir été choisi, tandis que l'Europe était en guerre, pour cette mission d'apporter à nos amis américains la culture française. En même temps que la guerre, cette mission prend fin. Nous devons retourner en France pour collaborer de toutes nos forces à la grande renaissance de la paix. Et nous prenons congé avec reconnaissance, et non sans tristesse, de la ville accueillante qui, pendant deux ans, a été pour nous une seconde patrie.

On m'a souvent dit, durant ces dernières semaines : « Ce sera après le départ du Vieux Colombier que sera réellement connue la signification de sa présence à New York. Quand vous serez loin, on commencera à vous rendre justice. » Et, en effet, j'ose espérer que l'absence ne nous portera pas pré-judice. Il est possible que nous laissions derrière nous une empreinte qui durera, qui s'élargira, une chose enfin qui vivra. Je crois que le sentiment très spécial ressenti par les fidèles du Vieux Colombier qui se rassemblaient chaque semaine, et même plusieurs fois par semaine, dans la petite salle de la 35ᵉ rue, ils ne le ressentiront dans aucun autre théâtre. Ce qu'ils ont senti c'était la présence subtile d'une âme qui parlait à leur âme et dont ils souhaitaient chaque jour s'approcher davantage, et qui, les ayant appelés, les retenait et prenait place dans leurs vies. Ce sentiment n'est pas exactement de l'admiration, ni le plaisir d'être diverti. Ce n'est pas seulement la jouissance de la beauté. C'est par-dessus tout une qualité humaine, quelque chose d'intime, sur quoi le cœur se referme avec plaisir et presque avec jalousie, quelque chose que, faute d'un meilleur mot, nous appellerons affection. L'attachement par l'affection, c'est ce que nous sommes fiers d'inspirer. Et c'est une méthode particulièrement française de conquête, ce joyeux acquiescement de l'esprit qui se livre lui-même, cette amitié pour un art dont le charme principal est d'être humain.

Quand on parle de notre saison 1913-1914, à Paris, comme d'un succès, on emploie un mot trompeur. Le Vieux Colom-bier n'a jamais connu le succès dans son sens immédiat. C'est lentement mais complètement que se fait la conquête de l'élé-ment sensible du public. Notre public parisien s'est recruté parmi ceux qui depuis longtemps n'allaient plus au théâtre, préférant la lecture d'une pièce à une représentation banale qui l'aurait défigurée. C'est pourquoi nous avons vu, avec une joie profonde, ce même sentiment germer de l'autre côté de l'Océan. C'est pourquoi je ne partage pas le sentiment de ceux qui disent que New York n'a pas été juste envers nous, que nous n'y avons pas été compris. Pourquoi? Parce que durant ces quarante-cinq semaines le théâtre n'a pas été plein chaque soir? Mais dans les heures les plus noires la sollicitude de nos amis était de plus en plus chaleureuse, de plus en plus empressée. Ils nous écrivaient : « Ne perdez pas courage ; res-tez vous-mêmes et ne nous quittez pas. Nous avons besoin de vous. » Il est vrai que nos meilleures représentations n'ont pas été les plus fréquentées. Mais quel pur enthousiasme dans ce public réduit, quelle qualité dans ses applaudissements, quel sincère amour de l'art! Peut-être seul un manque d'audace les empêchait de se lever de leurs fauteuils pour nous interpeller comme fît naguère un brave homme du parterre qui cria à Molière : « Courage, Molière, voilà la bonne comédie. »

Il faut résolument accepter d'être ce qu'on est, et en subir les conséquences. Et, comme nous disons en français : *tenir le coup*. C'est absurde, en étant différents des autres, de vouloir en même temps recevoir une approbation unanime qui, généralement, revient à ceux dont nous voulons nous séparer. Nous ne pouvons en même temps être les pourvoyeurs de l'élite et ceux de la foule, les serviteurs d'un idéal et ceux du box-office. La lutte que le Vieux Colombier a livrée à New York pendant plus de deux ans était inhérente à sa vraie nature. Les difficultés que nous avons rencontrées à New York ont été exactement les mêmes que celles que nous avions abordées et surmontées à Paris, avec, en plus, l'obstacle de la langue.

En octobre 1917, quand la Compagnie du Vieux Colombier arriva à New York on avait cru possible de créer d'un seul coup, et artificiellement, ce qui ne peut grandir que lentement, avec sincérité et sympathie. Il nous apparut nettement alors que si nous devions avoir un public, nous devions nous-mêmes, et nous seuls, le conquérir. Et nous nous mîmes à l'ouvrage, jour après jour, semaine après semaine, par notre travail, notre patience, notre foi, malgré les désappointements, les désertions, les trahisons, en dépit de la fatigue, de la maladie, des humiliations et de cette effroyable angoisse qui broie l'exilé dont le pays est envahi et menacé de destruction.

Et, peu à peu, l'amitié de ceux qui nous comprenaient vint à nous, avec respect, par estime, par cet échange de cœur à cœur qui donne avec générosité et reçoit en retour une joie qui n'a pas de prix. Peu à peu nous sentions que se recréaient l'atmosphère et l'élément qui nous étaient propres. L'échange devint de plus en plus aisé.

Une sorte d'intimité s'établit entre nous. Mois après mois, et d'une saison à l'autre, nous vîmes ce public se former et s'adapter à notre travail.

C'est pour cette raison qu'en partant nous avons le sentiment de briser un lien solide, le chagrin de quitter une amitié qui nous est chère et qui réellement nous appartient.

Et, en cette soirée du lundi 7 avril, en faisant nos adieux, notre émotion n'était pas feinte quand nous avons salué pour la dernière fois nos amis de New York et quand, cédant à un mouvement spontané ils envahirent la scène pour saisir les mains que nous tendions vers eux, et pour nous apporter, écrits sur les feuillets du programme, cinq cents noms que nous emportons avec nous. Cinq cents Américains de New York groupés autour d'une entreprise française qu'ils connaissent, qu'ils aiment, qu'ils ne veulent pas oublier et de laquelle ils souhaitent n'être pas oubliés.

Épilogue

*... Partir, voir, voyager, n'appartenir à
rien, aimer tout, se mirer et être reflété. Ou
bien cet autre ascétisme : se restreindre,
s'immobiliser, se contempler dans une
méthode, s'enfermer dans sa volonté... Ces
deux désespérés souhaits se poursuivent en
moi, se heurtent, se disloquent.*

J. C. Journal intime, 1903 (Appels, p. 50).

Après le départ de la troupe, Copeau et Jouvet restent encore deux
mois à New York. On n'échappera pas à un certain sentiment d'at-
tendrissement. Voilà deux hommes d'une haute valeur qui, après
une performance probablement unique dans l'histoire du théâtre,
sont pratiquement sans ressources. Jouvet donne des cours. Copeau
voyage, faisant des conférences. Il le fait avec joie. C'est comme s'il
revivait, débarrassé momentanément des souffrances que lui ont fait
subir les siens. Il trouve amitié chaleureuse et agissante auprès de
deux écrivains : Waldo Frank et Sherwood Anderson.
On trouve dans cet épilogue quelques-uns des beaux textes de la
plume de l'écrivain Jacques Copeau.
Dès 1916, il écrivait à la sœur de Charles Dullin, Pauline Teillon :
« Je porte un grand poids de péché et d'amour. Et si j'ai commis tant
de fautes, ce n'est pas par égoïsme, mais à cause de cette frénésie
presque sacrilège que j'ai de m'approcher de mon prochain. »
Cette auto-critique est sans doute excessive quand on constate que
c'est cette « frénésie » de s'approcher du prochain parfois le plus
cocasse qui inspire les récits qu'on va lire et où l'on retrouve enfin
la joie.

*C'est fini – le théâtre est fermé. On achève de faire les bagages. La
vie reprend.*

De l'école de Bremestead où sont encore les enfants, Maïène écrit :
[...] J'espère que tu viendras quand *ça sera fini*. Il fait tout tranquille et frais ici... quand tout ça sera fini – on partira...
[...] Chaque jour qui passe c'est un jour de moins et bientôt, bientôt nous allons revoir la France.
Souviens-toi que nous avons une philippine pour quand nous apercevrons les côtes de France – avec les peupliers – je suis bien sûre d'oublier.

Copeau écrit à sa mère :
La tournée projetée n'a pu avoir lieu ce qui est un déboire financier de plus... Mais au diable la finance... Je fais quelques travaux, je vais aller à Boston, à Northampton, à Chicago pour conférences [...]
Tous les journaux sont pleins de nos louanges et, maintenant que nous partons, tout le monde pleure notre départ.

On appelle le Vieux Colombier : « Ce théâtre révolutionnaire si singulièrement stimulant », *John Corbin écrit* [1] *:* « Quand le Vieux Colombier ouvrit ses portes le public jugea son répertoire avec mépris l'accusant d'être à la fois banal, prétentieux et intellectuel. Maintenant qu'elles sont fermées il lui apparaît soudain évident qu'il faut louer le même répertoire comme étant le seul jamais vu en Amérique où chaque pièce puisse être considérée comme étant une œuvre d'art littéraire et dramatique. De même lorsque M. Copeau nous montra d'abord ses méthodes de mise en scène il fut informé par notre intelligentsia que, loin d'être un novateur, il n'avait fait que copier les méthodes de Gordon Craig et de Reinhardt. Mais dans le catalogue de la récente exposition des artistes scéniques américains qui travaillent eux-mêmes selon la tradition décorative de ces maîtres, Copeau est salué comme un novateur ayant démontré que le " verbe dramatique " gagne à se faire entendre dans un environnement de stricte convention où le peintre et l'architecte n'ont pas de place. Telle est la méthode de notre intelligentsia, d'abord nous enterrons l'artiste, ensuite nous l'encensons. »

Dès son premier voyage à New York, Copeau, fasciné par ce Nouveau Monde qu'il découvrait, avait cherché à le comprendre, à le mieux connaître, à l'étudier. Les deux saisons qui s'achèvent ne

*lui en ont guère laissé le loisir. Il va tâcher de mettre à profit ces
deux derniers mois.*

Au moment de quitter ce pays, *écrit-il à Waldo Frank*, il me
semble chaque jour que je n'en ai pas assez profité.

Et vous, cher Waldo, je ne vous ai pas assez vu durant ces
deux années. Mais nous n'avions pas lieu d'être pressés, n'est-
ce pas? Nous savons bien que nous nous retrouverons, et que
l'amitié c'est pour toujours.

Samedi 12 avril, journal :

Déjeuné et passé une partie de la journée avec Waldo et
Stieglitz [2].

[...] Ses photographies sont des merveilles. Il en montre de
Miss O'Keefe [3] toute nue, qui est là, qui sourit.

Les peintures de Miss O'Keefe sont d'une fraîcheur (pour
ainsi dire abstraite) qu'il est difficile d'évoquer par des mots.
Elles affectent directement la sensibilité. Elles sont pures. Je
les ai longtemps regardées. [...]

*Copeau voudrait aussi revoir certaines personnes qu'il n'a fait
que croiser dans la bousculade du travail et qui auraient pu devenir
des amis...*

Il va dîner : avec les charmants Pierce. La sœur de Ruth est
là. Son cou me rappelle un peu Isadora. Et aussi l'expression
de son visage comme flétri par une gelée précoce, griffé par
la douleur (et aussi le port de la tête en haut, le froncement
du nez). Elle vient de perdre un enfant, qui est tombé par la
fenêtre. Elle vit mal avec son mari, un Polonais, qu'elle va
quitter. C'est bien cette sorte de hasard et de malheur qu'elle
porte en elle. On ne la quitte pas. La nuit, Ruth la prend
dans son lit. Elle a voulu me voir parce que " je crois en
quelque chose " dit-elle. Elle parle. Elle fait tout ce qu'elle
peut pour que la vie continue. Il semble par moments qu'elle
va se briser. Une fois elle dit presque en souriant qu'elle
m'accapare. Et elle ajoute : " Quand on souffre on voudrait...
tout... prendre. " Elle achève à peine sa phrase, dans un mouvement de mains crispées. Et elle laisse couler ses larmes sur
l'épaule de Ruth.

Le 14 avril, Copeau a dîné chez Otto H. Kahn et assisté à la première de Bonds of Interest [4] *par* The New York Theatre Guild.

Dès le 20 décembre 1918 il notait :
Réunion du Theatre Guild qui doit prendre notre succession au Garrick.

Rollo Peters, Cheney et cet affreux Phil Moëller. Incohérence. Manque de vision. Ils ne feront rien. Ils sont incapables de comprendre, même d'écouter ce qu'on leur dit, plus incapables encore de patience, de modestie, de sacrifice. Ils n'ont pas de nécessité, de raison d'être.

[...] Je me demande comment je ne suis pas encore *mort* ici.

Ce 14 avril, il note encore, après la première du Theatre Guild :
[...] dans notre théâtre, sur notre scène, se servant de notre installation et la défigurant.

Et ils n'ont même pas eu le sentiment de ce qu'ils faisaient.

La presse [5] *cependant considère que* le Theatre Guild travaille dans la ligne tracée par M. Copeau.

Quoique Laurence Reamer : [...] ne voit rien dans la décoration qui sorte de l'ordinaire. La construction scénique du Garrick qui survit comme un vestige à la disparition de Copeau, rend aisé des arrangements artistiques. Mais il n'y eut pas un tableau comparable en beauté au patio baigné de soleil du *Carrosse du Saint Sacrement.* Ceux qui ont vu ce tableau ne pourront rien trouver d'aussi beau dans tous les décors de la pièce du Theatre Guild.

Le 19 août, Rollo Peters dans une interview sur les « Artistes de la Scène nouvelle » *commentera encore les* « principes » *de Copeau* [6] : Vous savez bien sûr, *dira-t-il,* que les expédients scéniques de M. Copeau étaient merveilleusement économiques et simplifiaient les problèmes de changements de décors. Mais il fit ce que font beaucoup d'hommes qui travaillent à la question des décors : il édifia une théorie qui l'asservit au point de faire de cette théorie pour ainsi dire une spécialité. C'est là l'écueil de toute théorie trop hermétique.

On peut considérer que cette opinion de Rollo Peters repose sur un malentendu : Pendant la deuxième saison, on fut contraint de se servir du dispositif fixe grâce à des expédients ingénieux, *à cause d'un répertoire qui aurait demandé des décors réalistes et qui se serait fort bien passé de la convention de ce dispositif. Il fut alors utilisé comme un simple support pour divers éléments de décors qui, quoique merveilleusement économiques et pratiques pour les changements de lieux, ne s'accordaient nullement à la conception initiale du dispositif fixe.*

16 avril, suite du Journal :

Au soir, avec Waldo, Margaret et Suzanne, je suis allé au Théâtre juif de la 2ᵉ Avenue, le theatre d'Adler [7]. Waldo m'a souvent dit : Vous verrez que tout ce qui est vivant et humain à New York est d'origine juive, slave, hongroise, etc., et je l'accusais de parti-pris, mais plus je vais plus je pense qu'il a raison.

Cette soirée a été unique. J'avais gardé un souvenir extraordinaire du Théâtre juif de White-Chapel à Londres. En entrant dans celui-ci je suis un peu déçu par son manque de vétusté, par sa laideur américaine. Mais, malgré eux, le public et les acteurs vont changer cela.

Le public. Tous les âges. Tous les degrés sociaux. Aussi *mêlé* que possible (il est vrai que de dire « un public choisi » cela est affreux). Je me rappelle surtout un homme en uniforme avec ses deux béquilles; une grosse fille noire aux mamelles visibles, derrière moi; un petit shop-boy, au premier étage, vêtu d'un complet de drap uni vert pomme; enfin, à la dernière galerie, toute seule avec son parapluie, en noir, la hanche creuse, une vieille juive penchée vers la scène et dilatée par le spectacle. Elle venait pour la pièce, celle-là. Tout ce public d'ailleurs venait pour voir le spectacle. Il entre bruyamment, souvent par bandes de parents ou d'amis, qui s'interpellent. On installe les manteaux sur les genoux ou sur les dossiers des chaises, on déballe les victuailles. Et ce brouhaha ne cesse pas avec le lever du rideau. Tout d'abord on fait peu attention à la pièce et aux acteurs. Le *sans-gêne* de ce public est très remarquable. Il n'a pas de respect *a priori* pour la scène. Tout dépend de ce qui va s'y jouer, tout dépend du spectacle, tout dépend de *l'intérêt* qui sera soulevé en lui. Et en effet petit à petit, sans qu'on y prenne garde, l'audience se solidifie, se stabilise, s'organise et au moment du « climax » dramatique, tout ce public n'est plus qu'un seul être sentant et réagissant, avec unanimité et que l'acteur gouverne à son gré.

Au moment où le père injustement condamné revient de prison pour trouver son petit-fils atteint de la tuberculose, toute la salle sanglotait. Et ce n'était pas de ces pleurs étouffés, de ces reniflements discrets qu'on observe dans les théâtres bourgeois, non, un grand sanglot populaire, une grande lamentation déclamée, comme j'imagine devait la pousser le peuple grec aux grandes péripéties du drame national, s'unissant au chœur pour subir la purgation tragique.

Cette liberté, ce que j'appelais ce sans-gêne, cette sincérité de réaction, sont l'indice d'une culture antérieure et d'une grande sensibilité actuelle. (Les audiences bourgeoises n'ont pas cette disponibilité du cœur. Elles ont d'autres soucis que celui de l'art. Le type de l'*abonné* est vraiment une chose ignoble. Moi, ce soir-là, je pleurais avec le populo.) Ce public juif me faisait ressouvenir de ce que j'ai vu du public italien qui a la même liberté, c'est-à-dire le même goût. Rien de commun avec l'irrespect du public bourgeois américain, qui n'est que de l'insensibilité.

La pièce commençait assez pauvrement, avec toutes les conventions acceptées (entrées de l'acteur en chef qui feint la surprise à l'applaudissement). Mais quand ces conventions sont observées sincèrement, elles ont la majesté des rites.

Réalisme tout à fait factice du décor et de l'accessoire (plus ou moins élaboré et mis au point, plus ou moins riche ou pauvre, le réalisme matériel au théâtre est toujours inadéquat. Id. pour le décor symbolique (!) D'où le décor, la représentation décorative, le dédoublement plastique de la pensée toujours inadéquat – tellement le théâtre est grand – donc *pas de décor* ni d'une sorte ni de l'autre). Et au contraire réalisme sincère du jeu dans certaines scènes. Bon dialogue d'ensemble, et tout à coup un numéro s'introduit (acteur ou épisode).

Parfaite franchise et liberté : à la fin du deuxième acte. C'est une noce, laquelle entraîne d'extrêmes complications pathétiques. Mais enfin c'est une noce en soi et, comme telle, prétexte à divertissement. Alors l'action s'interrompt net, l'orchestre joue, les invités sont introduits (ces figurants en jaquettes et redingotes semblent des mannequins de magasins de confection populaires). Ils formeront le chœur tandis que les protagonistes, y compris la vieille maman si décente, si touchante et si vraie, chanteront et danseront, face au public naturellement puisque nous sommes au théâtre. Les danses viennent-elles de Broadway ou sont-elles de tradition russe ou yiddish, je ne sais. Mais s'il y a déformation, on sent l'origine et l'acteur y met cette grâce qui vient d'un vrai contact avec le public.

Au troisième acte, qui est le *climax* pathétique, nous sommes chez la mauvaise fille. La grand-mère et le petit garçon sont dans la tristesse et dans l'abandon. Nous pourrions avoir un dialogue sur ce sujet. Ou plutôt nous sommes au courant des faits par les scènes qui précèdent, mais la détresse et la douleur de ces deux êtres n'a pas reçu d'expression pour elle-même, de traduction lyrique. Ils parlent, ils s'assoient auprès l'un de l'autre et (soit qu'il y ait là tradition, ou exploitation du goût public, ou sentiment de la nécessité de ce mode d'expression, mais il y avait certainement une nécessité d'un ordre quelconque car j'ai senti la chose *venir* de loin) ils se mettent à *chanter* en alternant, une longue, longue complainte qui rappelle la musique religieuse juive (et la musique russe qui en est influencée), qui rappelle à la fois les bateliers de la Volga et les captivités d'Israël, et où s'exprime tout un monde de douleur, de mélancolie. Quand ils ont fini de chanter ils sortent en se tenant par la main, et la pièce continue.

Au dernier acte (dans un grand salon blanc et or qui finit par être beau à force de style) l'action ne compte plus, ni les caractères. C'est le dénouement optimiste qui donne, selon la tradition juive, la victoire aux parents sur les enfants, dénouement précédé d'une sorte de divertissement où chaque personnage, à part, vient faire son numéro, chanter sa chansonnette. Les favoris sont rappelés dix fois et cela dure jusqu'à minuit. À la fin Adler paraît lui-même, *délivré* de son personnage, sans barbe ni moustache, en habit, avec lorgnon, et ses beaux cheveux blancs, *en Adler*. Il peut maintenant faire des signes à son public qui l'acclame. Il est beau (très vieux mais se met encore à genoux facilement) et porte un peu de cette majesté qu'on attribue à Irving et que j'ai vue chez Salvini [8].

Dans un entr'acte l'un des acteurs (le traître) est venu devant le rideau. On l'a hué (aux rappels le *caractère* subsiste). Mais il a expliqué qu'il est au naturel un bon garçon, et fait un speech en faveur d'un hôpital yiddish qu'il s'agissait de soutenir. Les dollars ont aussitôt afflué et chacun en souscrivant donnait son nom que l'acteur répétait tout haut.

Après le spectacle, soupé dans un petit restaurant hongrois, d'atmosphère cordiale.

Le 17 avril Copeau et Agnès quittent la petite chambre, la cheminée et le réchaud à gaz de la 73ᵉ rue. Ils prennent le train pour Lake George où ils s'installent dans une autre minuscule chambre au-dessus du lac, près de l'école de Bremestead.

Copeau retrouve ses enfants et son public enthousiaste de jeunes filles. Il se met à leur faire des lectures et à préparer avec elles un spectacle. Il s'indigne : Le professeur de français, *une Française,* ne possède pas un Molière complet!

La Compagnie du Vieux Colombier n'a pas encore quitté New York. Jouvet y restera avec sa famille jusqu'à son départ avec Copeau au mois de juin, pour essayer, comme lui, de gagner quelques dollars. Il s'occupe de l'embarquement du matériel du théâtre, en donne des nouvelles à Copeau qui lui répond :

J'aimerais avoir confirmation que tous les bagages sont bien partis. Où le buste de Molière et les caisses de tableaux vont-ils rester jusqu'au départ? Cela ne va-t-il pas faire encore des frais? et ne faudrait-il pas avoir un reçu de consignation? Rien ne prouve que ces objets nous appartiennent.

Jeudi, j'étais au Grand Central avant neuf heures et suis resté à l'entrée du quai jusqu'au départ du train, t'attendant, mais je ne t'ai pas vu.

J'ai cherché vainement ici un gîte convenable pour toi et ta famille. Il n'y a rien. Que vas-tu faire? C'est un de mes soucis. Cinquante ou soixante dollars par semaine ne se trouvent pas si facilement.

Avec une liste de noms de personnes susceptibles de lui venir en aide, Copeau ajoute :

[...] La seule chose que je puisse dire, au sujet de l'avenir, c'est que je ne crois pas que je puisse reprendre le travail à Paris, c'est-à-dire l'exploitation effective du théâtre, avant de longs mois, environ janvier 1920.

Là-dessus, et sur la nature de mes projets, je t'écrirai longuement. J'en suis incapable maintenant. Jusqu'à ce jour je ne pouvais prendre une plume. C'est à peine si je puis penser, ou du moins ordonner mes pensées et les diriger. J'ai fatigué, je pourrais presque dire : épuisé tant de choses en moi, depuis deux ans, tant de choses qui vivaient en moi d'une vie si fraîche, si libre et si confiante, qu'une longue convalescence me sera nécessaire, plus longue peut-être que je ne la prévois. Je vais jusqu'à redouter de rentrer en France où je sens, à travers les lettres qu'on m'écrit, que tout fermente, bourgeonne, éclôt, se transforme avec une rapidité, une intrépidité qui m'épouvantent.

Écris-moi, mon cher Jouvet, et dis-moi ce que tu vas faire.

Affectueusement à toi.

Le 21 avril, laissant Copeau, Jouvet et leurs familles ainsi que Suzanne Bing pour quelques mois encore aux États-Unis, le reste de la troupe du Vieux Colombier s'embarque pour la France, à bord du Rochambeau.

Le lendemain Jouvet écrit à Copeau :

Tout est donc parti. Je suis arrivé trop tard au bateau pour saluer les « camarades » – qui étaient déjà embarqués – ayant complètement oublié de me gratifier de leur « farewell » [...] Que Dieu conduise leur voile! [...] N'ai pu atteindre encore Herndon pour savoir si les colis sont partis – je les crois en route – je le saurai demain j'espère. *(En effet trente colis sont bien partis le 21 à bord du* Rochambeau : *seize paniers, treize caisses, un* bundle.*)*

Le buste de Molière et les deux caisses de tableaux sont définitivement restés.

Nous voici, nous, définitivement installés 29W. 25th Street dans un « parloir » antique et solennel – une grande pièce divisée par d'incomplètes cloisons – où le meuble est luxueux et ignoble. [...] Nous avons déménagé dimanche de Pâques – toute la journée. [...]

Je suis personnellement malade – et décomprimé de cette décompression qui procure de réels malaises physiques. L'air est printanier, sinistrement déprimant et Fifth Avenue est tantôt écœurante ou charmante suivant le moment où je m'y sens. [...]

Suis allé voir *Sakountala* [9] au Village Theater.

Tout ça me décourage singulièrement quand j'en sors. Je vous f... mon billet que si je n'avais pas confiance en vous – et si je n'avais pas *par vous* l'estime de mon travail – l'estime de notre but – et si je ne pensais pas réellement que nous sommes dans le bon et le seul chemin – si je pouvais une seule minute penser que ce que nous faisons, ou avons fait est de ce *genre-là*, je veux dire aussi vain, aussi inutile, aussi à côté de la situation, que tous ces miteux d'essais, et ces tirbouchonnages de mise en scène – eh bien – je vous fiche mon billet que je me lancerais dans le commerce des coquetiers ou la vente du café en poudre – incontinent.

Je vous écris parce que ça me « retape » – ça va déjà mieux depuis tout à l'heure – j'en ai besoin – j'ai des tas de choses à vous dire d'ailleurs – j'ai même une lettre de vous à laquelle je n'ai jamais répondu. La seule lettre que vous m'ayez écrite et qui m'a causé de la peine lorsque je l'ai reçue – datée de Morristown – reçue à New York [10]. [...]

Copeau et Jouvet avaient pourtant retrouvé leur union, la joie et l'imagination dans la collaboration, en construisant le dispositif pour la mise en scène de Pelléas et Mélisande *en février. Et, depuis, la confiance semblait renaître entre eux. Mais la brisure qui s'est faite ne sera jamais réparée.*

En ce moment Jouvet, comme Copeau, doit faire face à des difficultés financières. Il cherche aussi à gagner sa vie en travaillant à ce qu'il aime. Comme par le passé il se tourne vers son patron et lui demande conseil. Il poursuit sa lettre.

22 avril :
J'ai vu hier un ami de Raymond... très très gentil garçon – m'a causé très « harmonieusement » de ce que nous avons fait – m'a proposé de me placer des « articles » – je doute d'en faire pour 50 dollars par semaine – [...] N'ai pas encore entamé mes 300 dollars – mais ça ne saurait tarder.

Vu aussi hier soir dans une soirée d'acteurs, managers et autres, pas mal d'échantillons américains critiquant avec un sens assez juste toute la production américaine – mais veules, tristifiants – comme certains de ces cénacles du boulevard Saint-Michel – m'ont proposé de gagner 25 dollars par jour à faire du ciné – comme acteur – mais je n'aimerais pas faire ça – je n'aimerais pas avoir fait ça. J'en ai marre aussi de besogner. Je voudrais bien pouvoir *vivre* en travaillant – *vivre pour travailler* – et non pas travailler pour vivre.

Ai emprunté à l'un de ces messieurs – de ci-dessus – un

énorme, formidable, incroyable bouquin sur le théâtre [...] naturellement c'est allemand.

J'y retrouve des essais de scènes comme ceci ou comme cela que *j'avais déjà inventées* – tout seul – parfaitement – et qui ne me satisfaisaient pas – et que je vois qu'on a réalisées, essayées, et j'en rigole – et il n'y a rien qui m'épate ou me touche, sauf de-ci de-là, un beau *plan par terre*, carré ou hexagonal dans son principe et dont les lignes sont très balancées. Le plan par terre – le plan par terre! Tout est là! Il faut commencer par là – à nous les vieilles cathédrales.

Toutes les scènes tournantes de l'Allemagne sont là – et dans un coin, un tout petit plan par terre – *Theater Molière in Palais Royal zu Paris!*

Bonsoir

Suite :

[...] Voici ce que j'ai pensé définitivement – dites-moi ce que vous en pensez...

Je vais me mettre à travailler tout simplement ici – tranquillement, sans presse, et sans énervement.

Je vais me mettre à écrire des notes et à mettre à jour des papiers – à résumer le travail de scène fait durant ces deux saisons, à en classer, compléter les plans, les dessins [...]; ensuite j'essaierai de les placer dans des « revues » ici – si possible. D'autre part si je trouve quelques conférences – j'en toucherai les cachets – et peut-être pourrons-nous solutionner agréablement et profitablement notre séjour ici.

[...] Franck me dit que je trouverai certainement à placer des articles [...] qu'en pensez-vous? Je ne vois décidément pas d'autre moyen *de continuer mon travail* quoi vous pensez, comme dit Niousk! [...]

La collection photographique des décors de la dernière saison nous permettra déjà, à Paris, si vous le voulez, de faire une conférence bien illustrée de notre travail ici. J'ai tous les clichés. [...] Voulez-vous que je travaille comme ça?

Pourquoi pas un article sur Copeau, metteur en scène? Hein? Non? Copeau vu de son régisseur. Je ne sais pas ce qu'il pourra clairement élucider, le régisseur, mais enfin – admettez qu'il est bien placé pour.

Voilà la petite classe qui rentre.

Plus moyen – ils sont déchaînés – à ce soir ou à demain.

Je vous embrasse tout pleinement.

Tout à ses projets, Jouvet continue sa lettre le 26 avril :
Et aussi des cours! des cours sur la technique de la scène –
toujours dans le même domaine. Je sens que ça me *clarifierait*
admirablement, que ça me filtrerait et dépouillerait – comme
le vin, qui se décante.

Jouvet décrit alors longuement ce cours sur la machinerie et sa
finalité *. *Et il poursuit :*
J'ai gardé dans mes dépouilles un Aristophane – et je le lis
– j'en ai l'âme ravie. Pourquoi ne pas jouer la *Paix?* Je tâche
de lire entre les lignes les mises en scène – et retrouver les
évolutions et l'utilisation des *espaces*. [...]
Else est esclave des deux petiots, ce n'est pas commode –
la propriétaire nous fait des histoires – on ne peut faire de
cuisine dans notre pièce – c'est une singulière histoire quand
vient l'heure des repas – nous faisons à tour de rôle la garde
pour qu'ils soient sages. – Il y a des moments où je voudrais
être très riche.
Là-dessus – sur cette conclusion énoncée et misérablement
moderne,

– sans en être entamé –
je vous embrasse.

*Assurément, Jouvet aussi bien que Copeau, après deux années
d'un tel labeur, auraient mérité d'être, sinon très riches du moins
d'avoir gagné une petite trêve dans les soucis d'argent. Copeau
hésite longuement, puis se décide à écrire à Otto Kahn une lettre **
où il lui expose sa situation au terme de ces deux années et il conclut
ainsi :*

Ne croyez pas, cher Monsieur Kahn, que je cherche à vous
apitoyer. Je n'ai pas noirci le tableau d'un seul trait. À quarante ans, je suis comme au premier jour de ma carrière,
aussi peu sûr du lendemain. Sans doute je sortirai de ce mauvais pas comme de tant d'autres. [...] Mais ce qui m'est le plus
amer de tout c'est de n'avoir pas conquis la liberté de mon

---

* Extraits de cette lettre de Jouvet en Appendice O, p. 567.
** Voir cette lettre en Appendice P, p. 569.

travail. J'ai foi en moi-même. Je sais ce que je pourrais accomplir. Je n'ai jamais pu donner ma mesure parce que je n'en ai jamais eu les moyens matériels. Ai-je besoin de vous dire que je ne comptais pas m'enrichir en Amérique? Mais il m'eût été réconfortant de penser que mes deux années d'effroyable labeur à New York préparaient deux années de libre création que j'aurais pu donner à mon pays.

Croyez-moi, cher Monsieur Kahn, votre fidèlement dévoué et reconnaissant,

Jacques Copeau

Établi pour quelque temps à Bremestead, Copeau fera de là plusieurs voyages pour faire des conférences.

Le matin du 26 avril il va se rendre à Boston. On attelle le « buggy » de l'école et on le conduit à la gare de Fort Edward. Quand les Indiens reviendront... pensé à cela, note-t-il, en longeant la rive claire du Lake George...

Journal. Gare Fort Edward. Petit café, Six énormes figures, si vives de peau qu'elles semblent bouillies, macérant dans une odeur de souliers, d'alcool et de tabac.

Quelques gamins jouent au base-ball. Peu à peu les voyageurs sur le quai prennent part au jeu. Hello! Boy, Kid!

Dans le train. Le ménage italien avec le bébé. On l'abreuve de lait concentré qu'il vomit aussitôt. Ils l'essuient. La femme enceinte, en chapeau à plumes, l'air épuisé, récalcitrante. L'homme enjoué, encourageant, taquinant du doigt le petit gourmand qui n'arrête pas de crier de douleur en agitant convulsivement ses deux petites jambes grosses comme des allumettes. Odeur animale. Ils ont des vêtements bourgeois, des chaussures neuves, peut-être un stylo. J'évoque un paysan français, italien ou russe, sur sa terre.

Autre groupe d'Italiens. Sur la voie de réussir, l'enfant bien élevé, la femme en robe de soie noire, décente. L'homme l'air contremaître.

En face, le conducteur du train. Établi dans sa fonction, ni à droite ni à gauche. Lunettes d'or, bien rasé, en uniforme, bourré de calepins. Luisant, métallique. Pourvu de poches, de compartiments, d'appareils. Paré pour la réponse automatique. (Plus de serviteurs. Des appareils.) Est-ce que ceci vaut mieux que cela?

Chacun a une histoire : notre bonne italienne, le nègre de

l'ascenseur de Park Avenue qui étudie, le petit Smerdiakov de l'ascenseur du 34th Street qui s'épluche devant la glace. Le vieux *door-keeper* du théâtre qui a pris cet emploi pour avoir chaud, rêve du Sud et de complets blancs, raconte des histoires de marins et de mines d'or. (Lui seul est venu exprès pour prendre congé de moi, décemment. Son air hésitant et mal adapté. Les autres n'ont pas fait un signe, y compris Philomène (l'habilleuse), qui me tutoyait et qui a disparu brusquement. Elle aussi a une histoire, mariée deux fois, femme de cabine sur un bateau, elle a fait le tour du monde et vu la Chine.)

Copeau prend plaisir au voyage. Il lit Windy Mac Pherson's Son *de Sherwood Anderson* [11] *avec « un énorme intérêt » avait-il écrit à Waldo Frank* [12] *lorsqu'il en commença la lecture. Et il ajoutait :*

Puisque vous avez la complaisance de m'aider à faire mon éducation, si cela ne vous prend pas trop de temps, je voudrais que vous puissiez m'indiquer les meilleurs ouvrages à lire sur les sujets suivants :

Une histoire politique et sociale (abrégée), de l'Amérique – quelques biographies de grands hommes. – Ouvrages sur l'éducation, sur la Publicité, sur l'Armée du Salut, sur Billy Sunday. – Un dictionnaire *américain*.

7 h 30 P.M. : Le train arrive à Worcester. Ceinture de fabriques. Les résidences, avec leurs toits gris comme des carapaces, s'étagent sur la colline dominée d'un faux château à poivrières.

Plus de grâce, de gaieté que dans aucune autre ville que j'aie vue. Même les débris de ferrailles sont mieux rangés qu'ailleurs, moins hideux, et l'aspect industriel ne fait pas penser à une catastrophe.

Inscription des églises : *Rest and Pray.*

27 avril, à Boston, pour la clôture du Salon Français, conférence sur la Rénovation dramatique française [13].

De retour à Bremestead, Copeau écrit à Jouvet : J'ai trouvé tes deux longues lettres aujourd'hui.

Il m'est difficile de te bien répondre parce que la moindre phrase qui me vient à l'esprit amène après elle vingt pages.

Ce serait un volume qu'il me faudrait t'écrire. Je l'écrirai un jour. J'en suis présentement incapable parce que je suis las, harassé, fatigué jusqu'au fond, d'une fatigue qui vient de l'âme. Non pas le moins du monde découragé, mais triste, moi qui n'avais jamais connu la tristesse, je crois bien. Il m'est difficile de t'écrire d'abondance comme je le faisais jadis, parce qu'il y a entre nous un grand intervalle obscur, parce que je ne te vois plus très bien. Et quand je te parle, je ne suis plus certain d'être compris, comme je l'étais jadis.

Je puis cependant te dire ce que je pense de ton plan de travail. Je comprends ton désir de *continuer ton travail* [...] Je désirerais cependant que ne fut publié aucun document concernant le Vieux Colombier. Pour ce qu'on peut appeler : mes idées, elles forment à mes yeux un tout si cohérent, elles font tellement partie de *notre travail même*, de notre expérience quotidienne, que je souffrirais de les voir « exposées » dans un papier américain quelconque, alors qu'elles ne le furent jamais en France et que le jour où elles le seront ce sera d'ensemble, en connexion avec tout ce que nous avons fait depuis le premier jour. [...]

Je ne sais quand je pourrai réellement reprendre le travail. Pour le moment mon esprit a cessé de produire. Et ce n'est pas le besoin de produire que je sens, mais de vérifier. Dans tout ce que j'ai fait, j'ai toujours cherché *la continuité*. Depuis un an, il y a dans ma vie une rupture, et je ne sais pas encore comment elle pourra être réparée. La première chose est de *sentir* cette rupture et de vouloir la réparer.

Veux-tu m'envoyer d'urgence un exemplaire de *Gringoire*, ou de *La Coupe enchantée*, ou un Molière. J'en ai besoin pour lire ici aux petites filles. [...]

Lundi 28 avril, Jouvet répond aussitôt :

Mon très cher et unique patron

Ça allait assez bien ce matin – et voilà que je reçois votre lettre – et ça ne va plus guère. Il ne faut pas m'écrire de ce « train-là » ou alors je suis foutu.

Je sais, je sens, j'ai senti amèrement et douloureusement et très sentimentalement ce que vous sentez depuis longtemps. Je l'ai même mal interprété. Je l'ai stupidement rapporté à moi d'abord – sans songer à vous – j'en ai fait des erreurs. J'ai tourné autour – j'en ai été aigre, rageur – j'ai passé par tous les « états » possibles. Depuis longtemps je n'en suis que peiné et affecté. Je l'ai mêlé à mon travail. Je n'en suis maintenant qu'ému filialement et patiemment et impatiemment je vous attends, comme on attend ces convalescents paresseux – dont on est sûr de la guérison – et pour lesquels il n'y a rien à faire qu'attendre fidèlement – en gardant pour soi beaucoup de choses – qu'il vaudra mieux ne se dire que plus tard – loin du lieu de la maladie.

Je n'ai pas de confession à faire là-dessus – je sais l'endroit où il faut dire « peccavi » – et on parlera de cela plus tard – si vous voulez bien.

Mais pour l'amour de Dieu! ne vous sentez pas si découragé et ne me dites pas que vous ne pouvez plus *penser* – mais mon pauvre patron – vous ne faites que ça – c'est ça qui vous tue actuellement – vous êtes dans un « bourbier » de pensées – et je ne sache pas que « la fermentation, le bourgeonnement, les éclosions rapides et l'intrépidité » soient pour vous effrayer ou vous décourager – que vous preniez votre temps pour réfléchir, ordonner et coordonner, soit, mais ne vous croyez pas si faible et si « épuisé » je vous prie.

Maintenant – je n'irai *actuellement* voir ni Belasco, ni Hopkins, ni d'autres – *Je suis décidé à travailler* [...] J'ai réfléchi hier soir sur l'idée de ces cours, [...] quelques cachets de conférences. Cela me suffira pour vivre. Et si ça ne marche pas, j'irai faire du ciné comme simple acteur.

Aller au Danemark [14] ne me sourit guère parce que d'abord mon « capital » sera immédiatement mangé, ensuite parce que ce sera « l'exil » – et que je veux rester près de vous – quoi qu'il en soit.

Je ne sais si je me trompe, mais j'ai l'impression que cette période ici me sera profitable – que je *vais travailler* – à condition que vous vouliez bien de temps en temps m'en dire un mot – et ne pas rester tout seul avec vos « pensées ».

[...] Vous ne dites pas « Jessmin » mais vous y « pensez ». Mon pauvre patron vous me calomniez, vous vous oubliez, vous m'oubliez.

Tout de suite – voici ce que je vais faire – *Jouvet expose à nouveau son plan de conférences et de cours.*

Dame, il y aura du « vous » dedans – j'en suis fait – j'en suis nourri – je pense que je le traduirai bien – que je le dirai bien – si vous pensez que oui – dites tout de suite – je vais commencer à écrire dès ce soir – si vous dites non – j'arrêterai les frais.

De toute façon – je suis ici – j'y reste pour le moment – je ne *sens* rien de mieux à faire. [...]

Je vais m'occuper des caisses de peinture et du buste.

Voilà la petite classe qui rentre – je boucle tout de suite – je vais prendre la garde pour le déjeuner – marcher à quatre pattes dans la chambre – me faire marcher sur le ventre et mettre les doigts dans le nez.

Je vous embrasse bien tendrement de tout mon cœur.

L. J.

30 avril, Copeau répond :

[...] De toute ta lettre je ne retiens que cette phrase : « Je veux rester près de vous – quoi qu'il en soit. » Il est arrivé bien souvent qu'une phrase comme celle-là, sans plus, eût dissipé bien de l'obscurité, et je l'attendais en vain. L'expression simple d'un sentiment *fondamental*. Il n'y avait plus rien de fondamental. Il n'y avait plus de fondements.

Tu dis que tu m'attends. Cela aussi m'est bon. Mais je ne comprends pas tout à fait. Je n'ai jamais bougé de la place où je suis depuis toujours.

Ne dis pas : « Vous me calomniez, vous vous oubliez, vous m'oubliez. » Non, Jouvet, au contraire je n'ai jamais pu t'oublier. C'est toi qui m'as longtemps oublié. Et c'est de quoi je ne suis pas encore revenu : que tu aies pu m'oublier. [...] Je ne te dis pas cela pour t'attrister. Mais il faut savoir que je ne puis plus rien faire, que rien ne peut être fait avec moi aussi longtemps que « tout cela » n'aura pas été parfaitement expliqué, reconnu, et purgé. Parce qu'il ne faut pas que « cela » se reproduise. Il s'agit en effet de toute la vie, d'un travail et d'une œuvre qui doivent durer toute la vie. [...]

Waldo Frank a vécu trop longtemps dans l'intimité de Copeau et de Jouvet pour ne pas comprendre... Il écrit à Copeau :

Reposez-vous, cher ami, et ne tâchez pas à penser. Rentrez dans le corps spirituel des arbres et de l'herbe, et ragaillardissez vous-même dans la connaissance de votre belle et authentique valeur. Dieu est en vous.

*Quelques jours plus tard il envoie à Copeau l'*Introduction à *son livre,* Our America *qu'il vient de terminer et qui est dédié à* Mes chers Jacques Copeau et Gaston Gallimard.

Au sens vrai, ce livre est votre ouvrage... Vous êtes venus en Amérique et nous avons été amis. Vous étiez pleins de la volonté de comprendre. Vous m'avez assailli de questions sur mon grand pays [...]. Et j'étais plein du désir de partager avec vous mon pays... [15].

Copeau se souviendra toujours du temps où il se promenait dans les rues sombres de la ville, à New York, avec le cher Waldo Frank. C'est lui qui m'a initié à ce monde inconnu pour moi en des entretiens passionnants d'où devait sortir son livre : *Our America.*

Le 30 avril arrive à Bremestead une lettre de Roger Martin du Gard datée du 13 avril [16].

[...] J'ai vu assez longuement Gallimard, et ces rencontres ont été pour moi des éclaircies délicieuses, très réconfortantes. Il m'a parlé de toi et du Colombier, cent fois, et avec le plus grand détail. Comme je suis heureux, mon vieux, et comme j'ai de grandes espérances!

J'ai aimé Gaston plus que jamais, pour la tendresse renouvelée qu'il te porte, pour son admiration *enthousiaste* de ce que tu as réalisé là-bas. J'avoue que nos dernières conversations sur lui, et sur son rôle au théâtre, auxquelles sont venues s'ajouter, comme un triste complément, les conversations désenchantées que Gallimard avait eues avec Hélène l'an dernier, lors de son séjour en France, me laissaient au cœur une sourde *inquiétude* et une profonde tristesse. Aussi cela a-t-il été pour moi une joie *radieuse,* d'entendre notre bon Gaston me parler de toi, avec un bon visage épanoui de sincérité, confessant que bien souvent il s'était trompé sur toi et sur l'œuvre, mais que c'était histoire ancienne; que ces mois de contact plus conscient lui avaient ouvert les yeux et rafraîchi le cœur, et qu'il rapportait de l'expérience d'Amérique une certitude plus impérieuse que jamais de la grandeur de ta tâche, et de l'adaptation exceptionnelle de tes dons à cette tâche géniale.

À travers son *brûlant* enthousiasme, mon vieux, j'ai vécu un peu de votre vie américaine, j'ai presque « vu » certaines mises en scène, *Scapin, Pelléas, le Médecin malgré lui, la pièce chinoise* [17], et tant d'autres. J'ai participé aux difficultés rencontrées, combattues, vaincues souvent. J'ai compris bien des choses, à travers lui. Et surtout, j'éprouve un immense apaisement à songer que son adhésion est redevenue si totale, si vraie, et qu'il te porte une affection où les malentendus n'ont plus prise. Quels que soient maintenant tes sentiments pour lui et pour sa collaboration, je suis certain que le bloc est reconstitué, et le souvenir que j'avais conservé douloureusement d'une fêlure commencée et grave, s'est joyeusement effacé, me rendant plus confiance que jamais, et accroissant le plaisir profond que je ressens à être l'ami de tous les deux. En avant pour la réalisation! [...]

Déjà Gaston projette un tas de choses neuves, qui me séduisent comme telles. Car vivre c'est évoluer, et après un coup de massue comme celui de la guerre, il n'y a d'autre moyen de se reprendre que d'entreprendre largement du nouveau.

[...] Et toi, grand frère, quand reviens-tu? J'attends de t'avoir revu pour orienter beaucoup d'éléments de ma vie. Je pense souvent à ce retour. Tu vas nous débarquer éreinté et nerveux, et il va falloir obtenir que tu te reposes longuement. Et d'autre part, il est essentiel que le théâtre reprenne sa place dès la saison prochaine et qu'il rouvre au plus tard en novembre [...]. Ai-je besoin de te redire que, quoi que tu décides, nous serons avec toi, et que nous mettons, Hélène et moi, toute notre bonne volonté et nos bras à ta disposition au cas où tu aurais besoin de tous les concours amis? Nous ne faisons aucun projet, nous t'attendons. Si tu vois quelque emploi de nos capacités, tu pourras en user. Le Théâtre d'abord. Je ne reprendrai ma vie personnelle et mes travaux qu'après avoir offert mon temps et mes forces à l'œuvre qui doit renaître en France, dès l'automne. Donc si tu fais, pendant les loisirs de la traversée, des projets de travail, tu peux compter sur nous deux, entièrement; nous ne disposerons de nous-mêmes, qu'après toi.

Ce qui me ravit c'est de voir Christiane faire, sur un autre plan, les mêmes rêves que nous, et attendre tes enfants avec la même impatience d'affection et le même élan. Il faut que l'avenir ne déçoive pas tant de beaux sentiments, des dispositions si fécondes, – n'est-ce pas?

[...] Ce que tu as pu souffrir là-bas est passé, et il ne doit t'en rester que de l'expérience et de la force acquise. Ici, tu seras plus aidé, plus entouré; j'envie le rôle de ceux qui, là-bas, n'ont pas failli à la tâche de te soutenir aux moments durs! Il y en aura encore, mais il y aura aussi des heures de réalisation réparatrice et c'est une ère nouvelle qui s'ouvre avec ton retour en France, une ère que nous attendons avec ferveur, que beaucoup d'autres, inconnus, attendent aussi, sans même le savoir, et qui sera belle, mon cher vieux, aussi belle que nos espérances!

Je t'embrasse, avec confiance.

[...] Et mettez les voiles, sans tarder. On vous attend.

Roger.

J'ai pensé aussi souvent à votre installation autour du Colombier. Ce sera très difficile. Je ne vois rien à louer. [...] Heureusement notre lit est vaste et on peut y tenir une demi-douzaine!

Copeau répond aussitôt [18] :

Mon bien cher Roger ta longue lettre du 13 m'est arrivée aujourd'hui. Qu'elle m'a fait du bien! Laisse-moi t'en remercier. Durant ces deux années [...] je n'ai cessé de penser à toi avec une confiance absolue. Que tu te taises ou que tu m'écrives, je savais que tu pensais à moi et à notre travail futur. Je sais que tu es ce que tu es, une fois pour toutes. La confiance absolue que deux hommes peuvent avoir l'un en l'autre, il n'est rien de plus beau. Elle suppose dans l'un et l'autre une double et pareille vertu. C'est quelque chose de plus profond et plus solide que l'affinité. Je le sais aujourd'hui mieux que jamais.

Le passage de ta lettre où tu me parles de Gaston m'éclaire bien des choses ou plutôt m'affermit sur ce que je pensais. Ce désenchantement dont tu me parles et qu'il crut devoir confier à Hélène lors de son séjour en France l'an dernier, les doutes sur moi et sur mon œuvre qu'il confesse aujourd'hui comme des erreurs, il ne m'en a jamais fait part. [...] Je sais qu'il est revenu à moi – comme d'autres – mais compromis – comme d'autres – et n'ayant plus le droit de dire certaines choses, et ne me laissant plus celui de le défendre comme un ami à toute épreuve quand d'autres, dont il se séparait maintenant, l'accusaient d'avoir été le premier à les démoraliser et de les avoir induits à me trahir. Car il y a un moment où j'ai été trahi, déserté par tout le monde. [...] Je t'expliquerai pourquoi et dans quelle mesure, ayant vu clair dès le premier jour, je n'ai pas pu étouffer le mal que je voyais gagner de jour en jour. Je les aimais tant, j'avais tant de confiance en eux, je croyais si loyalement en eux tous, qu'il m'a été longtemps impossible de *comprendre*. Et il y eut un moment où j'ai été près de me renoncer moi-même, plutôt que de renoncer à eux. Voilà le drame. [...]

Ne me dis pas que ce que j'ai souffert est passé. Non, cher Roger. Et il ne faut pas que cela soit passé. Cette souffrance toujours vive fait partie de la force qu'il me faut pour refaire ce qui a été défait. Et j'ai été trop profondément touché pour pouvoir guérir aussi vite. Je ne pourrai dire que je suis guéri que le jour où parmi vous, avec vous, j'aurai tout réédifié à neuf. Et mon expérience donnera à tout ce que je ferai désormais une gravité sans précédent. Il faut *me croire*, à la lettre. Tout le mal que nous avons enduré est venu de ce qu'on ne me croyait pas assez, ou de ce qu'on ne me croyait plus.

Ta foi, cher Roger, ton impatience radieuse ont pour moi la couleur du bourgeon qui éclate sur la branche nue. Je sais bien ce que nous ferons, pourvu que la communauté se rétablisse. Je sais bien la valeur de ce que nous avons fait durant ces deux années, dans les *pires conditions*. Mais personne autour de moi n'a paru s'en douter. Ce brûlant enthousiasme que tu me dis avoir vu chez Gaston, il ne m'en a jamais fait part. Et il aurait pu me faire tant de bien avec un mot. [...]

Je ne suis ni découragé ni diminué. Tout à fait le même homme, mon vieux, avec quelque chose en plus, et une férocité au travail. Jamais je n'ai mieux vu le but, ni surtout aperçu les moyens de l'atteindre. Je sais ce qu'on peut faire et qu'on ne *peut pas* faire. Je demande à ma vie tout l'enseignement qu'elle peut me donner. Enfin je m'apprête à faire le grand et décisif départ. [...]

Ce que je voudrais, quand je serai reposé, vers août, c'est provoquer, dans un lieu écarté, à la campagne si possible, une réunion choisie de tous ceux qui ont été et sont les vrais amis de mon œuvre. Pendant quatre ou cinq jours je resterai au milieu d'eux. Je leur montrerai, leur expliquerai de la manière la plus positive ce qu'a été notre œuvre depuis qu'elle est née dans notre esprit, ce que nous avons fait, mes expériences, les individus et les faits, le développement de mes idées. Puis, ce qui est devant nous, ce qu'on peut faire, comment on doit le faire, par où il faut commencer, de quels éléments nous disposons, quelles ressources seront nécessaires, les étapes qu'il faudra parcourir, etc.

Pense à cela, à sa réalisation possible. [...]

Ce qu'il faut envisager dès maintenant, ce à quoi je pense constamment c'est : *la collaboration des enfants.* Un de mes plus chers projets est de *réunir* nos enfants, de les faire travailler ensemble, de grouper peu à peu autour d'eux d'autres enfants soigneusement choisis qui commenceront une tradition d'art et de pensée. Ce projet fait partie de ce grand ensemble que je vous exposerai.

Au revoir, vieux frère. Peut-être aurons-nous mérité de créer. Pour moi je n'ai pas cessé un seul jour de travailler, d'évoluer et, en dépit de tout, de m'approcher d'un but.

Au revoir. Je t'embrasse un bon coup.

Il écrit encore à tous ses autres amis, et pour Michel Saint-Denis qui vient d'être cité à l'ordre de l'armée. Il évoque le retour prochain où il va se mettre « à reconstruire ». C'est seulement quand la communauté sera formée d'être jeunes à la foi inébranlable, qu'elle sera solide. C'est à vous, *lui dit-il,* qu'il appartient de ne pas me donner le démenti de ce que j'ai rêvé.

À tous il annonce qu'il compte s'embarquer au début juin et débarquer au Havre.

Nous espérons, *écrit-il à Gide le 2 mai,* nous arrêter quelques jours à Cuverville, voir vos visages et nous exercer auprès de vous à marcher sur le sol du pays. Ah cher vieux, la première goulée d'air natal va saouler mon cœur épuisé [...]

Au revoir. L'Océan est encore entre nous mais il n'est déjà plus aussi vaste.

Le 4 mai, il repart pour une petite tournée de conférences. Il s'arrête à New York où il passe quelques heures avec Jouvet avant de rejoindre Suzanne Bing à Croton-on-Hudson où elle séjourne chez Mrs. Mabel Mussey, rédactrice associée de The Nation.

Journal : Passé la journée à *Croton-on-Hudson* chez Mrs. Mussey. Pacifiste, Internationaliste. Le lieu est charmant, dominant une pente boisée qui dévale vers l'Hudson. Il fait beau. Le printemps m'étourdit. Trois Japonais, l'un professeur d'économie politique, le second ministre des

Communications, le troisième secrétaire du ministre. Ce dernier surtout qui appartient à la génération modernisante est odieux. Tous trois ont une façon sauvage, brutale, méchante de rigoler, de se tordre, les mains au ventre, à l'évocation des vieilles coutumes religieuses et des traditions artistiques de leur pays. Le professeur est le plus intelligent, mais il marque un détachement cynique, railleur, quand les deux autres rient de sa condition. Ils ne sont pas détachés, émancipés de ces vieilles croyances. Ils *les ignorent*. Ils sont retournés à la barbarie.

9 et 10 mai, Journal :
  Smith College. Northampton [19]. Conférence et lecture. Discussion avec Schinz et Melle Delpit [20] sur l'influence française. Ils se laissent illusionner sur le mouvement superficiel produit aux U.S.A. par la guerre et non par le progrès foncier de notre culture. [...] Veulent forcer tous les esprits à un opportunisme francophile qui, même si on les y amène, ne durera pas.

Le 10 mai Copeau se rend à Boston où a lieu la 19e Assemblée annuelle des American Booksellers, *du 13 au 15 mai. Journal :*
  La pluie sans arrêt, fine, serrée. Un morne de la pierre et de la chaussée luisante, dont on sait qu'on se souviendra toute la vie.

À Agnès :
  [...] Il ne « décesse » pas de pleuvoir, comme dirait Lucienne *. Magnifiquement reçu à Smith College.
  [...] Lettre de Sherwood qui m'invite à habiter chez lui.
  Oui, j'ai reçu réponse de Kahn **, très aimable et négative. Je m'y attendais. Tant pis. Il m'invite « *to talk the thing over* », à mon retour.
  Oui, nous allons partir. Non, nous n'avons pas changé.

À New York Jouvet, de son côté, réalise ses projets : gagner sa vie en travaillant à ce qu'il aime.

---

  * Lucienne Doulet.
  ** Voir Appendice P, p. 570.

Le 10 mai il écrit :

Mon cher patron – voilà, j'ai fait hier ce premier cours – j'ai cru que je ne le ferais pas. Au dernier moment sont arrivées Mrs. MacKaye et une de ses amies – une jeune fille venue à New York pour étudier le stagecraft et qui a eu connaissance de mon cours dans un club, élève de Miss Lewisohn, une vieille danseuse [21], enfin la présidente du Drama Department [22]. Total : six élèves – 180 dollars. Ça m'a fait plaisir de voir cet argent.

J'espère que j'aurai encore peut-être quelques autres élèves, seulement c'est pas très gai de faire un cours comme ça! Il y avait cinquante fois trop de matière dans ma première leçon. Ils n'y ont pas compris grand'chose – et ce qui me fait de la peine, c'est que je me rends compte qu'il va falloir faire un cours pour ces « femmes » au lieu de le faire pour moi – enfin, c'est toujours la vie assurée pour trois semaines. [...] Je m'en suis assez bien tiré pour mon anglais parce que j'avais bien travaillé et que je connaissais bien mon sujet – et parce que tout se passait sur le tableau en dessins. [...]

Ça m'a fait plaisir, le peu d'instants que j'ai passés avec vous – de vous voir pas abattu et assez vivant.

J'aurais pensé que vous auriez retenu nos places sur le bateau avec vous.

Je vous écrirais plus longuement si vous n'étiez pas en voyage – et si je vous avais senti plus enclin à la communication.

Donnez-moi de vos nouvelles, je vous prie, vous savez que j'en vis. [...]

À Boston, *Copeau travaille pour la* Nouvelle Revue Française *et ses* Éditions *et dans chacune des villes qu'il visite au cours de son voyage il multipliera les démarches et les contacts dans ce but. Son carnet se couvre d'adresses et de réflexions diverses.*

13 mai :

Nous allons nous faire détester si nous voulons imposer à nos amis étrangers une manière de voir et de juger, et leur barrer la culture universelle, au nom de l'admiration, de l'affection qu'ils nous doivent. Nous avons gagné cette admiration, non par notre propagande mais par nos actes. Ils ont rallié autour du nom français la grande masse de l'opinion publique, par un mouvement du cœur (et aussi le dégoût d'une trop insistante propagande allemande). Si nous devons retenir le suffrage des esprits, c'est en étant bien nous-mêmes et en les laissant être eux-mêmes. C'est une France libre et libérale qu'on aime à l'étranger, c'est notre culture sans affectation, notre humanité. [...]

Ces réflexions seront prolongées plus tard par un article [23] :
La guerre a provoqué un rapprochement soudain et pour ainsi dire anormal entre l'Amérique et la France. [...] Mais pour que toute manifestation française d'ordre littéraire, dans le roman, la poésie et le théâtre ne risque pas de s'y fourvoyer et d'y trouver une fausse interprétation, il importe tout d'abord que l'étude de la langue française s'organise sérieusement dans toutes les écoles et universités des États-Unis. Il faut que l'enseignement du français y soit donné par de vrais Français. [...]
Quant aux possibilités d'expression du théâtre français, elles sont encore jusqu'à présent extrêmement précaires et toujours à cause de la question de la langue. J'ai fait de mon mieux à New York. Je crois avoir réussi dans une certaine mesure. Mais, très particulièrement en Amérique, ce n'est pas tant un effort artistique que nous devons faire pour le moment, c'est un effort pédagogique, un effort universitaire. Il faut avant tout envoyer là-bas de bons professeurs, des représentants choisis de cette classe si honorable et si savante de notre université française. [...] Ce sont eux qui prépareront le chemin de notre influence littéraire et artistique.

13 mai, à Agnès :
Je suis toujours à Boston. J'y fais des visites intéressantes, crée des relations avec les libraires pour la revue et les éditions.
Journal : À la Bibliothèque, je me penche sur les vitrines qui renferment des fac-similés de Léonard, croquis, caricatures, feuillets de cette collection que Craig me faisait entrevoir à Florence et où il y a tout l'homme et l'artiste.
C'est ce que je voudrais faire. Un livre au jour le jour où il y eût tout.

À Agnès (suite) :

[...] J'ai lu et travaillé. Je vais bien. Je suis calme. Mais je m'irrite chaque jour en voyant tout ce qu'on aurait pu faire dans ce pays et qu'on n'a pas fait. Je serai le 24 à Cleveland. Arriverai le 27 au plus tard à New York. C'est de là que je te dirai quand tu devras revenir à New York pour le départ. Il faudra bien tout de même qu'on parte. Partout où je suis je me sens tellement retenu par ce qu'il y a à faire... Je pars après-demain pour Chicago.

14 mai, à André Suarès :

Je n'ai pas pu répondre à votre lettre du 11 septembre. J'étais dans l'enfer. Elle était bonne pourtant votre lettre, elle m'a fait du bien. Maintenant c'est fini, je reviens. Dans un mois au plus je serai sur la mer. Avant de m'embarquer je vais voir Chicago et un peu de l'Ouest. Je vous raconterai tout cela quand nous serons de nouveau tous les deux, au coin de votre poêle. [...] Vous retrouverez le même homme, avec des cheveux plus gris et quelques blessures qui guériront à l'air de France. Oui, j'ai besoin du pays, et des amis, et de mon peuple.

Je n'ai pas cessé de penser à vous, cher Suarès, à travers tout, et de vous porter avec moi comme un ami. Votre figure, vos paroles, votre petit jardin me revenaient souvent d'une manière déchirante.

15 mai, Agnès, Bremestead :

[...] Je pense avec joie à ton départ pour Chicago aujourd'hui. J'espère que tu auras choisi de voyager le jour pour voir le pays ? Oui, je vois bien que beaucoup de choses auraient pu être faites et que bien des merveilleuses occasions ont été perdues, mais... une vie riche comme la tienne doit accepter quelque gaspillage et où que tu ailles tu n'arriveras jamais à épuiser toutes les possibilités. Oui il faut nous décider à partir laissant derrière nous bien des choses inachevées. Ne penser qu'à la tâche qui t'attend en France.

Copeau est dans le train. Il a quitté Boston à 8 h 30.

Journal : Worcester. Albany. Durant la matinée en traversant l'enchanteur printemps de la Nouvelle Angleterre, le sud du Massachusetts bien arrosé, ma pensée joue agilement, je comprends que jamais je ne pourrai reprendre le travail sur les bases de ces deux dernières années, et j'arrange dans ma tête toute l'organisation de l'école des enfants, à Pontigny – ou ailleurs – à Pontigny peut-être. Je suis ébloui. Mon cœur bat. Je vois la vérité.

Le voyage continue. Copeau rêve au livre sur l'Amérique qu'il veut écrire au retour. Autour de lui les voyageurs lisent leurs magazines.

Il note dans son carnet :

Ils apprennent tout par la parole et l'image, le magazine et les movies. Le journal à la minute la minute. Reflétant tous les changements. Suit l'événement. Ne compense rien.

Un camelot parcourt le train :

Le camelot vous regarde dans les yeux, pointe un doigt menaçant : *be careful it's your last chance...* voyage avec vous... commence par l'article le moins cher.

Différence avec le boniment du camelot parisien, plus gratuit, plus artiste, qu'on s'arrête pour écouter sans y croire du tout. Ici on y croit. Très rare de voir quelqu'un sourire.

Le voyage se poursuit :

Utica. Rome. Syracuse. Rochester. – Entre Syracuse et Rochester c'est un terrain sableux et mamelonné, hérissé de verdure aigre. Soudain, au-dessus de Rochester l'horizon s'enfonce et se perd dans une brume (il est 8 h 30). C'est le lac Ontario.

Il pense au théâtre. Il note :

Limitation de la scène.

Choses mouvantes : arbres, cours et chutes d'eau, trains, autos.

Les choses qu'on diminue par la représentation. Celles qui au contraire grandissent par l'interprétation.

Le train roule :

Universal Portland Cement C°.

Usine. Marais sableux. Usine. Le lac. Usines. Buffalo. *16 may morning :* La vieille femme italienne qui vend des violettes.

Dorée comme la pierre de là-bas, sur cette pierre froide.
Montrant encore son sourire blanc.

Vocabulaire. Abus de certains mots : leading -- personality
-- spirit.

Vendredi 16 : Niagara falls.

Abordé la chute dans son sens, en suivant le cours du fleuve.
Bien senti cela. Arrivé au point de chute avec la masse d'eau.
C'est ce qu'il y a de moins « spectacular » et de plus émouvant :
ce rouleau de la chute. Et une poussière d'eau dans l'air
suggère la hauteur qu'on ne voit pas.

En bas resté longtemps, aveuglé, pénétré d'eau, devant la
chute principale, à regarder tomber l'eau et tâcher de
comprendre son mouvement et la formule de sa chute, comme
le vieux « philosophe devant la chute » de l'estampe japonaise.
Une jeune négresse apeurée par le fracas de l'eau est venue
s'appuyer à ma main.

Vu les chutes de face à bord du petit steamer *the Maid of
the mist.* Mais on ne peut guère approcher le horse-shoe et la
poussière d'eau ne le laisse que faiblement apercevoir.

Traversé la grande arche et passé au Canada. L'agent de
l'immigration me demande qui je suis. Alors il me parle français et quand, une heure après je reviens m'abriter devant sa
cabine, car il pleut, c'est une vraie conversation qui l'attache
au point de lui faire oublier sa surveillance des Italiens, et
autres Yougoslaves, gens qu'il n'aime pas cependant, car il
les accuse d'être des sauvages et de retarder la signature de
la paix. Il a été en France et me demande si la Comédie-
Française existe toujours, *le Théâtre de Molière* qu'ils appellent,
et si on y joue toujours Molière. Il me cite *L'Avare, Les Fourberies, Le Médecin* et surtout *Le Bourgeois* dont il se rappelle les
noms des personnages et des épisodes entiers. « Les vieilles
comédiennes sont vivantes, dit-il, je ne fais pas grand cas de
nos comédiens modernes. » Il a lu *Les Plaideurs* de Racine, et
quelques tragédies dont il ne se rappelle pas les noms, mais
il en trouve la langue difficile, trop raffinée et lui préfère celle
de Molière. Il a lu tous les romans de Hugo dont il cite les
titres. « Et puis vous avez un bon écrivain moderne, mais qui
ne fait pas de pièces je crois... France. Anatole France. » Je
lui raconte *Crainquebille.* Alors le marchand des 4 saisons lui
rappelle ce marchand de poissons qui criait : « Maquereau!

Maquereau!» un jour où Napoléon III se promenait dans la rue, et qui fut arrêté par la police.

Nous nous serrons solidement la main en nous quittant.

À 12 h 03 embarqué pour Chicago. Traîné jusque-là dans l'hôtel Lafayette. Il pleut. Bien regardé les messieurs qui jouent au billard. Quelle misère, ô Pascal, que ce divertissement! Quel jeu bête... Il n'y a de sympathique dans tout ce caravansérail que les deux petites négresses en alpaga bleu à boutons de cuivre et polo sang de bœuf qui manœuvrent l'ascenseur. Quand il atterrit et que la porte glisse, on voit leur sourire et leurs yeux, on dirait de petites bêtes en cage. Agiles et le dos cambré on dirait que c'est elles qui grimpent quand la machine s'élève.

Samedi 17 :

Abords de Chicago par un temps glorieux. Le printemps dans toute sa féerie d'eaux bleues et d'arbres jaunes. Herbes luisantes des marécages, comme des ventres de grenouilles. Et soudain hors de cela monte et se dégage la formidable armature de fer des usines.

Amusez-vous dans le magnifique Chicago, *avait écrit Waldo Frank à Copeau.* Si vous réussissez à l'aimer et à le comprendre, vous serez vraiment dans la voie de comprendre l'Amérique.

Embrassez Sherwood et Carl Sandburg [24] de ma part... aussi Tennessee, la femme de Sherwood.

17 mai, suite du Journal :

Sherwood est à la gare. Tout de suite parle de ce que nous aimons, joyeux.

Travaillé le soir jusqu'à 1 heure.

Dimanche 18 :

[...] Conférence *What is french* [25].

Rentré 10 heures et causé avec Sherwood au bord du lit de Tennessee qui a un lumbago.

Lundi 19 mai, à Agnès :

[...] Depuis l'instant de mon arrivée tout a été admirablement réussi, y compris ma conférence hier qui m'a valu l'amitié du Consul et des engagements divers... et qui jusqu'à lundi prochain vont me faire faire la navette entre Chicago, Detroit, Cleveland, Milwaukee. (J'aurais pu faire une glorieuse tournée!)

Serai à New York le 27. Notre départ pas avant le 10... Difficile d'écrire... je dois faire un speech tous les quarts d'heure. Les Sherwood sont exquis et nous faisons bon ménage.

Sherwood Anderson écrira plus tard ses Mémoires [26] :

À cette époque j'habitais un appartement au rez-de-chaussée d'un building dans le quartier du Nord. C'était un petit appartement avec une seule chambre à coucher. Pendant que j'habitais là il y eut des émeutes raciales à Chicago. Des bandes de jeunes voyous parcouraient les rues en voiture, tirant sur les Noirs. Ils ne sont pas venus dans mon quartier mais il y avait plusieurs Noirs qui travaillaient dans des bâtiments voisins, que je connaissais.

Je leur avais donné la clef de mon appartement et ils y dormaient. Je me souviens d'une nuit où six ou huit d'entre eux dormaient par terre dans mon petit living-room. J'étais rentré tard. Dans l'antichambre un Noir, dans l'obscurité montait la garde, une matraque à la main.

C'est là que j'eus aussi un distingué visiteur : Jacques Copeau. Je reçus une lettre de lui. Il avait lu quelques-uns de mes livres. Il disait que certaines de mes histoires lui ouvraient de nouvelles perspectives sur la vie américaine – et il proposait de venir me voir.

« Mon travail à New York est terminé », disait-il. « Je voudrais vous voir et parler avec vous et je veux voir Chicago. »

Il vint et séjourna avec moi dans mon appartement. Je n'avais qu'une petite chambre à coucher donnant sur une impasse – je la lui cédai et dormis moi-même sur un divan.

Il y eut une semaine d'un intime et, pour moi, très excitant compagnonnage. J'abandonnai pendant ce temps mon travail car – quoique ayant déjà écrit plusieurs livres ils ne pouvaient encore suffire à ma subsistance.

Lundi 19 au matin, journal de Copeau :

Tennessee au lit. Fait la cuisine avec Sherwood. Il jouit de tout. Toutes ses actions et paroles sont comme décuplées par le plaisir de ma présence.

Promené dans les rues avec Sherwood, visité le Radical Bookshop [27], et rencontré le P.T. Barnum of the American Labor qui nous fait visiter sa chapelle. C'est l'homme chez qui jusqu'à ces derniers temps la police arrivait sitôt qu'un attentat contre l'ordre avait lieu. Peintre en bâtiment. Il a construit un petit théâtre. Nullement convaincu, sauf sur le chapitre d'un plan de rénovation économique qui doit sauver le monde et dont il ne dit jamais mot. Il me parle de son patron, un peintre en renom que je dois certainement connaître, le plus grand peut-être du monde, un homme qui pouvait couvrir dix mètres carrés en noir et blanc sans laisser un luisant, qui a fait des dessins pour un théâtre de Montréal et dont la dernière œuvre a été des fonds pour un photographe.

Le soir visite de Carl Sandburg. Lui et moi faisons la vaisselle avec Sherwood. Sandburg se met au piano et chante des chansons nègres.

Copeau évoquera plus tard ce souvenir [28].

À Chicago, dans le petit salon de Sherwood Anderson, Sandburg chantait des *blues* et Tennessee préparait le thé, cependant que, dans la chambre voisine, sans alarmer en rien les plaisirs d'une amitié naissante, des voleurs qui s'étaient introduits par la fenêtre, emballaient doucement ma garderobe dans mes propres valises et disparaissaient dans la nuit [...].

Suite du Journal :

À minuit et demi quand je rentre dans la chambre, j'y trouve la fenêtre ouverte. Des voleurs se sont introduits et ont emporté : deux complets (complet marron et complet jaquette), mon pardessus en poil de chameau, mon pardessus noir, mon imperméable, une paire de souliers vernis avec les embauchoirs, mon beau sac de cuir contenant mon cache-nez bleu et mes papiers, y compris livret militaire et toute ma fortune en chèques.

Tennessee manque s'évanouir, Sherwood s'arrache les cheveux. Je suis content de rester assez calme (c'est surtout du dégoût, de la honte qu'on éprouve, de cette saleté). Coup de téléphone à la police qui nous envoie deux inspecteurs très vaguement intéressés par ce que nous leur déclarons.

Couché vers 2 heures. Bien dormi.

Mardi 20 :

Sherwood travaille à retrouver mon voleur. Il s'y amuse, et quand je le retrouve il a mille histoires à me raconter, mille portraits à me peindre de la police et des policiers.

Déjeuner grotesque à Evanston chez Mrs. Best, fondatrice et présidente de la Drama League of America. Trois dames s'acharnent à me questionner sur l'art dramatique. Elles sont hideuses.

À 3 heures, speech en anglais au siège de la *Drama League*.

À 4 h 30, speech en français au Cercle français.

À minuit, départ pour Detroit avec Sherwood. Du tramway à la gare, un porteur ivre précède nos pas, balancé par le vent.

Mercredi 21 :

[...] Marché dans les rues avec Sherwood. Il respire à pleines narines la triste existence de ces villes américaines. Il en est possédé, intoxiqué. Les mots, les attitudes de ces gens. Et il parle de tout sans pudeur, comme un homme altéré de savoir. [...]

Visite aux usines Ford : Trop vite, à la suite d'un guide et selon un itinéraire défini. Le génie moderne est là. Les ouvriers les uns contre les autres s'arrachent la pièce. C'est un assaut, un acharnement. Comme si quelqu'un attendait à la porte. L'idée de consommation domine tout. Cette chose sans fin qui ne s'arrête en aucun lieu. Vestiges de la vieille industrie (les seaux de fer). Toutes les races sont là. Les trois ou quatre dernières opérations sont impressionnantes, quand le moteur commence à ronfler, et le dernier ouvrier grimpe sur la machine pour la conduire au dehors.

Départ pour Ann Arbor : 1 h 55.

Conférence en anglais à l'Université de Michigan (prof. Canfield) et dîné avec les membres du Cercle français, ridicules et touchants à qui je parle encore en français.

À 10 h 42 je retrouve Sherwood dans le train et nous rentrons ensemble à Chicago.

22 mai, à Agnès :

J'ai fait et appris beaucoup de choses depuis une semaine. Et j'aime sincèrement Sherwood et sa femme. L'autre jour je leur ai fait à tous deux le récit abrégé de mes épreuves américaines. Et tout à coup la petite Tennessee s'est levée et enfuie dans la chambre voisine où nous l'avons entendue éclater en sanglots. Et le grand Sherwood m'a serré dans ses bras. [...] Parfois Sherwood me regarde en riant de plaisir. Il est gai comme un enfant. Il fait le ménage et lave la vaisselle. Il ne songe plus qu'à venir en France.

Et moi, je me demande comment je pourrai supporter la vue du ciel de France.

Vendredi 23 :

Courses avec Tennessee. Déjeuné chez Mrs. Carpenter, épouse du compositeur John Alden Carpenter [29], qui me donne son chapeau de plumes.

Marché tous les trois sur Michigan Avenue avec Tennessee entre nous deux, et nos deux pardessus font retourner les passants. Dîné gaiement.

Discours en anglais pour l'inauguration de l'Exposition des décorateurs américains, au Arts Club [30].

Sherwood et Tennessee m'accompagnent à la gare. On parle de la France, quand ils viendront. La grande arche de fer au-dessus de nos têtes.

On s'embrasse et le train m'emmène.

Quarante ans plus tard — le 18 avril 1941, à Pernand, Copeau reçoit le n° d'avril de La Nouvelle Revue Française. *Il lit :*

Le grand écrivain américain Sherwood Anderson vient de mourir à l'hôpital de Colon.
Journal : [...] Ce matin j'ai retrouvé dans la chambre d'Agnès un volume de Mark Twain sous un cartonnage bleu foncé avec des impressions noir et or : *Adventures of Huckleberry Finn.* C'est un livre fort usagé aux coins. Il appartenait à Sherwood. Je me rappelle le jour où il me l'a donné, à Chicago. Apprenant que je ne l'avais pas lu, il s'en est immédiatement saisi, avec cet empressement et cette chaleur qui faisaient de lui un être irrésistible, et il me l'a donné après avoir tracé sur la première page cette dédicace : « *For Jacques Copeau my friend from France whose presence in America has helped me to see what is beautiful in America* *. Sherwood Anderson. »

Et au verso du même feuillet on lit, d'une écriture un peu laborieuse qui peut être de la main d'un homme âgé : « *For the Boys. A merry Christmas. 1889.* »

---

* Pour Jacques Copeau, mon ami venu de France, dont la présence en Amérique m'a aidé à voir ce qui est beau en Amérique.

Je me suis jeté dans ces souvenirs, comme si je n'avais rien d'aussi précieux que de me souvenir, comme si je n'avais vécu que pour me souvenir, comme si je ne devais laisser après moi rien d'aussi beau que des souvenirs.

Sherwood était jeune, gai, tendre, expansif, avec une voix et un rire graves et profonds. Il était pauvre, n'étant encore reconnu que par un petit nombre de lecteurs. [...] C'est plus tard seulement qu'il atteignit à une grande renommée. C'est plus tard aussi, à ce que j'ai appris, qu'il se sépara de sa charmante Tennessee. Il avait divorcé pour l'épouser. Ces deux êtres extraordinairement vivants répandaient un rayonnement de candeur et de générosité. Tennessee semblait protéger Sherwood.

Samedi 24 :
Arrivé à Cleveland à 8 h 15. Nos hôtes sont en retard. En les attendant je contemple les tas de charbon et les grues mécaniques.

Déjeuné avec O'Neil, dans un restaurant où de belles filles patinent sur vraie glace au centre de la foule, dispensant les gens d'avoir quelque chose à se dire.

Dîné chez Newberry [31] (regardé la traduction de *Tête d'Or*).
Conférence au Playhouse. L'intérêt me paraît déjà relâché.
Ah! foutre son camp, et se taire.
Départ à 10 h 30.

Dans le train essayé de lire *La Jeune fille aux joues roses*, de Porché [32] que m'a prêté le Consul. Cela me fait vomir. Si c'est ça que je vais retrouver en France...

Agnès me dit qu'elle a reçu un câblogramme de Gide disant : « Vous attendons avec joie. »
Oh! périlleux retour!

Mardi 27 :
4 h 30 au Plaza. Adieux aux Amis du Vieux Colombier.
Certains d'entre eux font encore parvenir à Copeau un dernier message : [...] Hélas pour notre pays qui ne peut dire à un tel ensemble d'acteurs « Restez avec nous! Nous avons absolument besoin de vous! »

Vous avez ouvert une voie nouvelle, vous avez fait le travail le plus dur et ceux qui viendront après vous n'auront qu'à vous suivre.

Que tout le succès et le bonheur possibles accompagnent les travailleurs du Vieux Colombier. Dorénavant rien, même ce qui nous arrivera de meilleur de la France, ne prendra jamais la place qu'a tenue le Vieux Colombier dans nos cœurs.

Le 28 mai, Copeau à Agnès :

[...] Ce matin j'ai retenu nos cabines sur le *Savoie* qui part le 11 juin. Je fais des démarches pour obtenir la gratuité du passage.

Hélas! combien j'aurais voulu faire mieux. Et sans doute, je l'aurais pu, si...

Au moins, jusqu'au dernier instant je veux faire tout ce que je pourrai, tout ce qu'il me sera permis de faire. Et puis ce sera l'Océan avec toi à mon côté, ma fidèle amie bien aimée.

Le même jour il écrit à André Gide :

Peut-être cette lettre vous atteindra-t-elle encore avant notre retour. Nous nous embarquons le 11 juin sur le *Savoie*. Si le voyage est normal, nous devrons être au Havre le 20. Surveillez les arrivées et tâchez d'être sur le quai. [...] Puisse le revoir être égal au besoin que nous en avons.

Jeudi 29 :

Visite à Casenave pour obtenir passage gratuit.

Waldo me retrouve pour déjeuner au *Fraunces Tavern*, où Washington prit congé de ses officiers. L'homme à l'entrée porte perruque et costume d'époque, avec un air de bassesse extraordinaire.

Loafing in the streets.

New York from the top of the Woolworth.

Visité la City Hall. Dans la salle de conseil des Aldermen où se prépare une réunion, brusquement je me trouve en présence de la doctoresse qui me serre la main, sourit étrangement, me présente, fait allusion à des malentendus, et veut me retenir en disant que Mrs. Lydig va venir. J'aurais bien envie de la voir, mais je me retire.

Vendredi 30 mai :

Hier soir reçu la notice annonçant la reprise de *La Nouvelle Revue Française*. Cela m'émeut profondément. J'y retrouve cet accent de fermeté intellectuelle dont nous étions si fiers. Et cela me fait comprendre que la réalité pour moi est là-bas, non pas ici.

Dès lors le Journal de Copeau et ses lettres à Agnès relatent une série de dernières visites, de démarches à la Haute Commission et au Consulat, de courses pour bagages supplémentaires et passeports. Listes de livres à acheter.

1er juin, à Agnès :
Nos places sont bonnes : au centre du bateau : une cabine extérieure de trois, une intérieure de deux. Je ne sais encore si nous aurons le passage gratuit. J'espère que oui.
Je verrai Kahn avant mon départ. Il faudra que tu fasses avec moi une visite à Madame Kahn. Je ne peux pas te dire combien je suis impatient d'en avoir fini ici. Je pense à toi et aux enfants, sans cesse. Cette nuit je vous ai rêvés.

Mercredi 4, journal :
Déjeuner Otto Kahn. Extrême cordialité, comme toujours. Il insiste sur le fait qu'il n'a jamais changé à mon égard, etc. [...] J'observe son doux œil terrible d'un blanc si métallique, la prunelle si coulante et incertaine de couleur. Il s'excuse de ne pouvoir «pour le moment» considérer et réparer l'injustice de ma situation personnelle. Il m'expose la sienne : les impôts, Wilson, ses obligations, le million de francs qu'il a dépensés pour le Vieux Colombier. Fait constamment allusion à mon futur retour. «C'est la baisse en ce moment, dit-il, mais comme toujours il y aura la hausse.»
Il parle du moment où tout sera stabilisé. Il admire et adore «le vieux Clemenceau». Il ne croit pas à l'avenir du bolchevisme. Il dit exactement : «La Russie a fait pour toute l'Europe ce que l'on fait quand on a trop bu : elle a vomi.»

Vendredi 6 :
Visite à Mme Kahn. Elle se plaint du temps, de l'incertitude du temps, de la calamité d'être riche, elle qui travaille dix-huit heures par jour, ne peut trouver plus de trois valets là où elle en avait cinq, et se contenterait si bien d'un cottage en Angleterre. Et comment élever les enfants, à quoi les préparer? Elle convient que je ne courre risque d'être dyna-

mité, vu ma fortune. Elle me retient sur le seuil, comme pour dire quelque chose qui ne vient pas.

Samedi 7 juin :

Retour d'Agnès et des enfants.

Course à l'argent pour subsister jusqu'au départ et ne point entamer le chèque français.

Chemin faisant il rêve :

Building. Ruine. Incendie. Exposés à la fatalité, à la colère divine, au châtiment de Sodome et Gomorrhe.

Ils usent, abusent, gâchent. Ils font de la ruine industrielle.

Montrer New York.

Imaginer New York complètement désert.

Waldo Frank a envoyé à Copeau son dernier roman The Dark Mother. *Copeau le lit pendant ces derniers jours à New York et le 10 juin il lui écrit :*

Je viens de terminer la lecture du manuscrit de votre nouveau livre. Ce n'est pas une lettre c'est une longue conversation avec vous qu'il me faudrait pour vous rendre compte de mes impressions. Avant de m'embarquer pourtant j'ai besoin que vous sachiez quelle confiance nouvelle cette œuvre me donne en vous.

Dans cet ardent désir où j'étais de connaître l'Amérique, depuis deux ans vous avez été souvent mon guide et mon maître. Le roman que vous venez d'achever est pour moi, beaucoup plus qu'un livre. N'attendez donc pas de moi que je vous dise si c'est un livre « bien fait », une œuvre réussie. C'est une œuvre palpitante de la vie des hommes de votre pays. Si anxieuse que fût l'aspiration qui vous l'a dictée, vos forces d'artiste ne vous ont point trahi. Et j'aime d'abord votre livre pour cette vaste ambition qui restituera au roman sa véritable portée, et lui rend avec sa valeur poétique son vrai nom d'origine : l'épopée. Tous les romanciers de génie ont eu cette ambition : trouver les proportions et le mouvement interne de l'épopée moderne. Dès votre premier livre vous vous êtes engagé dans la même voie. Et vous venez de faire un pas nouveau, un très grand pas je pense.

Si vous étiez le peintre magistral des mœurs, des sentiments, des idées, des choses et des hommes, dans une société révolue, accomplie, votre livre pourrait être déjà un très beau livre, mais il n'aurait pas l'importance qu'il a. Vous offrez le spectacle pathétique d'une conscience qui se cherche. Et à cause de cela votre analyse n'est pas une analyse qui décompose et constate. C'est une analyse qui découvre et qui crée. Donner le sentiment de la découverte au lecteur d'une histoire vraie, c'est ce que fort peu de romanciers sont parvenus à réaliser.

Il m'est difficile d'entrer dans le détail. Je n'en ai pas le temps.

Je vous ai dit souvent que j'avais foi dans un merveilleux développement du futur art américain, et que sans doute ce développement se manifesterait d'abord dans le roman. De ce mouvement, qui commence à peine, vous êtes certainement, avec Sherwood Anderson, l'initiateur le plus conscient. À ma connaissance vous êtes l'un des premiers qui se soient proposé de tracer, dans sa multiplicité souffrante, une grande image de l'instabilité du monde moderne. Et si je voulais résumer en peu de mots mon appréciation de votre livre, je dirais qu'il est digne du temps où nous vivons et que la force qui l'anime est celle-là même qui est en train de transformer le monde. [...]

Vous êtes dans la vraie voie et je souhaite que les jeunes auteurs américains vous y suivent.

> Votre ami,
>
> Jacques Copeau

Encore deux ou trois visites à des gens qu'on eût aimé connaître avant de quitter ce pays, chez les Vanderbilt, à l'école de danse d'Élisabeth Duncan.

Enfin, le samedi 14 juin, accompagné de Waldo Frank, de sa femme et de quelques amis, jusqu'à bord du **Savoie**, *le dernier peloton de la Compagnie du Vieux Colombier s'embarque.*

La sirène a donné le signal du départ. Les passerelles sont retirées.

Copeau, sa femme et ses trois enfants, Suzanne Bing, Louis Jouvet, sa femme et ses deux enfants, à l'arrière du paquebot regardent longtemps vers l'horizon où New York peu à peu disparaît.

Journal : Excellente traversée, par temps calme et complète oisiveté.

C'est tout illuminé, sans craindre maintenant les périscopes des sous-marins, que le **Savoie** *met le cap vers la France.*

Traversée vide d'incidents. Les passagers bavardent. On évoque
le grand pays qu'on vient de quitter.

Le professeur Baldensperger [33], *qui rentre aussi en France à bord*
du Savoie, *résumera ainsi ces bavardages :*
La malédiction prononcée par Pirandello contre la machine,
réputée souveraine aux États-Unis, et qui serait un jour ame-
née à se détruire elle-même, aurait-elle son effet? Les armées
de Pershing, déjà en partie rapatriées et devant décidément
prendre congé, au 14 juillet prochain, de l'Europe malgré
tout divisée, seraient-elles des agents de coopération future
ou, au contraire, d'isolement systématique? Déjà s'agitent des
partisans de la prohibition, réclamant des lois anti-alcooliques
contre la soi-disant contamination rapportée de chez nous par
des vétérans. Qu'est-ce que cette vague de puritanisme social
allait faire d'une population dont on s'accordait à louer la
franchise et la simplicité? Et ce président Wilson, avec sa
Société des Nations, plus importante à son gré que le traité de
paix lui-même, quelle confusion allait-il apporter dans son
pays et dans le nôtre?

Dimanche 22 juin :
Nous approchons... Voici retrouvée notre douce lumière... Les eaux
de la Manche sont nacrées. Est-ce une odeur de foin qui nous vient
de la terre encore invisible?
Journal : De très bonne heure, Agnès s'est installée à l'avant
tribord, guettant la terre. Dans l'après-midi c'est elle, la première qui va la découvrir : le cap Lizard, puis l'île de Wight.
Puis, à bâbord, Aurigny, la pointe du Cotentin et Cherbourg.
L'un des enfants, Pascal je crois, est venu m'avertir : On
voit la terre. Agnès, Maïène, Edi sont debout, serrées l'une
contre l'autre. J'ai vu leurs yeux pleins de larmes, et je n'ose
pas leur parler. Au bout d'un instant, je suis allé chercher
Suzanne. On aurait voulu, d'un seul coup atteindre, aborder
et toucher le pays. Tout le jour, et tard dans la nuit, sur le
pont, on regarde, l'émotion perd de sa force et divague dans
ces propos de passagers qui sont les plus falots, les plus énervés
qu'on puisse concevoir. Le sommeil nous prend et quand le
garçon de cabine tourne le commutateur électrique en criant :
« Nous sommes au port » il est cinq heures du matin, on
n'entend plus le bruit de la machine qui depuis neuf jours

nous berçait, et le bateau est immobile. C'est le retour, c'est l'arrivée. J'atteins le pont, en courant. Puis je m'arrête aussi. Je suis immobile comme le bateau. Aucun mouvement n'a répondu à ce mouvement que je faisais de toute mon âme. Et devant moi, il n'y a rien, que ce petit quai jaunâtre, parfaitement désert. On ne voit plus la terre, on ne voit pas le port. Un homme se promène. Le quai peu à peu s'anime. Deux ouvriers ivres se bousculent en chantant. Mais pas un regard, pas un bras qui se tende ou s'agite vers nous.

Avant de quitter New York, Copeau avait écrit à André Gide :
   « Alors, vous guetterez l'arrivée des paquebots et j'espère que vous trouverez moyen, cher vieux, de vous glisser jusqu'au quai afin que de la passerelle nous apercevions votre main nous faire signe, vos yeux nous sourire. Si vous saviez comme j'ai besoin d'un ami [34]. »

APPENDICES

APPENDICES

« JACQUES COPEAU
LE THÉÂTRE DU VIEUX COLOMBIER
FROM PARIS »

Aréthuse (11 janvier 1917), 68 pages en anglais.

TÉMOIGNAGES

Albert Besnard, de l'Institut,
Directeur de l'Académie de France à Rome. (s.d.)

Aucun ne pouvait être plus justement désigné que Jacques Copeau pour révéler dans ces pays lointains, dont cependant la sympathie est si près de nous, les beautés de notre théâtre. Grâce à sa méthode, dégagé de tout artifice théâtral, il fera entendre là-bas le vrai langage de Molière. Nul enfin ne saura se montrer plus français hors de France. Sa haute intelligence des auteurs du passé égale son sens de la littérature moderne. Car il est un écrivain lui-même du plus rare mérite.

Henri Bergson   Paris, 14 novembre 1916.

Je me fais un devoir et un plaisir de dire le bien que je pense du « théâtre du Vieux Colombier ». Offrir des interprètes dignes d'elles à des œuvres véritablement belles, choisies en dehors de tout parti pris d'école et de toutes les suggestions de la mode, donner la première place à l'œuvre elle-même, grâce à la sobriété du décor, et à la vérité du jeu et à la modestie de l'acteur, tel fut le programme que se traça M. Jacques Copeau, à la fois auteur, acteur et metteur en scène. Il l'a brillamment mis à exécution dans ce théâtre du Vieux Colombier où tous, directeur, acteurs et spectateurs, unis dans un même respect de l'art et dans une commune admiration de l'œuvre représentée, sympathisaient ensemble et se prêtaient par là un mutuel concours. Dans ce retour à la simplicité et à la « ferveur » d'autrefois me paraît être l'avenir de l'art dramatique, comme d'ailleurs de l'art en général.

Paul Claudel *
Ambassade
de la République française
près de S.M. le Roi d'Italie.   Rome, le 27 novembre 1916.

Cher ami,
   Le « théâtre du Vieux Colombier » que vous avez fondé était pour moi le type du laboratoire dramatique, de l'atelier d'où avec la collaboration du public jaillit, hors de toute convention, le spectacle, fait de paroles, de mouvements et de couleurs. Il faut que le théâtre soit cela, la planche jetée sur deux tréteaux comme du temps de Molière avec une insouciance superbe, et que l'irruption de la jeunesse fasse trembler de son pied impétueux. Là j'ai passé quelques bons moments avec vous, au moment où vous montiez *L'Échange* et je me souviendrai toujours de l'épique Thomas Pollock Nageoire.
   Bonne chance à l'Amérique.
   Je vous serre bien amicalement la main.

   Copeau répondra à cette lettre :
                                                                1er décembre 1916.
   Mon cher Claudel,
   J'ai reçu hier votre lettre amicale. Elle m'a fait plus de plaisir, que je ne saurai vous le dire. Non seulement parce qu'elle témoigne de la sympathie et de la confiance au Vieux Colombier, mais parce que cette sympathie s'exprime avec des mots qui touchent au vif mes meilleures préoccupations. Oui, une planche sur deux tréteaux et que l'irruption de la jeunesse la fasse trembler sous son pied. C'est exactement ce que je souhaite et réaliserai un jour. Pour cela il faut former les comédiens et c'est à quoi je ne cesse de m'appliquer. Il n'y a pas de comédiens.

Claude Debussy   24 novembre 1916

   Je ne puis me rappeler avoir passé une mauvaise soirée à votre théâtre. Dire ce qui m'en est resté serait nommer tout ce que vous avez fait représenter depuis cet extraordinaire *Une femme tuée par la douceur*, jusqu'à *Le Soir des Rois* (reconstitution si vivante qu'on s'étonnait de ne pas voir Shakespeare venir saluer à la fin de la pièce).

   * La correspondance Claudel-Copeau a été publiée dans les *Cahiers Paul Claudel*, 6, Gallimard, 1966, 328 p.

Vous avez montré qu'avec du goût et de l'ingéniosité on pouvait tout oser.

Je suis fier de vous apporter mon très sincère témoignage d'admiration – parmi tant d'autres ; laissez-moi y joindre mes vœux pour la réussite de votre voyage en Amérique, ce qui ne peut manquer : un effort vers la beauté n'étant jamais perdu. Il est important que le vôtre, si nettement français, soit apprécié hors de France.

Maurice Denis   (s.d.)

Le Vieux Colombier n'a pas attendu les salutaires réflexions que la guerre nous a inspirées, pour jouer d'autres pièces que des pièces bêtes à pleurer, ou sales à vomir, ou simplement boulevardières ; ni pour se refuser à propager des insanités qui nous font passer pour le peuple le plus léger et le plus déplorablement spirituel de la terre.

Le Vieux Colombier s'était souvenu à temps qu'il existait un théâtre classique français ; il savait que le culte de nos traditions littéraires ne saurait être obscurci par n'importe quels emballements récents, ou par n'importe quelles routines. Et c'est pourquoi on y jouait du Molière, et très bien.

Enfin, M. Copeau et ses amis n'avaient pas l'ambition de faire des affaires. Leur scène était pauvre, avec bienséance, avec dignité, et le prix des places permettait à tous les pauvres gens qui aiment l'art de voir et d'entendre de belles choses. L'ambition de M. Copeau était en définitive de relever non seulement le niveau intellectuel, mais le niveau moral du Théâtre de France. Son succès prouve que ce vœu était aussi celui de l'élite du public français – public dont il serait injuste de médire, depuis deux ans qu'il « tient ».

Eleonore Duse *
Libreria delle Attrici
Éden Hôtel   29 novembre 1916

Je vous remercie, Monsieur, pour la confiance et l'orgueil que votre lettre m'inspire.

Merci de me croire encore capable –, quoique invalide – et lointaine de la vie de travail, capable pourtant, *d'admirer* et désireuse *d'apprendre.*

C'est ainsi, sous cette lumière que j'ai toujours vu, dans mon esprit, l'esprit et la lettre qui vous ont guidé pour donner à l'art, et à la vie

---

* Ces deux lettres se trouvent au Humanities Research Center de l'Université du Texas, à Austin.

du théâtre, *cette chose* vivante et noble qui est le théâtre du Vieux Colombier.

Si la guerre a interrompu l'œuvre belle, la guerre vous la rendra (après) plus forte, plus éprouvée, plus sincère que jamais.

Permettez-moi d'être avec vous, pour attendre et croire dans cette force.

Viareggio

6 septembre 1913

On se rappellera que la Duse avait été l'une des premières à s'inscrire au Vieux Colombier en 1913 (cf. Registres III, op. cit., p. 103-104) :
« Les partisans isolés, les prosélytes disséminés dans la foule peuvent assumer une part dans l'entreprise. »

Ainsi dit *Jacques Copeau* dans l'article « N.R.F. » Ainsi je vous prie m'inscrire pour *une entrée permanente*. « Cette entrée est mise en vente, dit votre programme, au prix de *300 F*. »

Vous recevrez de Florence (Italie) où je serai de retour dans quelques jours le prix de 300 F pour *cette carte*.

Veuillez m'envoyer quelques *prospectus* ou *programmes*. Tâcherai exercer *propagande personnelle*.

Mon adresse est : *Florence.*

Via Della Robbia : 54 (Italie).

Je suis pour quelques jours encore au bord de la mer, mais en rentrant je réglerai ma dette, et j'aime vous affirmer que je partage ce désir : *d'un nouveau contingent d'humanité*, au théâtre, et avec vous, aussi, j'en ai toute l'espérance.

André Gide

(s.d.)

Le théâtre du Vieux Colombier est venu juste à point pour nous réconcilier avec le théâtre. Que l'art de la scène, le plus fardé, le plus frelaté, le plus déshonoré, puisse, en dépit des temps, des acteurs, des spectateurs même, redevenir le jeu rapide, joyeux et vigoureux de l'esprit, qu'il était jadis et qu'il aspire à redevenir, – c'est le miracle de jouvence auquel nous a permis d'assister Jacques Copeau, dont jamais nous ne louerons assez l'ingéniosité, la prudence, la décision imperturbable, l'enthousiasme et la belle vaillance obstinée.

Émile Verhaeren *

Dans l'avancée de n'importe quel art, il faut, de temps en temps, qu'un sursaut en vienne redresser et activer la marche régulière ou

---

* En note dans la brochure : « Ces lignes ont été écrites par le grand poète belge quelques jours avant sa mort soudaine à Rouen le 27 novembre. »

plutôt routinière. Tout ce qui est humain tend à se cristalliser et à se durcir par l'habitude. L'art dramatique surtout.

Depuis qu'Antoine l'eut comme rénové – il y a trente ans – il n'y eut plus en France qu'une opposition tenace à tout rajeunissement dans le jeu des acteurs et dans la présentation des décors. Bien plus : ce qu'Antoine avait rénové vieillissait à son tour. Sa conquête devenait un obstacle.

Jacques Copeau reprit l'œuvre de refonte. À son tour il imprima à l'art du théâtre le sursaut dont son récent développement avait besoin. Antoine inaugura jadis le décor détaillé et abondant, Copeau le voulut sommaire et simple ; Antoine prôna le jeu violent et réaliste, Copeau l'instaura sobre et synthétique. Antoine vint à son heure ; Copeau vient à la sienne. Ceux qui rendront hommage à Antoine et continuent à l'aimer avec ferveur comprennent et admirent l'œuvre de celui qui tout en lui étant opposé le continue, avec intelligence et fermeté. Le *théâtre du Vieux Colombier* est le théâtre d'aujourd'hui.

Francis Vielé-Griffin (s.d.)

Le théâtre du Vieux Colombier, en supprimant les « vedettes », en créant par le travail en commun une troupe homogène, a pu réaliser un *ensemble* et, par autant, révéler à Paris – ce qui semble paradoxal – Molière, entre autres, dont l'œuvre devenait un texte mort.

Désormais, une personne cultivée pouvait « aller au théâtre » ; cela ne s'était pas vu d'une génération.

Vincent d'Indy 28 novembre 1916

Je suis heureux de témoigner toute mon admiration pour le théâtre du Vieux Colombier, qui, en dehors de toute idée de spéculation, a su mener à bien une œuvre purement artistique, en montant avec un soin et une intelligence rares dans les entreprises théâtrales, un grand nombre de chefs-d'œuvre anciens ou modernes dont la plupart n'avait jamais été donnés sur nos scènes françaises.

Henri de Régnier 27 novembre 1916

Cher Monsieur

Vous voulez bien me demander mon sentiment sur l'effort réalisé durant la saison 1913-1914 par le théâtre du Vieux Colombier. Sans en avoir suivi tout en détail il me paraît, en son ensemble, avoir été du plus intéressant tant par le choix des ouvrages représentés que par leur interprétation et leur mise en scène. Il constitue pour l'art dramatique une des tentatives les plus considérables de ces dernières années et il honore infiniment ceux qui y ont participé à titres directs et toujours avec un beau souci de haute tenue littéraire et scénique.

Auguste Rodin

J'apprécie hautement l'intelligence et le courage apportés dans votre jeune entreprise de répandre le goût d'une littérature dramatique de belle tenue, digne des grandes traditions du passé et je suis avec vous de tout cœur, dans la propagande élevée dont vous venez de prendre l'initiative près de nos amis du Nouveau Monde.

J. H. Rosny aîné

Le théâtre du Vieux Colombier est assurément une des plus belles tentatives qui aient été faites pour rénover le théâtre contemporain, pour l'arracher à un sinistre mercantilisme et à un syndicat malfaisant. Le théâtre du Vieux Colombier a joué les pièces les plus diverses comme goût et comme tendances ; il n'a eu en vue que les intérêts essentiels de l'Art.

Igor Strawinsky
Morges

27 novembre 1916

Tous mes vœux, vous n'en doutez pas, vous accompagnent en Amérique. Je vous félicite de pouvoir faire connaissance avec le public américain si sensible à la force et à l'originalité vraies ; je félicite ce même public de pouvoir faire connaissance avec vous, votre troupe, et les œuvres que vous interpréterez, parce que vous représentez auprès de lui l'art français dans ce qu'il a de plus authentique et de plus vivant. Vos efforts vont aussi trouver leur récompense au-delà des mers comme ils l'ont déjà trouvée parmi nous. Et dites bien aussi à mes amis inconnus de là-bas, qui vont être vos amis, combien je leur suis reconnaissant de l'accueil si chaleureux qu'ils ont fait à mes œuvres. Je salue en vous et en vos camarades du Vieux Colombier les soldats d'une autre bataille, celle que nous livrons tous, en fidèles alliés, pour le triomphe de la grande œuvre.

Tous mes meilleurs vœux encore, cher Copeau, et une poignée de main.

Ramuz me prie de joindre ses vœux, ses félicitations et ses souvenirs aux miens.

L'ESPRIT DU VIEUX COLOMBIER *

(extraits)

[...] Le principe du Vieux Colombier, c'est que la poésie est la reine légitime, qui règne et doit régner dans l'œuvre d'art. Quoi qu'on en pense, le drame est une œuvre d'art, entre les plus belles et les plus hautes : on ne s'en doute plus, tant le théâtre a tourné au commerce et à l'industrie ; tant les œuvres dramatiques du dernier siècle sont basses par la pensée et par la forme.

Depuis cent ans, le poète et la poésie sont le dernier souci d'un théâtre : tout y compte plus qu'elle ; tout y a plus de droits que lui.

[...] Au Vieux Colombier, Shakespeare a plus de prix que le plus fameux costumier et Racine passe avant Champmeslé elle-même.

Le Vieux Colombier est une petite salle, une petite scène et une grande entreprise.

Ailleurs, on ne fait presque rien avec des moyens immenses. Ici, on fait beaucoup avec peu ou rien. Tout est matière et matériel, ailleurs, ici, tout s'efforce à l'esprit. Le succès est plus ou moins heureux : l'effort n'a pas été moins noble, ni la besogne moins bien faite et l'ambition moins digne d'estime.

[...] L'amour de la poésie et l'entière docilité aux pensées des grands poètes ne vont pas sans une obéissance égale à la nature, et un extrême respect de la vérité. Comique ou tragique, l'œuvre d'art n'est pas une copie de la réalité : pour parler musique – car tout est musique – elle en est la transposition dans le ton de la réalité.

Une poésie qui se moque de la nature est moquée. Mais la nature sans la poésie, c'est le monde moins un esprit pour le connaître, moins un cœur pour l'aimer. Les couleurs de la nature, notre joie,

* Cet essai sera réimprimé dans les programmes du Vieux Colombier au retour à Paris en 1920.

En remerciant l'auteur d'avoir été « le premier à écrire sur mon œuvre commençante des choses qui me touchent au cœur », Copeau ajouta : « L'importance de vos pages me détourne de les classer parmi les " témoignages ". Elles deviendront un chapitre central de la brochure » (11 décembre 1916). Suarès se dit blessé de voir ses pages reléguées à la fin et Copeau lui répond (18 janvier 1917) : « De quoi m'accusez-vous ? D'avoir voulu vous rabaisser ou quoi ? ... Si peu au courant que je sois de la question des " vedettes ", je crois qu'elles sont de deux sortes : en tête ou en queue. Cette dernière sorte est même appelée : vedette américaine. »

Nous remercions le Comité Suarès et M. François Chapon d'avoir autorisé la publication des extraits de cette grande correspondance d'environ 450 lettres, de 1911 à 1936. Les lettres de Suarès se trouvent au F.C.

ne sont point en elle : mais elles sont dans l'œil du peintre, avant toute peinture.

Le service de la vérité est le principe de toute réforme. Au Vieux Colombier, on a horreur du mensonge en toute chose, qu'il s'agisse des œuvres ou de la mise en scène, de la diction ou des caractères. Le ferai-je observer ? la vulgarité réaliste est un mensonge. Rien n'est si réel que la poésie. Mais il y a de fausse poésie comme il y a de fausses vertus. La tradition peut être une imposture.

Il ne faut point marchander, et nous devons nous mettre dans ce que nous faisons : la tradition est morte, si elle ne vit de nous. C'est de nous-mêmes, en art, que notre vérité est faite. Quand même on tirerait de l'océan du temps, corps et biens, le théâtre du Globe en 1600, on n'aurait rien fait, si l'on ne ressuscite l'âme du poète.

[...] C'est au Vieux Colombier, pour la première fois, que Shakespeare a vraiment été mis sur la scène, du moins à Paris.

[...] Où donc a-t-on joué Shakespeare avec plus d'amour, plus de ferveur, plus de vérité présente, ou avec un sens plus délicat de son esprit ? Molière n'a pas eu moins à se louer du Vieux Colombier. Quand le déluge de feu aura cessé, quand l'arche aura mouillé dans le port de la paix, la colombe en son bec aura un brin d'olivier pour cette petite maison, pleine de zèle et de bonne volonté.

Alors, les vieux tragiques d'Athènes, les plus beaux entre les hommes nus, Racine et Corneille d'une égale beauté ; Molière qui n'a pas de second, comme Shakespeare même ; Ibsen, les étonnants Espagnols, Musset, Gogol, tous viendront prendre place au pigeonnier. Et de jeunes vivants ne feront pas mentir le génie de la France.

Ainsi, dans ce petit théâtre, dont la pauvreté est sainte et l'ambition sans borne, le beau travail continuera et la conquête, pour l'art dramatique, d'une ère nouvelle.

André Suarès.

CONFÉRENCES AU LITTLE THEATRE

NOTES POUR
LA PREMIÈRE CONFÉRENCE
(12 MARS 1917)

Art dramatique et Industrie théâtrale

(notes ms. 11 ff., autogr., F. C.)

Rénovation ne signifie pas seulement avènement nouvelle génération littéraire. Ne signifie pas amélioration. Non guérir le malade. Mais le tuer.

Ou plutôt constituer un être sain. Alors on verra la maladie. Tout refaire en commençant par le commencement. [...] *Il s'agit d'être.*

La tentative du Vieux Colombier n'est pas la première. Mais elle diffère de celles qui l'ont précédée. [...]

Causes de décadence et d'avortement :

Le Théâtre Libre mouvement littéraire.

Personnalité d'Antoine liée à ce mouvement qu'il provoque et dont il devient le prisonnier.

Étroitesse de la conception réaliste, à l'exclusion de toute fantaisie, de toute poésie.

Il est pessimiste et par là desséchant, borné, visionnaire du médiocre. Il aboutit vite à la stérile rosserie, au tableau sans vie profonde sous prétexte de sincérité. Bientôt il n'est plus ce réalisme sain que nous trouvons à la base des œuvres équilibrées de notre art classique, mais une maladie de la vision, une sorte de *romantisme réalistique.* Il verse dans le truc et la manière, dans le parti pris et le poncif. [...]

Le Théâtre Libre dans son essence a immédiatement cessé de vivre. Ceux qui en sont sortis s'en écartent rapidement, vers la pièce sociale, moralisante et philosophique. [...]

Antoine n'a pas éduqué ses acteurs. Il leur a imposé sa manière. Tout le Théâtre Libre est dans Antoine, dans son corps, ses mains, etc. Il n'aime pas le comédien, mais le brutalise. Il a fait des cabotins réalistes comme il y a des cabotins académiques. [...]

Copeau fait alors le procès du théâtre actuel :

S'il était une chose en France, avant la guerre, bien faite pour trahir notre renom, c'est notre théâtre. [...] Le théâtre que nous exportons en Europe n'est pas le théâtre français mais le théâtre parisien, – boulevardier. [...]

Il contribue à égarer l'opinion de nos amis et de nos ennemis sur notre compte. D'une manière générale, dans le monde moderne, le théâtre est le plus abâtardi, le plus décrié des arts.

Pourquoi? Le créateur dramatique séparé du public par trop d'intermédiaires. Énorme consommation. Appel à un public trop étendu. Tentation de gagner de l'argent. Déformation de l'œuvre dramatique. [...] Trop grand nombre de théâtres. [...] L'art dramatique emprisonné par l'industrie théâtrale. Même chose dans tous les pays.

Vous vous plaignez du théâtre américain.

Je ne le connais pas encore. Beau terrain *d'études,* comme toute chose américaine où afflue la vie.

On y voit grande activité autour du théâtre. Chantier ouvert.

Grand amour du théâtre et spectacle, genres populaires.

Une voix autorisée déclare en public que « l'art et particulièrement l'art du théâtre est un élément important de culture sociale », et fait appel aux mécènes pour favoriser le développement de la scène dramatique.

Je me rappelle célébration tricentenaire de Shakespeare dans 50 des plus grandes cités d'Amérique à la fois, faisant appel non seulement aux professionnels mais, ce qui est beaucoup plus intéressant, aux amateurs de tous âges et de toutes conditions.

De tous côtés, formation de sociétés ou ligues pour relever la production dramatique, former des acteurs, instruire le public.

Revues spéciales de théâtre. Articles intéressants.

Travaux de spécialistes du théâtre comme professeur Brander Matthews à Columbia, professeur George P. Baker à Harvard pour ne citer que ces 2 noms.

Dans les Universités, scènes d'expérimentation, théâtres en plein air, dramatic workshops. [...]

Jeunes entreprises dans toutes les villes. Collaboration des artistes. À New York, Washington Square Players, Provincetown Playhouse...[...]

À quoi cela aboutira-t-il? Idées directrices? Agitation ou activité? tout trop vite?

« *The spirit of change, of experiment* » est entré dans vos mœurs théâtrales. Assez vivant pour inquiéter les tenants du Vieux Théâtre.

Pas d'équivalent d'une telle activité en France.

Direz-vous que nous n'avons pas besoin de cet esprit de recherche, parce que nous sommes soutenus par la continuité d'une tradition qui vous fait défaut à vous?

Sens du mot tradition. La vraie tradition est ce qu'il y a de plus maltraité sur la scène française. Tradition académique creuse – permet virtuosité – induit à la grimace. [...]

En tout cas, cet esprit mercantile, cette industrialisation de la scène qui révolte certains d'entre vous, il est le même chez nous. Mais moins florissant.

Je parlerai avec violence du Théâtre Français.

Avec injustice? Avec passion. La scène française objet de mon amour. Je lui ai donné ma vie. [...]

Je ne nie pas qu'il y ait éléments art dramatique en France. D'elle sont parties initiatives difficiles ailleurs.

Des idées, des dons, des talents. Mais tout cela confondu, épars.

La vraie vie du théâtre, elle est hors de la scène.

La faculté dramatique subsiste malgré la scène.

Il faut une scène nouvelle.

Partir de zéro. Compter pour rien ce qui est. Renouvellement total.

Non seulement renouvellement littéraire.

Mais des mœurs, de l'organisation, du fondement du théâtre. [...]

Les mécontents, les novateurs ne sont pas d'accord.

Chacun veut avoir son idée à lui, son originalité à lui. On ne cherche pas le terrain d'entente sur lequel appuyer effort initial.

Nous ne savons pas ce que sera le théâtre de demain. [...]

Nous sommes d'accord sur ceci : nous ne voulons plus du vieux théâtre. Il est pourri. Nettoyer les écuries d'Augias.

Tous contre théâtre industriel. [...]

Faire à nouveau son procès. Pas original. On s'en prend tour à tour :

Au public. « Ce pelé, ce galeux, d'où nous vient tout le mal. » Bouc émissaire. Il a bon dos. On proclame sa stupidité. On ne songe qu'à le flatter, à le devancer. Il est le moins coupable. Prend parfois le mauvais pour le bon. Reconnaît aussi le bon. Se laisse guider, pour peu qu'on y mette de la constance. Tout le théâtre fondé sur le mépris du public. Mépris de la part du directeur industriel qui tient pour dogme sa bassesse, s'en fait une idée grandiose, l'imagine, la caresse et l'y enfonce. Mépris de la part du directeur artiste qui lui montre des choses extrêmement difficiles à comprendre, noires, absconses, en ayant l'air de dire : voilà le grand art et je sais bien que tu n'y comprendras rien, imbécile!

Aux directeurs. Plusieurs sortes de directeurs.

Le directeur artiste. Généralement un homme de lettres ou un comédien manqué. Le prend de très haut. A des idées originales. Ne connaît rien du métier. [...]

Croit tout bouleverser parce qu'il a eu une idée. [...] Mange les quelques milliers de francs d'un ami dont il fait un mécène repenti prêt à soutenir n'importe quel café concert. Fait reculer de dix ans l'entreprise de libération.

Le directeur industriel. Ne connaît rien au théâtre. Mais connaît le public et les affaires. Sait les moyens de forcer le succès :
La publicité à outrance. Les billets à demi-tarif.
Le snobisme. Les décors, les grands couturiers.
Le trust des vedettes.
L'exploitation de la mode et le flair du goût public (pornographie ou patriotisme).
Tous les moyens à côté du théâtre.

Le directeur homme de théâtre. Généralement un « actor manager ». Rien ne trouve grâce devant lui. Il est le théâtre en personne. Il joue. Choisit la pièce pour y avoir un rôle. La défait et la refait, change le dénouement, etc. Connaissance du « métier » et du public.

Les Comédiens. Dernier des métiers, s'il est fait de grimace et de servilité, s'il n'est pas sincère, joyeux.
Déformation professionnelle.
D'un côté il y a les esclaves, de l'autre les rois qui sont les vedettes. Ce sont les plus grands acteurs qui sont les ennemis de l'art dramatique.
La vedette, ses exigences d'argent, les jalousies, les questions d'affiche. On ne travaille pas ensemble. On travaille les uns contre les autres. Les pièces sont faites pour eux, non eux pour les pièces. Toujours le même personnage, toujours la même pièce. [...]
Il n'y a pas de maître – et vingt tyrans. Craig a fort bien montré cela. (Pas d'unité.)
Dur métier celui de l'acteur. Il faut l'aimer. Il faut les soutenir, les animer. Il faut changer leur vie, leurs âmes.

L'auteur est seul. Ou bien il est du métier et prêt à toutes les complicités. Ou bien il n'en est pas. C'est un écrivain, un artiste. Il est l'ennemi. Il résiste d'abord. On a raison de lui. L'acteur-manager le prend sous le bras, « Vous n'y connaissez rien, mon cher. Laissez-moi faire. » Il veut être joué. Il cède. Il ne reconnaît plus sa pièce. On l'a ramenée au type connu. C'est du théâtre. [...]

Abstention des artistes. L'écrivain touche au théâtre du bout des doigts. Il y vient après avoir fait sa réputation par des livres, pour y gagner de l'argent.
C'est un fait que les meilleurs se sont détournés du théâtre, non faute de dons mais par dégoût.
Le fait remonte loin. [...]
Dans l'état actuel des mœurs du théâtre, l'artiste qui s'y aventure doit s'avilir ou s'abstenir.

Ceux qui ne s'abstiennent pas, les meilleurs, abandonnent la lutte ou produisent fort peu... [...]

En face de l'organisation du théâtre industriel, quelques jeunes gens libres font la guerre dans des petites revues sans influence. Cette guérilla je l'ai menée pendant quinze ans. [...]

Faut-il donc désespérer? Non – mais,

Comprendre qu'il faut tout défaire pour tout refaire.

Pas croire qu'il suffit d'avoir une bonne idée pour que tout change. Mais travail lent, patient. Pas succès immédiat. Se défier de ceux qui viennent à vous du premier coup, font de vous objet de mode. Austérité.

Y consacrer la vie. Y mettre ce qu'on a de meilleur. Sous l'invocation du meilleur, du plus difficile. Renoncer au repos, à la gloire, à la richesse. Un véritable esprit de lutte.

Souvenez-vous de ce que Joachim du Bellay dit du poète : « Qui doit longuement demeurer en sa chambre et, comme mort à soy-même, suer et trembler maintes fois : et autant que nos poètes courtisans boyvent, mangent et dorment à leur aise, endurer de faim, de soif et de longues vigiles. »

Et ce que le vieil Épictète dit du philosophe : « Il faut veiller, peiner, te défaire des tiens... »

Le grand art du théâtre n'est-il pas digne qu'un homme lui dévoue sa force et sa vie, en toute humilité?

Pour faire renaître le théâtre, pour donner à notre époque un théâtre vivant et original il faut premièrement se mettre dans certaines conditions morales. Il faut avant tout échapper, autant que possible, à la pression du monde moderne par l'abnégation.

Voilà des paroles solennelles, et j'espère que vous ne sourirez pas à cette déclaration de mysticisme. [...]

Je connais les sarcasmes qu'elles me réservent et je ne les crains pas, parce que j'ai conscience d'avoir déjà fait quelque chose de réel avec ma folie. [...]

Copeau notera dans son Journal *(20 mars) :* « Roché... me dit qu'un journaliste du *Sun* me trouve prêcheur. » *Et rappellera l'observation dans une conférence à l'American Laboratory Theatre, le 26 janvier 1927 :* « Un journaliste quitta ma conférence en disant : " Je croyais qu'il s'agissait de théâtre, et je vois qu'il s'agit de l'armée du Salut ". » *L'anecdote est retenue par le jeune Harold Clurman pour déclarer que la présence de Copeau avait agi comme un catalyseur sur lui et sur Lee Strasberg dans leur formation du Groupe Theater en 1931 (cf.* The Fervent Years, *N.Y., Knopf, 1945, p. 15).*

Les conférences, étant prononcées en français, les comptes rendus de la presse quotidienne étaient réduits à de courts résumés et à la liste des noms de la « fashionable society » new-yorkaise. Les deux journaux les plus sérieux, le New York Times *et le* New York Tribune, *en ont fait de courts résumés avec quelques citations en anglais. Ce dernier a surtout souligné (13 mars) que Copeau avait lancé un défi au roi de Broadway,* David Belasco, *en venant à la défense des petits théâtres que celui-ci avait condamné quelques semaines auparavant.* Butler Davenport, *directeur du petit* Bramhall Theatre, *annonce de son côté, dans une interview (*Christian Science Monitor, *3 avril), qu'il s'était inspiré des idées de Copeau en fondant son théâtre.*

Appendice C

CONFÉRENCE SUR VERHAEREN, CHEZ MRS. ROBERT BACON (18 MARS 1917)

(notes ms. 6 ff., autogr., F. C.)

[...] Je l'ai connu pendant plus de dix ans et j'avais pour lui cette tendre admiration, ce mélange de respect filial et de camaraderie familière que la simplicité de ses manières permettait à tous ceux qui ont vécu dans son intimité.

Profondément simple, vrai, naturel. Il venait à vous la main tendue, main saine et nerveuse qui serrait fort, son œil bleu regardant droit par-dessus le lorgnon, la tête penchée en avant, qui faisait descendre sur son front plissé, et toujours agité, une mèche de son abondante chevelure grise. Sa voix était brusque, saccadée et chaleureuse. Toujours vêtu simplement mais d'étoffes moelleuses aux couleurs éteintes sur quoi tranchaient de magnifiques cravates de crêpe imprimé ou de voile des Indes. Sa grosse moustache tombante, un peu roussâtre, à la gauloise, lui donnait un air de sauvagerie qui rendait sa douceur plus exquise. Je le vois marchant au bord de la mer, appuyé sur un bâton, les épaules légèrement voûtées, l'oreille ouverte à tous les bruits de la nature, l'œil amusé de toutes les nuances, tel que l'a peint Van Rysselberghe ; ou penché sur une table lisant les vers d'un de ses poèmes, d'une voix un peu rauque et sourde, insistante, qu'il scandait d'un doigt levé. Le rythme, qui était l'essence de son génie, emportait tout son corps. [...]

Très vivant, très gai, il était un réconfort pour ses amis. Son visage, comme celui de Rodin, dégageait une clarté. Il adorait la vie, l'amitié, la beauté. Il arrive chez une amie par un beau jour de printemps : « Tiens! voilà cent sous. Je suis content! » Une autre fois, il a gagné un peu d'argent dans une combinaison financière. Arrive chez l'ami qui l'a conseillé. Met une poignée d'or dans son assiette.

Ses accès d'enthousiasme prennent forme maladive. Dans la rue, il crève avec sa canne le parapluie d'un petit bourgeois : « Ah! sacré petit vieux!» [...]

Tout l'intéresse : la peinture qu'il connaît bien. [...] Il visite toutes les cathédrales, tous les musées. La petite vierge de Bamberg : «J'en ai été amoureux fou!» Elle ressemble à sa femme. À Paris, il va tous les jours au Louvre. [...]

Alerte, toujours en éveil, il a besoin du bonheur des autres. La dernière fois que je l'ai vu chez Théo. Il partait. Sur le pas de la porte : «Tu vas bien, la femme, les enfants?» Et vous, Verhaeren? «Ad-mi-rable-ment!» quelques jours après il était mort. [...]

«Quand je rentrerai en Belgique, je mourrai de joie!» avait-il dit. Il est mort avant, en murmurant : «Ma femme, mon pays. »

28 novembre 1916 à Rouen, venu faire une conférence au profit des Mutilés Belges, il est écrasé par un train en gare de Rouen. [...]

Mme Théo, André Gide et Élisabeth Van Rysselberghe, sa filleule, vont le chercher. [...]

Cortège en automobile jusqu'à la Panne. [...]

Le corps dans un camion de la Croix-Rouge, dans le brouillard, à travers les lignes anglaises, se perd.

Arrivée à la Panne, sous un hangar, couvert de fleurs.

Cortège militaire. Beau temps. Une pie suit le cortège.

Un moulin arrête ses ailes en croix.

La reine Élisabeth prend soin de la tombe, en attendant un monument dans la Dune. [...]

Appendice D

NOTES POUR LA TROISIÈME CONFÉRENCE (19 MARS 1917)

L'École du Vieux Colombier

(notes ms. 12 ff., autogr., coll. M.-H. D.)

Ce que nous poursuivons au Vieux Colombier c'est une réorganisation des méthodes dans le développement de l'art dramatique, c'est une rénovation profonde du théâtre – ce n'est pas une révolution momentanée.

Ce travail de rénovation en est tout à fait à ses débuts, au tâtonnement, à l'expérimentation, c'est pourquoi il a tant besoin d'être encouragé et aidé par ceux qui l'approuvent.

Si demain je vous présentais un spectacle, je ne vous dirais pas, en guise de préface : « Voilà l'art nouveau, l'œuvre achevé, le modèle auquel il convient désormais de se conformer. » Je vous dirais : « Voilà le résultat de nos premiers efforts. Percevez-vous la différence ? Je crois qu'il faut chercher dans ce sens-là. »

Malheureusement quand un homme, et surtout un artiste du théâtre, vient déclarer en public : « Ce qui existe actuellement, ce que vous approuvez ou tolérez, est médiocre, faux, détestable », on s'écrie aussitôt : « Montre-nous donc ce que tu veux mettre à la place, dévoile ton secret. De quoi est faite ta nouveauté ? en quoi consiste ton originalité ? Qu'est-ce que tu apportes de neuf ? Montre-le, et vite, nous sommes pressés. Le monde tourne. Les théâtres jouent tous les soirs. Il nous faut des spectacles. » Et si l'artiste ainsi interpellé répond : « Je n'ai que très peu de choses encore à vous montrer. Je travaille. Je cherche. Il faut attendre, et ce sera peut-être long. » – On sourit, on hausse les épaules et on se dit avec mauvaise humeur : « Pourquoi donc nous a-t-il dérangé ? Qu'est-ce que c'est que ce prestidigitateur qui ne fait rien sortir de son chapeau ? »

Mesdames et messieurs, je suis depuis longtemps accoutumé aux sourires. Je comprendrais très bien que certains d'entre vous se soient dit, jeudi dernier, en sortant de ma deuxième conférence : « Ce petit théâtre, qui a établi son existence et s'est fait respecter en si peu de temps, il est fort sympathique mais, en somme, ses principes ne sont guère nouveaux. Nous connaissions déjà tout ça. »

Ah! Mesdames et messieurs, puissiez-vous vous défendre contre cette instabilité de l'esprit moderne toujours en quête de nouveauté. Ce qui, jadis, était le travail d'un siècle, veut être aujourd'hui le divertissement d'une saison. Il fallait jadis des années pour faire un bon élève. Aujourd'hui tout débutant est un maître qui fonde une école et la baptise à la mode du jour, comme un apéritif ou un entremets. Ceux qui ignorent tout n'ont pas grand-peine à tout découvrir sous des noms nouveaux. Aujourd'hui tous les cerveaux sont un peu fous. Ils battent vite la campagne. Le vin de la pensée les enivre, si peu qu'ils en prennent. Nos pères avaient la tête plus solide. En poésie, en peinture, en musique, je pourrais vous citer cent de ces inventeurs de formes vides. Ils prétendent créer de nouveaux moyens d'expression, mais ils n'ont rien à dire. Et je pense à la discipline antique qui bannissait de la cité l'homme qui avait ajouté une corde à la lyre.

Construire des théories et les faire accepter pour neuves est facile. Savoir son métier demande un long travail. Et c'est à la main qu'on reconnaît l'artiste. Son originalité n'éclate pas toujours dans ses propos, ni même dans ses desseins, mais elle est visible pour qui connaît les choses, dans telle partie secrète du travail, dans un détail d'ajustage, dans une inflexion de l'outil que le cœur a dictée.

Les quelques idées d'ensemble que je vous ai exposées l'autre jour, ne sont pas nouvelles, vous les retrouverez, à peu près identiques, dans toutes les villes d'Europe et d'Amérique. Mais qui les a mises en pratique? qui en a développé les conséquences jusqu'au bout? qui s'est plié à leur exigence totale? À ma connaissance, à peu près personne. Je les prends à mon tour, au point où les ont laissées mes prédécesseurs. Je les fais travailler. Elles me conduiront peut-être à d'autres découvertes qui, celles-là, me seront personnelles. Mais je ne les rejette pas avant d'avoir expérimenté leur vertu. Peut-être que j'aperçois déjà un horizon nouveau [...]. Mais je vous ai dit l'autre jour un mot que je voudrais que vous eussiez retenu parce qu'il exprime bien ma pensée : « Si nous devons faire quelque découverte vraiment originale, c'est au bout de notre recherche et de nos travaux qu'elle nous attend, comme une récompense. Et nous nous gardons de la proclamer dès aujourd'hui, comme une réclame. »

Donc, au moment où j'aborde aujourd'hui, l'idée de rénovation dramatique, sous la forme essentielle, celle de l'éducation du comédien, ne vous attendez pas à ce que je vous révèle, en une formule lapidaire, le moyen, le procédé, le truc absolument infaillible et inédit grâce auquel un comédien peut être en quelques mois rendu capable d'éclipser la Duse ou le vieux Salvini.

L'École du Vieux Colombier, plus encore que le théâtre du Vieux Colombier, est dans l'enfance.

Une objection peut être faite : puisque rénovation : commencer par l'école. Parfaitement juste.

Avantage : Sentir dans le théâtre le besoin de l'école. Le théâtre et l'école, seule et même chose, à des degrés différents :

Au théâtre sujets déjà formés : Il faut se borner à les réformer.

Non pas *éducation* mais *entraînement.*

Vertu dans le *travail constant;*
dans *le travail en commun* et recherche d'homogénéité;
dans *l'esprit de corps;*
dans *la discipline* (règlement de conduite. Ordre dans les loges. Respect du matériel).

(Costume. Maquillage. L'effacement personnel. La vie ensemble, l'affection réciproque et vis-à-vis des serviteurs de la scène, pas de jalousies, repas en commun.)

Jouer pour un public familier (le conquérir, le retenir, l'éduquer);
vie modeste, sans grandes ressources, concentrée sur le travail;
approbation du patron remplace l'éloge du journal;
intimité du patron qui connaît vos besoins et y pourvoit.

Vivre près d'eux, non pas comme un pédagogue, mais plutôt comme un père, les reprendre non seulement sur ce qui est de leur profession, mais sur ce qui est de leur caractère, de leur façon d'être dans la vie. Les influencer. Faire appel à ce qu'ils ont de meilleur. Être également juste, également sévère pour tous.

C'est un apostolat? Mais oui...

Travail de la scène. Les intéresser à l'ensemble. Attirer leur attention sur tout détail. Les amener à comprendre eux-mêmes pourquoi ceci est mal, pourquoi ceci est bien. Leur demander conseil. Prendre prétexte de toute indication spéciale à leur rôle, pour en tirer conclusions générales. Ne pas perdre une occasion de les instruire.

En dehors de la scène, causer avec eux, de l'art, de la vie, conseiller des lectures, fréquentations avec des artistes amis de la maison.

Musique, danse, exercices physiques, autant que possible. Tenir constamment leur émulation en éveil, leur obligeance, leur désir de servir : copier un rôle, arranger un costume, donner un coup de main à la régie, prêter la main à un machiniste, faire une course, corriger avec moi une traduction *.

---

* Copeau se rappellera plus tard le travail avec ses comédiens au Limon, l'été 1913, sur la traduction de la *Nuit des rois* de Théodore Lascaris : « Quand Lascaris nous apporta son manuscrit..., il eut la bonne grâce de nous laisser la liberté de le revoir entre nous. Il accordait à des comédiens lettrés le droit de tâter de la langue ce qu'ils allaient avoir à dire. Je nous revois assis, le soir, autour de la lampe, comme pour un divertissement de société. L'un de nous suivait le texte de Shakespeare, cependant que les autres échangeaient en français les répliques. Nous ne jouions pas encore. Pourtant c'était un peu déjà, le mouvement et la joie de la comédie. Combien de

Prendre l'habitude de venir au théâtre quand ils n'y sont pas réclamés, assister aux répétitions, au spectacle dont ils ne sont pas. Les laisser s'enquérir de la recette. Donner leur idée pour la publicité.

Les garder dans la maison. Réengagement pour trois ans, sans augmentation, mais gratifications laissées à mon jugement.

Prendre la femme, le frère, l'enfant pour l'École.

Plus ils sont jeunes, plus ils sont maniables.

Les prendre les plus jeunes possibles.

Donc rajeunir la troupe.

La rajeunir par l'école.

Il y aura encore des hommes et des femmes de dix-huit et vingt ans dans l'école. Mais il y aura surtout des enfants, des vrais enfants.

Nos enfants. Nous avons les yeux sur eux. Il faut les prendre dès maintenant et leur consacrer tous nos soins si nous voulons voir l'aube d'une renaissance dramatique. Car je prédis que quand ils monteront sur la scène, nous verrons des spectacles tels que nous n'en avons jamais vus. [...]

Donc accueillons nos élèves dès dix-douze ans.

De toutes conditions, enfants du peuple, bourgeois, nés d'artistes. Ville, province, campagne.

Quelqu'un proteste : Comment, sans attendre vocation ?

Justement pour prévenir la vocation.

Ce qu'on appelle vocation pour le théâtre, 9 fois sur 10 ne mérite pas d'être encouragé. Vocation est déjà déformation. Vocation est ce qui fait ce petit jeune homme en corset qui reçoit chaque matin la manucure. *Spécialisé* dans l'art de paraître et de faire de l'effet. Vocation, indice de mauvais caractère, vocation à l'ignorance et à la paresse. [...]

Je l'ai connue la jeune fille stupide qui ne sait point reconnaître « un pourpoint d'avec un haut de chausses », écrit comédie avec un K et conservatoire avec deux s. Elle voudrait « déclamer ». Elle prend des drogues pour acquérir la pâleur tragique et sa vocation commence par le maquillage.

Tels sont les candidats au théâtre. Pourris dans l'œuf.

---

trouvailles heureuses jaillirent à l'improviste de cette collaboration ingénue! Au cours des répétitions, sur la scène, cent retouches furent admises. Chaque fois que nous avons repris *La Nuit des rois,* de 1917 à 1920, de nouveaux amendements s'imposaient que nous étions honteux de n'avoir pas pratiqués dès l'abord. C'est que la pièce avait mûri, au-dedans de chacun de nous, en vivant sur la scène. Elle livrait aux acteurs des secrets que la seule investigation littéraire n'avait point éclairés... Eh bien! Cela n'a pas empêché que je reçoive, d'un shakespearisant très distingué, 30 pages d'écriture serrée, contenant remarques et critiques des plus légitimes sur notre traduction de *La Nuit des rois.* Il est vrai que ce commentaire allait à l'encontre du principe même que nous avions suivi dans notre travail. On en avait à l'exactitude. Nous avions surtout cherché la liberté, fût-ce au dépens du purisme, pour le bien de la poésie. »

In sa préface à *La Tempête,* de Shakespeare, trad. de P.-L. Matthey (Corréa, 1931); réimprimée in *Les Nouvelles Littéraires* (2 janvier 1932), « Shakespeare en France ».

Nous allons au-devant de l'enfant pour le préserver.

Une fois qu'il est entré à l'école du Vieux Colombier, nous prenons charge de lui entièrement.

Vous objectez : Mais comment être sûr que chez un enfant de douze ans la vocation dramatique naîtra, que des facultés dramatiques se développeront?

Je réponds : L'atmosphère de l'école contribuera beaucoup à favoriser la vocation.

Pas une école de comédiens, mais des artistes du théâtre : danseurs, musiciens, mimes, figurants, décorateurs, costumiers, charpentiers, machinistes, etc.

Il y aura un certain déchet.

Objection : Même à supposer que je tire parti, par l'influence de l'éducation et de l'atmosphère, de la nature de mes élèves, c'est réduire à peu la part du *don personnel.* C'est trop attendre de l'éducation.

Le grand acteur de l'avenir ne sortira pas de cette école. Je ne fais pas appel à la *grande personnalité, grande individualité.*

Il n'est qu'une seule grande personnalité, qu'une seule grande individualité dont le développement importe au théâtre, et qui ait droit de régner sur la scène : c'est celle du poète, c'est celle de l'œuvre dramatique elle-même.

Mon but est de favoriser, d'exalter l'œuvre et pour cela de former une confrérie d'artistes qui seront ses serviteurs.

Je me soucie peu du grand comédien.

Si on me presse, je dirai que de tout temps le grand comédien a été l'ennemi du grand art dramatique.

Pour le grand art dramatique pas de grand comédien, mais une *Nouvelle conception de l'interprétation.*

Retournons à nos petits comédiens.

Ne supposez pas que je vais leur donner enseignement technique, les hypnotiser sur ce fait qu'ils sont appelés à devenir comédiens. Bien au contraire.

Les préserver de la théâtralité.

Les garder normaux.

Leur donner un développement complet.

Et les attirer vers le grand art du théâtre, pour ainsi dire sans qu'ils s'en doutent.

Instruction générale. Pas une branche d'enseignement à part, plus aride que les autres. Les heures de classes mêlées aux heures de divertissements, de travail manuel et de jeux.

1) Dessin, peinture, modelage. Couture et coupe.

2) Arts manuels (menuiserie, mécanique, peinture, électricité, etc.)

3) Exercices physiques : gymnastique, sports, escrime.

4) Musique, solfège et chant. Danse : danses très simples, populaires, enfantines : rondes accompagnées de chant.

5) Les élèves suivant l'ensemble des cours se spécialiseront plus tard.

De la diversité de l'enseignement naissent l'amusement, l'émulation, la joie.

Tout l'enseignement comme un grand jeu divers, auquel on se sent de mieux en mieux entraîné par le développement des facultés.

Et que cela ne sente pas la pédagogie.

Le jeu reste le plus libre possible.

Le jeu, imitation des activités et sentiments humains.

Par le jeu se fait toute l'expérience de l'enfant.

Il choisit son jeu, suivant son inclination, son caractère. Il est sincère et fidèle à lui-même.

Plus l'enfant est cultivé, plus son imagination est nourrie, plus il est musicien, mieux il se représente les choses plastiquement, plus il est capable de faire des objets avec ses mains, et d'autre part plus son corps est souple, entraîné, riche de réactions, plus le jeu sera riche en aventures, inventions, plus il sera varié et *dramatique*.

Peu d'élèves.

Afin de n'avoir pas à administrer de trop loin.

Plutôt une famille.

C'est en considérant mes propres enfants.

Le jeu.

Les enfants nous enseignent. Invention authentique.

Favoriser leurs jeux, les exalter, sans s'y mêler trop.

Les aider.

Leur imagination se relâche faute d'un accessoire : suggérer l'accessoire.

L'épée d'Edi. Pas la patience d'en faire une belle. Je la lui fais. Elle voit ma patience, mon soin, je la lui fais désirer longtemps.

Les rêves grandiront autour de l'épée. De l'amour qu'elle lui porte, naît le personnage du chevalier.

*Elle-même nous le raconte * :*

Nous observons les enfants dans leurs jeux. Ils nous enseignent.

---

* Edi est le surnom d'Hedvig Copeau, Mère François, Bénédictine au monastère d'Ambositra, à Madagascar. *Elle raconte :* « Un jour, mon père me fit une magnifique épée de bois de caisse – il la tailla avec son canif – la polit longuement avec des morceaux de verre arrondis. J'étais accroupie à côté de lui et surveillais la fabrication. Je n'osais manifester l'impatience qui me travaillait : j'avais hâte d'entrer en possession de cette merveille – cependant les perfectionnements qu'il y mettait n'en finissaient pas. Il amincissait les bords, si bien que ma chère épée devenait vraiment tranchante. Puis il me donna deux sous pour aller acheter, au bureau de tabac, une pelote de ficelle rouge dont il entoura la garde en forme de croix, après l'avoir enduite de colle forte. Quel bonheur fut le mien lorsqu'il m'arma de cette épée telle que je n'en avais jamais possédée de ma vie. Elle ne quitta plus mon côté. Même pendant les repas, mes parents ne m'imposaient pas de m'en dépouiller. La nuit je la suspendais au-dessus de mon lit, de sorte que mon premier regard au réveil était pour elle. »

Tout prendre de lui. Ne rien lui imposer. Ne rien lui enlever. L'aider dans son développement sans qu'il s'en aperçoive.

Nous ne voulons pas toucher à sa spontanéité, à sa fraîcheur, le déformer. Nous n'inspirons pas encore, nous ne dirigeons pas leur expression. *Nous attendons qu'ils aient quelque chose à dire.*

Diriger les jeux, les prendre en main.

Exercices : À l'instant où ils commencent, l'enfant se sent saisi et soulevé de terre par une main irrésistible qui ne les lâchera plus. Confiance et affection.

Impatience, excitation à l'approche du jeu : frémissement.

Je prends les êtres au naturel, dans leur action spontanée, leurs corps, leurs visages, leurs voix, leur caractère. Le jour où j'aurai formé ces comédiens-là, pour une forme dramatique, dont j'ai l'idée et qu'ils feront fleurir, cela ne rassemblera à rien d'autre au monde.

Tout cela difficile à décrire, parce que en voie d'expérimentation, rien de dogmatique. Inspiré de la vie et du contact avec chaque être. Plein de promesses. Œuvre de patience. Déjà commencée.

Ne vise à rien moins qu'à faire du comédien, non seulement le médium, mais la source de toute l'inspiration dramatique *.

---

* À ces notes pour la troisième conférence au Little Theatre ont été ajoutées et incorporées quelques notes pour une conférence au Metropolitan Club, « Les Enfants dans le théâtre » (le 27 mars 1917), et des extraits d'un article, « Les enfants et l'art futur du théâtre », publié en anglais dans *The Modern School* (oct. 1918), réimprimé dans *The Sun* (29 décembre 1918), dont l'essentiel est identique à la troisième conférence au Little Theatre.

L'épouse de Waldo Frank, Margaret Naumburg, avait assisté à la conférence au Metropolitan Club. Fondatrice et directrice de la Children's School en 1914 (devenue la Walden School en 1918), Mme Frank écrira plus tard que c'est grâce à Copeau qu'elle découvrit l'importance de l'improvisation dans les jeux des enfants, et qu'elle l'avait incorporée aux méthodes de son école (cf. *The Child and the World*, N.Y., Harcourt-Brace, 1928, p. 304-305). Copeau enverra ses enfants à la Children's School, pendant quelques mois en 1918.

NOTES
POUR LA CINQUIÈME CONFÉRENCE
(26 MARS 1917)

Le Renouvellement de l'Art scénique

(notes ms. 12 ff., autogr., coll. M.-H. D.)

[...] Un véritable renouvellement de l'art scénique ne peut être qu'un retour à d'anciens principes.

Tout ce qui n'est pas retour aux fondements de tout art dramatique vrai est fantasmagorique. Il faut un point de départ.

Simplicité scénique : théâtre grec, ancienne comédie italienne, théâtre primitif espagnol, Extrême-Orient, époques de Shakespeare et de Molière. [...]

En pleine période de réalisme, Becque reproche à Antoine l'abus du décor, et demande l'austérité de la scène au profit de l'œuvre.

Les jeunes poètes du *Théâtre d'Art* de Paul Fort qui ont précédé le mouvement actuel (1890) professaient que « la parole crée le décor comme le reste », et que « le décor doit être une simple fiction ornementale », et se réclamaient, dans leur opposition à tout réalisme, des représentations sacrées de l'Inde antique. – « Châssis opaques, carton cette intrusion, au rancart » (Mallarmé).

« Le Théâtre Moderne est perdu par le déploiement de sa mise en scène, lequel est contraire à l'art pur » (John Ruskin).

Dans l'histoire du mouvement, les questions de priorité sont fort délicates à établir, sinon impossibles.

On a voulu les soulever entre les deux hommes considérés comme les théoriciens du nouveau théâtre : Adolphe Appia et Gordon Craig.

On a accusé Craig d'avoir démarqué Appia.

Si voisines que soient leurs idées sur certains points, je suis persuadé qu'ils ne se doivent rien l'un à l'autre.

Craig m'écrivait à ce sujet, en octobre, novembre 1915 : « Tout ce que j'ai su véritablement d'Appia c'est qu'il a suivi *la vraie voie* et n'a pas pris les chemins de traverse – et tous ceux qui travaillent dans la vraie voie doivent fatalement se rencontrer *. » [...]

Les rencontres entre esprits qui ne se sont jamais approchés sont très fréquentes. [...]

Pour ma part, stupéfaction, il y a quelque mois, de découvrir que Meyerhold de Petrograd, dont je ne connaissais rien jusqu'alors, travaille exactement dans le même sens que moi.

Besoin d'originalité : besoin moderne.

Les grandes écoles d'art reposent sur communauté des principes.

Il faut donc se réjouir des rencontres et provoquer si possible des collaborations. [...]

Si quelque chose peut donner confiance dans l'avenir du théâtre, c'est bien cet effort unanime dont il est l'objet dans le monde entier. [...]

Tous ces théâtres, à leur début, ont la même histoire. Partent sur les mêmes principes. Font le même vœu de rester « humble et sincère ».

Comme *l'Illustre Théâtre* de Molière, au début, ils sont des amateurs. [...]

Recherches techniques sur la machinerie de la scène et du décor : (scène tournante – scène panoramique) ; sur l'éclairage : (suppression de la rampe, des bandes d'air, coupole) ; surtout en Allemagne où tout est poussé au dernier degré de l'élaboration.

Plus ou moins, tous ces perfectionnements matériels tendent à procurer *l'illusion de la réalité.* [...] Je n'en dirais pas de mal si cette effervescence de la technique scénique marchait de pair avec quelque grand mouvement dramatique. Mais il est curieux de constater qu'une scène rudimentaire reste sans perfectionnement aussi longtemps que de grands genres dramatiques s'y succèdent. Et qu'elle est travaillée d'un besoin de métamorphose alors que la production languit.

Énumérer ici et décrire ces recherches serait oiseux. Dans le cas qui nous occupe, et qui est celui de leurs rapports avec le renouvellement dramatique, nous dirons que toutes ces complicités matérielles, toutes ces prétendues facilités d'expression que l'ingénieur met au service du théâtre diminuent la puissance de l'artiste.

L'homme de théâtre ne peut pas impunément se laisser séduire par la recherche mécanique.

Et c'est ce qui arrive, même aux plus intègres, qui ont abordé la scène. Les problèmes d'ingéniosité et la tentation du pittoresque se substituent très vite à la pure recherche artistique.

Et, pourtant ; le goût, l'amour du théâtre, la passion spécifique du

---

* Craig avait écrit à Copeau le 23 novembre 1915 (Coll. M.-H. D.), en lui envoyant une copie d'un article de Carl van Vechten dans *The Forum* (N.Y., oct. 1915, p. 483-487), où l'auteur pense démontrer que les idées de Craig viennent d'Appia, et que sans Appia il n'y aurait pas eu de Craig, peut-être, de Stanislavski.

théâtre n'a rien de commun avec les procédés plus ou moins féeriques dont dispose la scène moderne.

L'émotion pure du théâtre je pourrais me rappeler exactement dans quelles circonstances, elle m'a le plus fortement saisi : à l'âge de quatre ou cinq ans dans une baraque de foire; dans un parc, la nuit, l'été, à voir défiler sous les arbres les travestissements de Comédie italienne qui sortaient d'un bal. Quelquefois au cirque (où je vais la chercher, dégoûté d'un théâtre sophistiqué). Quelquefois à voir mes enfants se déguiser et jouer. [...]

Écoutez ceci :

« Au temps du célèbre Espagnol (Lope de Rueda), tout le matériel d'un directeur de spectacle se renfermait dans un sac et se réduisait à quatre jaquettes de peau blanche, garnies de cuir doré, à quatre barbes, quatre perruques et quatre houlettes, un peu plus ou un peu moins. Les pièces étaient des colloques, espèce d'églogues entre deux ou trois bergers et quelques bergères. On les embellissait et on les allongeait au moyen de deux ou trois intermèdes où figuraient tantôt une négresse, tantôt un rufian, tantôt un niais ou un Basque... Il n'existait alors ni machines, ni défis de Maures et de chrétiens à pied et à cheval. Il n'y avait pas de personnages sortant ou paraissant sortir de terre par une trappe; la scène se composait de quatre bancs en carré et de quatre ou six planches superposées, qui s'élevaient à quatre palmes du sol. On ne voyait pas descendre du ciel des nuages portant des anges ou des âmes. Le théâtre était orné d'une vieille couverture tendue sur deux cordes, d'une partie à l'autre, formant ce qu'on appelle un vestiaire pour les acteurs, et derrière laquelle se tenaient les musiciens, chantant sans guitare quelque romance ancienne... » (Cervantès : Prologue au Lecteur de ses *Huit Comédies et Huit Intermèdes Nouveaux*).

Quelle force dans cette peinture : « chantant sans guitare quelque romance ancienne ».

Comme l'âme devait se dilater, seule, à l'aise, battre fort dans cette pénurie. [...]

Est-ce vers cette austérité qu'il faut retourner?

Est-il possible de revenir en arrière, de singer la naïveté, le dénuement primitifs? D'abord, nous n'aurons peut-être pas à singer la pauvreté, le dénuement, sur notre théâtre. Mais le retour à la nudité, il est nécessaire. Il ne s'agit pas de modifier, améliorer, élaborer. Mais *supprimer*. Si, à la place du décor, je tends au Vieux Colombier une toile grise, comme la couverture espagnole, ce n'est pas parce que je trouve ça plus beau, ni surtout que je pense avoir découvert une formule décorative nouvelle et définitive. Non. Ça veut dire que je ne m'occupe pas du tout du décor. C'est une protestation, un remède radical, une purgation. C'est parce que je veux que la scène soit nue et neutre, afin que toute délicatesse y paraisse, que toute faute s'y accuse, afin que l'ouvrage dramatique modèle dans cette ambiance neutre l'enveloppe personnelle dont il entend se vêtir.

Et si vous avez le courage d'aller directement à cet extrême et radical renouvellement, vous délivrerez d'emblée, l'âme prisonnière du théâtre et vous discréditerez d'emblée, tous les faiseurs qui nous assomment aujourd'hui avec leurs théories sur la décoration théâtrale. Plus l'œuvre s'adresse à une scène rudimentaire, plus elle est libre et peut être forte. [...]

On retrouve ainsi « la scène libre, au gré des fictions », qu'appelle Mallarmé. Pour Shakespeare et Molière : rendre liberté à l'esprit, sans décor et minimum de matériel...

À cette liberté nous retournerons, forcément, par la force des choses. [...]

Le théâtre = réunion de tous les arts? : *abus de langage*. Il est un art qui, de naissance, a quelque chose de tous les arts. Il ne fait pas appel aux arts dispersés. Mais aujourd'hui personne n'est le maître de ce théâtre-là. [...]

Craig, le maître et le juge, reste en dehors de tout cela, regarde en souriant les multiples réalisations qui procèdent plus ou moins de ses idées. Ses recherches à lui sont plus complexes, profondes et savantes. Il ne faut pas le prendre pour un décorateur. Tout le problème du théâtre se pose devant lui d'un bloc. Il est effrayé, comme moi-même, de la légèreté avec laquelle ses principes sont appliqués. Il voit des transformations superficielles, provoquées du dehors.

On imite. [...] On saisit des idées simples et on en abuse. [...]

En matière de renouvellement scénique, je ne connais qu'une théorie féconde : celle qui veut que la représentation soit dictée par l'esprit de l'œuvre, que le drame construise lui-même sa forme. [...]

Tout cela ne revient-il pas à dire cette chose bien simple qu'il faut interpréter l'œuvre dramatique suivant son esprit, suivant son style.

Le style du drame, c'est sa musique, c'est son mouvement.

C'est dans ce sens que je me suis orienté. Sans être musicien : esprit musical de mes mises en scène.

C'est pourquoi la question du décor ne peut mener à rien tant qu'on commencera par elle, tant qu'on le fera passer au premier plan, tant qu'on croira changer quelque chose au théâtre en changeant la formule décorative. La question du renouvellement scénique matériel est oiseuse pour le moment. La question du décor n'existe pas pour moi. Former une troupe d'acteurs et les faire jouer n'importe où. Renouveler l'âme et l'esprit de l'acteur. *Cela est inimitable.*

Par quelque bout qu'on prenne le problème du théâtre, on est ramené au problème de l'acteur en tant qu'instrument, que réalisateur parfait d'une conception dramatique. [...]

Mais la question de l'acteur, à laquelle je vous ramène toujours à dessein est elle-même liée à la question de l'œuvre dramatique.

La tare du nouveau mouvement théâtral c'est qu'il est gratuit et ne marche pas de pair avec une nouvelle forme dramatique. Il n'est pas spontané, exigé, nécessaire. Nous tourmentons de vieilles formes en leur appliquant des idées plus ou moins nouvelles.

Toute vue d'avenir se ramène donc à ce « problème du théâtre moderne ». [...]

SIXIÈME CONFÉRENCE (29 MARS 1917)
Le Problème du Théâtre moderne
(notes ms. 12 ff., autogr., coll. M.-H. D.)

Après avoir, au cours de ses cinq conférences, examiné séparément les différentes questions qui se posent à l'homme de théâtre moderne, Copeau va essayer de considérer si quelque chose de positif peut être dit, une affirmation aventurée au sujet de l'avenir de notre théâtre.

Au cours de ces cinq conférences, *dit-il*, nous avons surtout critiqué, nié : Ébranchage, émondage. N'avoir que très peu devant soi, couper un peu trop, comme le chirurgien dans maladie grave, mais n'avoir rien que d'intact devant soi.

À travers ce que nous avons dit, possibilité de ressaisir quelques notions positives, non pour composer la figure du théâtre de l'avenir, car elle est bien fuyante et énigmatique, mais indiquer dans quel chemin, peut-être, la nouveauté.

Points de départs. Conditions négatives sur lesquelles on s'entend :

1) Ne point s'approcher du théâtre commercial, ne rien faire avec lui, ne pactiser en rien avec lui.

Une des plaies : la surproduction, le trop grand nombre de théâtres. Restituer la rareté du spectacle.

2) Comment le cinéma peut collaborer à la renaissance du théâtre, au regroupement d'un public.

3) Nécessité de « tuer le comédien », comme dit Duse.

Dès qu'on aborde la question de l'œuvre dramatique elle-même et de sa production sur la scène, on ne trouve plus d'unanimité.

D'une part un drame qui vise à être la vie même. Les acteurs ne jouent pas. Ils vivent. [...]

Tout vise à y retenir l'illusion derrière un triple mur, à ne rien percer de la mystification théâtrale jusqu'au public qui, comme un enfant, doit ignorer si ça n'est pas pour de vrai.

Le public, on le supprime. Il n'aura pas conscience de lui-même en tant que public. On lui défend l'applaudissement. On le plonge dans l'obscurité complète. Et la scène toute seule brille, comme un monde suspendu. [...]

Puis à peine cette tendance s'est-elle manifestée, qu'une autre tendance éclate dans le sein du théâtre. [...]

Le théâtre est tout autre chose :

Ressusciter la théâtralité : la couleur, le mouvement, *le spectacle*.

Le théâtre est avant tout cela, il peut n'être rien que cela.

De cette conviction naissent des recherches techniques de toutes sortes, des recherches de présentation. Mais *point d'œuvres*. On étudie la question du théâtre laissée inculte depuis des années. On y fait des découvertes à chaque pas. Toutes sortes d'idées séduisantes vous saisissent. On pense que le théâtre est ceci ou cela, doit être ceci ou cela, que telle idée vaut mieux que telle autre, et on applique celle-ci, puis celle-là. L'expérimentation est libre. On n'est plus retenu, obligé par rien. C'est un jeu de l'esprit. On fait des théories qu'on applique sur des œuvres anciennes : Shakespeare et les Grecs notamment. [...]

Donc encore une notion dans le problème du théâtre futur : il ne peut sortir du caprice des théoriciens. Ils travaillent dans tous les sens. Ils manquent de *sujet* et de sujétion. [...]

Encore des notions négatives. [...]

Illusionnisme des méthodes esthétiques. [...]

Elles accablent certaines pièces sous un traitement insensé. [...] Pas le règne du comédien. Pas le règne du peintre. Mais pas non plus celui du *metteur en scène.* [...]

J'arrive aux notions positives : Notions d'expérience. [...]

Nous réalisons première condition : théâtre non commercial et groupe d'ensemble.

Mais nous avons souci du public. Non pas la foule. Non pas un public informe, mouvant, incessamment renouvelé. Mais un public ayant conscience de soi en tant que public, de son rôle, de son aspiration, de sa collaboration à l'œuvre d'art. Qu'il ne soit ni indulgent, ni facile. Un moindre public, cultivé, d'honnêtes gens (pour commencer).

« Il est bon pour l'artiste de savoir à qui il s'adresse », écrit André Gide. « Ce fut une dangereuse chose pour l'art de se séparer de la vie ; ce fut une chose dangereuse pour l'art et pour la vie. Du jour où l'artiste ne sentit plus, près de lui, son public, du jour où l'art ne trouva plus sa raison d'être, sa signification, son *emploi* dans la société, dans les mœurs, il n'en dépérit pas comme on l'eût pu croire. [...] Il s'affola. L'histoire de l'art moderne est inexplicable autrement : l'artiste qui ne sent plus son public est appelé, non pas à ne *plus* produire, mais à produire des œuvres sans destination : peintre, il peint sans savoir quels murs décoreront ses toiles ; sculpteur, il ignore d'où tombera le jour où pourront baigner ses statues ; poète, il chante et s'écoute chanter *. »

Au Vieux Colombier nous sentons bien près de nous ce petit public qui grossit chaque jour, ce public qui a besoin de nous, que nous reconnaissons, que nous voulons satisfaire, et qui veut nous soutenir. Cette unité s'est réalisée toute seule. Et ayant un public devant nous, nous ne sommes jamais si contents que quand nous pouvons le voir.

Nuit des Rois : Salle allumée. J'observe. *Le comédien qui regarde son public.* Très important.

Nous ne serions pas surpris qu'un spectateur se levât comme au parterre de Molière pour nous crier : « Bravo ! voilà la bonne comédie. »

Mais ce public n'est pas encore assez formé pour *demander*, pour *réclamer* quelque chose en particulier, pour avoir une exigence. Pour sentir *un besoin*.

Il est éclectique.

Et nous aussi nous sommes éclectiques. Nous nous en vantons. Point d'école.

C'est le privilège de l'époque. C'est aussi sa tare : Tout comprendre.

« Cet intelligent éclectisme dont nous nous félicitons est preuve, hélas ! que l'art n'est plus une *production naturelle*, qu'il ne répond plus à quelque besoin précis d'un public, [Nous discourons sur l'œuvre d'art, nous l'apprécions, mais nous ne la vivons pas.] et que la société décomposée, sans idéal précis à formuler dans aucun style, accepte, imprudemment, au hasard des rencontres, tous les idéals du passé et chacun de ceux que chacun des artistes nouveaux lui propose **. »

C'est à ce besoin moderne, ou plutôt à ce manque de besoin précis que correspond le théâtre de répertoire.

Il prouve qu'il n'y a pas de théâtre moderne. Un théâtre d'hier. Un théâtre de demain. Pas de théâtre d'aujourd'hui. Période de transition. Recherches en tous sens : Dans la technique [...]. Dans le jeu : depuis le réalisme le plus étudié, jusqu'à la fantaisie la plus inspirée. *Dans le décor :* Comment trouver une formule décorative, une formule de présentation scénique quand il n'y a pas de forme dramatique ? [...]

Lieu du drame. Le drame a une forme esthétique, étroite, qui ne ressemble à aucune autre.

---

* « De l'importance du public », *L'Ermitage* (oct. 1903, p. 81-95), texte d'une conférence, de Gide à la Cour de Weimar, le 5 août 1903 ; réimprimé *in* ses *Nouveaux Prétextes* (Mercure, 1911, p. 28-44). Cf. aussi des citations par Copeau *in* « Une Polémique : le théâtre amoral », *La Grande Revue* (10 mai 1907), p. 508.

** *Ibid.*, le texte entre crochets est de Copeau.

Sur votre scène moderne vous voulez donner à la fois Sophocle, Shakespeare, Calderón, Molière, Shaw, Henri Bataille. Ça n'est pas possible.

Le créateur dramatique doit avoir sous les pieds sa scène, son instrument, et devant lui un public.

J'ai dit qu'au Vieux Colombier nous commençons à voir notre public.

Mais la scène? Problème constant.

Contre cette diversité, cette amorphie. Ne pas changer de décor. Les dessus. Les découvertes. *Au rancart.*

Savoir à quoi s'en tenir une fois pour toutes sur le décor. Le fixer. [...]

Tirer avantage de cette contrainte. Aller de plus en plus loin dans la simplification.

Le répertoire : Très peu de pièces inédites.

Faut-il accepter? cette pénurie? attendre? ou provoquer?

Notre travail principal sur théâtre classique. Plus dur, plus riche. Il m'entraîne mieux mes comédiens. Il pose des problèmes plus nombreux, plus intéressants.

Traitement du théâtre classique français : Non pas reconstitution matérielle, mais retrouver l'esprit.

Non pas rajeunissement réaliste. Non pas travestissement esthétique.

Le style de l'œuvre, dans sa plus grande nudité. [...]

Trouver le dessin essentiel. Le mouvement original. Si vous retrouvez le mouvement de ce théâtre si féru de nombre, de rythme, sa marche, sa danse, sa musique, vous retrouvez les proportions de la scène, *le cadre.*

[Allons plus loin :

Supprimons complètement le décor. Renonçons *à l'idée de décor.* Supprimons le matériel spécial, le meuble. Remplaçons-le par un matériel très restreint et fixe. De sorte que nous avons non plus une décoration capricieuse, mais *une architecture constante.*

Je suis arrivé là par tâtonnements, expériences.] J'ai vu que cette disposition de la scène satisfaisait à beaucoup plus d'œuvres que je ne l'avais cru d'abord. (Shakespeare et Molière.) Que plus j'étais pris dans des limites matérielles, plus mon esprit jouait à l'aise et montrait d'originalité dans sa mise en scène. Il me semble que j'étais dans le vrai en acceptant pour guide de ma recherche scénique l'œuvre d'art seule, que je redonnais sa forme et son sens au travail dramatique.

J'en viens à cette conviction qu'il n'y a pas de problème du décor, pas de solution décorative satisfaisante possible dans l'état actuel du théâtre. Mais qu'il peut y avoir une solution architecturale répondant aux besoins d'une forme nouvelle qui prévaudra, et imposée par elle.

[Quelle forme? je ne sais pas encore. Mais nous y serons conduits.

Je ne peux vous mener plus loin qu'où m'a mené mon expérience. Mais j'ai vidé la scène. Sur laquelle une forme neuve peut faire librement ses premiers pas et construire.]

Sur une scène vide je vois combien l'acteur prend d'importance. Sa stature, son jeu, sa *qualité*.

D'où nécessité de réformer l'acteur.

Travaillant sur le texte classique. J'arrive à l'improvisation.

Éducation des enfants. Leur donner toutes les facultés de la création dramatique. Comme les anciens comédiens italiens. Les rendre capables d'improvisation.

Le problème n'est pas résolu, mais il est posé, dans son ensemble : le public et la scène, la forme du théâtre et la forme de l'œuvre, le jeu et le caractère du comédien. Le lien entre salle et scène. Tout cela ne fait plus qu'un seul et même problème. Indissoluble.

Stupéfaction d'apprendre que Meyerhold * (...) après un long travail de *vingt ans* en est arrivé aux conclusions que j'ai pressenties dès l'abord !

Il rejette l'élaboration de la scène.

Il fait avancer le proscenium vers le public. Donne toute l'importance à l'acteur. Revient à la théâtralité, mais pure et vivante, *belle*. Donne une grande place à la farce. Se sert du répertoire classique français pour ses démonstrations.

Il a les yeux fixés sur le théâtre du Moyen Âge et la Comédie italienne. Il s'intéresse à l'art d'improviser.

Son mot d'ordre : « *Revenons au tréteau et à la Commedia dell'Arte.* »

Mais je crains qu'il ne se borne à la reconstitution. Hevesi aussi, à Budapest, a fait de l'improvisation sur des scénarios italiens. Par caprice d'artiste.

J'ai été amené logiquement à ce point.

[Je ne puis que donner un aperçu de la perspective qui s'ouvre devant moi.

Création complète, en collaboration avec les comédiens, d'une comédie moderne toute neuve, improvisée, avec des types tirés de la société actuelle. Une farce française du xxe siècle **.]

C'est un peu mon secret. Liberté et non plus élaboration. Se jouer de l'illusion scénique.

Possibilité des comédiens. (Elle existe dans le peuple.)

Mes comédiens travaillent sur le front avec des hommes du peuple. Et il y aura les enfants.

Cette comédie sera-t-elle acceptée dans le public ?

Correspond au souci de beaucoup d'artistes : j'en parle à Appia.

---

* Rappelons les notes de lecture de Copeau au Limon pendant l'été 1916 (cf. *Registres III, op. cit.*, p. 359-363).

** Les textes entre crochets ont déjà paru dans *Registres I, op. cit.*, p. 186-187, 220.

Correspond je crois, au besoin de s'amuser. Goût pour la farce vive. Après la guerre, dégoût des choses élaborées, faisandées, compliquées. Préférence pour un art simple, presque rudimentaire, mais robuste, taillé en pleine vie. Varié, susceptible des combinaisons les plus imprévues.

Cet art se développera. Il dépérira. Mais il aura été un point de départ. Un renouvellement véritable. D'autres viendront. [...]

NOTE SUR L'AMÉNAGEMENT DE L'AVANT-SCÈNE DU PLATEAU DU GARRICK THEATRE À NEW YORK EN 1917

Dès le début des travaux, alors que Raymond se trouvait seul à New York, Copeau et Jouvet suivaient à Paris, sur un modèle à échelle réduite, l'évolution et l'état d'avancement de ceux-ci, étudiant parallèlement les possibilités que leur apporterait le dispositif envisagé.

Les structures mêmes du bâtiment, dont il leur fallait absolument tenir compte, les amenèrent à rechercher par différentes astuces, une utilisation optima de l'ensemble, répondant autant que possible aux aspirations de Jacques Copeau, visant à ne pas rester confinés dans le cadre étroit de la scène, mais de la déborder pour rendre plus efficace et plus total, le rapprochement avec le public. Deux passages, percés dans des pans coupés, situés dans la salle, à droite et à gauche du cadre de scène, communiquant avec le côté avant du plateau Cour et Jardin, furent réalisés.

Cette innovation devait permettre une arrivée, une évolution de personnages hors scène, le rideau, fermé ou non, ou de simples apparitions, des interpellations venant des ouvertures : deux portes et deux fenêtres, situées à la Cour et au Jardin.

La liaison entre ces trois lieux scéniques s'avérait indispensable. À la façon d'un «proscenium», certes trop étroit, une plate-forme démontable fut envisagée au-dessus de la fosse d'orchestre, avec à son extrémité, des marches conduisant aux baies nouvellement créées. Ainsi l'aire de jeu pénétrait plus avant dans la salle, cernée en partie par les spectateurs.

Copeau, craignant que ce proscenium ne gêne la bonne vision des spectateurs des premiers rangs, proposa de baisser celui-ci d'une marche. Jouvet, dans une lettre lui assura que cette solution n'était pas la meilleure, au contraire, elle risquait d'augmenter les difficultés qu'il rencontrait tout particulièrement pour assurer une excellente liaison entre le plateau, la plate-forme et les deux nouvelles ouvertures, dont le niveau était très élevé. L'espace restreint dont on disposait pour les escaliers d'accès, ne pouvait permettre l'adjonction de la marche nécessaire pour rattraper celle perdue par la baisse du proscenium. Jouvet pensait aussi que cette adjonction d'une marche alourdirait l'aspect architectural de l'ensemble.

Après maintes études avec Raymond, Jouvet arriva à réaliser un dispositif d'une belle allure architecturale où les comédiens pouvaient circuler et évoluer normalement.

Si l'on examine attentivement les plans de l'ex-Garrick Theatre, il semble qu'une légère modification ait été apportée dans les fauteuils des premiers rangs, ce que paraît confirmer une lettre de Jouvet du 17 juillet 1917.

Lucien Aguettand.

De nombreuses études de Louis Jouvet (le plus souvent exécutées d'après des notes et croquis maladroits de Copeau) se trouvent au Fonds Jouvet, Bibliothèque de l'Arsenal :
— Études préfigurant le dispositif fixe pour le Garrick : la loggia et son équipement ;
— Étude de colonnes évoquant des troncs d'arbres avec treillis éclairés de la face et projetant leur ombre sur l'arche centrale ;
— Croquis : diverses utilisations d'une architecture fixe avec colonnes, arche au fond et ouvertures latérales, s'acheminant vers la scène fixe du Garrick telle qu'elle fut finalement réalisée ;
— Croquis : études d'éléments de construction ;
— Notes de Copeau pour la construction, les proportions et l'aspect du Tréteau ;
— Études de Jouvet pour un Tréteau rond de 16 m² ;
— Étude des mouvements engendrés en fonction de la forme de la surface et de ses accès ;
— Le Tréteau démonté ;
— Études sur la visibilité ;
— Études du proscenium.

Tous les plans en papier bleu de Raymond pour la transformation du Garrick, datés du 5 juillet, révisés les 4 et 23 août 1917, ainsi que quatre plans du théâtre par Herbert J. Krapp, datés du 11 septembre 1916, se trouvent à la Bibliothèque du Théâtre, au Lincoln Center, N. Y., et dans les Archives Shubert, à N. Y.

Appendice H

LA COMPAGNIE
DU VIEUX COLOMBIER
À NEW YORK

1917-1918

Bart, Henri (à partir de mars 1918)
* Bing, Suzanne
Bogaert, Lucienne
Bogaert, Robert
Casa, Robert
Chifoliau, Émile
** Chotin, André
Chotin, Marcel
* Copeau, Jacques
Dhurtal, Henri
* Dullin, Charles (à partir de mars 1918)
Geoffroy, Madeleine (Mme Vallée)
Gournac, François
Jessmin (Howarth)
* Jouvet, Louis
* Lory, Jane
Maistre, Mlle
Millet, Marcel
Nau, Eugénie
** Noizeux, Paulette
Sarment, Jean

* Tessier, Valentine
Vallée, Marcel
Vildrac, Jacques
* Weber, Lucien
Gampert, Jean-Louis (décorateur)
Jacob-Hians, Cicette (*id.*)
Jacob-Hians, Paul (*id.*)
Van Muyden, George (*id.*)

1918-1919

Bart, Henri
* Bing, Suzanne
Bogaert, Lucienne
Bogaert, Robert
* Bouquet, Romain
Bouquet, Renée
Brésanges, Jeannine (Mme Dhurtal)
Casa, Robert
Chifoliau, Émile
* Copeau, Jacques
Dhurtal, Henri
* Dullin, Charles (résilié fév. 1919)

---

* De la compagnie 1913-1914.
** Du Théâtre Français des États-Unis (dir. Bonheur), 1915-1917.

France, Marcelle
(résiliée janv. 1919)
** Garrick, Yvonne
Jessmin (résiliée jan. 1919)
 * Jouvet, Louis
Lannoy, Henriette de
 * Lory, Jane
Maes, Marguerite
Millet, Marcel

** Revyl, Simone
(résiliée janv. 1919)
Rosenberg, Mlle Émile
Safir
Sarment, Jean
 * Tessier, Valentine
Van Doren
 * Weber, Lucien

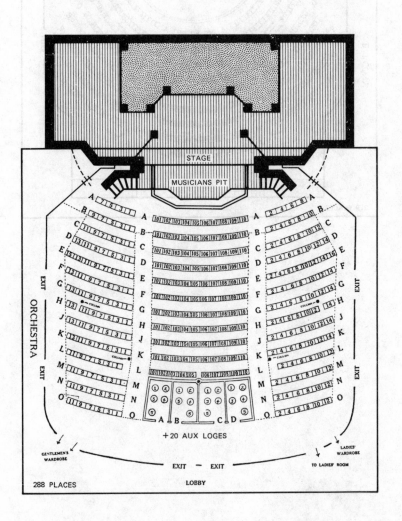

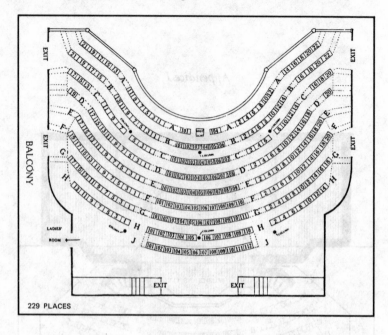

Appendice J

RÉPERTOIRE ET DISTRIBUTIONS
DES PIÈCES

PREMIÈRE SAISON, SPECTACLE D'OUVERTURE
le 27 novembre 1917

L'Impromptu du Vieux Colombier, de Jacques Copeau.

Toute la Troupe.

Les Fourberies de Scapin, de Molière.

Argante .... François Gournac
Géronte .... Louis Jouvet
Octave .... Marcel Millet
Léandre .... Jean Sarment
Zerbinette......................... Jane Lory
Hyacinte.......................... Madeleine Geoffroy
Scapin............................ Jacques Copeau
Sylvestre......................... Marcel Vallée
Nérine .... Eugénie Nau
Un porteur........................ Robert Casa
Un porteur........................ George van Muyden
Carle............................. Jacques Vildrac

La Cérémonie du Couronnement de Molière, de Jacques Copeau.

Mimée et dansée par toute la troupe; musique exécutée par la Société des Instruments anciens.

Nombre de représentations : 11.

DEUXIÈME SPECTACLE
Première : le 5 décembre 1917

La Navette, d'Henry Becque (reprise).

Antonia	Jane Lory
Alfred.............................	Jean Sarment
Arthur	Marcel Millet
Armand	Lucien Weber
Adèle	Suzanne Bing

Le Carrosse du Saint Sacrement, de Prosper Mérimée.

Don Andrès	François Gournac
Le licencié Tomas	Marcel Vallée
L'évêque...........................	Robert Bogaert
La Périchole........................	Lucienne Bogaert
Le chanoine	Robert Casa
Martinez...........................	Henri Dhurtal
Balthazar	Émile Chifoliau

Costumes de *Jean-Louis Gampert*

La Jalousie du Barbouillé, de Molière (reprise).

Le Barbouillé	Marcel Vallée
Le Docteur.........................	Louis Jouvet
Angélique..........................	Jane Lory
Valère.............................	Émile Chifoliau
Cathau	Eugénie Nau
Gorgibus...........................	Robert Casa
Villebrequin	Lucien Weber
La Vallée	Paul Jacob-Hians

Costumes de *Val Rau*

Nombre de représentations : 11.

TROISIÈME SPECTACLE
Première : le 11 décembre 1917

Barberine, d'Alfred de Musset (reprise).

Béatrix d'Aragon	Valentine Tessier

Le comte d'Ulric	Henri Dhurtal
Astolphe de Rosenberg	Suzanne Bing
Uladislas..........................	Émile Chifoliau
Barberine..........................	Paulette Noizeux
Kalékairi..........................	Madeleine Geoffroy
L'hôtelier	Lucien Weber
1er courtisan	Robert Bogaert
2e courtisan.......................	Paul Jacob-Hians
3e courtisan.......................	Marcel Millet
Un officier	André Chotin
Porte-flambeau.....................	Jacques Vildrac
Porte-flambeau.....................	Marcel Chotin
Dame d'honneur	Mlle Maistre
Dame d'honneur	Cicette Jacob-Hians

Costumes de *Val Rau*

Le Pain de ménage, de Jules Renard (reprise).

Marthe	Lucienne Bogaert
Pierre	Jacques Copeau

Nombre de représentations : 12.

QUATRIÈME SPECTACLE
Première : le 25 décembre 1917

La Nuit des rois, de Shakespeare (reprise).

Orsino	Henri Dhurtal
Sebastien.........................	Madeleine Geoffroy
Antonio	Émile Chifoliau
Valentin	André Chotin
Curio	Jean Sarment
Tobie Belch	Marcel Vallée
Aguecheek	Louis Jouvet
Malvolio	François Gournac
Fabien............................	Marcel Millet
Un bouffon........................	Lucien Weber
Olivia	Valentine Tessier
Viola.............................	Suzanne Bing
Maria	Jane Lory
Un capitaine.......................	Robert Bogaert
Capitaine des gardes................	Paul Jacob-Hians
Un marin	Jacques Vildrac

Suivantes. . . . .   Lucienne Bogaert,
                                                              Paulette Noizeux,
                                                              Cicette Jacob-Hians

Pages, gentilshommes et gardes.
Costumes de *Duncan Grant.*

Nombre de représentations : 17.

La Nouvelle Idole, de François de Curel.

Albert Donnat	François Gournac
Maurice Cormier	Robert Bogaert
Denis	Marcel Millet
Baptiste.	Émile Chifoliau
Louise Donnat	Valentine Tessier
Antoinette	Suzanne Bing
Jeanne Lejeune.	Paulette Noizeux
Eugénie.	Jane Lory

Nombre de représentations : 14.

Les Frères Karamazov, adaptés du roman de Dostoïevski par
J. Copeau et J. Croué (reprise).

Créés au Théâtre des Arts, le 6 avril 1911. Dullin y joua Smerdiakov, Marcel Millet, Vroubleski, et Van Doren, Katarina. À la
reprise, le 3 octobre 1911, Jouvey reprit le rôle du père Zossima.

Féodor	Louis Jouvet
Dmitri.	Robert Bogaert
Ivan	Jacques Copeau
Aliocha.	Jean Sarment
Smerdiakov.	François Gournac
	Charles Dullin
Père Zossima	Marcel Millet
Grégori Vassiliev	Robert Casa
Moussialovitch	Marcel Vallée

Vroubleski	Marcel Millet
Trifon...............................	Lucien Weber
Cocher Andrey.......................	Paul Jacob-Hians
Chef de police	Henri Dhurtal
Père Paissi, Père Joseph et Grégor........	Émile Chifoliau
Katherina...........................	Lucienne Bogaert
Grouchenka	Valentine Tessier
Servante	Cicette Jacob-Hians
Boris................................	André Chotin
Stepanida	Jane Lory

Hommes et femmes du peuple, musiciens, soldats :
Jacques Vildrac, Jean-Louis Gampert, George van Muyden,
Suzanne Bing, Madeleine Geoffroy, Paulette Noizeux.
Chants et musique russes sous la direction de *M. Walevitch.*
Costumes de *Maxime Dethomas.*

Nombre de représentations : 16.

SEPTIÈME SPECTACLE
Première : le 31 janvier 1918

La Surprise de l'Amour, de Marivaux.

La Comtesse........................	Valentine Tessier
Lélio...............................	Henri Dhurtal
Arlequin............................	Jean Sarment
Jacqueline..........................	Jane Lory
Pierre..............................	Émile Chifoliau
Colombine	Lucienne Bogaert
Le Baron	Robert Bogaert

Costumes de *Paul-Albert Laurens*

Nombre de représentations : 8.

HUITIÈME SPECTACLE
Première : le 6 février 1918

La Traverse, d'Auguste Villeroy.

Gilberte Mériel......................	Lucienne Bogaert
Marcelle	Madeleine Geoffroy
Jacques Drouais	Marcel Millet

Hartz . . . .   Robert Bogaert
Euphémie. . . . .   Eugénie Nau

Poil de Carotte, de Jules Renard.

Poil de Carotte. . . . .   Suzanne Bing
M. Lepic. . . . .   Jacques Copeau
Mme Lepic. . . . .   Eugénie Nau
Annette . . . .   Jane Lory

Nombre de représentations : 14.

NEUVIÈME SPECTACLE
Première : le 20 février 1918

Les Mauvais Bergers, d'Octave Mirbeau.

Jean Roule . . . .   Jacques Copeau
Hargand. . . . .   Robert Bogaert
Robert Hargand. . . . .   Henri Dhurtal
Capron . . . .   Marcel Millet
Louis Thieux . . . .   Louis Jouvet
Madeleine. . . . .   Suzanne Bing
Duhormel . . . .   Robert Casa
De la Troude . . . .   Marcel Vallée
Philippe . . . .   Émile Chifoliau
Un curieux. . . . .   Paul Jacob-Hians
Maigret. . . . .   François Gournac
Zephirin . . . .   Marcel Vallée
La Mère Cathiard. . . . .   Eugénie Nau
Geneviève. . . . .   Paulette Noizeux
Marianne . . . .   Valentine Tessier

Grévistes, femmes du peuple, etc.

Nombre de représentations : 10.

DIXIÈME SPECTACLE
Première : le 5 mars 1918

La Petite Marquise, de Meilhac et Halévy.

Kergazon . . . .   Louis Jouvet

Vicomte Max	Robert Casa
Chevalier	Marcel Vallée
Mouche	Lucien Weber
Joseph	Marcel Millet
Turquet	Émile Chifoliau
Henriette	Paulette Noizeux
Juliette	Madeleine Geoffroy
Martine	Valentine Tessier
Georgette	Jane Lory

L'Amour médecin, de Molière (reprise).

Sganarelle	Émile Chifoliau
Aminte	Lucienne Bogaert
Lucrèce	Valentine Tessier
M. Guillaume	Robert Bogaert
M. Josse	Marcel Millet
Lucinde	Madeleine Geoffroy
Lisette	Jane Lory
M. Tomès	Marcel Vallée
M. Desfonandrès	François Gournac
M. Macroton	Louis Jouvet
M. Bahis	Lucien Weber
M. Filerin	Robert Casa
Clitandre	Jean Sarment
Notaire	André Chotin
Champagne	Jessmin
Bossu	Jacques Vildrac

Costumes de *Val Rau*

Nombre de représentations : 15.

ONZIÈME SPECTACLE
Première : le 19 mars 1918

L'Avare, de Molière (reprise).

Harpagon	Charles Dullin
Cléante	Henri Dhurtal
Élise	Suzanne Bing
Valère	Marcel Millet
Mariane	Lucienne Bogaert
Anselme	Robert Bogaert
Frosine	Eugénie Nau

Maître Simon	Marcel Vallée
Maître Jacques	Robert Casa
La Flèche	Lucien Weber
Dame Claude	Jane Lory
	Cicette Jacob-Hians
Brindavoine	André Chotin
La Merluche........................	Jacques Vildrac
	Henri Bart
Commissaire et son clerc	Émile Chifoliau

Le Carrosse du Saint Sacrement, de Prosper Mérimée (reprise).

La même distribution que pour le deuxième spectacle, le 5 décembre 1917.

Nombre de représentations : 13.

DOUZIÈME SPECTACLE
Première : le 2 avril 1918

La Paix chez soi, de Courteline.

Trielle	Louis Jouvet
Valentine	Valentine Tessier

Le Testament du Père Leleu, de R. Martin du Gard (reprise).

Père Leleu	Charles Dullin
Père Alexandre	Charles Dullin
La Torine..........................	Jane Lory
Le Notaire	Marcel Millet

La Chance de Françoise, de Georges de Porto-Riche.

Marcel Desroches...................	Jacques Copeau
Guérin	François Gournac
Jean	Émile Chifoliau
Françoise	Suzanne Bing
Madeleine.........................	Lucienne Bogaert

Nombre de représentations : 5.

LES TOURNÉES
(avec les mêmes distributions, à l'exception
de la représentation du 3 mai)

Washington, D. C., au Poli's Theatre – *le 8 avril 1918.*
  L'Avare – matinée
  Les Frères Karamazov – soirée

Philadelphia, au Little Theatre – *le 10 au 13 avril 1918.*
  L'Avare – soirée, *le 10 avril*
  La Traverse,
  Poil de carotte – matinée, le 11 avril
  Le Carrosse du Saint Sacrement,
  Le Pain de ménage,
  La Jalousie du Barbouillé – soirée, *le 11 avril*
  Les frères Karamazov – soirée, *le 12 avril*
  L'Avare – matinée, *le 13 avril*
  La Traverse,
  Poil de carotte – soirée, *le 13 avril.*

Vassar College, Poughkeepsie, N. Y. – *le 3 mai 1918.*
  L'Avare – matinée (avec la même distribution, sauf :

Maître Jacques	Jouvet
Maître Simon	Sarment
Le Commissaire	Sarment
Frosine	Tessier
Nombre de pièces jouées	21
Nombre de représentations	155
Nombre de matinées	41
Nombre de soirées	114
Nombre d'actes	87
Nombre de décors	54

RECETTES DE LA PREMIÈRE SAISON

Semaines

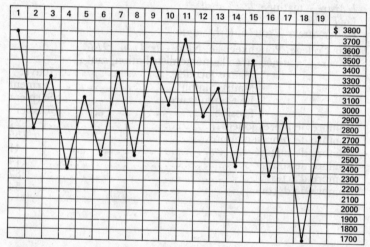

Moyenne par semaine : $ 2 975
Moyenne par représentation : $ 387.

Recettes par spectacle

Les Frères Karamazov	$ 7 644,75 en	16	représentations
La Traverse, Poil de Carotte	5 972,25 –	14	–
Les Fourberies de Scapin...	5 878,62 –	11	–

La Nuit des Rois	5 751,60 –	17	–
La Nouvelle Idole	5 517,50 –	14	–
La Petite Marquise, l'Amour méde-cin	5 114,75 –	15	–
Barberine, Pain de ménage.	4 428,50 –	12	–
L'Avare, Le Carrosse...	4 251,75 –	13	–
Les Mauvais Bergers	4 135,00 –	10	–
La Navette, La Jalousie du Bar-bouillé, et Le Carrosse...	3 067,00 –	11	–
La Surprise de l'amour	2 852,00 –	8	–
La Paix chez soi, le Testament du père Leleu, La chance de Fran-çoise	1 913,00 –	5	–

Total : **$ 56 526,72** 146

TABLE DE FRÉQUENTATION
DE LA PREMIÈRE SAISON
(y inclus « exos »)

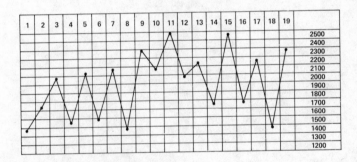

Moyenne par semaine : 1 980
Moyenne par représentation : 258
Moyenne d'*exos* par repr. : 25.

Fréquentation par spectacle

Les Frères Karamazov	5 197 spectateurs
La Traverse, Poil de Carotte	4 003 —
La Nuit des Rois	3 725 —
La Petite Marquise, l'Amour méd.	3 546 —
L'Avare, le Carrosse...	3 429 —
La Nouvelle Idole	3 320 —
Les Mauvais bergers	2 785 —
Les Fourberies de Scapin,...	2 771 —
Barberine, Pain de ménage	2 769 —
La Surprise de l'amour	2 452 —
La Navette, La Jalousie du Barbouillé, Le Carrosse...	2 142 —
La Paix chez soi, le Testament du père Leleu, La Chance de Fr.	1 491 —

37 630 spectateurs

(*Le Carrosse...*, reprise incluse 5 571)

Ces tables ont été composées d'après une étude des 22 pages dactylo, rédigées par Jouvet en mai 1918 (au F. C.).

APERÇU DU RÉPERTOIRE
DES DEUX SAISONS
DE JANE BATHORI AU VIEUX COLOMBIER

1917-1918

25 novembre 1917 : Première matinée populaire : *Chants de la Révolution et de l'Épopée Impériale*, avec des poèmes d'André Chénier, lus par Blanche Albane ; chants par Blanche Albane, mezzo-soprano, Jane Bathori, soprane, Mlle Bayle, M. Dupleix, M. Émile Engel ; au piano, Blanche Selva.

26 novembre : *L'Esprit Nouveau et les poètes*, conférence écrite par Guillaume Apollinaire, lue par Pierre Bertin (a), suivie de poèmes de Rimbaud, Gide, Paul Fort, Fargue, Léger, Salmon, Divoire, Romains, Reverdy, Jacob, Cendrars et Apollinaire, dits par Pierre Bertin.

27 novembre : Musique de chambre (programme non retrouvé).

2 décembre : *Jeu de Robin et de Marion*, d'Adam de la Halle, sur des chants du XIIIe siècle, harmonisés par Tiersot, décors de F. Ochsé, avec P. Bertin et J. Bathori (reprises, 9 décembre 1917, 26 février, 1er avril, 12 décembre 1918) ; conférence de Gustave Cohen.

4 décembre : *Nécessité de la musique*, conférence de L.-P. Fargue.

11 décembre : Concert de musique d'avant-garde, œuvres de Georges Auric, Louis Durey, Germaine Tailleferre, Arthur Honegger, Roland Manuel, et la première de la *Rapsodie Nègre*, de Francis Poulenc (b) (reprises, 15 janvier 1918, avec causerie par René Chalupt, et 29 janvier 1918).

16 décembre : *Chants de la Révolution et de l'Épopée Impériale* (reprise) ; plus fragments de *L'Éros vainqueur*, de P. de Bréville, avec J. Bathori, B. Albane, au piano, Marcelle Meyer et Andrée Vaurabourg (reprise, 27 janvier 1918).

24 décembre : *Poètes morts à la guerre*, conférence de Fernand Divoire, avec poèmes de Péguy, Jean-Marc Bernard, Lucien Rolmer, Adrien Bertrand, Olivier-Hourcade, etc., lus par Mme Lara et divers artistes ; « Hommage funèbre », de Roland Manuel, au piano, M. Meyer.

9 janvier 1918 : Matinée bénéfice par la troupe du théâtre de la Passion de Nancy.

20 janvier : Concert au profit de la Fraternelle des Artistes, *Impressions champêtres,* d'André Caplet, avec chœur de femmes dirigé par Walter Straram, au piano, Juliette Meerovitch (reprises, 3 et 26 février).

21 janvier : Le *Théâtre d'Art et les temps héroïques du Symbolisme,* conférence de Paul Fort, première de trois conférences organisées par P. Bertin ; sélections des œuvres de P. Fort : *Ballades françaises,* lues par Lucien Guitry, Léon Bernard, De Max, Suzanne Desprès, Lugné-Poe, Germaine d'Orfer, Ève Francis, Marcel Levesque, Henriette Sauret, Mme Lara et P. Bertin.

22 janvier : Musique de chambre : l'École espagnole.

26 janvier : Récital de piano par Walter Morse Rummel, œuvres de Weber, Brahms, Schumann.

28 janvier : Portrait de Verlaine, conférence écrite par André Suarès, lue par P. Bertin ; poèmes lus par P. Bertin, sur musique de Debussy, chantés par J. Bathori et B. Albane.

3 février : La Jeune fille à la fenêtre, mimodrame d'Eugène Samuel et Camille Lemonnier, décors de F. Ochsé, chants par J. Bathori et A. Honegger (reprise, 26 février) ; œuvres de Debussy et Ravel, au piano, J. Meerovitch ; reprises du *Jeu de Robin et de Marion* et des *Impressions champêtres.*

4 février : Rodin, son génie, conférence de Judith Cladel ; poèmes et proses de Rodin lus par Mme Lara, Mme Delvair, P. Bertin.

5 février : L'Éloge des critiques, conférence d'Érik Satie (c).

10 février : Chansons françaises, américaines et italiennes ; danses polonaises par Mme Popowska ; poésies et *Chants de la Révolution* par Mmes Albane, Bathori, MM. Engel, John Stoll et les chœurs.

24 mars : Théâtre fermé à cause des bombardements de Paris par la « Grosse Bertha ».

1er avril : La Demoiselle élue, de Debussy, mise en scène de F. Ochsé (première représentation scénique), et reprise du *Jeu de Robin et de Marion.*

26 mai : De Stéphane Mallarmé au prophète Ézéchiel, conférence d'Édouard Dujardin ; intermèdes de poésie et de danse avec concours de Mme Joux Hugard ; lecture par Dujardin de sa *Prière de Minuit,* poème inédit.

1918-1919

3 novembre : Séance exceptionnelle par les associations « Musique » et « Art et Liberté » : *Minuit passé,* de Decaux, *Napolitana,* de Strawinsky ; *Rapsodie Nègre,* de Poulenc (reprise) ; exhibition par Paul Guillaume des toiles de Giorgio de Chirico.

3 décembre : ouverture du *Théâtre Musical moderne du Vieux Colombier,* avec *Le Dit des Jeux du monde,* poème dramatique de Paul Méral, musique d'Arthur Honegger, dirigée par Walter Straram, costumes de Fauconnet, interprété par Mme Lara, Mlle Jeanne Ronsay, Marcel Herrand.

10 décembre : Une éducation manquée, opérette en un acte de Leterrier et Vanloo, musique d'Emmanuel Chabrier, dirigée par W. Straram, costumes de Fauconnet, interprétée par M. Réville (reprise, 6 janvier 1919).

23 décembre : Pastorale de Noël, mystère d'Arnould Gréban, adaptation de Lionel de la Tourasse et G. des Taurines, musique de Reynaldo Hahn, dirigée par W. Straram, costumes de F. Ochsé, interprétée par Marcel Herrand, René Gaudier, et un chœur (où se trouvait aussi Jean Cocteau!).

6 janvier 1919 : La Servante maîtresse, de Pergolèse, costumes de Fauconnet ; reprise d'*Une éducation manquée; L'Heure espagnole,* de Maurice Ravel, interprétée par J. Bathori, Émile Engel, P. Bertin (reprises, 25, 26, 28, 30 janvier).

5 mars : Concerts de musique moderne (reprises, 12, 19 mars, 9, 16 avril).

27 mai : Spectacle de musiques et danses en l'honneur de la renaissance de la Palestine ; chants populaires et religieux, adaptation musicale du *Cantique des Cantiques; La Fille de Jepthé,* drame en un acte, mise en scène par Mme A. Bath-Joseph, chœurs dirigés par Pierre Monteux.

(a) Le texte est publié dans le *Mercure de France* (1er déc. 1918), réimprimé en plaquette de 29 pages (Jacques Haumont, 1946), et dans les *Œuvres complètes* d'Apollinaire, t. 3 (éd. Michel Décaudin, Balland et Lecat, 1965-1966, p. 900-908).

(b) Effaré par les paroles de la *Rapsodie Nègre,* le bariton, Émile Engel, céda son rôle au compositeur.

(c) Le texte est publié dans *Action,* 8 août 1921.

Ces renseignements, malheureusement incomplets, ont été recueillis dans les extraits de l'Hommage rendu à Jane Bathori par l'O.R.T.F. en 1957 (producteur Pierre Minet), dans les extraits des Entretiens avec Jane Bathori pour Radio-Lausanne en 1953 (par Stéphane Audel), publiés in *Correspondance J. C.-R. M. G., t. II, op. cit.,* p. 811-814, ainsi que dans la presse de l'époque.

Parmi les participants mentionnés par Bathori, mais sans précisions de dates : Conférences par Henri-Martin Barzun, sur l'architecture moderne, et les participations de Joseph Bédier, Colette, Francis de Miomandre, Louis Piérard, François Porché, Jules Romains, t'Serstevens, Francis Vielé-Griffin, Charles Vildrac et Émile Vuillermoz.

Copies dactylographiées des contrats signés par Bathori et Gallimard, le *28 septembre 1917* et le *5 juillet 1918,* au F. C.

Dans la coll. Otto Kahn : copie autographe par Walter Straram d'un projet d'une saison à New York, *Théâtre Musical Moderne* (4 ff., papier bleu, datées *15 juin 1918,* à Paris). On trouvera mentions de ce projet non réalisé dans les lettres de Bathori à Copeau *(23 avril et 30 juin 1918),* ainsi que dans une lettre de Gallimard à Copeau *(30 mai 1918).*

Appendice M

RAPPORT SUR LE TRAVAIL DE SCÈNE
DE LA SAISON 1917-1918
ET DE LA SAISON 1918-1919

Rédigé par Louis Jouvet pendant l'été 1918 à Cedar Court

Le travail étant plus que jamais imposé sans collaboration et sans tenir compte aucunement de sa difficulté, pour défendre ce travail des critiques qu'on pourra lui adresser lors de sa réalisation la saison prochaine, j'ai cru devoir mettre par écrit les considérations suivantes.

PREMIÈRE PARTIE

EXPLOITATION 1917-1918

1) Liste des frais de scène
Comptabilité tenue par la Régie

dépenses de matériel	$ 12 813
Salaires du personnel	11 435
	24 248

L'aménagement de la scène sur ces vingt-quatre mille dollars a coûté 8 000
L'exploitation proprement dite se monte donc à 16 000 environ.
C'est-à-dire *par semaine* 800
Suit le détail des dépenses. [...]

Ces dépenses considérables et qui paraissent exagérées ont été occasionnées par la hâte extrême avec laquelle la saison a dû être préparée et commencée conséquemment avec une organisation incomplète, l'indécision, les collaborations défectueuses et par tout un concours de circonstances qui appartiennent à l'histoire du théâtre et de cette saison.

On a commencé le travail sur la scène du Garrick Theatre le

27 octobre 1917, un mois avant l'ouverture – une dizaine de jours ont été consacrés à des travaux de maçonnerie, de charpente et au déblaiement de l'ancienne scène [...]

La scène a dû être mise en état complètement en 22 jours en y construisant le dispositif nouveau de la loggia. [...]

2) Liste des Spectacles et du Temps dans lequel ils ont été préparés :

Pour chaque spectacle de cette liste on trouve le nombre de répétitions qui lui ont été consacrées, le nombre total d'heures et le nombre de jours consacrés à la construction de ses « décors » – le plus souvent « éléments de décors » s'inscrivant dans l'architecture fixe de la « loggia ». D'où il est conclu :

Ce qui fait pour la répétition *d'un acte* une moyenne de 8 heures.

Pour la construction *d'un décor* une moyenne de 2 1/2 jours. [...]

3) Considérations sur le Travail et le Personnel :

Suivent les critiques qui peuvent être faites pour la saison 1917-1918, concernant :

Accessoires, Coiffeur, Électricité, Figurants, Habilleuses et Atelier de Costumes, Machinerie, Meubles, Musiciens, Peinture, Acteurs, etc. [...]

En résumé tous les services ont manqué de liaison.

DEUXIÈME PARTIE

EXPLOITATION 1918-1919

En prenant la saison dernière comme point de départ pour une estimation financière et pour une appréciation du travail de scène, on peut dire que la nouvelle exploitation l'année prochaine sera deux fois plus coûteuse et deux fois plus difficile.

SPECTACLES :

Nous avons joué la saison dernière 51 actes dont 27 avaient été déjà joués par une partie de la troupe, et dont 7 avaient été répétés avant l'ouverture de cette saison, ce qui fait que nous avons monté de toutes pièces en premières répétitions 17 actes en 19 semaines.

La saison prochaine le programme comporte 97 actes, dont 18 ont déjà été joués et dont 21 sont actuellement déjà répétés.

Il reste donc à monter 58 actes en 31 semaines, ce qui fait pour le travail des répétitions un peu plus du double de l'effort fourni la saison passée.

RÉPÉTITIONS EN SCÈNE :

Saison 1917-1918 : Nous avons répété en scène dans les décors une moyenne de 8 heures par spectacle.

Nous aurons à peine 5 heures pour ce même exercice la saison prochaine.

Suit une évaluation des difficultés accrues pour la saison 1918-1919 concernant : la Figuration, la Musique, les Meubles. *Quant aux :*

COSTUMES :

En 1917-1918 l'atelier de costumes a essayé et corrigé une centaine de costumes existants déjà et essayés pour la plupart.

Il a composé environ une trentaine de costumes modernes.

La saison prochaine il n'y a pas moins de 100 costumes à corriger, achever, ou compléter et qui devront être essayés, la plupart pour la première fois.

Il y a plus de 30 costumes modernes à confectionner (pour la majeure partie des toilettes de ville), environ 90 costumes de répertoire de style – plus, probablement quelques paires de chaussures et quelques chapeaux.

DÉCORS :

On a composé 30 décors la saison dernière.

Il y en a 50 à composer pour la saison prochaine.

Il sera encore plus difficile la saison prochaine d'équiper et de régler les décors, la scène ne pouvant être déséquipée que le samedi soir après la dernière représentation de la semaine. Ce travail d'autre part nécessitera le concours des machinistes durant la journée du dimanche et peut-être durant la nuit – c'est-à-dire en «overtime» (heures supplémentaires).

Quant au temps, que l'on pourra accorder à la construction de chaque décor, il n'excédera pas 32 heures par semaine. Il n'y aura aucune présentation préalable du décor, nous n'aurons aucune possibilité de le voir ou de le juger, de le corriger ou de le modifier – on le verra pour la première fois dans le moment où il devra servir quelques heures après. À peine aurons-nous le temps de l'éclairer avec un système d'éclairage imparfait et peu sûr. Un décor décidé actuellement est un décor accepté.

Suit une liste des Aménagements du Théâtre à envisager concernant : Nettoyages, Installations de bureaux, Chauffage, rééquipements divers, peinture, modification de l'Éclairage. [...]

Construction et préparation d'un minimum de 6 spectacles. L'estimation faite d'après toutes ces données montre que la saison prochaine le budget à prévoir pour la scène sera au moins deux fois plus élevé que celui de la saison dernière, soit environ $ 30 000 – trente mille dollars.

Si la saison prochaine doit être deux fois plus difficile pour le travail et deux fois plus coûteuse, il semble inutile de dire que l'exploitation n'est pas possible.

TROISIÈME PARTIE

CONSIDÉRATIONS SUR LES DÉCISIONS À PRENDRE

Pour rendre cette exploitation possible peut-être peut-on essayer de remédier à l'état de choses de la saison dernière en prenant des décisions qui permettront une organisation minutieuse et méthodique du travail de scène.

PROGRAMME :
Établissement définitif du programme et surtout de son ordre.

FIGURATION :
Détermination de la figuration dans chaque pièce – rôle de cette figuration et nombre de figurants.
Collaborations gratuites possibles pour cette figuration.

MUSIQUE :
Il y a un total de 11 pièces pour lesquelles il faut d'urgence décider l'interprétation musicale et s'assurer une combinaison sûre, honnête et économique.

MEUBLES :
Il y a 18 pièces environ qui demandent un mobilier moderne qu'il sera difficile de trouver à coup sûr, et pour lequel il sera urgent de prendre une décision afin d'éviter un choix hâtif.

COSTUMES :
Impossibilité absolue de confectionner au théâtre tous les costumes nécessaires par suite du temps et du prix de revient.
Obligation d'arranger la confection ou la location de ces costumes.
Obligation de voir s'il n'est pas possible immédiatement de tirer parti des costumes du répertoire actuel.
Mise en train de ce service dès maintenant.

COIFFEUR :
Choix et entente avec un coiffeur.
Nécessité de faire l'essayage des costumes et perruques pour 5 ou 6 spectacles avant l'ouverture [...]
Il sera impossible d'improviser quoi que ce soit dans le cours du travail et nous sommes dans l'obligation de tout décider actuellement sans rien laisser à l'inspiration, aux tâtonnements, aux essais de la dernière heure.
Il faudra pour cela des collaborateurs effectifs et disciplinés.

DÉCORS :

L'exploitation de la saison prochaine ne sera pas possible si l'on ne prend des décisions immédiates en ce qui concerne les décors.

Le principe de la Loggia, qui est un principe d'esthétique et d'économie, demande son développement dans l'utilisation d'éléments fixes, déterminés et toujours les mêmes. Les avantages et les qualités de ce dispositif ne se développeront qu'en se tenant rigoureusement au principe de son invention. Ses défauts au contraire seront d'autant plus profonds que l'on s'éloignera de ce principe. Actuellement la loggia n'est plus un instrument servant à composer ou inventer des décors, mais un dispositif ingénieux facilitant l'imagination arbitraire et hâtive de décors, dont la réalisation, difficiles dans ce dispositif, serait plus facile et plus économique à l'aide des châssis employés généralement sur les scènes.

La question est donc dans l'utilisation de la loggia ou l'emploi général des anciens châssis de scène.

CLASSIFICATION DES DÉCORS :

Dans le programme de la saison prochaine, on peut classer les pièces au point de vue de leur décoration en 4 groupes ainsi qu'il suit :

1er groupe – Transformation de la loggia en intérieur moderne avec plafond : Ce groupe comprend 7 pièces, nécessitant 11 décors.

CONSIDÉRATIONS SUR LA TRANSFORMATION POSSIBLE DE LA LOGGIA EN INTÉRIEUR MODERNE AVEC PLAFOND :

Ce décor d'intérieur peut être constitué par des colonnettes placées entre les ouvertures des grandes colonnes et recevant soit des panneaux pleins ou des panneaux praticables à ouvertures; la partie supérieure de la loggia sur une hauteur de 80 centimètres forme la cimaise de cet intérieur.

La modification de cet intérieur générique peut se faire :

1) Par le déplacement des panneaux.

2) Par l'adjonction de lattis, grilles, etc., ou tout autre motif architectural fixe et déterminé.

3) Par l'adjonction de moulures ou de panneaux secondaires d'une couleur différente.

4) Par le changement de cimaise.

5) Par le changement des meubles et des accessoires; rideaux et tapis.

6) Par l'utilisation directe des ouvertures de la loggia transformées en baies, vestibules, corridors, etc,

7) Par le changement d'éclairage [...]

Si pauvre que paraisse cette combinaison qui est encore à étudier et à expérimenter, elle sera cependant supérieure aux châssis spéciaux de toile et du bois appliqués à la loggia qu'exigent les maquettes actuelles *.

Elle sera supérieure, malgré la coupe uniforme de sa plantation, par son économie de matière (c.a.d. d'argent), par la beauté et la solidité de sa construction et de son équipement, par la rapidité plus grande des changements, par une économie de matériel. (Désencombrement de la scène et peut-être solution de la question de l'entreposition des décors hors du théâtre.) Enfin supérieure parce qu'elle va directement dans le sens de notre décoration.

Le dispositif de la loggia qui a fait ses preuves l'année dernière en nous permettant de composer 30 décors assez économiquement exige des châssis nouveaux comme ajustement et comme matière de construction. L'équipement est la base même de la machinerie et de celle-ci en particulier. Des procédés d'équipement nouveaux, du matériel nouveau, et de l'exploitation ingénieuse du dispositif – avec ses ouvertures, borders, praticables et escaliers sortira le décor.

S'il n'est pas possible de réaliser ces décors ainsi c'est que nous ne sommes pas mûrs pour ce dispositif.

IIe groupe – Agencement de la loggia en intérieur avec son étage supérieur : 8 pièces = 15 décors.

Cet aménagement exige également des éléments fixes toujours identiques mais transformables, tels que panneaux, rideaux, colonnes, escaliers, etc., qui empruntent la plus grande partie des éléments usités déjà dans les décors d'intérieur avec plafond du *Groupe I.*

IIIe groupe – Utilisation directe de la loggia :

L'utilisation directe de la loggia présente beaucoup moins de difficultés, est la plus économique et l'imagination peut s'y donner libre cours en se bornant seulement aux possibilités techniques.

IVe groupe – Utilisation spéciale de la loggia : 5 pièces, 6 décors.

Les décors groupés dans ce dernier paragraphe sont avec les décors d'intérieurs à plafond du groupe I, les plus difficiles. Pour obtenir les meilleurs résultats il faudra exercer plus d'ingéniosité technique que de fantaisie décorative. Ces décors doivent être minutieusement recherchés car il sont réalistes ou d'un caractère particulier ou parce que la durée de ces pièces ne fait pas spectacle.

Actuellement la difficulté est de savoir si nous pouvons réaliser les intérieurs modernes avec plafond dans le dispositif de la loggia et si nous pouvons utiliser cette loggia d'une façon assez ingénieuse pour les pièces du groupe IV.

1er groupe : Intérieurs modernes avec plafond.

Si les décors d'intérieur actuellement présentés ne peuvent pas être différents, s'ils ne sont pas susceptibles d'aucune simplification sans altérer le caractère de l'œuvre, il vaut mieux, au moins pour

---

* Vraisemblablement celle de Jacob-Hians.

ces pièces modernes, faire construire des décors à châssis, car la réalisation dans la loggia des maquettes proposées sera :
1) Au moins aussi coûteuse ;
2) D'un effet moins bon ;
3) Les changements seront beaucoup trop longs.

Considérations sur les nouvelles maquettes (sans nul doute celles de Jacob-Hians).

Dans les maquettes actuellement présentées, il y a des constructions spéciales et des aménagements particuliers pour chaque décor. (À remarquer entre parenthèses que tous les plans de ces décors ont été dessinés en ignorance des exigences techniques – de l'éclairage, de la visibilité, de l'équipement, des changements et des procédés de réalisation les plus communs.) Ceci n'apparaît nullement dans les maquettes qui ne montrent pas les choses telles qu'elles seront mais seulement comme elles ont été imaginées ; ainsi ces maquettes sont illisibles en ce qui concerne la construction. Pour ces raisons il faudra mieux ne pas se laisser séduire par des maquettes semblables mais compter plutôt sur les résultats que le travail direct des matériaux mêmes de la scène pourra donner.

Considérations sur le décor du Gendre de M. Poirier :
Ce décor n'est autrement indiqué que par la liste d'accessoires et de meubles ci-dessous, – (style empire en Louis-Philippe).
Suit une longue liste de meubles et accessoires répertoriés en deux catégories :
1) Pièces à trouver et à emprunter ;
2) Pièces à construire et à faire.
Il est impossible d'affirmer que cet ensemble sera satisfaisant, conditionné qu'il est à des essais délicats de couleurs, à la recherche hasardée d'accessoires nombreux et particuliers d'un mobilier difficile à trouver, et enfin à ce que nous serons forcés d'introduire à côté de meubles réels, des constructions imparfaites et en tout cas forcément différentes de matière.
Cette critique est générale pour tous les décors modernes.

Considérations sur les accessoires et le mobilier :
Dans tous les décors actuels l'abondance de l'accessoire et du mobilier est telle, qu'il n'est pas possible avec le peu de temps et le peu de ressources dont nous disposerons d'essayer d'entreprendre une réalisation complète de ces décors.
Accorder la plus grande importance et le plus grand développement aux accessoires de jeu et à un ou deux accessoires essentiels qui doivent contribuer à situer décorativement le décor.
N'imaginer les accessoires complémentaires et de « fantaisie » que

sous réserve des possibilités, – ce procédé donnera plus d'assurance dans le travail et permettra de déterminer et de savoir à l'avance très sûrement quel sera l'effet du décor.

D'autre part un mobilier authentique et des accessoires réels, c'est-à-dire, du matériel vrai, est absolument incompatible dans notre dispositif avec des constructions de toile et de bois.

Cet apport d'éléments réels, de matériel vrai n'est possible dans notre dispositif qu'en donnant aux constructions de scène une qualité nouvelle par la matière employée et en excluant rigoureusement toute construction qui n'aurait pas ce caractère.

Ainsi donc pour tous les décors modernes où il a été décidé d'emprunter du mobilier et des accessoires «de ville» il faudra que les constructions de châssis soient réalisées en fonction de ces exigences – c'est-à-dire – avec des matières spéciales à étudier et expérimenter. Ces constructions très onéreuses ne peuvent être faites pour la saison prochaine qu'à condition de les utiliser pour tous les décors modernes indistinctement.

La qualité nouvelle de ces constructions n'en bornera pas cependant l'emploi aux décors modernes. Elles pourront être employées également pour tous les décors d'intérieur du groupe II (intérieur avec un étage). Dans ces conditions on peut songer à étudier pour ces intérieurs du groupe II un mobilier particulier, légèrement modifiable de même style que ces nouvelles constructions et dont l'emploi pourrait se généraliser de la même manière. Solutionnant ainsi une partie de la question mobilier.

Les critiques que formule L. Jouvet dans son Rapport concernant l'ensemble des nouvelles maquettes de décors à réaliser sont illustrées par quelques exemples.

[...] Leur réalisation malgré le soin apporté n'approchera que de très loin les croquis; séduisants surtout par des couleurs et des lignes plus suggestives que réelles.

En dehors des suggestions qui ont été proposées, la conclusion de ces considérations est que l'exploitation de la saison prochaine n'est pas possible en ce qui concerne le travail de scène si on ne prend d'urgence des décisions. Ces décisions qui entraîneront un travail considérable, vu le peu de temps qui reste avant l'ouverture de la saison, exigent une collaboration dévouée, compétente et confiante.

RÉPERTOIRE ET DISTRIBUTIONS

DEUXIÈME SAISON, SPECTACLE D'OUVERTURE
le 14 octobre 1918

Le secret, d'Henry Bernstein.

Constant Jannelot	Jacques Copeau
Denis de Guenn	Lucien Weber
Charlie Ponta Tulli	Henri Dhurtal
Gabrielle Jannelot	Lucienne Bogaert
Henriette Hozleur	Suzanne Bing
Glotilde de Savageat	Marcelle France

Nombre de représentations : 8.

(Chacun des spectacles de cette saison aura le même nombre de représentations, à l'exception du 2ᵉ, repris pour deux semaines le 24 mars 1919, et les 21ᵉ et 23ᵉ, repris pour une deuxième semaine.

Le Livre de bord concernant la deuxième saison est tenu de façon moins rigoureuse que celui de la première saison. Il ne contient le plus souvent que les heures des répétitions et des représentations. De même, les indications concernant la durée du travail de préparation (répétitions et décors) de chaque spectacle ne se retrouvent pas pendant cette saison, Louis Jouvet n'ayant certainement pas eu le temps de les consigner.)

DEUXIÈME SPECTACLE
Première : le 21 octobre 1918

Le Mariage de Figaro, de Beaumarchais.

Le Comte Almaviva	Robert Bogaert

La Comtesse	Lucienne Bogaert
Figaro	Jacques Copeau
Suzanne.	Valentine Tessier
Marceline	Jane Lory
Antonio.	Romain Bouquet
Fanchette.	Renée Bouquet
Chérubin.	Suzanne Bing
Bartholo	Robert Casa
Basile.	Marcel Millet
Don Gusman Brid'oison	Louis Jouvet
Double-Main	Henri Dhurtal
L'Huissier	Henry Bart
Grippe Soleil.	Lucien Weber
Une jeune bergère	Simone Revyl
Pedrille	Jean Sarment
Une jeune fille.	Jessmin
Une jeune fille.	Jeannine Brésanges
Une paysanne	Marcelle France

Costumes de *Jean-Louis Gampert*

TROISIÈME SPECTACLE
Première : le 28 octobre 1918

Blanchette, d'Eugène Brieux.

Blanchette.	Suzanne Bing
Madame Rousset	Jane Lory
Lucie Galoux.	Jeannine Brésanges
Madame Jules	Simone Revyl
Rousset	Charles Dullin
Le cantonnier	Louis Jouvet
Morillon	Romain Bouquet
Auguste Morillon	Lucien Weber
M. Galoux.	Robert Casa
Georges Galoux.	Jean Sarment
Un voiturier	Henry Bart
Le facteur	Marcel Millet

QUATRIÈME SPECTACLE
Première : le 4 novembre 1918

Georgette Lemeunier, de Maurice Donnay.

Georgette Lemeunier	Van Doren

Marie-Thérèse Sourette	Valentine Tessier
Nicole Mairieux.	Jeannine Brésanges
Madame Angevin	Marcelle France
Julia.	Simone Revyl
Marcelle Sourette	Renée Bouquet
Lemeunier.	Jacques Copeau
Journay	Romain Bouquet
Sourette.	Henri Dhurtal
Général Le Prieur.	Louis Jouvet
Raymond.	Jean Sarment
Mairieux	Marcel Millet
Charcennes	Lucien Weber
Duc de Mortagne	Robert Bogaert
Dufauchu.	Robert Casa
Midasse	Charles Dullin
Un domestique	Henri Bart

CINQUIÈME SPECTACLE
Première : le 11 novembre 1918

Crainquebille, d'Anatole France.

Crainquebille.	Louis Jouvet
Marchand de marrons.	Romain Bouquet
Président Bourriche	Jacques Copeau
Maître Lemerle.	Jean Sarment
Docteur David Mathieu.	Robert Bogaert
Aubarée.	Henri Dhurtal
L'Agent 64	Robert Casa
Lermite.	Lucien Weber
Le Camelot	Marcel Millet
L'Agent 121	Marcel Millet
Marchand de vin.	Robert Casa
Charcutier.	Lucien Weber
Madame Bayard	Jane Lory
Madame Laure	Valentine Tessier
La Souris.	Renée Bouquet

Le Voile du Bonheur, de Georges Clemenceau.

Tchang-I	Charles Dullin
Tou-Fou	Henri Dhurtal
Li-Kiang	Marcel Millet
Wen-Sieou.	Renée Bouquet

Tchao .... Romain Bouquet
Li-Lao........................... Robert Bogaert
Si-Tchun......................... Suzanne Bing

SIXIÈME SPECTACLE
Première : le 18 novembre 1918

La Femme de Claude, d'Alexandre Dumas fils.

Claude Ruper .... Charles Dullin
Césarine .... Van Doren
Cantagnac......................... Marcel Millet
Rebecca........................... Suzanne Bing
Antonin........................... Henri Dhurtal
Daniel............................ Robert Bogaert
Edmée............................ Jeannine Brésanges

SEPTIÈME SPECTACLE
Première : le 25 novembre 1918

Gringoire, de Théodore de Banville.

Louis XI .... Henri Dhurtal
Pierre Gringoire .... Charles Dullin
Simon Fourniez..................... Romain Bouquet
Olivier-Le-Daim .... Robert Bogaert
Loyse............................. Renée Bouquet
Nicole Andry....................... Valentine Tessier

Pages du Roi, valets de Simon Fourniez,
officiers et archers de la Garde écossaise

Le Médecin malgré lui, de Molière.

Sganarelle .... Louis Jouvet
Martine........................... Jane Lory
Monsieur Robert.................... Marcel Millet
Valère............................ Robert Bogaert
Lucas............................. Lucien Weber
Géronte........................... Charles Dullin
Jacqueline......................... Valentine Tessier
Lucinde........................... Renée Bouquet
Léandre........................... Jean Sarment

Thibaut............................ Robert Casa
Périn............................. Romain Bouquet

Costumes par *Jean-Louis Gampert*

HUITIÈME SPECTACLE
Première : le 2 décembre 1918

Rosmersholm, d'Henrik Ibsen, traduction par Agnès Thomsen.

Kroll.............................. Jacques Copeau
Johannes Rosmer .... Charles Dullin
Rebekka .... Van Doren
Ulrik Brendel .... Louis Jouvet
Mortensgaard .... Romain Bouquet
Mme Helseth....................... Suzanne Bing

NEUVIÈME SPECTACLE
Première : le 9 décembre 1918

Le Gendre de Monsieur Poirier, d'Émile Augier et Jules Sandeau.

M. Poirier .... Charles Dullin
Gaston............................ Henri Dhurtal
Hector............................ Jean Sarment
Verdelet .... Romain Bouquet
Vatel .... Louis Jouvet
Chevassus .... Marcel Millet
Antoinette......................... Yvonne Garrick
Un domestique .... Robert Casa
Le portier .... Lucien Weber

DIXIÈME SPECTACLE
Première : le 16 décembre 1918

Les Caprices de Marianne, d'Alfred de Musset.

Claudio .... Louis Jouvet
Marianne.......................... Lucienne Bogaert
Cœlio............................. Henri Dhurtal
Octave............................ Jean Sarment
Tibia .... Marcel Millet

Ciuta	Suzanne Bing
Hermia	Marcelle France
Malvolio	Romain Bouquet
Pippo	Lucien Weber
Garçon d'auberge	Henri Bart
Un Masque	Jessmin

Le Fardeau de la liberté, de Tristan Bernard.

Chambolin	Romain Bouquet
Requin	Robert Bogaert
Petitbondon	Jean Sarment
Premier Agent	Robert Casa
Deuxième Agent	Marcel Millet
Facteur des postes	Lucien Weber
Garçon d'hôtel	Henri Bart

ONZIÈME SPECTACLE
Première : le 23 décembre 1918

Les Romanesques, d'Edmond Rostand.

Sylvette	Renée Bouquet
Percinet	Suzanne Bing
Straforel	Romain Bouquet
Bergamin	Marcel Millet
Pasquinot	Robert Casa
Blaise	Lucien Weber

La Jalousie du Barbouillé, de Molière (reprise de la première saison, avec nouvelle distribution).

Le Barbouillé	Romain Bouquet
Le Docteur	Louis Jouvet
Angélique	Jane Lory
Valère	Marcel Millet
Cathau	Suzanne Bing
Gorgibus	Robert Bogaert
Villebrequin	Lucien Weber
La Vallée	Henri Bart

DOUZIÈME SPECTACLE
Première : le 30 décembre 1918

L'Énigme, de Paul Hervieu.

| Raymond de Gourgiran | Jacques Copeau |
| Marquis de Neste | Charles Dullin |

Gérard de Gourgiran	Robert Bogaert
Laurent	Romain Bouquet
Vivarce	Henri Dhurtal
Léonore de Gourgiran	Valentine Tessier
Giselle de Gourgiran	Lucienne Bogaert

Boubouroche, de Courteline.

Boubouroche	Robert Casa
Un vieux monsieur	Charles Dullin
André	Jean Sarment
Potasse	Romain Bouquet
Roth	Lucien Weber
Fouettard	Marcel Millet
La caissière	Renée Bouquet
Adèle	Jane Lory

TREIZIÈME SPECTACLE
Première : le 6 janvier 1919

L'Avare, de Molière (reprise de la première saison).

Harpagon	Charles Dullin
Cléante	Henri Dhurtal
Élise	Suzanne Bing
Valère	Marcel Millet
Mariane	Jeannine Brésanges
Anselme	Robert Bogaert
Frosine	Valentine Tessier
Maître Simon	Robert Casa
Maître Jacques	Romain Bouquet
La Flèche	Lucien Weber
Dame Claude	Jane Lory
Brindavoine	Henri Bart
La Merluche	Mlle Émile Rosenberg
Le Commissaire	Jean Sarment

QUATORZIÈME SPECTACLE
Première : le 13 janvier 1919

Chatterton, d'Alfred de Vigny.

Chatterton	Henri Dhurtal
Un Quaker	Charles Dullin

Kitty Bell..........................	Suzanne Bing
John Bell..........................	Robert Bogaert
Lord Beckford......................	Robert Casa
Lord Talbot.......................	Jean Sarment
Lord Lauderdale....................	Marcel Millet
Lord Kingston.....................	Lucien Weber
Un groom	Henri Bart
Un ouvrier	Romain Bouquet
Rachel Bell	Miss Renée Conigère
Petit garçon Bell	?

QUINZIÈME SPECTACLE
Première : le 20 janvier 1919

Les Frères Karamazov, adaptés du roman de Dostoïevski par J. Copeau et J. Croué (reprise de la première saison).

Féodor............................	Louis Jouvet
Dmitri............................	Robert Bogaert
Ivan..............................	Jacques Copeau
Aliocha...........................	Jean Sarment
Smerdiakov........................	Charles Dullin
Père Zossima......................	Marcel Millet
Gregori Vassiliev..................	Romain Bouquet
Moussialovitch....................	Robert Casa
Vroubleski........................	Marcel Millet
Trifon............................	Lucien Weber
Cocher Andrey	Henri Bart
Chef de police....................	Henri Dhurtal
Père Paissi.......................	Henri Bart
Père Joseph.......................	Safir
Katherina	Lucienne Bogaert
Grouchenka........................	Valentine Tessier
La servante	Renée Bouquet

Musique et chansons dirigées par *Raoul Biais*
Hommes et femmes du peuple, musiciens et soldats

SEIZIÈME SPECTACLE
Première : le 27 janvier 1919

Le Menteur, de Corneille.

Géronte...........................	Robert Bogaert
Dorante...........................	Henri Dhurtal
Alcippe	Marcel Millet

Philiste	Jean Sarment
Clarice	Lucienne Bogaert
Lucrèce	Jeannine Brésanges
Isabelle	Jane Lory
Sabine	Renée Bouquet
Cliton	Romain Bouquet
Lycas	Henri Bart

Costumes de *Jean-Louis Gampert*

DIX-SEPTIÈME SPECTACLE
Première : le 3 février 1919

L'Ami Fritz, d'Erckmann-Chatrian.

Fritz Kobus	Jacques Copeau
David Sichel	Romain Bouquet
Frédéric	Marcel Millet
Hanezo	Robert Bogaert
Christel	Robert Casa
Joseph	Lucien Weber
Un faucheur	Jean Sarment
Suzel	Renée Bouquet
Catherine	Jane Lory
Lisbeth	Valentine Tessier
Une faneuse	Jeannine Brésanges

Faucheurs et Faneuses

DIX-HUITIÈME SPECTACLE
Première : le 10 février 1919

Pelléas et Mélisande, de Maurice Maeterlinck.

Arkel	Marcel Millet
Geneviève	Valentine Tessier
Pelléas	Jean Sarment
Golaud	Robert Bogaert
Mélisande	Suzanne Bing
Ynold	Pascal
Un médecin	Henri Dhurtal
Le portier	Romain Bouquet

Servantes...................... Lucienne Bogaert
Renée Bouquet
Jeannine Brésanges
Jane Lory

Costumes par *Duncan Grant*

DIX-NEUVIÈME SPECTACLE
Première : le 17 février 1919

Washington. Un programme franco-américain.

Induction, de Percy MacKaye, traduction par Jacques Copeau.

The Tragic Mask .... Robert Bogaert
The Comic Mask................... Marcel Millet
The Theatre .... Louis Jouvet

La Coupe enchantée, de La Fontaine.

Anselme .... Robert Bogaert
Lelie .... Jean Sarment
Josselin .... Louis Jouvet
Bertrand .... Lucien Weber
M. Griffon....................... Marcel Millet
M. Tobie......................... Robert Casa
Lucinde.......................... Jeannine Brésanges
Thibaut.......................... Romain Bouquet
Perrette.......................... Renée Bouquet

Prologue à Washington, de Percy MacKaye, traduction par J. Copeau.

The Tragic Mask .... Robert Bogaert
The Comic Mask................... Marcel Millet
The Theatre .... Louis Jouvet
Quilloquon .... Lucien Weber

Inhibitors, A Litttle Boy, A Little Girl
Transitional Ballad (sung by Quilloquon)

Washington, une action dramatique, de Percy MacKaye, traduction par Pierre de Lanux; décors par Robert Edmond Jones; costumes par Rollo Peters; musique arrangée par Elliott Schenck.

Washington........................	Jacques Copeau
Marquis de La Fayette	Jean Sarment
Alexander Hamilton..................	Henri Dhurtal
Thomas Paine......................	Marcel Millet
Baron von Steuben	Robert Casa
Count Pulaski	Émile Chifoliau
Billy, Negro Servant	Romain Bouquet
A Post Boy (Quilloquon), soldats.........	Lucien Weber

Concluding Ballad (Quilloquon et soldats)

VINGTIÈME SPECTACLE
Première : le 24 février 1919

La Nuit des rois, de Shakespeare (reprise de la première saison).

Orsino...........................	Henri Dhurtal
Sebastien.........................	Renée Bouquet
Antonio..........................	Robert Bogaert
Valentin..........................	Émile Chifoliau
Curio............................	Jean Sarment
Tobie Belch.......................	Romain Bouquet
Aguecheek........................	Louis Jouvet
Malvolio	Jacques Copeau
Fabien...........................	Marcel Millet
Un bouffon	Lucien Weber
Olivia............................	Valentine Tessier
Viola............................	Suzanne Bing
Maria............................	Jane Lory
Un capitaine	Robert Casa
Suivantes.........................	Lucienne Bogaert
	Jeannine Brésanges
Seigneurs et gardes..................	?

VINGT ET UNIÈME SPECTACLE
Première : le 3 mars 1919

La Veine, d'Alfred Capus.

Julien Bréard......................	Jacques Copeau
Edmond Tourneur	Romain Bouquet

Chanterau	Marcel Millet
Sigismond	Jean Sarment
Le Brancard	Lucien Weber
Poussier	Robert Casa
Charlotte	Valentine Tessier
Simone Baudrin	Henriette de Lannoy
Joséphine	Lucienne Bogaert
Geneviève	Jeannine Brésanges
Clémence	Renée Bouquet
Louisa	Jane Lory
Rosalie	Suzanne Bing
La bonne	Marguerite Maes
Domestiques	Henri Dhurtal
	Robert Bogaert

VINGT-DEUXIÈME SPECTACLE
Première : le 17 mars 1919

Le Misanthrope, de Molière.

Alceste	Jacques Copeau
Philinte	Henri Dhurtal
Oronte	Robert Bogaert
Célimène	Lucienne Bogaert
Éliante	Suzanne Bing
Arsinoé	Valentine Tessier
Arcaste	Jean Sarment
Clitandre	Marcel Millet
Basque	Lucien Weber
Un garde	Robert Casa
Du Bois	Romain Bouquet

Costumes par *Maxime Dethomas*

VINGT-TROISIÈME SPECTACLE
Première : le 24 mars 1919

Le Mariage de Figaro, de Beaumarchais (reprise du deuxième spectacle, avec les mêmes sauf) :

Double-Main	Émile Chifoliau
L'Huissier	Mlle Émile Rosenberg

MATINÉE À BÉNÉFICE
le 2 avril 1919

La Jalousie du Barbouillé, de Molière (avec la même distribution que le onzième spectacle).

PROGRAMME D'ADIEUX
le 7 avril 1919

La Coupe enchantée, de La Fontaine (reprise du dix-neuvième spectacle, avec la même distribution sauf) :

Anselme .... Émile Chifoliau
Lucinde........................... Renée Bouquet
Perrette........................... Jane Lory

L'Impromptu des adieux, de Jacques Copeau.

Toute la compagnie.

Récapitulation

Nombre de pièces jouées 29
Nombre de reprises.............................. 6
Nombre de représentations...................... 202
Nombre de matinées............................. 51
Nombre de soirées 151

Appendice O

26 avril 1919 :
L. Jouvet à J. Copeau
[...]Cours sur la *machinerie* et *sa finalité* :
Partie de ce cours : – explication technique de *notre* travail de scène
– sa recherche – ses modifications – son travail – son maniement –
son explication au point de vue financier – etc., etc. – vous me
passeriez la critique ?
Un cours qui consisterait : 1) Dans l'enseignement pratique et technique (pas scientifique ni géométrique) du dessin – plan par terre et
perspective – pour la base du travail – aussi pour les nécessités
d'établir un devis, une maquette de scène – (enfin un moyen pratique
et technique d'expression sur papier) – en connexion avec certaines
idées : a) *de visibilité*, b) *de points de vue différents*, de vraie perspective
(angle de vision différent), c) *de déformation des points de vue*. [...].
2) Par un historique – oh léger – de la scène – ce que j'en sais –
peu en général – mais particulièrement – formidablement sur la
scène italienne, celle qui nous vient du XVIᵉ et XVIIᵉ siècle – et que
nous n'avons fait que déshonorer, truquer, abîmer, sans souci de son
esprit, de sa tradition – qui est le prototype seul connu (mais généralement inconnu) de toute machinerie ! – et par lequel on peut
expliquer (en partie) les découpés – les trompe-l'œil – les décors
« illustrations » – et les réalismes !
J'ai l'idée que ce qu'il y a eu de moins bon dans le théâtre de
Shakespeare – c'est sa scène (sa salle s'entend aussi). On a toujours
la fâcheuse habitude de ne parler que de la scène – elle n'existe
pourtant qu'en fonction de la salle. À vrai dire – cela ne fait pas
deux parties.
Les Italiens sont venus dessiner et peindre là-dedans un peu trop
tôt – et ce sacré Louis XIV a eu aussi théâtralement la manie et le

goût de la « décoration »! Il est aussi le père de l'Opéra – de cet opéra qui a engendré le Métropolitain – qui a engendré Caruso – qui a engendré... qui a engendré... qui a engendré le Vieux Colombier!

Je voudrais bien me mettre à travailler – j'en ai une envie! et je sens que je travaillerai bien.

Je suis absolument hanté par la forme de la salle – *hémicycloïdale?* ou *rectangulaire?* elles m'apparaissent comme deux revenants – elles surgissent à mon réveil – et je les vois encore dans les brumes de l'endormissement. – Je ne sais expliquer leur raison d'être – J'ai eu une idée cet après-midi – elle m'a ravi – je vous la donne tout simplement.

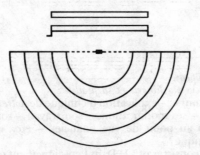

La différence essentielle *jusqu'ici* est que la *vision a son centre dans un espace vide* – le centre de la vision n'est pas sur le background comme dans la salle rectangulaire.

– Qu'est-ce que vous en pensez! Je trouve ça énorme. – [...] Vous voyez toute l'importance de cela?

La différence dans le jeu de l'acteur – qui évolue sur cette surface centrale vide.

La différence pour le background qui n'est plus qu'accessoire – qui ne fatigue plus le spectateur comme les « fonds » qui nous préoccupent – et où convergent éternellement les visions.

Appendice P

Cher Monsieur Kahn,

J'ai longuement hésité avant de vous écrire la lettre que voici. Au moment de l'écrire, je voudrais encore qu'elle me fût épargnée.

J'ai conscience, plus que personne, de l'énormité des sacrifices que vous avez consentis, depuis deux ans, pour le Vieux Colombier. Non seulement vous avez tenu toutes vos promesses, mais vous les avez de beaucoup dépassées. Je vous dois une reconnaissance infinie, et il est aussi loin que possible de mon esprit d'élever devant vous la moindre réclamation.

Vous savez ce que j'ai fait. Sans parler des résultats obtenus, ni des fruits qu'ils pourront porter dans l'avenir, je ne peux rappeler ici que la somme de *travail* que j'ai fournie, ce dont vous avez bien voulu reconnaître publiquement qu'elle était *incroyable*.

Permettez-moi de mettre aujourd'hui sous vos yeux le bilan de ma situation personnelle, après deux années d'efforts.

Lorsque vous m'avez engagé en 1917, vous m'avez garanti pour la première saison une somme de 15 000 dollars qui m'ont été intégralement versés.

Depuis, voici ce qui s'est passé :

1) Pour ne pas vous demander de crédits supplémentaires, durant l'été 1918, et au début de la seconde saison, j'ai été amené, petit à petit, à verser, de mes deniers personnels, à la caisse du théâtre 7 039 dollars, c'est-à-dire à peu près le montant total de ce que je possédais à cette époque.

2) Au début de la saison 1918-1919, les recettes étant insuffisantes, nous avons dû prélever le surplus sur l'argent versé par nos abonnés et notre marge était encore si précaire que non seulement je n'ai pas été remboursé de mes 7 000 dollars, mais j'ai dû consentir à ne toucher pour moi-même *aucun salaire*, tandis que tout le reste du personnel continuait à recevoir ses appointements habituels.

3) À l'époque où, grâce à votre intervention et à celles de quelques amis du théâtre, un peu d'argent nous est rentré, il m'a été versé plusieurs sommes s'élevant, au total, à environ 4 800 dollars.

Durant les dernières semaines, je n'ai de nouveau plus touché aucun salaire.

En sorte que si du montant total des sommes par moi touchées depuis juin 1917 jusqu'en avril 1919 on déduit le montant des avances que j'ai faites au théâtre et qui ne m'ont point été remboursées, on trouve que j'ai reçu, pour les deux années de travail que vous savez, environ 12 800 dollars, soit 6 400 dollars par an.

Il va de soi que prenant le risque de la seconde saison, je devais m'attendre à supporter des sacrifices. Mais je me demande et je vous demande, cher Monsieur Kahn, s'il est juste qu'ils aient atteint ces proportions.

Une grande tournée du Vieux Colombier à travers les États-Unis devait me dédommager partiellement de tant de pertes. Cette tournée avait été décidée et pouvait être organisée dès l'été dernier. Après des atermoiements et alternatives qu'il m'est impossible de qualifier ni d'expliquer, M. Herndon m'a averti, deux semaines avant la clôture du théâtre, que le « tour » ne pouvait avoir lieu.

M. Herndon s'est alors fait fort de m'organiser une tournée de conférences très rémunératrices. Il en a été comme du reste. Pas *une* proposition ne m'est parvenue.

Je ne sais si je vous ai jamais dit, cher Monsieur Kahn, que je ne possède pas un sou vaillant, ayant toujours vécu de mon travail et sans souci du gain.

Aujourd'hui, je me trouve plus pauvre que le moindre de mes comédiens, ayant devant moi 1 000 dollars, avec des charges qui n'ont fait que s'accroître depuis la guerre, toute mon existence à réorganiser en France, cinq années de plus sur la tête pour reprendre la lutte, et la perspective de n'avoir pas de quoi, en rentrant, prendre les quelques mois de repos que ma santé exige impérieusement.

5 mai, Réponse de Otto Kahn :

Cher Monsieur Copeau,

Personne n'apprécie avec plus de chaleur que moi ce que vous avez accompli pendant ces deux dernières saisons, le remarquable dévouement et la loyauté sans faiblesse que vous avez déployés pour un idéal hautement artistique, face à des difficultés presque insurmontables. Personne, excepté vous-même ne peut être plus désappointé que moi de ce que les espérances, grandes et justifiées, sur lesquelles se fondait cette conversation à laquelle vous vous référez, ne se soient pas réalisées. Et je regrette profondément qu'après tant de travail et de réussites, vous vous trouviez personnellement sans ressources.

Quand vous viendrez à New York, je serai heureux de vous recevoir et de discuter de ces choses avec vous. Mais pour vous parler franchement, après ce que j'ai déjà fait pour le Vieux Colombier, compte tenu des demandes d'argent immenses et des échéances financières où je me trouve engagé – compte tenu surtout de la charge d'impôts, sans précédent, dont le Gouvernement a taxé nos revenus, je crains qu'il ne me soit absolument impossible de faire autre chose pour vous que de m'associer à la liste des Amis du Vieux Colombier.

Très fidèlement vôtre.

NOTES

PREMIER VOYAGE DE COPEAU AUX ÉTATS-UNIS

1. Journal inédit de Jacques Copeau de 1899 à 1945, en préparation par Claude Sicard.

2. Melchior, marquis de Polignac (1880-1950), directeur de la maison Pommery de Reims, rappelé du front en mai 1916 par Philippe Berthelot, directeur de la Maison de la Presse (embryon du ministère de la Propagande) est envoyé à New York pour se renseigner sur l'attitude des Américains à l'égard de la guerre. Par goût des arts et par ses relations mondaines, le marquis de Polignac devient l'âme de la propagande culturelle française aux États-Unis, l'ami d'Otto Khan et le soutien constant de Copeau.

3. Les lettres autographes de Gide sont la propriété du Dr Jean Heitz. Celles de Copeau sont à la Bibliothèque Doucet – Fonds Gide. Correspondance en préparation par Claude Sicard et Jean Claude.

4. Copeau avait demandé à Gide (18 août 1916) de l'accompagner aux États-Unis, ce qu'il refusa (cf. *Registres III, op. cit.*, p. 365-366).

5. Suzanne Bing (1885-1967) est à Nice, où elle attend la naissance de l'enfant de Copeau. De leur correspondance, malheureusement détruite, ne subsistent que les quelques citations faites par Suzanne Bing dans ses lettres à Martin du Gard (*Correspondance Jacques Copeau-Roger Martin du Gard*, établie et annotée par Claude Sicard, t. II, Gallimard, 1972, p. 814-819).

6. La famille Copeau est actuellement à Saint-Clair (Var) chez les Van Rysselberghe.

7. « Ces longues séparations » remontent à la période de leurs fiançailles depuis leur première rencontre à Paris en 1896 jusqu'à leur mariage au Danemark le 16 juin 1902.

8. À la veille de l'entrée en guerre des États-Unis, New York compte cinq millions d'habitants – 20 % de la population totale du pays. Au début du siècle, l'île de Manhattan annexa les quatre « boroughs » environnants, formant ainsi la plus grande métropole du monde. Les immigrants, dont près de six millions d'Européens depuis 1890, forment presque la moitié

de la population de la ville : Russes, Allemands, Irlandais et Italiens en tête, avec une colonie française d'environ 18 000.

La prospérité économique de New York est prodigieuse : nombre sans cesse croissant des « motor cars » et des « moving picture houses », fièvre de construction allant des « skyscrapers » monumentaux aux nouvelles rames de métro souterrain et aérien, etc.

9. Brochure de 68 pages, « Jacques Copeau et le théâtre du Vieux Colombier from Paris » (impr. Aréthuse, 11 janvier 1917), tirée à 3 000 exemplaires, financée par une avance de Jean Schlumberger. Cette brochure se compose de la biographie de Copeau, d'une notice sur le théâtre du Vieux Colombier, de nombreuses coupures de journaux français et anglais, du programme d'une première série de six conférences et de témoignages de grands artistes français *. On y trouve aussi des photos de la Troupe et des collaborateurs et amis du Vieux Colombier. Un bel essai d'André Suarès, « L'esprit du Vieux Colombier » la termine.

10. Pierre de Lanux (1888-1955), petit-fils de Marc, professeur de piano d'André Gide et des sœurs Rondeaux, cousin de Leconte de Lisle. Pierre de Lanux fut le secrétaire d'André Gide (1907-1909) et le premier secrétaire de *La N.R.F.* (1909-1911). Envoyé en mission aux États-Unis à la fin de 1915, il y fait des conférences sous l'auspice de l'Alliance Française et publie une étude des auteurs des deux pays *Young France and New America* (N. Y. Macmillan, novembre 1917). Après la guerre il travaille à la Société des Nations et continue à écrire dans *La N.R.F.*

11. Henri-Pierre Roché (1879-1959), journaliste du *Temps*, envoyé aux États-Unis fin 1915 par la Maison de la Presse. Ami des peintres surréalistes, il écrira un hommage à Marcel Duchamp, se rappelant leur séjour à New York pendant la guerre (in *Sur Marcel Duchamp*, éd. Robert Lebel, 1959). Son roman, *Jules et Jim* (Gallimard, 1953) sera porté à l'écran par François Truffaut.

12. Otto Kahn (1867-1934), issu d'une famille de banquiers de Manheim, s'établit aux États-Unis en 1893. En 1896, il épouse la fille du banquier Abraham Wolff, qui leur donne en cadeau de noces sa grande propriété de Cedar Court, à Morristown, où le couple élève ses quatre enfants. Kahn possédera en outre un grand nombre de maisons, à Londres, à Palm Beach, à Long Island et à New York, dont deux hôtels contigus au coin de la 68e rue qu'il transforme, en mai 1917, en foyer d'accueil aux militaires français. Il habite alors son nouveau palais de style renaissance italienne au coin de la 5e Av. et de la 91e rue, aujourd'hui siège de l'Académie du Sacré-Cœur.

Passionné pour les arts, Kahn veut relever le niveau culturel de son pays d'adoption et contribue généreusement à de nombreuses manifestations artistiques. Grand amateur d'opéra, il organise The Metropolitan Opera House en une association qu'il dirige de 1908 à 1931 et y fait admettre les répertoires français et italiens alors que les opéras allemands y étaient largement prioritaires. Il fait venir l'impresario italien Giulio Gatti-Casazza, qui dirige le Metropolitan de 1908 à 1935, ainsi que les grands artistes de l'époque : Feodor Chaliapine, Enrico Caruso, Arturo Toscanini et les tournées de Pavlova, d'Isadora Duncan et des Ballets Russes de Diaghilev avec

---

* Appendice A, p. 491-498.

Nijinski. (Après sa mort, Mrs. Kahn lui succédera à la tête de l'Association, suivie à son tour, en 1949, par leur fille, Mrs. Margaret Ryan.)

Son amour du théâtre n'est pas moindre. En 1909, il lance le projet d'un grand théâtre de répertoire, le New Theatre de New York qui ne dura que deux saisons. Il aide à la création de la Stage Society, des Washington Square Players, des Provincetown Players, des Negro Players, du Théâtre Français des États-Unis (dir. Bonheur), auquel succéderont les deux saisons du Vieux Colombier, enfin du Theatre Guild. Kahn finança également les tournées de Vera Kommissarzhevskaya et de Granville Barker et, après la guerre celles du Théâtre d'Art de Moscou (dir. Stanislavski), du théâtre de l'Odéon (dir. Gémier), les Abbey Players de Dublin et les Habima Players de Tel-Aviv.

Pour les lettres enfin : Frank Harris lui doit sa biographie d'Oscar Wilde et Margaret Anderson sa *Little Review* où furent publiées les premières œuvres de Yeats, de Pound, d'Éliot, ainsi que des extraits du roman encore inédit de Joyce, *Ulysse* (1921). On dit aussi, non sans ironie, que le jeune écrivain radical et pacifiste, Max Eastman, lui soutira une contribution pour son hebdomadaire, *The Masses*.

Renseignements recueillis d'après *The Many Lives of Otto Kahn*, de Mary Jane Matz (N. Y. MacMillan, 1963).

13. Lucien Bonheur (1864-1918), cousin du peintre Rosa Bonheur, établi à New York vers 1890, participe à diverses activités culturelles de la colonie française. En 1913, il fonde avec deux autres artistes français la « French Drama Society », jouant dans différents théâtres de New York. En 1916, Otto Kahn vient au secours de la petite compagnie et fait entreprendre la construction d'un théâtre à Broadway, Le Bijou, qui ouvrira le 12 avril 1917. En attendant il loue The Garrick Theatre pour la seule saison du Théâtre Français des États-Unis, direction Bonheur, lequel se discrédite par la médiocrité de ses réalisations.

14. On n'a pas trouvé trace de cette candidature d'Arsène Durec (1880-1930); metteur en scène et interprète des *Frères Karamazov* en 1911, au Théâtre des Arts.

15. Première représentation à New York de cette pièce, mise en scène et jouée par William Faversham (1868-1940).

16. Pendant toute la guerre les paquebots de la C.G.T. assurent le service entre Bordeaux et New York, avec une traversée moyenne de dix jours. Après l'entrée en guerre des États-Unis, par mesure de sécurité les journaux américains retarderont d'un jour l'annonce du lieu de leurs arrivées et de leurs départs, avec la seule mention « An Atlantic Port ».

17. In *Correspondance J. C.-R. M. G.*, t. II, *op. cit.*, p. 815-816.

18. Henri Casadessus (1879-1947), fondateur de la Société des Instruments anciens (1901), faisait une tournée de concerts aux États-Unis, et venait d'accepter la direction d'un Comité franco-américain de l'Art Musical fondé par Otto Kahn pour faciliter les tournées des musiciens français tels que Jacques Thibaud, Joseph Bonnet, Pierre Monteux, Alfred Cortot, le quatuor Flonzaley et le Trio de Lutèce.

19. Winthrop Ames (1871-1937), choisi par Kahn en 1909 pour diriger le New Theatre. Après son échec financier, Kahn l'aidera en 1912 à construire le Little Theatre.

20. Ami des arts, Mr. Trowbridge fréquentait le Vieux Colombier de

Paris et avait aidé en 1915 la Caisse de secours aux familles des acteurs mobilisés (cf. *Registres III, op. cit.*).

21. Les immigrants allemands composaient près du vingtième de la population totale des États-Unis et s'étaient surtout établis dans le Midwest agricole. Leur propagande culturelle était solidement organisée et tendait à prouver que germanisme et culture ne faisaient qu'un.

L'intensification de la guerre sous-marine par les Allemands, à partir de janvier 1915 et le torpillage du *Lusitania*, le 7 mai 1915, transforment leurs sentiments pro-allemands en volonté de neutralité. La presse de langue allemande et les journaux contrôlés par William Randolph Hearst, dont le *N. Y. American* et le *N. Y. Evening Journal* renforcent l'esprit pacifique surtout dans les milieux populaires.

22. Lors d'une première tournée en Amérique en 1914, Gabrielle Dorziat (1886-1980) avait réuni des fonds pour l'aide aux artistes français, dont une partie fut remise à Copeau pour la Caisse de secours du Vieux Colombier par Régis Gignoux, journaliste du *Figaro* (cf. *Registres III, op. cit.*, p. 242).

23. *Canary Cottage,* livret d'Olivier Morosco et Elmer Harris, musique d'Earl Carroll, inaugurait le théâtre construit par le producteur, Oliver Morosco, théâtre démoli en 1982 pour faire place à un hôtel.

Les paroles de Copeau sont rapportées par Heywood Broun dans « In Wigs and Things », *N. Y. Tribune* (25 févr. 1917).

24. Louis Jouvet (1887-1951) est en convalescence de trois mois à St.-Cyr, des examens médicaux ayant décelé une maladie de cœur.

La correspondance Copeau-Jouvet, abondamment citée dans *Registres III*, mais encore inédite, s'étend de 1911 à la mort de Copeau (1949).

25. Il est probable que Jouvet et Copeau, pendant leur travail commun avant le départ de Copeau aux États-Unis, avaient envisagé la transformation de la scène en vue de la scène fixe qu'ils réaliseront pour le Garrick Theatre.

Signalons qu'à cette époque, Jouvet se servait encore de l'orthographe *Jouvey* qu'il avait adoptée depuis ses débuts au théâtre. Mobilisé il a repris son nom, mais souvent, dans ses lettres aux amis, signe encore Jouvey.

26. Copeau avait soumis à Gustave Lanson (9 novembre 1916) son projet de lectures et de conférences (cf. *Registres III, op. cit.*, p. 370-371).

27. Programme du deuxième spectacle de la saison des Washington Square Players : *Trifles*, de Susan Glaspell, *Another Way Out*, de Lawrence Langner, *Altruism,* farce allemande de Karl Ettlinger, et *Bushido,* kabuki japonais du XVIIIᵉ siècle, adapté et mis en scène par Michio Ito, élève de Dalcroze.

En 1914, un groupe d'auteurs, de comédiens et de décorateurs s'associent sous la direction d'Edward Goodman et de Lawrence Langner et prennent le nom de « Washington Square Players » d'après le quartier de leurs débuts dans le Greenwich Village. Ils connaissent un succès presque immédiat. Aidés par Otto Kahn, ils louent alors une petite salle, The Bandbox Theatre, et jouent deux fois par semaine, offrant gratuitement temps et travail. En juin 1916, poussés par leur succès, ils s'installent au Comedy Theatre, près de Broadway (41ᵉ rue) et jouent tous les soirs sans abandonner leur idéal de « présenter les meilleures œuvres des jeunes auteurs américains et étrangers ». Première compagnie américaine à fonder une école, ils donnent aux meilleurs élèves l'occasion de jouer de petits rôles. La compagnie est dissoute en mai 1918, mais quelques-uns de ses membres, dont Katherine Cornell, Helen Westley, Rollo Peters, Roland Young, Lee Simonson et Robert

Edmond Jones se réuniront l'hiver suivant pour former le Theatre Guid, qui succédera au Vieux Colombier au Garrick, en avril 1919.

28. Mrs. Nina Floyd Crosby Eustis, veuve de James B. Eustis, épousera le marquis de Polignac le 24 octobre 1917, à la cathédrale Saint-Patrick de New York, ayant André Tardieu comme témoin, Joseph Bonnet à l'orgue, accompagné par Jacques Thibaud au violon.

29. C'est à Mrs. Margaret Huston Carrington que John Barrymore demandera en 1921 des leçons de diction quand il se préparera à jouer *Richard III*.

30. Mrs. Philip Lydig, née Rita de Alba de Acosta (1879-1929) était la deuxième des huit enfants d'une famille de l'aristocratie espagnole, réfugiée à New York peu avant sa naissance. Mariée à seize ans avec le millionnaire William E. D. Stokes, de vingt-sept ans son aîné, elle en eut un fils. Divorcée en 1900, elle épouse en 1902 le capitaine Philip Lydig et fait de longs séjours en Europe. Elle brille par sa beauté et son intelligence dans la haute société, mais elle préfère fréquenter les milieux artistiques et intellectuels où elle connut entre autres : Bergson, Rodin, Brieux, Anatole France, Yvette Guilbert, d'Annunzio, Edith Wharton, Sarah Bernhardt, John Singer Sargent, Boldini et Zuloaga. Les portraits d'elle par ces deux derniers peintres se trouvent au Louvre et à la National Gallery de Washington. Sarah Bernhardt lui demanda des leçons de démarche et de maintien. Au début de la guerre, Mrs. Lydig ouvrit son hôtel particulier, au 14 Washington Square, à tous les jeunes artistes américains et étrangers, tels que Ruth Draper, Malvina Hoffman, Anna Pavlova, Enrique Granados et Miguel Llobet. Avant l'entrée en guerre des États-Unis elle se lance avec ferveur dans les œuvres de charité pour la France et se passionne pour la mission de Copeau.

(Renseignements recueillis d'après les mémoires de Mercedes de Acosta, sœur de Mrs. Lydig *Here Lies the Heart*, N. Y. Renal, 1960.)

31. *The Morris Dance*, adaptation d'un conte de Robert L. Stevenson, *The Wrong Box*, n'eut que 23 représentations. Période trouble dans la vie personnelle de Granville Barker (1877-1946) qui divorce d'avec sa fidèle collaboratrice, l'actrice Lillah McCarthy, pour épouser une riche américaine et abandonne son activité de metteur en scène.

32. En octobre 1911, à Londres, Copeau, présenté par Gide fit la connaissance d'Arnold Bennett, grâce à qui *Les Frères Karamazov* furent joués par la Stage Society de Londres en février 1913. Au début de la guerre, Bennett invita Agnès Copeau et ses enfants à se réfugier en Angleterre (cf. *Registres III*, *op. cit.*, p. 46, 397, 439).

33. Copeau connut Zuloaga à la Galerie Georges Petit et écrivit un article sur lui dans *Arts et Décoration*.

34. Il s'agit de Mrs. Lydig, dont la grâce et la grande allure lui valent, dans le Journal de Copeau, le surnom de « Princesse ».

35. « Tout rond », expression inventée par les enfants Copeau pour exprimer le cercle clos et enchanté de leur vie de famille.

36. Jean Schlumberger (1877-1968) se trouve à Réchésy (Terr. de Belfort) depuis mars 1916, attaché à la Section de traduction et d'analyse de la presse allemande, créée par la Maison de la Presse et dirigée par son ami, le Dr Pierre Bucher.

La correspondance Copeau-Schlumberger (Biblio. J. Doucet) est en préparation par J.-P. Cap.

37. Harry Benrimo (1877-1942) auteur, en collaboration avec George Hazelton, de *The Yellow Jacket*, inspirée d'une légende chinoise. Créée à New York en 1912, elle connut un succès mondial et fut jouée à Paris, en 1921, par Jeanne Granier, dans la traduction de H.-P. Roché, *La Tunique jaune.*

38. William Adams Delano (1874-1960), architecte américain, diplômé des Beaux-Arts de Paris, sera engagé par Kahn pour transformer le Garrick Theatre.

39. Mrs. Mary Cadwalader Jones (1850-1935), belle-sœur d'Edith Wharton, tenait un salon littéraire et artistique dans son hôtel de la 11ᵉ rue à Greenwich Village.

40. Les Little Theatre Players de Rochester (N. Y.) est un des nombreux petits théâtres de province fondés sous les auspices de la Drama League. L'article cité par Copeau a paru dans le *Rochester Democrat Chronicle* (11 fév. 1917).

41. David Belasco (1853-1931), directeur et metteur en scène de nombreuses pièces à succès de Broadway, venait de frapper d'anathème l'amateurisme des petits théâtres qui « étaient une menace pour le véritable art de la scène ». (*N. Y. Herald*, 7 janv. 1917). Pourtant le 5 avril 1918, dans le *N. Y. Tribune*, il rend hommage au travail des Washington Square Players et demande que leurs efforts soient soutenus au moins autant que ceux de Granville Barker et de Jacques Copeau.

42. Ernest Bloch (1880-1959), compositeur d'origine suisse, élève de Dalcroze, prépare pour le 3 mai un concert de ses œuvres à Carnegie Hall, auquel Copeau assistera.

Waldo Frank (1889-1967), fils d'un avocat new-yorkais, après de brillantes études secondaires, écrit à seize ans un roman, accepté par un éditeur mais que son père lui fit retirer, étudie à Lausanne et à Yale University, devient journaliste à New York pendant deux ans et voyage en France et en Allemagne en 1913-1914. Rentré à New York, Frank écrit un nouveau roman et fonde avec James Oppenheim, en novembre 1916, la revue *The Seven Arts*. Dans sa brève existence d'un an, cette revue publie les écrits de jeunes auteurs tels que Sherwood Anderson, Robert Frost, Amy Lowell, Carl Sandburg, Eugene O'Neill, Edgar Lee Masters, Padraic Colum, H. L. Mencken et Van Wyck Brooks. Féru de culture française, Frank cherche tout de suite à faire la connaissance de Copeau. Leur amitié se développera pendant les deux saisons du Vieux Colombier.

43. Voir le *Journal d'André Gide* (éd. Pléiade, 1951, p. 240) : « 16 mars (1907). Achevé il y a quelques jours l'*Enfant Prodigue...* J'ai mis huit jours à le corriger. Entre Drouin et Copeau comme l'*Homme entre deux Maîtresses*, je me suis volontiers prêté à ce travail de mise au point. » Copeau fera une seconde lecture du *Retour de l'Enfant Prodigue*, le 3 mars 1917, chez Mrs. Lydig.

44. Allusion aux romans d'aventures du Far West de l'auteur anglais, Captain Mayne Reid.

45. Le Cocoanut Grove vient d'ouvrir le 18 janvier sur le toit du Century Theatre (ancien New Theatre). C'est un des nombreux « roof gardens » où le spectacle commence à la sortie des théâtres et où l'on entend les premiers accents du « jazz » venu de Chicago. Les roof gardens seront assidûment fréquentés par les comédiens du V.C. pendant leur séjour à N. Y.

46. Copeau assistant à l'ouverture du Théâtre Antoine, le 28 novembre

1897, avait trouvé *Le Repas du Lion* « admirable ». François de Curel avait débuté au Théâtre Libre en 1892 et porté à la scène des sujets de psychologie et de sociologie, alliant le lyrisme de la forme à la profondeur de la pensée. Le Vieux Colombier jouera en janvier 1918 une pièce de cet auteur, *La Nouvelle Idole.*

47. H. K. M., « Jacques Copeau : Personality and Pioneer ». Hiram Kelly Moderwell (1888-1945) fut un des premiers critiques américains, après un voyage d'études en Europe en 1912-1913, à écrire sur le nouveau mouvement théâtral : *The Theatre Today* (N. Y.). Il deviendra le directeur du *Stage Magazine* (1928-1935).

48. L'interview de Willis Steell (1866-1941) : « Jacques Copeau, Author, Actor and Producer » est publiée dans la grande revue illustrée, *The Theatre* (mai 1917), fondée en 1902 et dirigée jusqu'en 1926 par Arthur Hornblow.

49. Lee Shubert (1875-1953) et ses frères, Jacob (1880-1963) et Sam (1878-1905) d'origine modeste, étaient devenus avant l'âge de vingt-cinq ans, propriétaires d'une trentaine de théâtres à New York et d'une soixantaine dans d'autres villes, formant ainsi le trust théâtral le plus puissant des États-Unis. Ce monopole durera jusqu'en 1956, quand une action anti-trust entreprise par le gouvernement, oblige les Shubert à vendre une grande partie de leurs théâtres. La Shubert Association actuelle n'est plus dirigée par aucun des membres de cette famille, mais elle demeure la plus puissante des États-Unis, ayant 16 des 34 théâtres de Broadway sous son contrôle. En octobre 1981 la loi anti-trust fut cassée par la Cour suprême, ce qui rend libres à nouveau les activités de l'organisation.

La correspondance Lee Shubert-Otto Kahn et celle de Kahn avec diverses personnalités que nous citerons, se trouvent dans la collection Otto Kahn, William Seymour Theatre Library, à Princetown University, legs de la famille Kahn, qui nous autorise cette publication.

50. Le Bijou Theatre (45ᵉ rue), démoli en janvier 1982 pour faire place à un hôtel.

51. Le Garrick Theatre, ancien Harrigan's Theatre, construit en 1880, eut divers propriétaires, dont en 1916 Edward Margolies, constructeur, qui le loua aux frères Shubert, lesquels le sous-louèrent à Otto Kahn pour le Théâtre-Français des États-Unis de Bonheur (1916-1917), le théâtre du Vieux Colombier (1917-1919), le Theatre Guild (1919-1926) et pour la dernière saison des Provincetown Players (1929). Le Garrick sera ensuite occupé par une compagnie de burlesques jusqu'en 1932, où il sera détruit par un incendie.

52. Polignac va rendre compte de sa mission (cf. n. 2). Le député André Tardieu, après de longues conversations avec lui publie dans *Le Petit Parisien* 12 avril 1917) un article : « Que peuvent et que veulent nous apporter les États-Unis », qui attire l'attention de Clemenceau qui exige la création d'un organisme définissant le rôle des Alliés européens en Amérique et leur garantissant appuis et concours. Alexandre Ribot, président du Conseil, crée le Haut Commissariat de la République à Washington sous la direction d'André Tardieu. Polignac l'accompagne en qualité de chef des Missions Artistiques et ils s'embarquent le 4 mai avec une dizaine de collaborateurs dont Édouard de Billy, Maurice Casenave et Ernest Guy.

53. Lettre du 4 avril 1917. *Correspondance Gallimard-Copeau* (coll. M.-H. Dasté).

54. Lettre du 28 janvier 1917, écrite à bord du *Rochambeau* et envoyée par retour du bateau. Déjà citée dans *Registres III, op. cit.,* p. 375-376.

55. « Niousk » ou « Nioutcka », surnoms donnés par Jouvet à sa fille Anne-Marie.
Else Collin (1886-1967), d'origine danoise, avait épousé Jouvet au Danemark en 1912.

56. Charles Dullin (1885-1949), engagé dans les Dragons le 4 octobre 1914 (cf. *Registres III*).
Caryatis (1891-1971) deviendra Élise Jouhandeau. Elle avait fait ses débuts de danseuse au Théâtre des Arts où Dullin était engagé. Leur liaison durera de 1910 à 1917.

57. Roger Karl (né en 1886) avait joué, entre autres rôles, dans *Les Fils Louverné*, de Jean Schlumberger, deuxième spectacle du Vieux Colombier en 1913.

58. « Le pauvre Sganarelle » : Antoine Cariffa, mort le 24 décembre 1916, des suites des blessures reçues à Verdun (cf. *Registres III, op. cit.,* p. 373).

59. « Les Amitiés Françaises », association internationale, fondée à Liège en 1909, avait pour but de développer les relations économiques, intellectuelles et politiques entre la France et les autres nations. Le Comité français de patronage comprenait entre autres Clemenceau, Bergson, Briand, Barrès, Charles Gide, etc. Le délégué général du Comité américain, fondé en 1913 par James Hazen Hyde, est l'avocat Swinburne Hale. Sous les auspices de l'association paraît, dès août 1917, *The New France* dont le rédacteur en chef est Denys Amiel. À l'armistice, la revue s'appellera *Victory* puis *La France* jusqu'au dernier numéro d'août 1921.

60. La lettre de Stanislavski (1863-1938) du 30 décembre 1916, répondait à celle de Copeau du 10 novembre 1916 qui se proposait de séjourner un mois à Moscou à son retour d'Amérique (cf. *Registres III, op. cit.,* p. 370).
Projet qui, au grand regret de Copeau, ne pourra avoir de suite. La rencontre des deux hommes n'aura lieu qu'en 1922, à Paris, où Copeau le recevra au Vieux Colombier.

61. Représentant européen des revues *Vogue* et *Vanity Fair*.

62. Philip Lydig, mari de Rita, qui rentre d'un long voyage en Russie où il était délégué spécial auprès de l'ambassade américaine. Promu commandant dans l'armée, il sera envoyé en France jusqu'à la fin de la guerre.

63. In *Correspondance J. C.-R. M. G.,* t. I, *op. cit.,* p. 251-252.

64. Le « nap », mot anglais désignant une courte sieste, habitude adoptée par Gide que ses amis blaguaient doucement en faisant de multiples jeux de mots, tels qu'allusions aux sommes des grands « napitaines » dont bien entendu Napoléon, et au « napistolat » des « napôtres », ce qui déchaînait les fous rires de ces grands littérateurs.

65. Aristide Briand, qui est aussi président du conseil.

66. Cette allocution, « l'Esprit de justice et l'héroïsme français », n'existe qu'à l'état de notes manuscrites (9 ff. autogr., 4 févr. 1917, ainsi que 15 ff. autogr. de citations de poèmes (F. C.)).

67. Note de Copeau dans son Journal : « ...revu Bédier (14 janv. 1917) qui m'a prêté le manuscrit de sa traduction inédite de la *Chanson de Roland* pour mes lectures ». Cette traduction paraîtra chez Piazza en 1922.

68. Jean-Jules Jusserand (1855-1932), angliciste, ambassadeur aux États-

Unis (1902-1925), grand ami de l'Amérique et auteur de plusieurs livres sur la littérature anglaise, fit des conférences dans les Universités américaines et publia, en anglais, *With Americans of Past and Present Days* (N. Y. Scribner's, 1916) qui obtint le nouveau prix Pulitzer en 1918.

69. Mrs. Lydig fait imprimer et envoyer à ses frais une élégante petite brochure ornée d'un ruban tricolore (F. C.). *La rénovation du Théâtre Français*, contenant une biographie de Copeau et les prestigieux témoignages de la brochure de propagande, accompagnée d'un fac-similé d'une lettre de sa main.

70. J. C., notes manuscrites (8 ff. autogr. au F. C.).

71. Les lettres que Copeau a reçues ne sont pas encore des réponses aux siennes : retard du service postal, dû à la durée de la traversée.

72. Correspondance inédite qui s'étend de 1911 à 1949 (cf. *Registres III*). Les lettres de Copeau pendant la guerre n'ont pas toutes été retrouvées : Dullin les recevait au front et a pu les égarer.

73. Les camarades « improvisateurs » faisaient partie d'un petit théâtre du front que Dullin avait formé l'année précédente (cf. *Registres III, op. cit.*).

74. Allusion aux rôles joués par Copeau et Dullin dans *Les Frères Karamazov* au Vieux Colombier en 1914.

75. Allusion aux articles de Serge Basset, envoyé du *Petit Parisien* sur le front britannique, décrivant sur le mode lyrique les combats devant Bapaume, et à ceux de Maurice Barrès dans l'*Écho de Paris* (5, 7, 9 mars 1917). Dans sa chronique du 9 mars, Barrès avait ajouté une sélection de lettres de soldats exaltant l'héroïsme et le dévouement.

76. Citation des « Sonnets pour Hélène » de Ronsard.

77. Copeau avait habité 21 rue du Dragon pendant la saison 1913-1914 et au début de la guerre.

78. L'ex-président Théodore Roosevelt (1858-1919), héros de la guerre hispano-américaine en 1898, fait des discours passionnés pour l'intervention de son pays dans le conflit européen. À la déclaration de guerre, il proposa au président Wilson de former lui-même un régiment du Corps expéditionnaire, offre refusée fermement.

79. Zinovi Pechkoff (1884-1966), fils adoptif de Maxime Gorki ; officier dans la Légion étrangère, blessé à Carency le 9 mai 1915. Venu aux États-Unis en septembre 1916, il y fait des conférences sur la guerre. On le retrouve en 1949 représentant du gouvernement de Gaulle en Chine.

80. On trouvera dans le texte des extraits de cette quatrième conférence (ms. autogr. 18 ff., coll. M.-H. D.)

81. Cette conférence a été publiée intégralement in *Registres II. Molière* (Gallimard, 1976, p. 61-70).

82. Rupert Brooke (1887-1915) et Élisabeth van Rysselberghe (1890-1980) se connurent en 1910 à Munich, puis en Angleterre et « ils s'aimèrent sans souci d'avenir, ni d'attachement ». En 1915, le jeune poète anglais, engagé dans la marine, mourut des fièvres, le 17 avril, sur un bateau qui l'emmenait aux Dardanelles. Le 16 juin parut son dernier livre, *1914 and Other Poems* que Gide pensa traduire « pour des raisons autant amicales que littéraires », projet qui n'aboutit pas.

(Renseignements recueillis dans *Les Cahiers de la Petite Dame*, I, 1918-1929, copyright Catherine Gide) et dans *The Correspondence of André Gide and Edmund Gosse*, éd. par Linette F. Brugmans (New York University Press, 1959, p. 118-123).

83. Des extraits de cette conférence ont été incorporés aux notes de la 3ᵉ conférence, dont l'essentiel est identique (cf. Appendice E).

84. Cette lettre est publiée intégralement in *Correspondance J. C.-R. M. G.*, t. I, *op. cit.*, p. 240-247.

85. Il s'agit de Miss Daisy Hardenberg Andrews (1881-1921), née en France de père américain et de mère hongroise, et qui avait été l'assistante de Robert d'Humières au Théâtre des Arts (1907-1909). Rentrée à New York au début de la guerre, elle devient agent théâtral et fait faillite. Robert d'Humières est mort à la guerre en 1915.

86. C'est à Berthe Lemarié que Gallimard confiera ce rôle difficile lors de son départ avec le Vieux Colombier en octobre 1917.

87. Le tirage de *La N.R.F.* était de 1 750 exemplaires en 1913. Le nombre d'abonnés, 720 en janvier 1913, monte à 1 100 en mai 1914.

88. Ce projet sera partiellement réalisé (cf. n. 1, 1ʳᵉ saison, 1879).

89. Jane Bathori-Engel, 1878-1970, professeur de musique et de chant, elle-même remarquable interprète, dirigera au Vieux Colombier pendant l'absence de Copeau, 1917-1919, deux saisons de musique classique et moderne et révélera au public de grands musiciens, alors d'avant-garde, qui formeront en 1920 le Groupe des Six. Elle signa avec Gallimard, le 28 septembre 1917, un contrat pour la saison du 1ᵉʳ novembre 1917 au 1ᵉʳ juin 1918.

90. En 1915, Ida Rubinstein avait demandé à Gide une traduction d'*Antoine et Cléopâtre* de Shakespeare. Après les représentations à l'Opéra en juin 1920, le texte sera publié dans *La N.R.F.* (juill., août, sept. 1920) et Jean-Louis Barrault montera la pièce dans cette même traduction, en 1945, à la Comédie Française.

91. Edith Newbold Jones Wharton (1862-1937), romancière américaine, habitant en France, présidente pendant la guerre du Foyer Franco-Belge. Edgar Lee Masters (1869-1950) avocat et poète américain du « groupe de Chicago ».

92. In *Correspondance J. C.-R. M. G.*, t. I, *op. cit.*, p. 256-257.

93. Jean-Louis Janvier (1871-1954), acteur du Théâtre Libre de l'Odéon et du Théâtre des Arts, administrateur des théâtres impériaux de Russie, est aux États-Unis depuis janvier 1917. Il rentrera en France en juin 1917 et s'associera avec Charles Baret pour diriger les tournées de 1921 à 1934.

94. *The New Republic*, hebdomadaire politique et littéraire de tendance libérale, fondé en 1914 par Herbert Croly. Seuls quelques écrivains comme Walter Lippmann et Philip Littell y signaient leurs articles, ce dernier employant les initiales « Q. K. » pour ses critiques dramatiques. Les articles de cette revue comptent parmi les plus importants sur l'œuvre de Copeau.

95. *Simon the Cyrenian, The Rider of Dreams* et une reprise de *Granny Maumee.* On y remarquait surtout le grand chanteur noir, Opal Cooper, ainsi que les « spirituals » chantés par le Clef Club, sous la direction du compositeur J. Rosamond Johnson. Le succès de cette compagnie décide Otto Kahn à lui offrir le Garrick pour les deux semaines supplémentaires avant que ne soient commencées les transformations pour le Vieux Colombier. C'était la première troupe noire paraissant à Broadway. Succès sans suite immédiate car à part quelques vedettes noires qui jouaient dans des pièces écrites par des Blancs il faudra attendre le mouvement de libération du Dʳ Martin Luther King (1960) et le développement des petits théâtres « off-Broadway » pour voir l'éclosion actuelle des troupes d'acteurs noirs.

96. Frank exprimait ouvertement son profond dédain pour le matérialisme de ses compatriotes. Inscrit en juin comme objecteur de conscience pour protester contre cette guerre qu'il appelait « capitaliste-impérialiste », les mois qui suivront lui seront particulièrement durs. En octobre, sa revue *The Seven Arts* cessera de paraître, les capitaux lui étant refusés par ses actionnaires rebutés par sa politique.

97. Il s'agit de Charles Dullin, de Romain Bouquet (1887-1943) le Tobie de *La Nuit des Rois*, d'Ennemond Bourrin, de Lucien Weber et de Blanche Albane (1886-1975).

98. Bernard, fils de Suzanne Bing et de Copeau; Jean-Paul, le deuxième enfant de Jouvet, né en juillet 1917, et de la fille de Valentine Tessier, qui naîtra le 9 juillet en Angleterre.

99. Brochure de 24 pages, « A New French Theatre in America, 1917-1918 », imprimée à New York et distribuée à partir de juillet pour stimuler les abonnements. Elle reproduira de grands extraits de la première brochure (cf. n. 9), quelques citations de la presse américaine, le texte du télégramme de l'ambassadeur Jusserand du 17 mai 1917, un aperçu général des pièces et des concerts de la prochaine saison, et le prix des abonnements et des billets.

En outre, Copeau compose pour cette brochure deux messages : « To the American Public », et « Au Public Français des États-Unis et du Canada ». Ces textes seront abondamment cités dans la presse américaine : *The Sun*, 2 septembre, *Boston Evening Transcript*, 5 septembre ; *The Bellman*, 13 octobre 1917.

Il y aura encore une autre brochure de 4 pages : « A New French Theatre », composée par Miss Andrews, dont elle mettra 25 000 exemplaires à la poste avant de consulter Copeau. Il la désapprouvera et demandera à Gallimard de l'aider à en rédiger une nouvelle.

Cette pléthore de publicité excitera l'esprit persifleur d'un auteur anonyme qui enverra à tous les critiques une brochure illustrée, presque identique à celle de Copeau, annonçant l'arrivée prochaine du grand auteur dramatique esquimau, W. Alrus Tewsky, créateur du Théâtre du Nord. Venu apporter à ses confrères américains la bonne parole et les tirer de l'ignorance l'auteur réclame l'aide des milliardaires pour la transformation de l'hôtel Plaza en petit théâtre intime (*Boston Evening Transcript*, 19 sept., *N. Y. Morning Telegraph*, 21 oct. 1917).

100. Nous n'avons trouvé aucune trace de ce « Journal » de Jouvet ni de celui de Suzanne Bing.

101. En 1913 Copeau avait fait appel au décorateur anglais, Duncan Grant (1885-1978) pour les décors et les costumes de *La Nuit des Rois* (cf. *Registres III*, *op. cit.*, p. 192-195). Leur correspondance (1913-1931) comprend 32 lettres (coll. M.-H. D.).

102. On lira plus loin des extraits de cet article.

103. In *Correspondance J. C.-R. M. G.*, t. I, *op. cit.*, p. 251-252.

104. *Ibid.*, p. 254-256; lettre du 8 mai.

105. Henri Bergson (1859-1941), délégué en mission secrète par Philippe Berthelot, arrive incognito à New York le 12 février 1917 et refuse de répondre aux journalistes que sa présence déconcerte.

106. Ces articles sont : « The New School of Stage Scenery », *Vanity Fair* (juin 1917) sur la mise en scène de Joseph Urban et de Richard Ordynski pour *Nju* d'Ossip Dymoff, au Bandbox Theatre; « The Aims of the Vieux

Colombier », *The New France* (déc. 1917) et « The Theatre du Vieux Colombier », *The Drama* (févr. 1918), traduit par Miss Andrews.

107. Il s'agit de William Adams Delano (cf. n. 38).

108. Offensive franco-britannique sur la crête de Vimy, en Artois.

109. Le professeur George Pierce Baker (1866-1935) de Harvard University a créé en 1913 un cours de deux années scolaires sur la composition dramatique, le « 47 Workshop » qui succède à « English 47 » qu'il dirige depuis 1908. Avec ce cours, et sans l'approbation de la Faculté, il crée un laboratoire théâtral où il donne à ses meilleurs étudiants la possibilité de monter eux-mêmes leurs pièces. De ce laboratoire sortiront des dramaturges : Eugene O'Neil, S. N. Behrman, Sydney Howard, Philip Barry et Thomas Wolfe ; des metteurs en scène : Winthrop Ames, Sam Hume, Irving Pichel, et Theresa Helburn ; des décorateurs : Robert Edmond Jones, Lee Simonson, et Donald Oenslager ; et des critiques : John Mason Brown, Robert Benchley, Heywood Broun, Walter Prichard Eaton et Kenneth MacGowan.

Copeau, très intéressé par l'initiative de Baker dont il a eu connaissance par le livre de Sheldon Cheney, *The New Movement in the Theatre* (N. Y. Mitchell Kennerly, 1914) (cf. *Registres III*, p. 355), a pris contact avec lui dès le 24 novembre 1916 et lui a envoyé sa brochure de propagande dès sa parution. L'exemplaire de cette brochure et les lettres de Copeau se trouvent à la Harvard University Theatre Collection.

110. 1) Traitement fixe $ 12 000 (60 000 francs).

2) Un cachet de $ 100 (500 francs chaque fois que je jouerai) pas plus qu'une moyenne de $ 300 par semaine – 1 500 francs.

3) Un certain nombre d'actions d'apport ne seraient reconnues par la Société.

4) Sur toutes les représentations publiques (tournées, universités, etc.) qui seront données en dehors du théâtre sans arrêter sa marche normale, j'aurai droit à 50 % des bénéfices nets.

5) J'aurai le droit de donner à New York, ou dans les autres villes, des représentations privées chez les particuliers, dont les bénéfices me seront acquis.

6) Sur mes bénéfices (en dehors de mon traitement et de mes cachets) je donnerai 10 % à Miss Andrews, secrétaire générale.

7) Mon autorité comme Directeur du théâtre sera absolue et sans partage.

Ces conditions, incorporées au contrat d'une année, signé par Copeau et Kahn le 31 mai 1917 (F. C.) seront scrupuleusement respectées par Kahn. Mais Copeau se verra obligé de subvenir sur son propre traitement aux frais, beaucoup plus élevés que prévus, de l'exploitation.

111. « The Spirit in the little Theatres », conférence aux Washington Square Players, le 20 avril 1917, texte publié intégralement dans les *Cahiers Renaud-Barrault*, IV (1954, p. 8-20) et dans *Registres I. Appels, op. cit.*

112. Roman pour jeunes filles, publié à New York (Randolph, 1869) et à Londres (MacMillan, 1909) dans la série des « seven penny novels ».

113. En 1917, les Éditions de la N.R.F. publient les œuvres suivantes : *Les Noces*, de Stanislas Wyspianski, traduction Adam de Lara et Georges Lenormand ; *Le Sentiment tragique de la vie*, de Miguel de Unamuno et *La Jeune Parque* de Paul Valéry.

114. Paul Claudel vient d'être nommé ministre plénipotentiaire à Rio de Janeiro. Darius Milhaud l'accompagne comme secrétaire.

115. Claude Gallimard, successeur à la mort de son père en 1975 dans la maison d'éditions.

116. *In Amica America* (Grasset, 1938, p. 93-95). Giraudoux était déjà allé à Harvard en 1907-1908 enseigner le français. Sa nomination pour cette nouvelle mission est suggérée à Philippe Berthelot par Maul Morand, attaché à la Maison de la Presse. Le séjour de Giraudoux dure quatre mois, 2 avril-12 août 1917, pendant lequel il fait traduire ses *Lectures pour une ombre* par Élisabeth S. Sergeant (*Campaign and Intervals*, N. Y. Houghton-Mifflin, 1918).

117. La mission du vice-président du Conseil, René Viviani, qui doit être accompagné du Maréchal Joffre, est destinée à renforcer la Haute Commission d'André Tardieu. De son côté, la Grande-Bretagne, dans un but identique, envoie au même moment aux États-Unis le secrétaire du Foreign Office, Arthur Balfour, ce qui cause à Wilson un certain embarras. Les deux missions seront cependant reçues mais leurs rôles fermement délimités.

La mission française est accueillie triomphalement en l'honneur du Maréchal Joffre, « le vainqueur de la Marne ».

118. Giulio Gatti-Casazza, l'impresario italien engagé par Kahn pour diriger le Metropolitan Opera House (cf. n. 12).

119. Le manuscrit de cette conférence n'a pas été retrouvé.

120. Gide a fait la connaissance de Conrad à Londres en juillet 1911 et il vient de terminer sa traduction de *Typhon* (éd. N.R.F., 1918).

121. Dans la même annonce, le « Board of Directors » fait savoir que toutes relations avec Lucien Bonheur ont cessé. Celui-ci, en convalescence d'une opération du cancer de la langue, attaque à nouveau le projet de Copeau et annonce son intention de chercher d'autres souscripteurs pour la prochaine saison. Il adresse une longue lettre de plaintes à Otto Kahn qui, tout en compatissant à la maladie de Bonheur et en réglant une fois encore ses dettes, maintient fermement une décision longuement réfléchie. Bonheur mourra à New York le 14 août 1918.

122. *The New York Review* (12 mai 1917).

123. In *Correspondance J. C.-R. M. G.*, t. I, *op. cit.*, p. 253-256.

124. J. C. « Un théâtre qui n'est pas comme les autres », *Je sais tout* (15 mars 1920).

Copeau participe à cette célébration par une lecture de « Tant que vous voudrez, mon général » de Claudel. Joffre, très applaudi mais épuisé par tant d'émotions, se retire avant la présentation d'un tableau patriotique, organisé par le comité d'organisatrices présidé par Mrs. Lydig où l'on vit Ethel Barrymore en « America », George Arliss en « Disraëli » et la future marquise de Polignac en « France ».

125. Le « Board of Directors » du nouveau Théâtre-Français de New York comprend :

Otto H. Kahn, président	Robert Goelet
Robert Bacon	Arthur Iselin
James W. Barney	Thomas Lamont
Nicholas Murray Butler	Clarence Mackay
Frederic Coudert	Theodore Roosevelt, Jr.
Paul D. Cravath	Augustus Thomas
André de Coppet	Cornelius Vanderbilt
William Adams Delano	Henry Rogers Winthrop

Gaston Liébert, membre honoraire.

Le « Women's Council » comprend :

Mrs. Philip Lydig, présidente	Mrs. J. West Roosevelt
Mrs. Gertrude Atherton	Miss Ida Tarbell
Mrs. August Belmont	Mrs. W. K. Vanderbilt
Mrs. Cadwalader Jones	Mrs. Harry Payne Whitney
Mrs. Otto H. Kahn	Mrs. Egerton Winthrop
Marquise de Polignac	

126. Cette allocution sera publiée *in extenso* dans le *Courrier des États-Unis* (18 mai) et de longs extraits en anglais paraîtront dans la plupart des journaux américains.

127. Antonin Raymond (1888-1976), né en Bohême, fit ses études d'architecture à Prague. Émigré aux États-Unis en 1910, il entre comme associé à la firme H. van Buren Magonigle, architecte du Woolworth Building. Présenté à Copeau par sa belle-mère, d'origine suisse française, les deux hommes tombent d'accord sur les travaux à entreprendre au Garrick. Raymond écrira un article sur ses travaux pour le Journal of the *American Institute of Architects* (août 1917), cité par plusieurs critiques dans leurs articles sur le Vieux Colombier.

Après la guerre, Raymond et sa femme partiront au Japon avec l'architecte Frank Lloyd Wright et y passeront une partie de leur vie. Raymond y dessinera de nombreux théâtres, hôtels et villas dont celle de l'ambassadeur Claudel en 1924. La scène du petit théâtre du Centre Gunna, à Takasaki, est inspirée de celle du Garrick qu'il construisit pour Copeau.

Renseignements recueillis par deux interviews et d'après *An Autobiography* (Tokyo & Rutland, Vermont, Charles E. Tuttle Co., 1973).

128. Miss Andrews va poursuivre avec zèle ce projet, suggéré par Copeau, mais dont la réalisation se révélera impossible.

129. *In* Pierre Dominique « Les Mutineries de 1917 », *La France de la Madelon*, éd. Gilbert Guilleminault (Denoël, 1966, p. 133-168).

130. Au F. C. une copie dactylographiée de ce rapport du 2 juin en 9 pages.

131. De ces projets ambitieux seront réalisés les concerts de Casadessus, les récitals d'Yvette Guilbert, quelques conférences, et l'installation d'une petite librairie au foyer du théâtre.

132. *N. Y. Herald, N. Y. Times, The Sun* (9 juin 1917).

133. *N. Y. Herald* (16 juin 1917), *N.Y. Times* (17 juin), *The Sun* (17 juin), *The Billboard* (16 juin). Cette lettre sera réimprimée dans le programme de l'inauguration, le 27 novembre.

134. Elias Sarkis signa E. Altiar son *Journal d'une Française en Amérique* (Plon-Nourrit, 1917, p. 347-352).

Une autre passagère de l'*Espagne* est Louise Bryant, épouse du révolutionnaire russe, John Reed auteur de *The Days that shook the World* (N. Y. Boni & Liverlight, 1919). Elle se rendait comme journaliste sur le front français.

135. La correspondance entre Jacques Rivière et Jacques Copeau, de 1909 à 1924, est en parution dans le Bulletin des Amis de Jacques Rivière et Alain Fournier.

136. *R. M. G. Correspondance générale*, éd. Maurice Rieunau, t. II (Gallimard, 1980, p. 181-184).

L'ÉTÉ EN FRANCE

1. *Correspondance Michel Saint-Denis-Copeau* (coll. M.-H. D.). Le bataillon de Michel Saint-Denis (1897-1971) monte au Chemin des Dames.

2. Lettre du 6 août 1916 in *Correspondance J. C.-R. M. G.*, t. I, *op. cit.*, p. 224-225.

3. Lettre du 7 août 1916, in *Correspondance générale R. M. G.*, t. II, *op. cit.*, p. 157.

4. In *Correspondance J. C.-R. M. G.*, t. I, *op. cit.*, p. 253.

5. *Ibid.*, p. 258-259.

6. *Ibid.*, p. 259, n. 1.

7. *Ibid.*, p. 256.

8. Le 17 mars Briand a démissionné. Le 20 mars un cabinet Ribot lui succède. Painlevé est ministre de la Guerre. Le 15 mai, le général Pétain prendra, à la place de Nivelle, le commandement en chef des armées du Nord et du Nord-Est.

9. En réalité, ce n'est pas Pershing, mais le capitaine Stanton qui l'accompagnait, qui prononça la phrase célèbre.

10. In *Correspondance J. C.-R. M. G.*, t. I, *op. cit.*, p. 260-261. Pierre Margaritis, musicien, cousin de R. M. G. par sa femme, est le plus proche ami de Martin du Gard. Son fils, Gilles (1912-19), sera élève chez les Copiaus en 1928, poursuivra une carrière de clown « excentrique », sera un des « Chesterfield » et le fondateur de « La Piste aux Étoiles ».

11. Jouvet, en convalescence depuis janvier 1917, recevra le 3 août un congé de trois mois qui sera renouvelé jusqu'au 3 février 1918. Weber recevra son sursis le 20 octobre 1917. Dullin ne sera mis en sursis qu'en mars 1918 et Bouquet, à la suite de ses blessures, sera réformé en mai 1918.

12. Bernard Duhamel, né en juillet 1917. *Correspondance Albane-Copeau*, 1913-1946 (coll. M.-H. D.).

13. *Correspondance Tessier-Copeau*, 1916-1949 (coll. M.-H. D.).

14. Lettre à M.-H. D., 9 août 1980.

15. Jane Lory a fait partie de la compagnie du Vieux Colombier de 1913 à 1924.

16. *Correspondance Jessmin Howarth, Jacques Copeau* (F. C.).

17. Le 6 juin 1916, dans son Cahier « École du Vieux Colombier » (coll. M.-H. D.)

18. Lucienne Bogaert (née en 1892), d'origine belge, femme de Robert Bogaert, avait débuté à l'Odéon; Madeleine Geoffroy, de l'Odéon et du Théâtre Antoine, femme de Marcel Vallée; Eugénie Nau, qui avait fait ses débuts au Théâtre Libre; Paulette Noizeux, du Théâtre Antoine et du Théâtre Français des États-Unis, amie de J.-L. Janvier, épousera Noël Roquevert.

19. Parmi les nouveaux comédiens, six ne recevront leur sursis que le 20 octobre : Robert Bogaert, de l'Odéon; Robert Casa, chanteur; André Chotin, du Théâtre Français aux États-Unis; Henri Alain-Dhurtal, du théâtre de l'Œuvre; Marcel Millet, du Théâtre des Arts, Marcel Vallée du Théâtre Antoine, Jean Sarment, du Conservatoire, étudiant au Conservatoire, sera ajourné le 5 août 1917 et proposé pour la réforme; François Gournac, qui

avait joué avec Copeau dans *Guillaume le Fou* à la Comédie de Genève, et Émile Chiffoliau venu des théâtres du boulevard, seront réformés en juin 1917 et viendront répéter au Vieux Colombier à partir du 23 août.

Les techniciens engagés : Jean-Louis Gampert, décorateur suisse ; Paul-Jacob Hians, décorateur en congé de l'armée à partir de juin 1917 ; Georges van Muyden, et Joseph Piot, grand mutilé connu comme journaliste sous le nom de Pierre Scize.

Deux autres jeunes hommes, non mobilisables, se joignent à la troupe : Marcel Chotin, frère d'André, et Jacques Vildrac, fils de l'écrivain.

20. Journaliste américain qui à la fin de la première saison du Vieux Colombier avait demandé son entrée permanente pour la saison suivante (cf. *Registres III, op. cit.*, p. 220-221).

21. *Correspondance Andrews-Copeau* (F. C.).

22. Après le départ de Copeau, miss Andrews fait imprimer et distribuer les statuts du « Cercle des Amis de la France » (28 pages dont 21 en blanc pour les signatures des adhérents, F. C.) et une brochure de 6 pages sur la future « Maison du Vieux Colombier », dans laquelle on devait trouver un café et une salle de billard au sous-sol, un restaurant français avec la meilleure « cuisine bourgeoise » au rez-de-chaussée, des salles de réunions et une bibliothèque au premier, et deux étages de chambres qui seraient louées aux artistes du Vieux Colombier à partir de $ 15 par semaine ! Miss Andrews prend aussi des engagements auprès d'un maître d'hôtel français qui doit gérer le restaurant et le club.

23. À part quelques télégrammes de Mrs. Lydig à Copeau pendant l'été 1917 (F. C.) nos recherches auprès de ses héritiers nous ont appris que seule sa correspondance avec Otto Kahn avait été préservée.

24. M. Raymond a fait don des lettres que lui adressa Copeau, ainsi qu'une lettre de Jouvet à la collection M.-H. D. Celles de Raymond se trouvent au fonds C.

25. Robert Edmond Jones, décorateur, ancien élève du professeur Baker et de Reinhardt, a fait ses débuts avec les Washington Square Players, les Provincetown Players et la tournée des Ballets Russes en 1916.

26. *Correspondance J. C.-Mme Victor Copeau* (coll. M.-H. D.).

27. Lettre du 1er août 1917, in *Correspondance générale R. M. G.*, t. II, *op. cit.*, p. 189-191.

28. Brand : personnage du *Canard Sauvage* d'Ibsen.

29. Les Billets de service dont nous nous sommes servis proviennent de trois « Livres de bord », tous tenus par Jouvet (sous la signature Jouvey), le 1er du 23 août 1917 au 23 novembre 1918 (reg. in 4°) ; le 2e, « Livre de bord de machinerie », du 1er novembre 1917 au 6 avril 1918 (reg. in 4°) ; le 3e, du 25 novembre 1918 au 25 juin 1919 (146 ff. autogr.). Tous au F. C.

30. *Correspondance Hovelaque-Copeau* (F. C.)

31. Jean Fernet, officier de marine, ami de R. M. G. et de J. C.

32. Les démarches de Mrs. Lydig réussirent : Raymond ne sera mobilisé qu'en décembre 1917.

33. In *Correspondance J. C.-R. M. G.*, t. I, *op. cit.*, p. 262-263, n. 1.

34. Le « Couronnement » fera partie du spectacle d'inauguration à New York.

35. *Correspondance Valery Larbaud-J. C.*, au fonds Larbaud, Biblio. de Vichy et coll. M.-H. D.

36. *Correspondance J. C.-Dalimier* (F. C.).

37. Le général Lallemand qui pourtant avait été sollicité par Mme Ernest Chausson pour venir en aide à Copeau.

38. Alfred Cortot (1877-1962), pianiste célèbre, alors membre de la section des Affaires artistiques à l'étranger du ministère des Beaux-Arts, fait en 1918-1919 une tournée aux États-Unis sous les auspices du Comité franco-américain de l'Art musical, formé par Otto Kahn. La copie dactylographiée de cette lettre est datée du 22 janvier 1918 (F. C.).

39. Paul Painlevé, successeur de Ribot, avait conservé le ministère de la Guerre en même temps que le ministère des Affaires étrangères.

40. Copeau s'était lié, en 1911, d'une tendre amitié avec Pauline Teillon, la sœur de Dullin.

41. Ces mémoires deviendront le livre de souvenirs de jeunesse qu'écrira Mme Teillon-Dullin, avec la collaboration de Charles Charras : *Charles Dullin ou les Ensorcelés du Chatelard* (éditeur Michel Brient, 1955).

42. In *Correspondance générale de R. M. G.*, t. II, *op. cit.*, p. 292, n. 3.

43. *Ibid.*, p. 198.

44. In *Correspondance J. C.-R. M. G.*, t. I, *op. cit.*, p. 261-262.

45. J. C. « Conférence aux Amis avant le départ pour l'Amérique ». (ms. dacty. 10 ff., coll. M.-H. D.).

46. Cf. *Registres III*, *op. cit.*, *passim*.

47. In *Correspondance J. C.-R. M. G.*, t. I, *op. cit.*, p. 264.

48. Copeau avait demandé au jeune peintre Guy-Pierre Fauconnet (1887-1920) de faire des croquis de tous les membres de la compagnie pour un *Album du Vieux Colombier*. Imprimé à New York (25 février 1918), copyright Gaston Gallimard, cet album de 22 pages contient aussi des croquis des « Fondateurs et Amis du Vieux Colombier », des dessins à la plume de la salle de répétitions et du cabinet de Copeau au Limon, du Théâtre de Paris, du Théâtre du Globe et du Théâtre de Molière.

49. J. C. « Le Théâtre Français aux États-Unis », *Le Figaro* (4 oct. 1917) réimprimé in *Courrier des États-Unis* (1er novembre 1917).

50. *Correspondance J. Bathori-Copeau* (au F. C.).

51. Lettre du 21 octobre 1917, in *Correspondance générale R. M. G.*, t. II, *op. cit.*, p. 202-203. Les départs ajournés font croire à Martin du Gard que la troupe est déjà partie.

52. Jean Lemarié, fils de Berthe, est sur le front.

53. Lettre du 4 novembre 1917 in *Correspondance générale R. M. G.*, t. II, *op. cit.*, p. 202-203.

54. In *Correspondance J. C.-R. M. G.*, t. I, *op. cit.*, p. 264, n. 1.

55. « Rapport sur le travail de scène » (16 p. dactylo., F. C.) rédigé par Jouvet pendant l'été 1918 à Morristown. Cf. Appendice M., p. 546-547, pour l'essentiel de ce rapport.

56. *In* Claude Cézan, « Hommage à Copeau par... » *Nouvelles Littéraires* (10 févr. 1949).

NEW YORK

1. La gérance de Miss Andrews a été, en effet, d'une grande insuffisance : comptes mal tenus, et une certaine confusion dans les chiffres des recettes et des abonnements. Déjà Kahn, alerté le 4 novembre par Robert Goelet, banquier et membre du « Board of Directors », qui lui conseillait de déléguer

un expert-comptable auprès de Copeau, lui répondait le 7 novembre qu'il était d'accord pour la supervision des frais d'exploitation du théâtre, ce « damné vieux Garrick ayant déjà coûté deux fois plus que prévu par la faute de tous les responsables ». Le rapport de l'expert-comptable, daté du 8 février 1918, se trouve au F. C.

2. Souvenirs dans « Documents biographiques », du numéro consacré à Jouvet, *Revue d'Histoire du Théâtre IV*, I-II (1952), p. 27 et 31.

3. Jules Gervais-Courtellemont, explorateur : « Au jour le jour, vision de New York », *Le Figaro* (18 nov. 1917). Il fera une conférence au Vieux Colombier le 27 janvier 1918.

4. Tous les textes de presse que nous avons utilisés pour rendre sensible l'accueil fait aux différents spectacles du Vieux Colombier, ont été extraits des quotidiens et des hebdomadaires dont les noms suivent et qui composaient la presse de cette époque :

Boston Evening Transcript, Brooklyn Daily Eagle, Courrier des États-Unis, N. Y. American, N. Y. Call, N. Y. Commercial, N. Y. Evening Journal, N. Y. Evening Mail, N. Y. Evening Post, N. Y. Evening Sun, N. Y. Evening Telegram, N. Y. Evening World, N. Y. Globe, N. Y. Herald, N. Y. Morning Telegraph, The Sun, N. Y. Times, N. Y. Tribune, N. Y. World, Women's Wear Daily; et les hebdomadaires et mensuels suivants : *The New France* (déc.), *N. Y. Review* (1er déc.), *The Theatre* (déc.) *Theatre Arts Magazine* (déc.), *The Nation* (6 déc.), *The New Republic* (6, 15 déc.), *The Billboard* (8 déc.), *N. Y. Dramatic Mirror* (8 déc.), *Life* (13 déc.), *The Literary Digest* (15 déc.), *Vogue* (15 déc.), *The Dial* (20 déc.), *Judge* (22 déc.), *The Bookman* (janv. 1918), *Current Opinion* (janv.), *The North American Review* (janv.)

Parmi les critiques dramatiques les plus compétents citons : John Corbin et Alexander Woollcott du *N. Y. Times;* Louis V. Defoe du *N. Y. World;* Lawrence Reamer du *Sun;* Louis Sherwin du *N. Y. Globe;* J. Ranken Towse du *N. Y. Evening Post;* Burns Mantle du *N. Y. Evening Mail;* et J. Alexander Pierce, Heywood Broun et Ralph Block du *N. Y. Tribune.* Mentionnons aussi : Henry T. Parker et Hiram K. Moderwell, les éminents critiques du *Boston Evening Transcript* et, dans les périodiques : Sheldon Cheney du *Theatre Arts Magazine;* Arthur Hornblow, *The Theatre;* A. G. H. Spiers, *The Nation;* Philip Littell, qui signe ses articles Q. K. de *The New Republic;* Clayton Hamilton de *Vogue;* George Jean Nathan, *The Smart Set* et Montrose J. Moses, *The Bellman.*

5. Les « bunches » sont un groupe de sources lumineuses fixé sur un pied à hauteur réglable ou sur une herse.

PREMIÈRE SAISON DU VIEUX COLOMBIER
À NEW YORK

1. Le programme contient aussi :
a) le prix des abonnements : 4 séries de 8 soirées : balcon : $ 12

orchestre : $ 24

loges de 5 places $ 200

2 séries de 12 matinées (jeudis et samedis)

même tarif.

Prix des places hors abonnements : balcon : 50 cents
orchestre : $ 2
loges de 5 places : $ 15 en matinée
$ 18 en soirée.

Tous les lundis, prix populaires : 25 cents à $ 1,50.

Ces prix étant sensiblement les mêmes que ceux des autres théâtres de Broadway.

b) Annonce des sept récitals d'Yvette Guilbert en décembre, avec le texte de sa lettre au public, et des concerts de Casadessus du 26 décembre et des 3 et 17 février 1918.

c) Les distributions.

d) Un résumé des *Fourberies de Scapin*, en anglais, du professeur Loiseaux de Columbia University, suivi de l'annonce des deux prochains spectacles et du répertoire de la saison.

e) Informations et publicité pour les Éditions de la N.R.F. et l'annonce d'une collection bilingue du répertoire du V. C., en vente chez les libraires et au théâtre à 25 cents le volume.

En bas de chaque page du programme, l'un des témoignages publiés dans la première brochure (cf. Appendice A) et la liste du « Board of Directors » et du « Women's Council ».

Ce programme sera qualifié par un critique comme étant « the chattiest » – le plus bavard – qu'il ait jamais rencontré (Alan Dale, *N. Y. America* 28 nov.)

2. Les répétitions ont été reprises à New York avec un très petit nombre de répétitions antérieures, les principaux acteurs n'ayant été démobilisés que quelques jours avant le départ, ce qui a rendu impossible le travail prévu. Toutefois quelques répétitions avaient eu lieu et les acteurs ont sans doute pu travailler leurs rôles, ensemble ou séparément, et notamment pendant la traversée.

3. Le tréteau est mentionné pour la première fois dans le manifeste du Vieux Colombier, en septembre 1913 : « Que les autres prestiges s'évanouissent et, pour l'œuvre nouvelle, qu'on nous laisse un tréteau nu. » Dès lors Copeau s'efforce de faire de son « plateau » une arène libre. « L'arène du drame. Le tréteau. Le personnage vu d'en bas dans toute sa stature et son relief. » L'étude de Molière l'ayant conduit à celle de la Comédie italienne : « J'entrevoyais, dira-t-il, le style de la farce et, pour en exalter les mouvements, la ramenais en esprit au " tréteau " de ses origines. »

Mais ce ne sera que pendant l'été 1917, avant le départ aux États-Unis, que Copeau et Jouvet étudieront la réalisation de ce tréteau, en même temps que celle de la « loggia » ou « dispositif fixe » prévu pour la scène du Garrick, ce qui conditionna évidemment ses proportions. Il sert pour la première fois pour *Les Fourberies de Scapin*, spectacle d'ouverture du Théâtre Français. Copeau écrira plus tard : « Il ne s'agit d'aucune reconstitution, encore moins de l'application d'aucune théorie. À un certain moment de notre travail, nous avons senti le besoin de ce tréteau. Voilà tout. Le tréteau est déjà l'action, dit-il encore. Il matérialise la forme de l'action, et lorsque le tréteau est occupé par les comédiens, lorsqu'il est pénétré par l'action même – il disparaît. »

L'idée du tréteau nu ne cessa jamais de hanter les pensées et les recherches de Copeau : « ... Ne cherchons pas tant, ne cherchons pas tant... Et je suis sûr d'ailleurs qu'après avoir beaucoup cherché, beaucoup adopté et beaucoup rejeté des formules dont la mode un instant aura pu s'enticher, on en reviendra à cette vérité, parce qu'elle est très simple, très sûre, très solide, fondamentale, à la fois naïve et solennelle, et qu'elle n'admet point de tricherie : le petit tréteau nu, les " quatre bancs en carré " et les " quatre ou six planches posées dessus " dont parle Cervantès dans l'un de ses prologues, le dispositif le plus simple de tous, symbole de la liberté la plus grande, et celui qui fait à l'imagination du poète l'appel le plus pressant et le plus pur. La farce y jaillit d'un bond, la tragédie en gravit les degrés à pas mesurés, la féerie vient s'y poser avec un frémissement de guirlandes et de plumages, le mystère n'y compromet point sa majesté, le surnaturel même y peut descendre, l'univers à notre appel l'occupera, et ses trois marches suffiront pour étager, selon leur rang, le démon, la fleur et la bête, l'homme, ses passions et ses dieux » (« Le Poète au théâtre », *La Revue des Vivants,* mai et juin 1930, cf. Appels 169-183).

4. J. C. « Quelques indications sur des représentations de Molière aux États-Unis » (*Revue de littérature comparée,* II, avril-juin 1922, p. 280-282).

5. Extrait du manuscrit inédit du « Couronnement de Molière », *op. cit.*

6. *In* « Notes prises aux conférences de J. C. », par Louis Jouvet, *Les Fourberies de Scapin,* Éditions du Seuil.

7. G. J. Nathan, « Les Fourberies de Copeau », *The Smart Set* (févr. 1918), réimprimé dans son *The Popular Theatre* (N. Y. Knopf, 1918, p. 67-79).

8. Il s'agit de la loggia derrière le tréteau, fermée par des rideaux peints par Bonnard, représentant une rue où l'on distingue des personnages, des petits chiens et des chaises à porteurs.

9. Lettre à Casadessus au F. C.

10. Lettre à Cortot du 22 janvier 1918.

11. *Note de Lucien Aguettand :* ce qui est désigné ici et pour les spectacles suivants comme « décors » équivaut en réalité à des éléments tels que praticables, marches, escaliers, paravents, panneaux pleins ou percés de portes et de fenêtres, panneaux décoratifs ou frises qui viendront s'inscrire dans l'architecture fixe de la loggia et en modifier entièrement l'aspect. À ces transformations viendra s'ajouter la diversité des pendrillons, rideaux, tapis, meubles et accessoires. Beaucoup de soins et une grande importance seront accordés aux éclairages.

1) *La Navette :* deux paravents situés cour et jardin, délimitant l'espace de jeu utile. Des pendrillons (tentures pendues de grande dimension) masquent la loggia, seuls les deux portiques avant sont dégagés.

2) *Le Carrosse du Saint Sacrement :* Scène et dispositif dégagés. Baies de l'étage supérieur de la loggia habillées de treillages et d'une tapisserie de couleurs vives. Sur scène 2 grands paravents décorés, cour et jardin. Portiques avant dégagés – rideaux dans l'ouverture des 2 portes.

3) *La Jalousie du Barbouillé :* Pendrillons à l'aplomb de l'allée intermédiaire, entrouverts au centre pour découvrir un petit élément de façade surmonté d'une balustrade (formant un balcon accessible et praticable) avec des pots de géraniums et percée au centre par une petite porte praticable.

12. *Barberine :* ces quatre « décors » sont, comme toujours, un agencement spécial par panneaux rapportés ou praticables ajoutés au dispositif fixe de la loggia.

13. Cf. extraits de cette lettre in *Correspondance J. C.-R. M. G., op. cit.,* p. 266, n. 1.

14. C'est la rupture totale entre la « princesse » et le Vieux Colombier.

La réception pour les artistes sera donnée par son amie, Mrs. William Carrington le dimanche 6 janvier 1918. L'intérêt de Mrs. Lydig se porte maintenant sur le problème des toxicomanes. Présidente de «Women's Conservation Movement» elle vient en aide aux victimes de la drogue, persuadée qu'il faut les traiter en malades et non en criminels, et elle obtient la libération et la réinsertion, à son poste et à son grade, d'un jeune marin licencié pour usage de drogue.

Divorcée en 1919, les dernières années de sa vie sont assombries par des difficultés financières et des opérations de plus en plus fréquentes et douloureuses, suite de l'accident de jeunesse dont elle souffrit toute sa vie et dont elle mourut le 19 octobre 1929. Ses nombreux amis et admirateurs gardent le souvenir de l'intelligence et de la beauté de cette femme à l'esprit libre et généreux.

Nous n'avons pu, malgré nos recherches, vérifier les accusations portées contre miss Andrews. Sa mère étant originaire d'Autriche-Hongrie, il est possible qu'elle ait été victime de la vague de patriotisme à outrance qui sévissait alors en Amérique.

15. Lettre d'Alfred Cortot du 22 janvier 1918.

16. Cette accusation poursuivra Maurice Tourneur pendant toute sa carrière. Acteur au Théâtre Antoine, il épouse en 1903 sa camarade, Fernande Petit, dite Mlle Van Doren. En 1907, il devient un des pionniers du cinéma muet. En mai 1914, objecteur de conscience, il part en Amérique, s'associe avec d'autres cinéastes français dont Albert Capellani, ancien acteur de chez Antoine, et fonde la World Film Corporation qui produit les premiers films de Mary Pickford. Rentré en France en 1927, il y tourne, entre autres, *Koenigsmark* et *Volpone,* ce dernier avec Jouvet et Dullin.

17. Fils et petit-fils d'auteurs dramatiques, Percy MacKaye travaille très jeune avec son père dans le théâtre «traditionnel». Mais, après ses études à Harvard, d'où il sort diplômé en 1897 et un long voyage en Europe, il s'associe avec William Vaugham Moody et, dès le début du siècle, quelques années avant le «47 Workshop» du professeur Baker, est un des premiers à se révolter contre le théâtre «commercial».

18. F. C. Dossier «Lettres du Public». Nous avons respecté l'orthographe des lettres écrites dans un français incorrect, provenant surtout de correspondants étrangers comme Duncan Grant, Waldo Frank, Antonin Raymond et Miss Andrews et de celles des enfants Copeau et de Lucienne Doulet.

19. *Note de Lucien Aguettand :* ce décor construit en 7 jours s'explique ainsi : Utilisation totale de l'ensemble scénique. À l'étage supérieur de la loggia : parties grillagées aux baies de face, de biais et au-dessus des parties supérieures des deux portiques, leurs baies inférieures étant libres et dégagées. Planchéiage général à l'étage supérieur, rendant possible la circulation. Balustrade aux deux ouvertures supérieures au-dessus des allées Jardin et Cour. Ouverture centrale marquée au lointain par deux piliers supplémentaires.

Au centre de la scène, surélévation de deux marches d'un praticable marqué aux quatre angles par des cubes (pouvant servir de sièges) et, au lointain, par un banc composé avec 3 cubes. Deux paravents colorés Jardin et Cour situés devant de légères tentures installées dans les ouvertures de la partie inférieure de la loggia.

Panneaux décoratifs, Cour et Jardin derrière les parties grillagées de l'étage supérieur de la loggia.

20. *Correspondance Frank-Copeau*, de 1917 à 1931 (coll. M.-H. D. et Mme Frank).

21. Lettre à M.-H. D., 27 décembre 1979.

22. In *Correspondance J. C.-R. M. G.*, t. I, *op. cit.*, p. 265-266.

23. *Ibid.*, p. 268, n. 5.

24. In *Correspondance générale R. M. G.*, t. II, *op. cit.*, p. 209-210 et 211 à 214.

25. L'ancien président du conseil, Joseph Caillaux, est compromis dans l'affaire du journal pacifiste, *Le Bonnet Rouge*. Il sera condamné par la Haute Cour en 1920 pour intelligence avec l'ennemi.

26. In *Correspondance générale R. M. G.*, p. 214-215, lettre du 28 décembre 1917.

27. *Ibid.*, p. 208-209, lettre du 23 décembre 1917.

28. *Correspondance Rueff-Copeau* au F. C. M. Rueff est vice-président des Alsaciens-Lorrains d'Amérique.

29. *Correspondance Polignac-Copeau* au F. C.

30. J. C. extrait de sa conférence au Little Theatre (4e conf.) 22 mars 1917.

31. Copie dactylographiée de la lettre à Clemenceau, président du Conseil depuis le 15 novembre 1917.

32. Lettre de Curel, 28 mars 1918 (F. C.)

33. Au F. C., copies dactylographiées de cette lettre envoyée à Henri Bergson (12 janv.), Philippe Berthelot (15 janv.), Firmin Roz (21 janv.), Henri Ghéon (23 janv.), Arthur Fontaine (23 janv.) et André Gide (25 janv.).

34. « Copeau Says No Highbrow Ideas' Rule Vieux Colombier », interview de Russell Bryan Porter.

35. Par une lettre du 8 janvier 1918, Copeau avait confirmé à miss Andrews que ses fonctions avaient pris fin le 31 décembre 1917. En plus des accusations de Mrs. Lydig, Copeau avait reçu un mot, sans date et sans signature, à l'en-tête du Haut Commissariat à Washington (1 f. aut. au F. C.) l'avertissant que Miss Andrews aurait été signalée comme suspecte dans une affaire de mœurs à Paris et dans une faillite frauduleuse à New York. Cette dernière accusation était en réalité une déclaration d'insolvabilité de son agence théâtrale en 1915. Miss Andrews mourra, le 4 mars 1921, à la suite d'une longue maladie.

36. Percy MacKaye, préface à sa pièce, *Jeanne d'Arc* (N. Y. Macmillan, 1918).

37. Correspondance, de 1910 à 1944, entre Ghéon et Copeau (coll. M.-H. D., Mesdames François et Antoine Corre).

38. In *Correspondance J. C.-R. M. G.*, t. I, *op. cit.*, p. 269-270.

39. *Note de Lucien Aguettand : Les Frères Karamazov.* Ces quatre « décors » construits en 15 jours se composent de :

1) Couvent du père Zossima : des panneaux pleins dissimulent l'étage supérieur de la « loggia » de façon à présenter une scène en longueur, ainsi que la partie inférieure équipée d'une porte à la hauteur de l'accès jardin, le côté cour restant ouvert et libre d'accès. Les deux portes s'inscrivant dans les baies voûtées des deux « portiques » face cour et jardin de la loggia, restent en place pendant toute la durée du spectacle.

2) Boudoir de Katarina Ivanovna : la « loggia » est dissimulée dans toute

sa hauteur par des pendrillons qui découvrent au centre une fenêtre avec doubles rideaux. Deux panneaux peints, situés au bas des pendrillons, forment des soubassements décorés. Meubles et accessoires.

3) Intérieur de Feodor Karamazov : la façade de la « loggia » est dégagée, formant à l'étage supérieur un palier avec une rampe, entre deux volées d'escaliers à rampes desservant les 1er et 2e étages. Les baies basses de la « loggia » sont fermées par des panneaux avec petite fenêtre côté jardin et porte basse côté cour, sous la première volée d'escaliers. L'accès latéral, cour, est fermé par un panneau équipé d'un poële de faïence.

4) L'Auberge de Mokroïe : la « loggia » est de nouveau dissimulée par des pendrillons tombant jusqu'au sol de la scène cour et jardin. L'ouverture centrale de la « loggia » reste apparente et est abaissée au moyen d'une frise de panneaux pleins avec motifs de poutres. Au fond de cette ouverture centrale qui donne accès, à ce qui semble une « arrière-salle » : des portes vitrées.

Devant les parties cour et jardin de la partie inférieure de la « loggia », masquées par des pendrillons, et au niveau des portiques cour et jardin également masqués par des pendrillons, deux grands paravents décorés situés derrière deux larges banquettes avec des coussins.

40. Dossier « Lettres du public » (F. C.).

41. Waldo Frank ne fera pas les traductions des œuvres de Gide.

42. Le manuscrit de cette conférence reste introuvable.

43. Copeau a toujours admiré le travail et les efforts d'Antoine qu'il a salué, avant l'ouverture du Vieux Colombier, comme « le seul maître vivant ayant marqué de son empreinte le théâtre contemporain ». Mais s'il admire l'homme, il combat ses théories. Ce rajeunissement de Molière, Antoine l'a tenté, fidèle à sa théorie naturaliste du « milieu », par l'extérieur, par le décor, et par le quotidien. Pour Copeau ce renouvellement ne peut se faire que par l'intérieur : « se remettre en état de sensibilité... Entrer profondément dans la connaissance de l'œuvre... en percevoir d'emblée le style, le ton, le mouvement... Oui, c'est d'abord le mouvement qui doit se révéler à lui. Un mouvement général, un rythme qui peu à peu se pense, donne un sens à toute scène, à toute réplique... » (*Registres II*, « Molière », p. 64).

44. In *Correspondance J. C.-R. M. G.*, t. I, *op. cit.*, p. 273-274, n. 4.

45. *Correspondance Billy-Copeau.* Dossier « Les Sursis », F. C.

46. J. C. « Monsieur Paul Hervieu et l'Art dramatique », *L'Ermitage* (mars 1904) réimprimé dans ses *Critiques d'un autre temps* (éd. N.R.F., 1923, p. 66-75).

47. J. C. « *Simone* de M. Brieux à la Comédie-Française », *La Grande Revue* (25 avril 1908), réimpr., in ses *Critiques d'un autre temps, op. cit.*, p. 126-136.

48. J. C. « *L'Oiseau blessé*, d'Alfred Capus à la Renaissance », *La Grande Revue* (25 déc. 1908), réimpr., in *Critiques d'un autre temps, op. cit.*, p. 147-151.

49. *Correspondance Jessmin-Copeau*, F. C.

50. Jules Iehl, magistrat, ami de Gide et de Ghéon, prendra le nom de Michel Yell en littérature, affecté à Réchésy en novembre 1917.

51. Il s'agit probablement d'André, fils de l'ami de Gide, le pasteur suisse Elie Allégret. André venait de s'engager, à la suite de deux de ses frères, Éric et Jean-Paul. Les deux autres frères, Yves et Marc, étaient sous la tutelle de Gide.

52. Mobilisé comme auxiliaire en 1914, Gaston Baty (1885-1952) venait

de passer au service du Dʳ Bücher, à Réchésy où il finira la guerre. Démobilisé en mars 1919, Baty s'associera avec Firmin Gémier avant de fonder Chimère en 1922.

53. Troubles, grèves et attentats terroristes qui ont suivi la défaite des forces du tsar Nicolas II dans la guerre russo-japonaise.

54. Les *Mauvais Bergers*, première pièce d'Octave Mirbeau, jouée au Théâtre de la Renaissance par Sarah Bernhardt et Lucien Guitry, le 15 décembre 1897. Les représentations de cette pièce d'actualité sur les méfaits de la bourgeoisie, le début des syndicats et les grèves furent extrêmement agitées et se terminaient chaque soir sous les huées et les applaudissements mêlés.

55. Cet article inspira quelques années plus tard un article d'Henri Béraud à la louange du courage de Jacques Copeau et de sa façon de braver l'opinion américaine.

56. Cf. *Registres III, op. cit.*, p. 13-16, extraits de la conférence de Jacques Rivière, « Le Drame après l'époque symboliste », faite à Genève le 3 avril 1918.

57. Lettre du 4 mars 1918. *Correspondance Viélé-Griffin-Copeau*, 1911-1922 (coll. M.-H. D.).

58. Représentation d'*Antoine et Cléopâtre*, montée par Gémier au Théâtre Antoine, le 27 février 1918, en 3 parties et 25 tableaux, traduction de Léon Népoty, musique d'Henri Rabaud, pour la Société Shakespeare.

59. In *Correspondance J. C.-R. M. G.*, t. I, *op. cit.*, p. 270-272.

60. Lettre signée des initiales « W. J. G. » in *N. Y. Evening Sun* (1ᵉʳ mars 1918.)

61. J. Corbin « Another Year of The Vieux Colombier », *N. Y. Times* (10 mars 1918). Il faut signaler aussi un long article de Géraldine Bonner « M. Copeau's Players », *N. Y. Times* (17 mars 1918).

62. Edouard de Billy, diplomate, adjoint d'André Tardieu, grand ami du Vieux Colombier, se tua dans un accident de cheval en 1919.

63. J. C. « Le mouvement du Vieux Colombier », *Les Cahiers de la République des Lettres* (15 juillet 1926), p. 81.

64. Lettre sans date, in *Les Ensorcelés du Chatelard, op. cit.*, p. 222-223.

65. *Registres III, op. cit.*, p. 40-45.

66. *Correspondance Gournac-Copeau*, F. C.

67. Pour *L'Avare*, agencement de la « loggia » en intérieur : colonnes apparentes. Étage supérieur de la loggia et des deux portiques masqués par des panneaux. Étage inférieur surhaussé par une frise de balustrade (0.80). Fenêtres à petits carreaux situées au sommet des 2 panneaux bouchant les baies cour et jardin. Baie centrale diminuée par 2 panneaux cour et jardin (où Harpagon suspend son chapeau et son cache-nez). Le centre étant occupé par une porte avec rideaux. Grand lustre et meubles d'époque de bois sombre. Portes des baies voûtées des 2 portiques, apparentes.

68. Pendant l'été, le Garrick fut sous-loué pour quelques spectacles légers et patriotiques, dont une petite comédie de Charles Rann Kennedy, jouée par sa femme, l'actrice Edith Wynne Matthison. Puis le théâtre resta fermé de juin à septembre.

69. Publiée par la Drama League, cette conférence paraîtra avec le premier numéro du *Drama League Calendar*, le 15 septembre 1918. Des extraits en seront repris par Sheldon Cheney dans son *Theatre Arts Magazine* (janv. 1919) et dans *Theatre Craft* à Londres (nᵒ 2, 1919).

La presse aussi en reprend de longs extraits et Louis Sherwin (*N. Y. Globe*) donne sa pleine approbation à cet « homme de théâtre qui ne le cède à personne dans le respect de son métier ».

70. Les journaux, pleins des nouvelles des bombardements, ont à peine mentionné ces funérailles auxquelles seuls quelques amis de Debussy purent assister. Le 1er avril, Jane Bathori rouvrira le Vieux Colombier avec la première représentation scénique de la cantate *La Demoiselle élue*, composée par Debussy en 1887.

71. In *Correspondance J. C.-R. M. G.*, t. I, *op. cit.*, p. 276, n. 2.

72. Allusion à leur vie commune dans une petite chambre de la rue Thénard, à Paris, en 1899.

73. *Washington Evening Star* (9 avril 1918), *Philadelphia Evening Bulletin* (11 avril), *Philadelphia Public Ledger* (11, 12, 13, 14 avril), *Philadelphia Press* (11, 13, 14 avril), *Philadelphia Record* (11, 12, 13 avril), *Philadelphia Evening Telegraph* (12 avril).

74. In *Correspondance J. C.-R. M. G.*, t. I, *op. cit.*, p. 276, n. 2.

75. Eliot avait fondé et dirigé deux petits théâtres à Indianapolis en 1915 et à Cincinnati en 1916. Il joue des petits rôles chez les Provincetown Players en 1917-1918 et sera professeur d'art dramatique après la guerre.

76. On trouvera la liste complète des articles de Copeau, critique littéraire et dramatique, dans la Bibliographie Jacques Copeau, de Norman H. Paul (publ. de l'université de Dijon, LV, Société Les Belles Lettres, 1979, 245 p.). Les principales critiques de J. Copeau ont été publiées dans *Critiques d'un autre temps*, Gallimard, 1923.

77. Karl K. Kitchen, *Cleveland Plain Dealer* (19 mai 1918).

78. The Greenwich Village Theatre (7e Av. et 9e rue), construit en 1917, vient de terminer sa première saison sous la direction de Frank Conroy, ancien acteur des Washington Square Players. En 1924, ce théâtre sera acheté ainsi que le Provincetown Play House, par Kenneth Mac Gowan, Robert Edmond Jones et Eugene O'Neill qui le dirigeront jusqu'à sa démolition en 1929.

79. Parmi les plus puissants des « commercial managers » on trouve les noms des frères Shubert, MM. Klaw et Erlanger, David Belasco et les frères Frohman.

80. Apollinaire signait « L'Écolâtre » sa rubrique « Échos... », *L'Europe nouvelle* (11 mai 1918).

81. Les contrats de la première saison prennent fin le 20 avril 1918. N'ont pas été renouvelés ceux de Marcel et André Chotin, Jean-Louis Gampert, Madeleine Geoffroy et Marcel Vallée, François Gournac, Eugénie Nau, Paulette Noizeux, Pierre Scize, Georges van Muyden et Jacques Vildrac.

82. Journal de R. M. G., 2 juillet 1919, in *Correspondance J. C.-R. M. G.*, t. II, *op. cit.*, p. 826, appendice.

83. Blocus de la base sous-marine allemande à Zeebruge, 23 avril 1918, dirigé par le capitaine Alfred P. Carpenter de la marine britannique. Cet officier fera des conférences en Amérique après la guerre dont une au Garnegie Hall en janvier 1919. Copeau raconte : « Lorsqu'il eut terminé son récit, je l'ai vu tirer simplement de sa poche un petit chiffon d'étoffe. Il le déroula devant la salle en délire en disant simplement : " And now here is the flag. " Après quoi il mit aux enchères un petit fragment du môle

de Zeebruge qui fut acheté à prix d'or par le Musée de New York » (*Je sais tout, op. cit.*).

84. Lucienne Doulet, employée chez les Copeau, au Limon.

85. In *The Vassar Miscellany News*.

86. Jouvet avait remplacé Robert Casa dans le rôle de Maître Jacques et Valentine Tessier reprend le rôle de Frosine tenu à N. Y. par Eugénie Nau.

87. « Rapport présenté par M. Jacques Copeau sur la première saison du théâtre du Vieux Colombier à New York, 27 novembre 1917-6 avril 1918, (ms. 10 ff. dactyl. au F. C.).

88. Les prolongations demandées pour R. Bogaert, H. Allain-Dhurtal, R. Casa, M. Millet et L. Weber seront accordées jusqu'au 30 décembre 1918.

89. Marguerite Saint-Denis, sœur aînée de Copeau, mère de Michel et de Suzanne. *Correspondance avec Agnès et J. Copeau* (coll. M.-H. D.).

L'ÉTÉ À CEDAR COURT

1. Au début : Copeau et sa famille, 11 acteurs et 7 actrices. Le total maximum des habitants de Morristown sera de 29 personnes.

2. *N. Y. World Magazine* (4 août 1918).

3. J. Sarment, *Charles Dullin*, Calmann-Lévy, 1950, p. 64-65.

4. *N. Y. Herald* (18 août 1918).

5. *The New France* (oct. 1918).

6. Voir la correspondance de Copeau, avec Jouvet, Dullin, Martin du Gard et Gide en 1916 au sujet de l'Improvisation, *Registres III, op. cit.*, p. 323-349.

7. Cette « paye » de cinq dollars par semaine représentait l'argent de poche.

8. J. C., *L'École du Vieux Colombier*, 2e Cahier du V. C., novembre 1921, éd. N.R.F.

9. A. Gide. *Journal 1889-1939*, Gallimard, 1951, p. 656.

10. Marcelle Jeanniot (1881-1965) qui prendra le nom de Marcelle France pendant la deuxième saison, actrice de l'Odéon, divorcée du poète André Lebey, quitte son ami Léon-Paul Fargue pour rejoindre Dullin à New York où elle est engagée par Copeau. En 1919, elle deviendra Mme Dullin.

11. In sa *Correspondance générale*, t. II, *op. cit.*, p. 185-187.

12. In *Correspondance J. C.-R. M. G.*, t. 1, *op. cit.*, p. 287-290, lettre du 13 avril 1919.

13. *Ibid.*, p. 291-294.

14. J. Sarment, *Charles Dullin, op. cit.*

15. Un article de Dullin : « William S. Hart, Judged by The Great French Actor », paraîtra dans *The New France* (déc. 1918) avec deux photos qui montrent l'étonnante ressemblance des deux acteurs.

16. Herbert Clark Hoover (1874-1964) chargé par Wilson de répartir l'aide alimentaire américaine à l'Europe, pendant et après la guerre, et de réglementer les restrictions en Amérique.

17. Max Favalelli, *La Bataille* (18 sept. 1918).

18. J. Sarment, 2 ff. autogr (F. C.).

19. Jaurès fut assassiné le 31 juillet 1914; la saison du V. C. s'était terminée le 31 mai.

20. Lettre à M.-H. D., 9 août 1980.

21. Lakewood Farm Inn n'était pas une maison de santé mais un hôtel situé au bord d'un lac, dans les montagnes Catskill, à 160 km au nord-ouest de New York.

22. De ce port de Hoboken, dans la baie de New York, partaient la plupart des renforts américains de troupes et de munitions.

23. Cette pièce demeura inachevée (Coll. M.-H. D).

24. J. Sarment, *Charles Dullin, op. cit.*

25. *The Medieval Stage*, de Sir Edmund K. Chambers, 2 vol. (Oxford, Clarendon Press, 1903).

26. *In* P. Teillon-Dullin, *Les Ensorcelés du Chatelard, op. cit.*, p. 223-224. Nous avons corrigé la date de cette lettre.

27. Kahn rentrait de France, où il venait d'être décoré de la Légion d'honneur.

28. *N. Y. World Magazine* (4 août 1918), *op. cit.*

29. J. Sarment, *Charles Dullin, op. cit.*

30. Lettres de Gide à Schlumberger (Fonds Doucet).

31. *Correspondance Copeau-Suarès* (Fonds Doucet). Un choix de la correspondance Suarès-Copeau, Copeau-Suarès, a paru dans *The Australian Journal of French Studies*, présentée par Michel Drouin, n° 1 de 1982.

32. *Correspondance Claudel-Copeau* (Cahiers Paul Claudel n° 6, N.R.F., 1966).

33. *Correspondance Desjardins-Drouin* (Fonds Doucet).

34. *Correspondance Copeau-Desjardins.* Cette correspondance inédite comprend 42 lettres dact. de Desjardins et 3 lettres de Copeau, le reste des lettres de Copeau ayant été détruites à Pontigny pendant la Seconde Guerre mondiale.

35. Willard Vinton King (1869-1955), président de la Columbia Trust Company, est l'un des premiers abonnés de la deuxième saison.

36. Lettre du 27 décembre 1918, extraits in *Correspondance J. C.-R. M. G.*, t. I, *op. cit.*, p. 277, n. 3.

37. La fille de Pauline, Nano, s'est enfuie avec un homme. On apprendra qu'elle est enceinte.

38. Ce télégramme n'a pas été retrouvé.

39. J. C. *Souvenirs du Vieux Colombier, op. cit.*, p. 48.

DEUXIÈME SAISON À NEW YORK

1. Le général Franchet d'Esperey, commandant de l'armée d'Orient, livre et gagne la bataille du Vardar. La déroute des Bulgares se termine par l'armistice de Salonique, le 29 septembre 1918, et l'abdication du tsar Ferdinand, en faveur de son fils, Boris, le 3 octobre.

2. Copeau loue pour l'hiver un appartement meublé, 940 Park Av. et note : « Pas de glacière – pas de cour – pas une porte qui ferme – fenêtre cassée – pas de rayons pour les livres – tableaux à enlever – canapé pouvant servir de lits » (en anglais dans son carnet de 1918, coll. M.-H. D.).

3. *In Correspondance J. C.-R. M. G.*, t. I, *op. cit.*, p. 276, n. 2.

4. Francis Viélé-Griffin, auteur de *Phocas le Jardinier* (Mercure de France, 1898) qui sera joué au Vieux Colombier à Paris en juillet 1920.

5. Lettre du 13 août.

6. Dernier chancelier de l'Empire allemand, négociera l'armistice et l'ab-

dication de Guillaume II et sera renversée par la révolution du 9 novembre 1918.

7. Le président Wilson, apprenant les mutineries des soldats et des marins allemands, avait entrepris des pourparlers de paix.

8. In sa *Correspondance générale*, t. II, *op. cit.*, p. 247.

9. In *Correspondance J. R.-J. S.*, *op. cit.*, p. 178.

10. Ce texte est publié en avant-propos au programme du *Secret*. Le prix des places a été réduit pour la deuxième saison, selon la volonté de Copeau d'attirer un public moins mondain.

11. Ce texte, envoyé à plusieurs journaux américains et canadiens, paraîtra dans le *Springfield Union* (Mass.) et le *Washington Post* (27 oct. 1918), le *Toronto Mail* (13 oct.) et le *New Orleans Times-Picayune* (10 nov.).

12. Notes dact. 5 ff., coll. M.-H. D. Cet article ne paraîtra pas.

13. Livre de 58 pages, copyright Gaston Gallimard, édité à New York par les Éditions de la N.R.F.

14. *Le Secret*. Les « décors » (éléments de décors) de cette pièce, qui n'avait pas tout d'abord été prévue au répertoire, ont dû être réalisés comme la plupart des décors des pièces modernes montées pendant la saison 1918-1919 ainsi qu'ils avaient été prévus dans le « Rapport sur le Travail de Scène » rédigé par Louis Jouvet pendant l'été 1918.

Transformation possible de la loggia en intérieur moderne avec plafond. Ces décors d'intérieur peuvent être constitués par des colonnettes placées entre les ouvertures des grandes colonnes et recevant soit des panneaux pleins, soit des panneaux praticables à ouvertures, la partie supérieure de la loggia sur une hauteur de 80 cm formant la cimaise de cet intérieur. La modification de cet intérieur générique peut se faire :

1) par le déplacement des panneaux,

2) par l'adjonction de lattis, grilles etc., ou tout autre motif d'architecture fixe et déterminé,

3) par l'adjonction de moulures ou de panneaux secondaires d'une couleur différente,

4) par le changement de la cimaise,

5) par le changement des meubles et des accessoires, rideaux et tapis,

6) par l'utilisation directe des ouvertures de la loggia transformées en baies, vestibules, corridors, etc.,

7) par les changements d'éclairage.

(Se référer à cette note pour tous les spectacles pour lesquels aucune note particulière n'est mentionnée.)

15. Dans une interview à Paris, publiée en Amérique (*Christian Science Monitor*, 26 nov. 1918), Bernstein exprimera sa grande admiration pour l'œuvre de Copeau « un grand lettré, un homme cultivé... qui laissera sa marque... ».

16. J. C. *La Grande Revue* (25 nov. 1907), *op. cit.*

17. *In* série d'émissions « Prestiges du Théâtre » à la Chaîne Nationale (17 févr.-19 mai 1953) par Léon Chancerel. Textes inédits, coll. Chancerel, Société d'Histoire du Théâtre.

18. Les recettes de la première semaine ne sont que de $1882,50. Celles de la première semaine de la saison précédente étaient de $3800.

19. *Le Mariage de Figaro* : Cette pièce entre dans la catégorie prévue par Louis Jouvet dans son Rapport parmi celles qui feront une « utilisation directe de la Loggia ». Elle l'utilise entièrement ou partiellement. La variété

de ses aspects est donnée par des éléments rapportés : praticables, marches (empruntées au tréteau), éléments décoratifs, éclairages.

20. In ses *Réflexions du Comédien* (coll. « Choses et Gens de théâtre », *Nouvelle Revue Critique*, 1938), p. 57.

21. In *Correspondance J. C.-R. M. G.*, t. I, *op. cit.*, p. 274-275.

22. Copie dact. 3 ff., datée du 29 octobre 1918. Voir en appendice la lettre que Copeau écrira à Kahn peu avant son retour en France.

23. J. C. *La Grande Revue* (25 oct. 1909), *op. cit.*

24. In *Correspondance J. C.-R. M. G.*, t. I, *op. cit.*, p. 278, n. 1.

25. *Correspondance Guy-Copeau*, 1918-1920 (F. C.).

26. *Le Voile du Bonheur* : le tréteau est placé au milieu de la scène, s'appuyant à l'ouverture centrale de la loggia masquée, dont les deux colonnes au centre, avec deux autres colonnes placées à la face du tréteau cour et jardin, soutiennent un toit en pagode, légèrement transparent, au-dessus du tréteau. Les 2 portes de portiques cour et jardin demeurent, mais deux panneaux pleins sont remplacés par des panneaux transparents avec décoration chinoise. Grosses lanternes de bois pendues cour et jardin du tréteau. Un éclairage lumineux jouant au travers des éléments transparents achève la transformation.

27. Lettre d'autorisation du 10 juillet 1918, signée du secrétaire particulier du Président du Conseil, F. C.

28. André Salmon « Vie de Guillaume Apollinaire », *N.R.F.* (1er nov. 1920).

29. Paul Léautaud, *Journal Littéraire*, t. III, Mercure de France, 1956.

30. In sa *Correspondance générale*, t. II, *op. cit.*, p. 249-251.

31. *Ibid.*, p. 251.

32. *Correspondance Gallimard-Martin du Gard*, Fonds Martin du Gard, B. N.

33. *Correspondance Maria van Rysselberghe-Copeau* (coll. M.-H. D., copyright Catherine Gide).

34. In *Correspondance J. C.-R. M. G.*, t. I, *op. cit.*, p. 277-278.

35. *Ibid.*, p. 279-281.

36. *Correspondance Gallimard-Martin du Gard, op. cit.*

37. *Le Médecin malgré lui* est joué, comme *Les Fourberies de Scapin*, sur le tréteau placé au milieu de la scène, devant la loggia dont l'étage supérieur est dissimulé par un treillage.

38. J. C., extrait de sa quatrième conférence au Little Theatre, le 22 mars 1917, *op. cit.*

39. J. C. « Mademoiselle Van Doren », *Le Théâtre* (11 sept. 1911).

40. Le « Dit des Jeux du Monde » poème dramatique de Paul Méral, présenté par Jane Bathori au Vieux Colombier (cf. appendice L, p. 580).

41. Jean Schlumberger est de souche alsacienne. Né à Guebwiller, il a opté pour la France à l'âge de quinze ans.

42. In *Correspondance J. R.-J. S., op. cit.*, p. 179-181.

43. Ancienne actrice de l'Odéon, Yvonne Garrick a été engagée par Copeau pour ce seul spectacle.

44. *Les Caprices de Marianne* : utilisation directe de la loggia. Deux aspects différents donnés par l'utilisation, parfois simultanée, de l'étage inférieur au niveau de la scène et de l'étage supérieur dont le centre est aménagé en intérieur. Utilisation d'éléments du tréteau servant de terrasse surélevée. Quelques éléments ajoutés : cubes, bancs, tonnelle, grillages, rampes.

45. Sherwood Anderson (1876-1941) habite à Chicago mais, pour gagner

sa vie, travaille parfois à New York dans un bureau de publicité. Ce qui lui permet de retrouver Waldo Frank et ses amis de *The Seven Arts.*

46. In *Correspondance J. C.-R. M. G.*, t. I, *op. cit.*, p. 279-283.

47. Ce point d'exclamation, qui marque une certaine dérision, s'exprime par ce que Copeau écrivait lors de la première représentation de *Chantecler :* « ...qu'on nous donne M. Rostand pour le plus preste, le plus divertissant rimeur de son temps, fort bien... mais si du même auteur on entend faire un grand poète et l'égal des plus grands, si l'on veut proclamer en lui l'incarnation même du génie français, c'est de quoi faire prendre les armes aux moins belliqueux!... il porte au plus haut degré ce don funeste entre tous à la sincérité poétique : *l'ingéniosité littéraire.* » (*La Grande Revue*, 25 févr. 1910, p. 821-824, réimprimé dans *Critiques d'un autre temps, op. cit.*)

48. Lettre de Copeau du 4 septembre.

49. Cette pièce est la première que joua John Barrymore sous la direction de Arthur Hopkins. En 1925, Barrymore partira pour Hollywood.

50. In *Correspondance J. R.-J. S., op. cit.*, p. 181-183.

51. Julia Barthet avait créé le rôle de Léonore de Gourgigan à la première représentation de *l'Énigme* à la Comédie-Française en 1901.

52. J. C. « Connais-toi », de Paul Hervieu, Comédie-Française, *La Grande Revue* (10 avril 1909, réimprimé « Monsieur Paul Hervieu et l'Art dramatique », dans *Critiques d'un autre temps, op. cit.*, p. 66-92).

53. Philip Littel : « After the Play » (18 janvier 1919).

54. John Corbin : « Another Year of the Vieux Colombier » (10 mars 1918).

55. Après son départ du Vieux Colombier, Jessmin reste une année à New York comme professeur à l'Institut Jaque-Dalcroze. Rentrée à Paris en 1919, elle est chargée par Jacques Rouché, directeur de l'Opéra, d'entraîner spécialement un corps de ballet aux techniques modernes.

56. Nous n'avons trouvé aucune trace de ces causeries au « Women's Club » plusieurs fois mentionnées par Copeau.

57. « The Lambs » (les Agneaux) est un club d'hommes de la société new-yorkaise qui, dans la tradition de certains clubs anglais, réunit ses membres une fois par an pour présenter un spectacle théâtral qu'ils écrivent et jouent eux-mêmes, souvent dans un but charitable. L'acteur comique, Léon Errol, fit ses débuts à Broadway avant d'entamer une longue carrière au cinéma.

58. Bremestead School, déménagée de Diamont Point, s'était installée dans une de ces grandes maisons en bois qui se trouvent à Bolton Landing, sur le Lake George.

59. Un extrait de cet éditorial, traduit en français, paraîtra dans *La Presse* à Montréal (17 janv. 1919).

60. J. Schlumberger, « Soif d'absolu », in *Cahier Jacques Copeau* (Connaissance du Théâtre, 1959, non paginé), édité à l'occasion de l'Exposition Copeau au Festival de Sarlat et à l'Odéon-Théâtre de France (direction J.-L. Barrault-M. Renaud).

61. In *Correspondance J. R.-J. S., op. cit.*, p. 187-189.

62. *Correspondance Gallimard-Martin du Gard, op. cit.*

63. In *Correspondance J. C.-R. M. G.*, t. I, *op. cit.*, p. 284-286.

64. Amie de Madeleine Gide (cf. *Registres III*, p. 215).

65. Samuel J. Hume (1885-1962), un des premiers élèves du professeur Baker à Harvard, s'était, en 1913, inscrit à l'école de Gordon Craig à

Florence. De retour en Amérique, Hume fut appelé à Detroit pour fonder le Arts and Crafts Theatre avec Sheldon Cheney en 1916. En 1918, il est à l'Université of California à Los Angeles, où il crée le Greek Theatre et donne des cours d'art dramatique.

66. Première réunion des anciens membres des Washington Square Players qui, sous les auspices d'Otto Kahn, forment le Theatre Guild.

67. *Le Menteur* – Note de Lucien Aguettand : Utilisation directe de la loggia.

Acte I. Le jardin des Tuileries. Au milieu de la scène, fermant à mi-hauteur les 3 baies de la loggia, une grille transversale, très simple surélevée d'une marche. À l'étage supérieur de la loggia, une colonne supplémentaire est ajoutée au centre de la baie centrale ; dans les 4 ouvertures ainsi créées : 4 pots avec des orangers. 2 panneaux, percés d'ouvertures en arc sont placés à l'entrée des allées, cour et jardin. À l'étage supérieur des portiques Cour et Jardin des fenêtres à petits carreaux, hautes et étroites, sont placées dans les baies supérieures. Les portes restant en place au niveau inférieur.

Acte II. L'aménagement des portiques reste le même. La largeur de quatre baies de l'étage supérieur de la loggia est diminuée par des panneaux pleins rapportés. Quatre fenêtres à petits carreaux hautes et étroites y sont insérées. Des panneaux formant un mur bas sont placés à la face de la loggia, au niveau des colonnes 1 et 4, surmonté d'une petite grille. Porte de grille haute, au centre. Deux bancs.

68. Suzanne Saint-Denis, sœur de Michel, secrétaire de Copeau de 1919 à 1924. Collabore aux *Registres*.

69. La « petite grand-mère de la Révolution » fait une tournée de conférences en Amérique. Plus tard, elle dénoncera la politique de Lénine et sera expulsée du parti.

70. Lettre de Maeterlinck du 27 septembre 1916 (F. C.).

71. Quatrième conférence au Little Theatre, 22 mars 1917.

72. Charlotte Porter (1859-1942) a publié une édition des œuvres de Shakespeare en 1903, et un article « Playing Hamlet as Shakespeare Staged it in 1601 » (*The Drama*, V, 19, 20 août-nov. 1915), avec quatre planches de dessins de la représentation originale au Globe Theatre.

73. « Prestige du Théâtre », 1953, *op. cit.*

74. Jean Sarment, *Charles Dullin, op. cit.*, p. 100-101.

75. *Pelléas et Mélisande* – Note de Louis Aguettand : La volonté d'obtenir une scène dynamique, appelant et facilitant le mouvement, amènera plus tard Jacques Copeau et Louis Jouvet, au dispositif scénique du Vieux Colombier de Paris en 1920 – dispositif de mouvement qui sera complété, pour certaines mises en scène par le Tréteau, inauguré sur la scène de New York pour *Les Fourberies de Scapin* et *Le Médecin malgré lui*.

76. Il s'agit de la traduction des *Fiançailles* de Maeterlinck dont la première représentation avait eu lieu à New York le 18 novembre 1918, avant d'être créée en France.

77. *Jacques Copeau to the Play House*, Cleveland (Ohio), coll. « The Play House », n° 3 (Midwinter 1918-1919), 18 p. (F. C.).

78. Irving Pichel (1891-1954), élève du professeur Baker à Harvard, fonda le Toy Theatre à Boston en 1911, un des premiers petits théâtres, et en 1916 le Los Angeles Little Theatre.

79. *Washington* : le dispositif de la loggia entièrement masqué par des

pendrillons massés et ouvrant sur des plans différents, figurant une tente. Frise à la face diminuant la hauteur du cadre de scène.

La Coupe Enchantée : Utilisation du dispositif de la loggia sans étage supérieur. Un plan surélevé avec 4 marches d'accès appuyé à un panneau plein masquant la loggia inférieure. Fenêtres dans les parties latérales cour et jardin. Face, portes supprimées laissant libres les baies voûtées.

80. Copeau ne joua qu'un des épisodes « The Valley Forge Episode » de cette longue chronique qui fut représentée le 22 février 1920 au Belasco Theatre de Washington, devant le Congrès, Walter Hampden tenant le rôle de Washington.

81. *Correspondance Schlumberger-Van Rysselberghe* (Fonds Doucet).

82. « Espèce de Bipède », exclamation lancée à Gide par Copeau quand avec ses amis il habitait au « Laugier » chez les Van Rysselberghe, en 1914, au début de la guerre. Ce sobriquet, aussitôt adopté par tous les amis, a été transformé en « Mister Bypeed » par une amie anglaise d'Élisabeth V. R.

83. Gide venait de publier à la N.R.F. ses traductions de *Typhon* de Joseph Conrad et des *Œuvres Choisies* de Walt Whitman, ainsi que *La Symphonie Pastorale* et il préparait une nouvelle édition, à tirage limité, de *Corydon*.

84. *La Veine :* 1er acte : Partie inférieure de la Loggia aménagée en intérieur : boutique de fleuriste : fenêtres, porte, étagères avec fleurs. Les baies voûtées des deux portiques, cour et jardin débarrassés de leurs portes et fermés par des rideaux. Meubles blancs. Éclairage lumineux.

2e acte : Intérieur s'inscrivant devant la loggia; colonnes apparentes. Étage supérieur masqué par des panneaux percés de fenêtres éclairées.

3e et 4e actes : Intérieurs différents dans le même espace.

85. *« L'Oiseau Blessé »* d'Alfred Capus.

86. Félix Bertaux, critique littéraire à *la N.R.F.* vient faire des conférences à la Columbia University de New York.

87. *Le Misanthrope :* La structure de la loggia reste apparente par ses colonnes. Les baies sont bouchées par des panneaux. Au niveau inférieur de la loggia, 3 grandes tapisseries de feuillage. Contre la tapisserie centrale : le buste de Molière sur un socle. Au milieu de la scène, un grand tapis où sont disposés en demi-cercle de beaux fauteuils d'époque.

88. L'article « The Stimulus of the Vieux Colombier », *The Nation* (29 mars 1916) est signé des initiales M. M. Il s'agit de Mabel Hay Barrows Mussey, femme du rédacteur en chef, Henry R. Mussey.

89. Il s'agit d'Emmanuel Couvreux, gendre de Jacques Rouché, « rythmicien » de l'École Dalcroze, qui avait accompagné le Vieux Colombier en Angleterre en 1914 (cf. *Registres III, op. cit.*, p. 185), et de Raymond Gallimard, frère de Gaston.

90. Édouard Verbeke, directeur des Presses Sainte-Catherine, à Bruges, imprimeur de la *N.R.F.*

91. *Les Trois Miracles de Sainte-Cécile* qui seront joués en janvier 1921, par les élèves catholiques de l'École de Sèvres.

92. Le premier livre de Marcel Proust, *Du côté de chez Swann* (Grasset, 1913), avait été refusé par la N.R.F. En 1916, Proust obtient de Grasset la résiliation de son contrat et confie à la N.R.F. la publication de *À la recherche du temps perdu*.

93. Propriétaire du Vieux Colombier de Paris.

94. Charles Pacquement fut un des premiers et des plus fidèles commanditaires et amis du Vieux Colombier.

95. Le bénéfice devait équiper le camp de Springfield (Vermont) pour l'apprentissage agricole de 32 jeunes Françaises, envoyées par le gouvernement français en stage d'études.

96. J. C. « Impromptu des Adieux » (ms. autogr. 28 ff. au F. C.).

97. L'Exactitude de cette statistique n'est pas absolument rigoureuse.

98. J. C. *The Lotus Magazine* (mai 1919), p. 244-248.

ÉPILOGUE

1. *The Theatre* (juin 1919).

2. Alfred Stieglitz (1864-1946), un des pionniers de la photographie, dirigea la galerie « 291 » de la 5ᵉ Av. de 1905 à 1917. Il fut un des organisateurs de l'« Armory show » où les Américains découvrirent les œuvres de Cézanne, Marcel Duchamp, Matisse, Marie Laurencin.

3. Le peintre Georgia O'Keefe, née en 1881, pose souvent pour Stieglitz qu'elle épousera en 1924.

4. Comédie espagnole de Jacinto Benavente *Los Intereses creados,* mise en scène de Philip Moeller, décor et costumes de Rollo Peters.

5. *The Christian Science Monitor* (22 avril 1919). Cf. l'article de Ralph Block, « Handing Over the Copeau Inheritance at the Garrick », *N. Y. Tribune* (20 avril 1919).

6. In *The Christian Science Monitor* (19 août 1919).

7. Jacob P. Adler (1865-1953) dirigeait un des théâtres yiddish de la 2ᵉ Av. Il s'y fit une grande réputation de tragédien.

8. Gordon Craig avait fait connaître Salvini à Copeau à Florence en 1915. (Cf. *Registres III, op. cit.,* p. 294.)

9. *Sakuntala,* drame hindou, mis en scène par Frank Connoy. Décors et costumes de Livingstone Platt.

10. Il s'agit de la lettre de Copeau du 4 septembre 1918.

11. Premier roman de Sherwood Anderson (édit. John Lane, N. Y., 1916).

12. J. C. à W. F., 29 avril 1919.

13. Conférence Boston « La rénovation dramatique ». Notes ms. autogr. 9 ff., F. C.

14. Jouvet avait envisagé d'accompagner Else dans sa famille au Danemark.

15. Dédicace *Our America* (N. Y. Boni and Liveright, 1919), traduit en 1920 par Hélène Boussinesq et édité à la N.R.F., « Notre Amérique ».

16. In *Correspondance J. C.-R. M. G., op. cit.,* t. I, p. 287-291.

17. *Le Voile du Bonheur,* de Georges Clemenceau.

18. In *Correspondance J. C.-R. M. G.,* t. I, *op. cit.,* p. 291-297.

19. Université privée pour jeune filles. Copeau y fait une conférence en anglais devant mille personnes. Le lendemain, pour les étudiantes de français, il fait des lectures de Claudel et de Verlaine, enregistrées sur Dictograph pour servir aux cours de phonétique.

20. Albert Schinz et Louise Delpit, professeurs de français à Smith College. Mˡˡᵉ Delpit est l'auteur de « Paris – Théâtre contemporain. Rôle pré-

pondérant des scènes d'avant-garde depuis trente ans», in *Smith College Studies in Modern Languages* (Northampton, VI, 1-2 oct. 1924-juill. 1925).

21. Misses Irene et Alice Lewisohn fondèrent en février 1915 le Neighborhood Playhouse pour lequel fut construit le théâtre qui existe encore aujourd'hui à Grand Street. Pour encourager et instruire les jeunes amateurs de leur troupe, elles invitaient des vedettes telles que Ethel Barrymore, Ellen Terry, Yvette Guilbert et Walter Hampden, à venir y présenter leurs spectacles.

22. Il s'agit du professeur Mary Porter Beegle du Barnard College de New York qui montait des spectacles patriotiques pendant la guerre et organisait un stage de danse dramatique.

23. Cet article a paru en partie, dans la revue de Louis Jobin, libraire à Boston, *Le Livre contemporain*, été 1919, en partie dans *La Minerve française*, pour l'Institut des attachés littéraires à l'étranger, oct. 1920.

24. Carl Sandburg (1878-1967), fils d'un émigrant suédois, considéré par certains comme le poète américain le plus important parce que le plus américain, venait de publier son premier recueil de poèmes, *Chicago Poems* (N. Y. Henry Holt, 1916).

25. Notes ms. autog. 20 ff. au F. C. Conférence prononcée en anglais au Petit Playhouse Theatre dirigé depuis 1908 par Donald Robertson.

26. *Sherwood Anderson's Memoirs*, éd. par Ray Lewis White (Chapel Hill, University of North Carolina Press, 1969, p. 360-364).

27. La Radical Bookshop, dirigée par Julius Hopp, militant socialiste, organisateur de petits théâtres d'ouvriers, présentant surtout des drames « progressistes et radicaux ».

28. Copeau évoquera ce souvenir dans son Journal (18 avril 1941) quand il apprendra, en lisant *La N.R.F.*, la mort de Sherwood Anderson.

29. Mrs. Ruth Charpenter, femme du compositeur John Alder Charpenter, présidente du Chicago Arts Club.

30. Cette exposition, déjà visitée par Copeau en avril aux Bourgeois Galleries de New York, faisait une tournée des grandes villes. Dans le catalogue paru in *Theatre Arts Magazine* (avril 1919), Kenneth Mac Gowan place Copeau parmi les grands hommes de théâtre de l'époque et Lee Simonson rappelle avec émotion ses impressions de la mise en scène de *Pelléas et Mélisande*.

31. John Strong Newberry (1883-1953), membre du Cleveland Play House, venait de publier sa traduction de la pièce de Claudel (Yale University Press, 1919).

32. Première représentation de cette pièce au Théâtre Sarah Bernhardt le 12 mars 1919.

33. Fernand Baldensperger, « Une traversée avec Jacques Copeau », *Le Monde Français*, N. Y. décembre 1949, p. 451-461.

34. En réalité, André Gide, Jean Schlumberger et ses deux filles sont en route vers le port où l'arrivée du *Savoie* avait été annoncée pour quelques heures plus tard. On les verra apparaître sur ce même petit quai jaunâtre et désert, ensoleillé maintenant lorsqu'ils tombent dans les bras de leurs amis. Ce sera le début de *Registres V* et de la suite de notre récit (en préparation).

INDEX DES NOMS CITÉS

Pratique du Théâtre

Collection publiée sous la direction d'André Veinstein.

Essais, conférences, notes, manifestes, articles, correspondances : Les hommes de théâtre, depuis la fin du siècle dernier, soumettent la pratique de leur art à un incessant effort d'élucidation.

Cet imposant ensemble d'écrits, intimement liés à leur travail, ne contient pas seulement, pour les esthéticiens, les psychologues et les sociologues, des observations brutes du plus haut intérêt. Il apporte encore, à notre jeune théâtre, parmi les témoignages incomplets et pâlis qui subsistent après le spectacle, nombre de ses motifs d'inspiration les plus féconds. Derrière les noms de Craig, de Copeau et d'Artaud, par exemple, a-t-on jamais songé à déterminer la part primordiale d'influence qui revenait à leurs réflexions, par rapport à leurs productions?

Pratique du Théâtre se propose de grouper, sans distinction de tendance, de nationalité ou d'époque, les meilleurs de ces écrits. Au programme de cette tentative de confrontation des réflexions les plus marquantes des artisans du théâtre : Auteurs dramatiques, Metteurs en scène, Acteurs, Décorateurs, et des Arts du spectacle voisins : Mimes, Danseurs, Marionnettistes, figurent les noms d'Eugène Ionesco, de Dürrenmatt, de Jacques Copeau, d'August Strindberg, d'Étienne Decroux, de Meyerhold, d'Arthur Adamov, de Louis Jouvet, de Charles Dullin, de Paul Claudel, de Luigi Pirandello, de Lee Strasberg, de Jean Vilar, de Julian Beck.

Volumes parus :

Louis Jouvet : *Molière et la comédie classique.*
Tragédie classique et théâtre du xxᵉ siècle.
Paul Claudel : *Mes idées sur le théâtre.*
Charles Dullin : *Ce sont les dieux qu'il nous faut.*
Jacques Copeau : *Registres I : Appels.*
Registres II : Molière.
Jean Vilar : *Le théâtre, service public.*
Julian Beck : *La vie du théâtre.*

Composé et achevé d'imprimer
par l'Imprimerie Floch
à Mayenne, le 4 juin 1984.
Dépôt légal : juin 1984.
Numéro d'imprimeur : 21815.

ISBN 2-07-070158-1 / Imprimé en France